Boeken van Jens Christian Grøndahl bij Meulenhoff

Stilte in oktober. Roman
Lucca. Roman

JENS CHRISTIAN GRØNDAHL

Lucca

Roman

Uit het Deens vertaald door Gerard Cruys

Meulenhoff Amsterdam

De vertaler ontving voor deze vertaling een werkbeurs van de Stichting Fonds voor de Letteren.

Deze uitgave kwam mede tot stand dankzij een vertaalsubsidie in het kader van het programma Ariane 1999 van de Europese Commissie.

Oorspronkelijke titel *Lucca*

Vormgeving omslag Neno / Cees van den Oever
Foto voorzijde omslag Paul Graham
Foto achterzijde omslag Thomas Grøndahl

Meulenhoff Editie 1820
ISBN 90 290 6517 6 / NUGI 301

DEEL I

Op een avond in april werd een tweeëndertigjarige vrouw bewusteloos en zwaargewond het ziekenhuis binnengebracht in een provinciestad ten zuiden van Kopenhagen. Ze had een schedelfractuur en inwendige bloedingen opgelopen, haar benen en armen waren op meerdere plekken gebroken, en ze had ernstige kwetsuren in haar gezicht. Een tankbediende in een nabijgelegen dorp, bij het viaduct over de snelweg naar Kopenhagen, had gezien hoe haar auto de afrit opkwam van de zuidelijke rijbaan en met enorme vaart in noordelijke richting verder reed. De eerste drie tegenliggers slaagden erin om haar heen te manoeuvreren, maar zo'n tweehonderd meter na de afrit kwam ze frontaal in botsing met een vrachtwagen.

De Nederlandse chauffeur werd ter observatie in het ziekenhuis opgenomen, maar de dag erna ontslagen. In zijn getuigenverklaring stond dat hij al honderd meter voor de botsing was gaan remmen, en dat hij de indruk had dat de auto die op hem afkwam het laatste stuk zelfs zijn vaart versneld had. Het voorste gedeelte van de carrosserie was totaal verkreukeld, een stuk van de motorkap zat vastgeklemd tussen de rijweg en de bumper van de vrachtauto, en de vrouw moest met een snijbrander worden bevrijd. Volgens de reddingsploeg was het een wonder dat ze het had overleefd.

De vrouw had bij haar aankomst in het ziekenhuis een promillage van 1,7. Pas een etmaal na de opname was ze buiten levensgevaar, maar haar toestand werd nog steeds kritiek genoemd. Haar ogen waren dermate beschadigd dat ze het gezichtsvermogen had verloren. Lucca heette ze. Lucca Montale.

Ondanks de naam was er weinig Italiaans aan haar uiterlijk te bespeuren, zoals bleek uit de foto van haar rijbewijs. Ze was roodblond, haar ogen waren groen en haar gezicht was smal, met hoge jukbeenderen. Daarbij was ze slank en vrij lang. Ze bleek overigens Deens te zijn, geboren in Kopenhagen.

Haar man, Andreas Bark, was samen met hun zoontje bij het ziekenhuis aangekomen terwijl zij nog op de operatietafel lag. Het paar woonde in een oud, afgelegen boerenhuis bij een bos zeven kilometer van de plaats van het ongeluk vandaan. Tegenover de politie verklaarde Andreas Bark dat hij had proberen te verhinderen dat zijn vrouw de auto nam. Hij had gedacht dat ze alleen maar naar buiten was gegaan om een luchtje te scheppen, toen hij haar de auto hoorde starten. Toen hij naar buiten ging, zag hij haar wegrijden. Ze had heel wat gedronken, hoeveel kon hij zich niet herinneren. Ze hadden een echtelijk conflict gehad. Dat waren de woorden die hij gebruikte, en er werd niet verder gevraagd naar die kant van de zaak.

Toen Lucca Montale 's ochtends in alle vroegte van de operatiekamer naar intensive care werd gereden, zat haar man nog steeds in de foyer met het hoofd van het slapende jongetje op schoot. Hij zat naar de hemel en de donkere bomen te kijken, toen Robert naast hem plaatsnam. Andreas Bark bleef met een uitgeputte, afwezige blik naar het grauwe ochtendlicht staren. Zo te zien was hij iets jonger dan Robert, achter in de dertig. Hij had donker, golvend haar en een markante kaak, zijn ogen waren smal en lagen diep, en hij was gekleed in een versleten leren jekker.

Robert liet zijn handen op de knieën van zijn groene katoenen broek rusten en keek naar de kleine perforaties in het leer van zijn witte klompen. Het schoot hem te binnen dat hij had vergeten de plastic muts af te doen na de operatie. Het dunne plastic ritselde tussen zijn handen. De ander keek hem aan, en hij rechtte de rug om zijn blik te beantwoorden. Het jongetje werd wakker en vroeg verward waar hij was. De vader streek hem langzaam, mechanisch over het haar terwijl de arts aan het woord was.

Robert nam een douche toen hij thuiskwam, schonk een whisky in en liep wat in het huis rond. Afgezien van het zachte getjilp buiten hoorde je alleen de geluiden die hij zelf voortbracht, het parket dat meegaf onder zijn blote voeten en het rammelen van de ijsblokjes in het glas. Hij ging nooit meteen naar bed wanneer hij thuiskwam na een wacht. Hij zat op de bank terwijl het buiten licht werd, en luisterde naar een nieuwe opname van Brahms' derde symfonie, die hij had gekocht toen hij de laatste keer in Kopenhagen was. Hij gaf zich over aan de vermoeidheid en stelde zich voor dat hij dreef op de rustige, aanzwellende golven van de strijkers terwijl hij keek naar de latten van het hek achter in de tuin, de bladeren van de berken die glinsterden in de bries, en de aarzelende sprongetjes met de pootjes bij elkaar van de mussen op de cementen tegels, tussen de plastic tuinmeubels op het terras aan de andere kant van het panoramavenster.

Eigenlijk was het huis te groot. Het was bedoeld voor een gezin met twee of drie kinderen, maar hij had het voor een schappelijke prijs gekregen. Bovendien logeerde Lea om de veertien dagen in het weekend bij hem. Hij had een kamer voor haar ingericht, met alles wat ze nodig had. Samen met hem had zij de meubels gekocht, en ze had zelf de kleuren uitgekozen. Hij had ook een fiets voor haar gekocht, die klaarstond in de carport, en een pingpongtafel die hij had neergezet in wat vermoedelijk de eetkamer moest voorstellen. Hij gaf er de voorkeur aan om in de keuken te eten. Lea was een goede tafeltennisser aan het worden, ze versloeg hem zo langzamerhand één op de twee keer. Ze was net twaalf geworden.

Hij was eraan gewend geraakt om alleen te wonen. Het was niet zo moeilijk als hij had gevreesd, hij werkte veel. Hij was twee jaar tevoren uit Kopenhagen verhuisd, na de echtscheiding. Lea's moeder en hij werkten in die tijd in hetzelfde ziekenhuis. Een halfjaar na de scheiding was Monica gaan samenwonen met een gemeenschappelijke collega, met wie ze een relatie was aangegaan terwijl ze nog getrouwd was met Robert. Hij had er geen zin in gehad hen constant op de gangen tegen te komen.

Hij was puur toevallig juist naar deze stad verhuisd, en het was nooit bij hem opgekomen dat hij een baan zou krijgen bij een provinciaal ziekenhuis, maar hij was tevreden met zijn werk, en hoewel het stadje een deprimerende indruk op hem maakte met zijn degelijke bakstenen villa's en provinciale gebouwen met erkertjes en dwaze zinken torentjes, raakte hij na enige tijd gesteld op zijn nieuwe woonplaats. Je had er de witgekalkte middeleeuwse kerk, waar 's zomers orgelconcerten werden gehouden, omgeven door een paar oude kruidenierswinkels met vakwerk aan het eind van de hoofdstraat, en je had er de bossen, het strand en het vogelreservaat op het uiterste puntje van een landtong, aan het eind van enige half onder water staande weiden. Hij hield ervan om daar te wandelen, omgeven door het enorme hemelruim boven de graspollen in het glanzende, kalme water, dat de wolkenmassa en de wigformaties van de overtrekkende vogels weerspiegelde.

Af en toe zocht hij een van zijn collega's op. Die waren allemaal getrouwd, en de meesten hadden kinderen. Ze waren sympathiek en tegemoetkomend tegenover de alleenstaande nieuwkomer, maar hij bleef zich een gast voelen in hun wereld, en hij merkte hoe vooral de vrouwen zijn ietwat gereserveerde houding voor arrogantie aanzagen. Er was een vrouw die een oogje op hem had gehad, ze was bibliothecaresse en een paar jaar jonger dan hij. Hij vond haar aantrekkelijk en ging een paar keer met haar uit, maar toen puntje bij paaltje kwam, wees hij haar avances af. Niet dat hij Monica miste. De laatste jaren van hun huwelijk hadden ze stilzwijgend als twee anonieme passagiers naast elkaar doorgebracht, wanneer het stilzwijgen tenminste niet door plotselinge, zinloze scheldpartijen werd verbroken.

Het was ook niet zo dat er iets mis was met de bibliothecaresse. Ze had een mooi figuur, en ze had gevoel voor humor. Hij deed zelf de inleidende manoeuvres toen hij op een dag naar haar toe ging om te vragen naar een Gustav Mahler-biografie. Toch wees hij haar uiteindelijk af. Zij voelde zich natuurlijk gekwetst, en sinds dat incident kwam hij niet meer in de bibliotheek. Dat irriteerde hem danig, maar hij had noch aan haar noch aan zichzelf kunnen uitleggen waarom hij haar verzocht om op te stappen toen ze na een etentje op zijn zitbank naar het adagio van Mahlers vijfde symfonie zaten te luisteren.

Zij droeg die avond een korte jurk met een diep uitgesneden hals en zwarte kousen. Ze had haar schoenen uitgedaan en haar voeten onder zich opgetrokken op de bank, en ze keek hem veelzeggend aan met haar grote, mooie ogen terwijl ze aan hun cognac nipten. Het lag er allemaal zo dik bovenop, alles leek afgesproken werk zonder dat ze er met een woord over hadden gerept, en de lust verging hem om nog iets met haar te maken te hebben. Nadat ze was opgestapt, verweet hij zichzelf dat hij niet eens met haar naar bed was gegaan, terwijl ze zich zo onverbloemd had aangeboden, maar toen hij de volgende ochtend wakker werd, alleen zoals gewoonlijk, voelde hij zich opgelucht. Hij kwam haar af en toe op straat tegen, dat viel niet te vermijden in zo'n klein stadje. Ze groetten elkaar beleefd, en in het voorbijgaan trachtte ze zijn blik vast te houden.

Robert was verantwoordelijk voor de behandeling van Lucca Montale. Hij was degene die haar een paar dagen na het ongeluk vertelde dat het niet waarschijnlijk was dat ze ooit nog zou kunnen zien. Haar armen en benen zaten in het gips, en het grootste deel van haar hoofd was in verband gewikkeld, zodat alleen het onderste gedeelte van het gezicht zichtbaar was. Ze gaf geen antwoord. Heel even dacht hij dat ze in slaap was gevallen, toen bewoog ze haar lippen, maar er kwam geen geluid. Hij ging op de rand van het bed zitten en vroeg wat ze wilde zeggen. De woorden kwamen langzaam, moeizaam. Haar stem was licht en iel en dreigde het voortdurend te begeven. Hij moest zijn gezicht naar haar toe buigen om te horen wat ze zei.

Ze vroeg wat voor weer het was. Hij vertelde haar dat de lucht betrokken was, maar dat het ernaar uitzag dat het zou opklaren. Hij zei dat het had geregend. Ja, antwoordde ze, dat had ze gehoord. Had het 's ochtends geregend of in de loop van de nacht? 's Nachts, antwoordde hij. Daarna verstreek er opnieuw enige tijd, waarin geen van beiden iets zei. Hij had graag iets bemoedigends tegen haar willen zeggen, maar hij kon niets bedenken. Alles wat hem te binnen schoot, kwam hem idioot of zonder meer ongepast voor.

Ze vroeg of Andreas er was. Ze noemde hem bij zijn voornaam, alsof ze ervan uitging dat Robert wist wie ze bedoelde. Hij antwoordde dat Andreas vermoedelijk later op de dag zou komen. Het voelde onnatuurlijk aan om op die manier over haar man te praten, alsof hij hem kende. Hij zei dat Andreas er meerdere keren was geweest samen met hun zoontje, terwijl zij bewusteloos was. Het jongetje heette Lauritz. Ze wilde hem zien. Toen verbeterde ze zichzelf. Hij moest komen. Robert stelde voor dat ze dat met haar man afsprak. Het volgende dat ze zei, was erg verrassend. Ze wilde geen bezoek hebben van Andreas. Alleen van Lauritz. Kon ze ervan op aan dat dat werd gerespecteerd?

Robert wist niet wat hij moest antwoorden. Hij zei ja, zonder er verder bij stil te staan. Als dat haar wens was. Dat klonk erg formeel, bijna plechtig. Hij keek naar de bomen die op het punt stonden uit te lopen. Ze wenste niets. Hij keek haar opnieuw aan. Haar stem was uitdrukkingsloos, zonder bitterheid of zelfmedelijden. Hij stond op om weg te gaan, ze vroeg hem of hij nog even wilde blijven. Hij bleef bij het raam staan terwijl hij erop wachtte dat ze nog iets zou zeggen. Was het zeker? Hij vroeg wat ze bedoelde, en voelde zich dom. Dat ze nooit meer zou kunnen zien? Hij aarzelde. Zo goed als zeker, antwoordde hij. Hij zei dat het hem speet, en had daar meteen spijt van. Ze zei dat ze graag alleen wilde zijn.

Hij gaf instructies aan de hoofdverpleegster omtrent Lucca Montales wensen, en verzocht haar om met haar man af te spreken dat hun zoontje op bezoek kwam. Een paar uur later zat Andreas Bark op zijn kantoor. Hij was bleek en ongeschoren, en zijn donkere haar piekte. Hij liet zich vermoeid achterovervallen en vroeg of hij mocht roken. Robert gebaarde van ja en legde zijn hand plat op de stapels dossiers die voor hem op tafel lagen. Andreas haalde een pakje sigaretten uit zijn jaszak, hij rookte Gitanes. De gekruide lucht van de donkere tabak had iets opdringerigs over zich. Andreas Bark keek naar buiten. Het was inderdaad aan het opklaren. Robert bekeek het silhouet van de zigeunerin, die zich al dansend in een bocht wrong met een hand op haar ene heup en een tamboerijn hoog boven haar hoofd in de kronkelige sluier van sigarettenrook.

Hij excuseerde zich. Robert keek op en ontmoette de blik van de ander en zei dat hij zich nergens voor hoefde te excuseren. Hij begreep het. Het was eigenlijk verkeerd om dat te zeggen, maar nu had hij het gezegd, en de ander klampte zich vast aan zijn rustige blik met zijn vermoeide ogen achter de kringelende sigarettenrook. Robert bedacht dat ze bijna even oud moesten zijn. Er was iets in de blik van de ander dat hem op een stomme, gemeenzame manier daaraan trachtte te herinneren. Alsof ze in een of andere overdrachtelijke zin oude schoolkameraden waren die op elkaars sympathie konden rekenen.

Had ze ook gezegd waarom ze hem niet wilde zien? Robert schraapte zijn keel en veegde een haar van zijn witte jas. Of zijn patiënt nu iets in die geest had gezegd of niet, als arts kon hij het zich niet permitteren daarover iets los te laten. Maar in feite had ze niets gezegd ter verklaring van haar besluit. Waarom zou ze hem ook in vertrouwen nemen? Robert had meteen spijt van zijn vraag. Daarmee had hij al te veel gezegd. De ander zakte nog dieper weg in zijn stoel en keek weer naar buiten, waar het bleke zonlicht het gras deed glanzen en verbleken en opnieuw glanzen tussen de vleugels van het ziekenhuis, telkens wanneer het wolkendek zich opende of zich samenpakte. Hij drukte de nagel van zijn duim in de losse tabak aan het eind van zijn sigaret. Hij kon Lauritz vanmiddag naar het ziekenhuis brengen, wanneer het bezoekuur was. Robert zei dat hij de praktische details met de hoofdverpleegster moest regelen. Maar wilde hij... Er viel een stilte, en hij kon er niet omheen om de ongelukkige man in de ogen te zien. Ja? Wanneer hij haar sprak, wilde hij dan zeggen dat... Andreas Bark viel zichzelf in de rede en zei dat het er niets toe deed. Ze gaven elkaar een hand. Toen ging hij weg.

Die middag reed Robert niet meteen naar huis. In plaats daarvan reed hij naar het strand, wat hij af en toe deed wanneer hij er behoefte aan had om zich te bewegen. Hij parkeerde de auto in het bos voordat het wielspoor te zanderig werd, en ging te voet verder door de duinen. Zoals gewoonlijk lag het strand er verlaten bij. De hemel was net zo grijs als het zand tussen de gordels ingedroogd wier met luchtblaasjes, die Lea gewoonlijk met een zacht knarsen tussen haar vingers kapotdrukte wanneer ze 's zondags over de zee zaten uit te kijken voordat hij haar naar het station reed. Het water was kalm, het had een ribbelig oppervlak door de landwind, en in de gelijkmatige, ijsblauwe vlakte stonden de stelnetstokken als sierlijke markeringen vanaf de kust tegen de scherp afgetekende horizon. Robert liep voorovergebogen en bekeek verstrooid wat er zoal door zijn gezichtsveld gleed: natte, kapotte haringkistjes met roestige spijkers, kromgebogen zeesterren, melkachtige kwallen en lege, witte plastic bakken. De golfjes kabbelden vermoeid tegen het strand en maakten de stilte dichter, intiemer.

Hij wandelde helemaal tot de landtong, waar het strand van lieverlede overging in zeegras, graspollen, rietbos en smalle weiden landinwaarts – begrensd door de blauwwitte spiegel van het water. Ergens lag een jol gemeerd aan een paal midden in de geplooide kalmte van de waterspiegel, slechts een klein silhouet tegen de achtergrond van de lege zee en hemel. Robert had er een vast doel, een vermolmde balk met een heleboel door paalwormen veroorzaakte gaatjes, waar hij de gewoonte had tussen het hoge riet te zitten denken of gewoon te luisteren naar het vogelgeschreeuw en het ritmische, zwak fluitende suizen van vleugels terwijl hij in het rotte hout pulkte.

Hij had best wat tegemoetkomender kunnen zijn tegen de man die in zijn kantoor had gezeten met zijn sigaret en zijn vertwijfeling. Hij had warempel met hem te doen gehad. Hij ontwaarde een vogeltje, dat in het riet zat. Het bewoog zijn kopje van de ene kant naar de andere en op en neer met een mechanisch tikkende motoriek. Hij kende de naam ervan niet, hij was niet erg goed in vogels. Hij had er meermalen aan gedacht een vogelboek te kopen met gekleurde tekeningen, maar de gedachte kwam hem toch een beetje komisch voor. Moest hij dan ook een verrekijker en een paar groene rubberen laarzen aanschaffen en daar ronddraven als een of andere enthousiasteling?

Het schoot hem te binnen dat hij het volgende weekend Lea op bezoek zou krijgen. Als het regenachtige weer aanhield, konden ze altijd nog tafeltennissen en een paar videofilms huren. Ze hadden het er ook over gehad een kruidentuin aan te leggen. Hij had al tuingereedschap gekocht in de ijzerwinkel en was naar het tuincentrum geweest om zaad te halen. Het gereedschap stond in de bijkeuken naast de wasmachine, roodgelakt, met stelen van beukenhout. Hij had de plakkers met streepjescodes nog niet eens verwijderd. Als het droog bleef, konden ze daar misschien mee starten. Hij had er niet in zijn eentje aan willen beginnen, ook al had hij tijd genoeg gehad. Het was de bedoeling dat ze het samen zouden doen.

De bibliothecaresse had hem vragen gesteld over Lea, hij had haar zelfs foto's laten zien. Terwijl hij over zijn dochter vertelde, had ze geglimlacht en hem aangekeken met haar mooie ogen, en hij merkte hoe de kleine anekdotes hem deden stijgen in haar vrouwelijke achting. Dat irriteerde hem, hij had in elk geval irritatie gevoeld toen hij dat zat te vertellen. Haar aanmoedigende blik en meelevende glimlach zorgden ervoor dat hij zich uitgekleed en zielig voelde.

Hij stak een sigaret op. Hij moest denken aan Andreas Barks viriele, maar pijnlijk kwetsbare gezicht. Hij wist niet wat hij tegen hem had moeten zeggen. Zijn vrouw was ondanks alles ook niet dood. Met een beetje geluk en een paar maanden revalidatie zou ze kunnen doorgaan op beide benen, blind maar in leven. Het lag ver buiten zijn medische actieradius, het onvertelde echtelijke drama dat woedde achter het tragische gezicht van de man en haar weigering om hem te zien.

In de loop van zijn jaren als arts had hij er vaak aan gedacht dat hij zich bezighield met de keerzijde van het leven, de kant waar de zoom zit. Net als de kleermakers eertijds alleen maar een indirecte glimp opvingen van de glitterwereld van de chique dames, deelde hij de droevige ogenblikken in het leven van de mensen met hen wanneer een of andere functiestoornis of ongeluk hen belette om uit hun dramatische of saaie leven te halen wat erin zat.

Toen hij naar de provincie verhuisde en allengs gewend raakte aan zijn nieuwe en rustiger bestaan, moest hij in zijn hart toegeven dat Monica gelijk had gehad wanneer ze hem verweet dat hij niet ambitieuzer was. Heus, hij wilde graag bekwaam zijn, en hij deed ook zijn best om bekwamer te worden, maar hij prakkiseerde er niet over om de bekwaamste te zijn. De aanstelling bij het plaatselijke ziekenhuis was beslist geen stap voorwaarts voor zijn carrière, en hij ontdekte, tot zijn verbazing en tevens opluchting, dat het hem niets kon schelen. Het ziekenhuis was het kernpunt in zijn leven, daar bracht hij het leeuwendeel van zijn tijd door, en van daaruit keek hij naar de wereld waar andere mensen rondliepen. Af en toe kwamen ze in aanraking met die van hem, maar voor hen was dat een onaangenaam intermezzo, dat ze schielijk vergaten zodra ze weer de deur uit waren.

Hun leven ging hem niets aan, alleen hun lichamen, en hij was eraan gewend geraakt het menselijk lichaam te beschouwen als een gesloten kringloop, los van het leven dat het leidde. Het organisme had genoeg aan zichzelf en had geen boodschap aan de dromen en voorstellingen die erin omgingen. Dat was een bemoedigende gedachte. Hij hield van zijn werk, hij hield ervan om erin op te gaan, te onderzoeken wat de mensen mankeerde en wat eraan gedaan kon worden. Hij vond het leuk om waar te nemen hoe zaken als schoonheid en sociale status irrelevant werden wanneer het ging om het eigen eenzame leven van het lichaam, het vegeteren van de organen in overeenstemming met het zachte, zinloze ritme van de polsslag. De anonieme onschuld van de inwendige organen woog in zijn ogen op tegen de gebroken illusies van het uitwendige, maatschappelijke lichaam, de lelijkheid, dikte en slijtage ervan. Maar de anonimiteit van de organen was ook een spitsvondig commentaar op de verwende, veeleisende schoonheid van andere en meer fortuinlijke lichamen.

Op een dag had hij Lea een anatomische atlas laten zien met gedetailleerde kleurenplaten. Hij beschreef voor haar wat ze zag en gaf een nauwgezette uitleg van de functie der organen, maar zij trok haar neus op en vroeg hem het boek dicht te doen. Ze vond de afbeeldingen vies, en ze protesteerde toen hij haar eraan herinnerde dat ze er zelf zo uitzag vanbinnen, net als alle anderen, of die nu mooi waren of lelijk. Het verwonderde hem dat de binnenkant van het lichaam net zo angstaanjagend kon zijn als de buitenkant ervan verleidelijk kon overkomen. Misschien werd de walging helemaal niet veroorzaakt door de organen, maar door de anatomische, analyserende blik, die door ze zo nuchter en gevoelloos te ontbloten tevens onthulde hoe kwetsbaar ze waren.

Voor de patiënten was het ziekenhuis een griezelige plek met zijn klinische sfeer van linoleum, witte jassen, spiritus en roestvrij staal, en ze hadden allemaal dezelfde angst in hun blik, of ze die nu trachtten te verbergen of er de vrije loop aan gaven. Het ziekenhuis herinnerde hen eraan dat ze hoe dan ook op een dag zouden doodgaan, ongeacht het aantal trucs waarover men daar beschikte om het onvermijdelijke uit te stellen. Wanneer ze zich overgaven aan zijn autoriteit en alle hoop op zijn witte jas stelden, vroeg hij zich soms af of het domweg de ontzetting was om opgenomen te zijn die hen zo mak maakte, eerder dan de hoop om weer ontslagen te worden.

Maar ontzetting en hoop stonden met elkaar in verband, dat wist hij ook wel, en hij was waarschijnlijk moeilijk aan het schrikken te brengen omdat hij zoveel zieke mensen had gezien en er ondanks alles ook heel wat had genezen. Zelfs voor de ongeneeslijke ziektes was hij minder bang geworden, eenvoudigweg doordat hij er regelmatig mee omging. Hij dacht er soms aan dat hij op een dag degene zou zijn die daar lag en bang was om dood te gaan, maar de omgang met de stervenden maakte hem niet meer bevreesd dan hij anders zou zijn geweest, eerder integendeel.

Ontzetting en hoop. Misschien moest je werkelijk bang zijn om te weten wat hoop was. Misschien. Zelf koesterde hij maar weinig hoop, en Lea was de enige in zijn leven die belangrijker was dan hijzelf. Het enige wat hem in paniek kon brengen was het idee dat zij meningitis zou krijgen of door een vrachtwagen zou worden overreden.

Het riet ruiste en bewoog heen en weer toen het vogeltje plotseling opvloog met koortsachtig klappende vleugels. Hij gooide de peuk weg en hoorde het gloeiende puntje sissen in het modderige water. Hij dacht opnieuw aan de verminkte Lucca Montale, die hij zo goed en zo kwaad als het ging aan elkaar had gelapt. Ze had op de donkere secundaire wegen gereden, de strepen op het wegdek, het gras van de berm en de zwarte bomen waren door het grote licht van haar koplampen gevlogen, en een kat of een vos had misschien naar haar gekeken, verstard, met fosforescerende ogen en één voorpoot van de grond. In haar opwinding had ze zich in de verste verte niet kunnen voorstellen dat ze twaalf uur later ingepakt als een mummie wakker zou worden en te horen zou krijgen dat ze de zon voor het laatst had zien schijnen in het gras en door het bladerdek van de bomen. Ze was totaal geëlektrificeerd geweest door het drama dat haar in dronken staat de wegen op had gedreven, en in haar emotie had ze over het hoofd gezien dat de grootste veranderingen net zo goed worden veroorzaakt door domme toevalligheden als door de verhitte waanbeelden van de gevoelens.

Ze wilde hem niet zien, haar ongelukkige, ongeschoren man, die had zitten wachten tot haar beschadigde lichaam voor het leven of de dood zou kiezen. Het leek een bewuste keus, alle uiterlijke ravage ten spijt die haar impulsieve rijden onder invloed had veroorzaakt. Hij moest haar werkelijk kwaad hebben gedaan. Tussen de stapels dossiermappen door zag Robert opnieuw het silhouet voor zich van de dansende, heupwiegende zigeunerin in de tabaksnevel en de tamboerijn in een vurig gebaar boven haar hoofd. Hij herinnerde zich de dwingende blik van de ander, de ingehouden wanhoop in zijn ogen. Andreas Bark had naar zweet geroken, en Robert moest een raam openen toen hij weg was om de lucht van zijn vertwijfelde lichaam en zijn Franse sigaretten kwijt te raken.

Er klonken stemmen achter het riet, een jonge vrouw lachte. Robert stond op. Hij had geen zin om gezien te worden, in elkaar gekropen op zijn balk in het rietbos als zo'n vreemde snuiter die zat te dromen. Zijn benen prikkelden en voelden wat stijf aan. Hij vervolgde zijn weg naar het open terrein via een smalle landtong, die de overstroomde weide van het meer scheidde. Er was niemand te zien. Verderop waar de landtong breder werd, stond een hoge houten schuur, en wanneer je die passeerde, blonken de hemel en de waterspiegel aan de andere kant tussen de loodrechte, geteerde planken van de wanden. Hij kon ze daarbinnen horen, nu lachte de man. De jonge vrouw zei iets met een gedempte, aanhalige stem. Het werd stil. Robert zag vagelijk hun donkere contouren in de smalle, lichtende strepen tussen de planken. Hij was stil blijven staan, maar hij liep onmiddellijk door toen hij bedacht dat ze misschien zwegen omdat ze hem op het pad hadden zien staan.

Voor de doktersronde de volgende ochtend vertelde de hoofdverpleegster hem dat Lucca Montale die nacht hevige nachtmerries had gehad, gevolgd door lange huilbuien. Ze hadden haar iets kalmerends toegediend. Er stonden twee grote boeketten bloemen op haar nachtkastje. De dag ervoor had er alleen maar het boeket gestaan dat op verzoek van Andreas Bark bij haar was neergezet. Een gedachteloos gebaar, dacht Robert. Wat moest ze met bloemen? Vormden die niet eerder een signaal voor de omgeving, dat er iemand was die aan haar dacht? De verpleegster vroeg hoe ze zich voelde. Ze vertrok haar mond naar de ene kant tot iets wat ongetwijfeld een sarcastische glimlach moest voorstellen. Ze leek werkelijk op een mummie, ingepakt als ze was in gips en verbandgaas, gereduceerd tot een bleke mond die met een paar woorden tegelijk antwoordde wanneer je tegen haar praatte. Haar toestand had zich gestabiliseerd, nu was het alleen maar een kwestie van wachten.

Waarop? De verpleegster zond hem een radeloze blik toe terwijl hij overwoog wat hij moest antwoorden. Hij ging op de rand van het bed zitten en legde voorzichtig een hand op haar rechterschouder, het enige gedeelte van haar lichaam afgezien van de onderkant van haar gezicht dat niet was ingepakt of gespalkt. Dat kon hij niet weten, zei hij, verrast over de zachtheid van zijn stem. Ze gaf geen antwoord, haar mond rustte onbeweeglijk in zijn plooien, alsof ze sliep. De verpleegster zei dat haar zoontje die middag zou komen. Ze zei het op een ernstige, indringende manier. Dat was vermoedelijk het beste antwoord dat er gegeven kon worden. Lucca Montale verzocht haar de bloemen te verwijderen, de stank bezorgde haar ademnood. Robert en de verpleegster keken elkaar aan. Terwijl ze verder liepen door de gang, vertelde ze hem dat de moeder van de patiënt er de dag tevoren was geweest. Ze was niet langer dan een paar minuten in de kamer geweest toen ze weer naar buiten kwam, zichtbaar geschokt. De verpleegster had haar een kopje koffie aangeboden, maar ze was onmiddellijk terug naar Kopenhagen gereden. Ze had er verrassend jeugdig uitgezien volgens de verpleegster, die haar stem had herkend zonder zich te kunnen herinneren waar ze die eerder had gehoord, deze fraaie, goed articulerende vrouwenstem. Later op de dag was het haar te binnen geschoten. Lucca Montales moeder was radio-omroepster. De verpleegster had haar gevraagd of dat zo was, maar de patiënt was erg kortaf geweest en had geantwoord dat ze noch van haar moeder noch van enig ander bezoek wilde hebben – afgezien van haar zoontje.

Het was niet nodig haar besluit te handhaven, de moeder kwam niet terug, en er kwamen ook geen anderen. Wanneer Lauritz bij haar op bezoek was, zat Andreas Bark buiten te wachten, in elkaar gezakt en vertwijfeld. Robert groette hem wanneer hij voorbijkwam, en vertelde hem in korte trekken hoe de patiënt eraantoe was, waarbij hij zijn ongeduld moest beheersen om niet door te lopen en de blik van de ander van zich af te schudden. Andreas Bark moest zijn tegenzin hebben opgemerkt, want tot zijn opluchting zocht hij hem niet meer in zijn kantoor op. Robert kon niet uitleggen wat hem zo tegenstond in de man. Hij deed ook geen ijverige poging om daarachter te komen. Er waren andere patiënten en verwanten die om zijn aandacht vroegen, en Lucca Montale werd een van de liggende gedaantes in ziekenhuiskleding, wier gezichten en kwalen elkaar afwisselden in verschillend tempo, naargelang van de ernst van hun situatie en de snelheid waarmee ze ontslagen werden.

Hij zag haar maar een paar minuten achter elkaar tijdens de dagelijkse visite, en in de regel was hij degene die het woord voerde, wanneer hij in grote lijnen herhaalde wat hij de dag tevoren tegen haar had gezegd. Alles verliep zoals het moest, de omstandigheden in aanmerking genomen. Hij vond zelf dat het huichelachtig klonk, maar waarom eigenlijk? Wanneer de mensen stomdronken met een vaart van honderdvijftig kilometer per uur de verkeerde kant van de snelweg opreden, was het beperkt wat hij aan mirakels kon presteren. Ze moest blij zijn dat ze überhaupt in leven was. Tenzij ze had gereden als een gek om er definitief een punt achter te zetten. Waarachter? Het leven zelf? Of datgene in haar leven dat haar ertoe had gedreven dood te willen zijn? Dat onderscheid had ze vermoedelijk niet gemaakt.

Wanneer hij aan haar dacht, raakte hij er meer en meer van overtuigd dat Lucca Montale moest hebben besloten om zelfmoord te plegen die avond nadat ze na een ruzie met haar man in hun auto was gestapt en in de richting van de snelweg was gereden. Maar het deed er niets toe wat hij dacht. Zijn taak bestond erin haar weer op de been te helpen, zodat ze kon worden doorgesluisd naar wat haar buiten het ziekenhuis te wachten stond. Hij wist ongeveer even weinig van haar als hij van zijn overige patiënten wist. Bovendien dacht hij alleen maar af en toe aan haar, in de pauzes, als hij een moment in gedachten verzonk, zittend in zijn kantoor met de dictafoon in zijn hand, terwijl hij op het plantsoen van het ziekenhuis neerkeek. Verder niet.

Zijn dagen leken op elkaar. Wanneer hij thuis was, luisterde hij naar muziek, Brahms, Mahler, Bruckner, Sibelius, de grote symfonieën die als kathedralen waren, met dezelfde schaduwrijke hoogten, dezelfde geribde gewelven en hetzelfde raadselachtige, gekleurde licht dat in stralen, kegels en rozetten op de stenen vloer viel. Net als in de werkelijke kathedralen in het zuiden, waar ze altijd naartoe waren gegaan op hun reizen, Monica en hij, in de tijd dat alles goed was of althans leek te zijn. Ze hield niet van zijn muziek, hij had met de koptelefoon op moeten luisteren 's avonds wanneer ze alleen waren, waarop zij hem verweet dat hij zich isoleerde. Het was in elk geval een vooruitgang dat hij nu het lege huis kon vullen met het ene symfonieorkest na het andere zonder iemand lastig te vallen. Hij dacht nergens aan wanneer hij naar de muziek luisterde. Die stroomde door hem heen als een onpersoonlijke energie, een grote, transformerende kracht, en zolang die hem vervulde, maakte het niets uit wie of waar hij was. Hij bekeek de avondhemel achter de berken in de tuin, het gras in de wind, de fietsende kinderen en de auto's die van tijd tot tijd passeerden op de weg achter de schutting, geluidloos als een stomme film, en hij voelde zich tegelijkertijd verbonden met alles en afgescheiden van alles.

Een paar keer in de maand ging hij naar Kopenhagen, waar hij de middag en avond doorbracht met het kopen van platen, een concertbezoek of het opzoeken van een paar oude vrienden. Hij had alleen maar het contact bewaard met de vrienden die hij kende van voordat hij Monica ontmoette, en zelfs die zag hij maar zelden nadat hij was verhuisd. Soms ging hij bij zijn moeder langs, die in een flatje woonde in een gebouw uit de jaren dertig met een balkon, waar ze kon zitten uitkijken over de haven, de reeks slanke schoorstenen van de energiecentrale en de spoorbaan met de rangeerlijnen van de sneltreinen.

Zijn vader had haar kort na Roberts geboorte verlaten, en Robert had hem sindsdien niet gezien. Zijn vader was naar Jutland verhuisd en scheen daar een gezin te hebben gesticht. Hij was herenkapper, dat was heel abstract om aan te denken. Misschien was hij al dood. Toen Robert vijftien was, besloot hij hem op te zoeken. Hij slaagde erin het adres en het telefoonnummer te vinden. Nog steeds herinnerde hij zich de stilte aan de andere kant van de lijn toen hij aan de vreemde man had verteld wie hij was. Ze spraken af elkaar in Århus te ontmoeten, op neutraal terrein zoals zijn vader zei met een vermoeide stem, die hees en kortademig was. Hij moest een zware roker zijn. Maar al op de veerboot over de Grote Belt begon Robert de moed te verliezen, en in Odense stapte hij uit de trein. Wat voor nut had het?

Roberts moeder hertrouwde niet. Ze verzorgde hem alleen, eerst met schoonmaakwerk, naderhand met werk in de kantine van een groot bedrijf, waar ze het mettertijd tot kantinechef schopte. Haar beste tijd had ze gehad toen ze in een tehuis voor moeilijk opvoedbare kinderen werkte. Ze ging zelden uit. Toen ze met pensioen ging, trok ze zich terug in de wereld van de romans. Robert was er niet zeker van of ze wel duidelijk onderscheid maakte tussen de fictie en het leven dat er om haar heen werd geleid. Zelf was ze een toeschouwster, ontzettend bescheiden, tevreden met een rol als getuige van de wereld zoals die eruitzag vanuit het hoekje dat zij zo vrij was te occuperen.

Ze was dol op Dickens en de Russen, Tolstoj en Dostojevski, en ze had bovendien een zwak voor Mark Twain, maar haar lievelingsboek was Flauberts *Madame Bovary*. Wanneer Robert het beduimelde exemplaar weer open zag liggen op de kale armleuning van de gemakkelijke stoel, bij de balkondeur waar ze het liefst zat, vroeg hij altijd of dat boek niet te triest was. Ze glimlachte fijntjes, natuurlijk was het triest, maar het was ook zo *amusant*, en ze zei het alsof het één op geheimzinnige wijze het ander vooronderstelde.

In de regel verborg ze haar vale haar onder een hoofddoekje. Mettertijd was ze krom geworden en erg mager, maar ze was langer dan de meesten van haar generatie, lang als een man, en zolang als hij zich kon herinneren, had ze altijd hetzelfde soort krachtige, mannelijke bril gedragen. Ze rookte zo'n veertig sigaretten per dag, net als haar ex-man vermoedelijk deed, dacht Robert. Dat was het enige dat ze met elkaar gemeen hadden – behalve hem dan. Maar het was een stilzwijgende overeenkomst dat hij nooit iets van haar roken zou zeggen. Hij had zo'n beetje de indruk dat ze leefde op een dieet van sigaretten en romans.

Haar dagelijkse leven was altijd eentonig geweest. De grootste gebeurtenis in haar leven was de dag dat hij zich liet inschrijven aan de universiteit. Niet toen hij die afmaakte, maar toen hij ermee begon, als eerste in de familie. Voorzover hij wist, was ze niet samen met een man geweest sinds zijn vader haar verliet. Maar dat kon niet waar zijn, dacht hij, en op een dag vroeg hij het haar. Ze gaf geen antwoord, glimlachte alleen maar fijntjes op zo'n manier dat hij niet kon zien of ze glimlachte om haar vrouwelijke trots te beschermen of om hem verhalen te besparen, die hij toch niet wilde horen.

Af en toe paste ze op Lea. Dan maakte ze alle vette en ongezonde gerechten met bruine jus voor haar waar Lea dol op was en die Monica en Robert weigerden te maken, en na afloop las ze voor uit *Huckleberry Finn*, altijd en uitsluitend daaruit. Wanneer Robert in zijn eentje kwam, vroeg ze hem bezorgd hoe het ermee ging. Hij was niet alleen haar enige kind, hij was ook haar enige contact met de buitenwereld, en meer dan veertig jaar had hij bovendien de diepste zin van het leven voor haar gevormd.

Haar vele vragen stemden hem ongeduldig en kregelig, en hij antwoordde in de regel kortaf, terwijl hij tegelijkertijd een schuldgevoel kreeg wegens zijn gebrek aan grootmoedigheid. Maar andere keren vroeg ze helemaal niets wanneer hij kwam, en maakte integendeel een verstrooide indruk, alsof hij haar stoorde bij het lezen. Pas bij het afdalen van de trap met de terrazzotreden en de gemarmerde wanden bedacht hij dat ze misschien alleen uit beleefdheid en uit gewoonte vroeg. Als iemand die tracht te verbergen dat ze in werkelijkheid de belangstelling heeft verloren voor de flauwekul en poespas van alledag en zich eindelijk aan haar dagdromen wijdt.

Op Lea's twaalfde verjaardag stond hij voor haar school te wachten tot ze vrij kreeg. Ze keek verrast, het was niet afgesproken, hij had het spontane idee gekregen om naar de stad te gaan. Er stond een ring van vriendinnen om haar heen, die verlegen naar hem keken. Ze raakte zelf in verlegenheid. De vriendinnen moesten met haar mee naar huis, Monica verwachtte hen. Hij had rolschaatsen voor haar gekocht, en ze probeerde ze meteen op het trottoir voor de school, misschien hoofdzakelijk om hem een plezier te doen. Hij bleef staan wuiven toen ze naar de bushalte liep met haar vriendinnen, hoewel hij dezelfde kant op moest. Hij wilde ze niet verlegener maken dan strikt noodzakelijk. Hij wachtte tot de bus weg was, en nam toen de volgende. Twaalf jaar. Indertijd hadden ze werkelijk gedacht dat het mogelijk was, Monica en hij. Ze waren het gescharrel allebei beu. Ze hadden zo'n beetje alles geprobeerd wat er te proberen viel, vonden ze zelf. Toen zij in verwachting raakte, kenden ze elkaar al een hele tijd. Ze hadden zich er met open ogen in gegooid.

Zo noemden ze dat. Open ogen. Maar het was al moeilijk geworden zich te herinneren wat hij toen dacht. Monica was weer een vreemde. Ze was vriendelijk, er was niets meer om ruzie over te maken, en haar nieuwe man was al even vriendelijk. Zoiets kon gebeuren. Zo kort kon je het samenvatten. Zij was opgehouden van hem te houden en had nu in plaats daarvan een ander lief, en Robert was allang opgehouden zich het hoofd te breken over de vraag of het één oorzaak was van het ander of omgekeerd.

Als hij bij zichzelf de liefde soms met muziek vergeleek, was dat niet omdat hij poëtisch begon te worden. Maar de liefde was net zo onzichtbaar en onbegrijpelijk, misschien omdat er niets te begrijpen viel. Een onpersoonlijke, transformerende kracht, die zich een weg baande in overeenstemming met haar eigen interne wetten, zonder zich erom te bekreunen wie en wat ze met zich meesleurde of achter zich liet in haar rustige of onrustige stroom. De muziek bekreunde zich er ook niet om wie er speelde, de noten konden er niets aan doen of ze mooi of middelmatig werden gespeeld, op fraaie, gestemde instrumenten of op een ellendig hakbord, waarvan de helft van de snaren ontbrak.

Dat was niet iets waar hij gewoonlijk aan dacht. Er was niemand tegen wie hij dat soort dingen kon zeggen. Wanneer hij alleen was, doezelde hij weg in een vorm van winterslaap, waar de gedachten net zo planloos landden en opstegen als de verwarde mussen op het terras. 's Avonds las hij in zijn vaktijdschriften, wanneer hij niet te moe was. Er lag altijd een stapel waar hij niet aan toegekomen was. De krant doorliep hij alleen maar verstrooid, en wanneer hij hem op de vloer liet vallen, was hij de details al vergeten van wat hij had gelezen.

De enige die hij regelmatig sprak buiten het ziekenhuis, was Jacob, een jongere collega die met zijn vrouw en hun twee kindertjes niet zover daarvandaan woonde in een huis dat leek op het zijne. Ze tennisten een paar keer in de week, en soms nodigde Jacob hem zaterdags uit. Jacob was erg populair vanwege zijn open, ongecompliceerde manier van doen. Hij was een van die artsen met wie de jonge verpleegsters flirtten, jongensachtig om te zien, goed getraind en met strogeel haar. Robert merkte dat Jacob tegen hem opkeek, omdat hij ouder was en van een groot ziekenhuis in Kopenhagen kwam, en deze status compenseerde de irritatie over zijn zwaardere lichaam en zijn slechtere conditie wanneer Jacob hem er nogmaals van langs gaf op de tennisbaan.

Jacobs vrouw had donker haar en bruine ogen en ging altijd vlot gekleed op een ontspannen manier. Ze had een fraai figuur, maar haar perfecte verschijning had iets al te praktisch over zich, wat Robert ervan weerhield haar aantrekkelijk te vinden. Misschien was dat de reden dat zij hem niet mocht, misschien omdat hij als gescheiden, alleenstaande man een rondlopende herinnering was aan alle gevaren waaraan hun familie-idylle was blootgesteld. Maar het zou ook kunnen dat ze Roberts onderdrukte onbehagen voelde in hun tuin over koetjes en kalfjes te moeten praten, terwijl de kinderen om hen heen tekeergingen en op hun vader rondklauterden. Of was het domweg omdat hij rookte? Ze vroeg meestal of hij wilde mee-eten, en Robert deed zijn best om een degelijke indruk te maken, dacht eraan zijn peuken op te rapen van het grasveld en zorgde er voortdurend voor haar ergens naar te vragen wanneer Jacob bij de barbecue met zijn schort voor biefstukken stond te braden.

Jacob behandelde hem als een vriend, en de lichte gewetenswroeging die Robert voelde over zijn vertrouwelijke openheid bracht hem ertoe zich te gedragen alsof ze werkelijk dik bevriend waren. Wanneer Jacob hem in vertrouwen nam, diende hij hem bijvoorbeeld van repliek met een intieme mededeling over zichzelf, waarbij hij de ander in de gelegenheid stelde zich te spiegelen aan zijn ervaringen en daarin te zien wat er van zijn gading was. Van lieverlee was hij werkelijk op Jacob gesteld geraakt, hoewel hij nooit helemaal de kleine distantie overwon waarmee hij diens schijnbaar ongecompliceerde en hygiënische geluk bekeek. De tennisafspraken en de zaterdagen in hun tuin werden een deel van zijn dagelijks bestaan, en noch Jacob noch zijn vrouw leken zich erover te verwonderen dat hijzelf nooit de moeite nam om hen eens een keer uit te nodigen.

Op een keer toen Jacob ernaar vroeg, vertelde Robert hem over zijn echtscheiding en hoe hij had ontdekt dat Monica hem ontrouw was. Dat was op een zomeravond het jaar ervoor. Ze zaten in de tuin, de kinderen waren naar bed gebracht, en Jacobs vrouw lag op de bank in de kamer televisie te kijken. Jacob luisterde met een plechtige uitdrukking, die helemaal niet paste bij zijn jongensachtige gezicht. Hij wilde vermoedelijk graag zijn medeleven betonen en zijn respect voor de vertrouwelijkheid die zijn discrete vriend tegenover hem aan de dag legde, maar Robert had ook het idee dat hij een geprikkelde, nieuwsgierige verwachting in de aandachtige blik van de ander gewaarwerd. Tijdens zijn verslag bekeek hij Jacob, zoals hij daar zat met zijn gympjes aan, zijn bermuda en zijn T-shirt van een Grieks toeristeneiland, terwijl de as in de barbecue nagloeide. Je kon de stemmen uit de andere tuinen om hen heen horen in de schemering, en achter de heggen kon je de vluchtige silhouetten zien van de buren wanneer die de verlichte terrasdeuren in- en uitliepen.

Terwijl hij het verhaal vertelde, vond hij dat het klonk als een aflevering van een Braziliaanse tv-serie. Hij was naar een conferentie in Oslo geweest, maar toen de laatste voordrachthouder wegens ziekte verhinderd bleek, besloot hij een halve dag eerder dan gepland naar huis te gaan. Hij wist niet wat hij met zichzelf moest aanvangen op een gure zondag in januari. Hij belde vroeg in de ochtend naar huis vanuit het hotel, voordat hij naar de luchthaven reed. Het antwoordapparaat stond aan. Naderhand vroeg hij zich af waarom hij geen bericht had ingesproken in plaats van op te hangen, toen hij zijn eigen stem en de daaropvolgende pieptoon hoorde. Toen hij een paar uur later de deur van de flat opendeed, kwam Monica de slaapkamer uitgelopen. Tot zijn verwondering was ze naakt, gewoonlijk sliep ze met een nachtpon aan.

Hij vroeg waar Lea was. Die sliep bij een vriendinnetje. Hij wilde naar haar toe gaan om haar een zoen te geven, maar bleef stilstaan toen ze hem met een strakke, bijna vijandige blik aankeek. Het was het beste als hij weer wegging, een kwartiertje maar. Op dit punt in het relaas maakte Robert er veel werk van om in details te beschrijven hoe hij daar in zijn kamer had gestaan met zijn jas aan en sneeuw in het haar toen zijn naakte vrouw hem verzocht even een blokje om te gaan, maar Jacob bleef ernstig kijken. Monica was blijven staan terwijl ze hem aanstaarde met haar vreemde blik, en hoewel het tot hem begon door te dringen dat hij ongelegen kwam, vroeg hij, haast om haar wat te kwellen, waarom hij zo hoognodig weg moest. Voor je eigen bestwil, antwoordde ze, en op hetzelfde moment hoorde hij door de slaapkamerdeur, die op een kier stond, het rinkelende geluid van een riemgesp.

En toen? Robert glimlachte. Ja, en toen? Jacob werd ongeduldig. Was hij toen weggegaan? Nee, hij was in de keuken aan tafel gaan zitten toen Monica terugging naar de slaapkamer. Hij hoorde hun gedempte stemmen daarbinnen. Even later klonken er stappen in de kamer, ze kwamen dichterbij, en hij zag zijn collega van het ziekenhuis de open keukendeur passeren. En nu kwam het moment suprême van het verhaal. Jacob boog zich vol verwachting voorover in de tuinstoel en vergat helemaal om zijnentwille bedroefd te kijken. Robert wachtte even voordat hij verder ging.

Het duurde zoals gezegd maar heel even, misschien niet meer dan een seconde, maar zijn collega, die het opeens zo druk had gekregen met zich uit de voeten te maken, kon het niet laten om even te kijken. Misschien had hij erop gerekend dat Robert met zijn rug naar hem toe zat, kapot van verdriet, misschien wilde hij zich ervan vergewissen dat hij niet klaarstond om zich met een broodmes op hem te storten. Hoe het ook zij, de collega sloeg zijn ogen niet neer, zoals je had kunnen verwachten, toen hij de keukendeur passeerde, en terwijl hij Robert aanstaarde, raakte hij zo verbouwereerd dat hij beleefd knikte. Zoals hij zou hebben gedaan als ze elkaar gepasseerd waren in hun witte jassen op een van de ziekenhuisgangen. Jacob leunde beduusd achterover in zijn stoel. Robert lachte. In feite was het een opluchting geweest. Jacob keek hem verwonderd aan. Hoezo? Dat viel moeilijk uit te leggen.

Lea zou vrijdagmiddag laat komen. Ze hadden zoals gewoonlijk afgesproken dat hij haar van het station zou afhalen. Hij verliet het ziekenhuis een paar uur ervoor en reed naar een supermarkt aan de rand van de stad om de boodschappen voor het weekend te doen. Hij was moe, hij was vrijdags altijd moe, alsof alle vermoeidheid van de week zich als een loodzware last binnenin hem had opgehoopt. Toen hij zijn boodschappenwagentje tussen de andere wagentjes door langs de koelvitrines reed, viel zijn oog op Andreas Bark en zijn zoontje. Ze hadden hem niet gezien. Hij reed zijn wagen achter het rek met brood en koekjes en liep door naar de grote koelkasten met zuivelproducten, terwijl hij zich probeerde te herinneren of hij bosbessen- of aardbeienyoghurt placht te kopen voor Lea.

Hij dacht opnieuw aan Lucca Montale, die er nu al haast een week op dezelfde manier bij lag, met haar armen en benen in het gips en haar hoofd in verbandgaas gewikkeld. Een van de verpleegsters had meermalen aangeboden haar een koptelefoon op te zetten zodat ze naar de radio kon luisteren, maar ze wees het elke keer van de hand. Ze wilde alleen maar liggen, zei ze. Ze kon ook niets anders, blind en niet in staat om een vin te verroeren, bij het eten totaal afhankelijk van een verpleegster en verder overgelaten aan zichzelf, zoals ze het had gewenst. Robert had flink wat pijnstillende medicijn voorgeschreven, vermoedelijk bracht ze het grootste deel van de dag in een diepe slaap door.

Met het verstrijken van de dagen kwam ze hem steeds raadselachtiger voor, niet enkel vanwege haar drastische daad, maar ook door haar stilzwijgen en zelfgekozen isolatie. Ze maakte een merkwaardig verharde indruk, haar toestand in aanmerking genomen. Hij kon zich moeilijk voorstellen dat het dezelfde patiënt was, die volgens de hoofdverpleegster een hele nacht hartverscheurend en ontroostbaar had liggen huilen, totdat het kalmerende spuitje begon te werken.

Toen hij tijdens de dagelijkse visite bij haar was, vroeg hij of ze er behoefte aan had om met een psycholoog te praten. Ze wachtte even met een antwoord. Waarover? Hij kon het niet laten om te glimlachen. Over haar situatie. Nu was zij degene die glimlachte, of er tenminste een poging toe deed met die trekking bij haar mondhoek die hij had leren vertolken als een uiting van haar ijzige sarcasme. Kon een psycholoog er soms voor zorgen dat ze weer kon zien? Hij stond op het punt dit volmondig te beamen, maar hield zich in. Hij bedacht dat hij niet eens wist hoe ze eruitzag. Het enige houvast was de herinnering aan de glimp die hij had opgevangen van het fototje in haar rijbewijs. Een smal gezicht ingelijst door roodblond haar, vol vertrouwen glimlachend naar de fotograaf alsof haar niets ergs kon overkomen.

Hij koos voor bosbessenyoghurt en zette het pak in het boodschappenwagentje tussen de Nieuw-Zeelandse lamsbout, de Marokkaanse aardappelen en de Chileense rode wijn. Toen hij weer opkeek, stond Andreas Bark voor hem met Lauritz aan de hand. Ze hadden hem gezien, zei hij, alsof dat een toereikende verklaring was voor het feit dat ze hem ook lastigvielen. Andreas Bark glimlachte een beetje schaapachtig en scheen er spijt van te hebben dat hij stil was blijven staan. Robert wist niet wat hij moest zeggen. Hij voelde zich onbeschermd tegenover de appellerende blik van de ander nu hij in burger was en ze allebei met een boodschappenwagentje stonden – buiten zijn domein, op voet van gelijkheid. De stilte maakte hen allebei verlegen, maar toen kwam Andreas Bark op de gedachte dat zijn mogelijkheden nog niet helemaal uitgeput waren. Robert had, naar hij meende, nog geen kennisgemaakt met Lauritz. Het jongetje stak braaf zijn hand uit.

Het gevoel van het zachte handje overrompelde hem. Het riep een onverwachte en duidelijke herinnering op aan Lea's hand, toen zij net zo oud was. Hij was de gewichtloze broosheid en de popachtige proporties ervan vergeten. Opeens herinnerde hij zich hoe hij haar kleffe kinderhandje had vastgehouden door de straten en parken van de stad, alleen of samen met Monica, toen ze een gezin vormden. Naarmate Lea groter werd, vergat hij de wisselende stadia van haar vroege jeugd, tot het enige houvast bestond uit zijn Kodak-foto's, glad en onsamenhangend, met kleuren die al vals waren.

Robert verontschuldigde zich en zei dat hij zijn dochter van het station moest halen, en had er meteen spijt van dat hij een deur op een kier had gezet naar zijn privé-leven. Hij had bijna de voorkeur gegeven aan een noodleugen. Andreas Bark vroeg hoe oud ze was. Die onschuldige vraag had het effect van een al te intieme aanraking. Robert antwoordde en glimlachte ten teken van afscheid, terwijl hij zijn wagentje opgelucht verder schoof door het gedrang. Methodisch en zonder naar opzij te kijken liet hij zich leiden door zijn boodschappenlijstje tussen de koelvitrines met rood vlees en de schappen met bontgekleurde emballage, langs de uitgestalde barbecueapparatuur en gebloemde, opklapbare tuinmeubels. Op zijn weg door de supermarkt had hij voortdurend het gevoel alsof Andreas Bark al zijn bewegingen in de gaten hield.

In de loop van de dag was het wolkendek donkerder geworden. Het hing laag boven de stad, en een koude wind rukte en trok aan alles wat hij te pakken kon krijgen, zodat je zou denken dat het februari was in plaats van april. Toen Robert zijn wagentje door de kassasluis duwde, werd het parkeerterrein wazig in een glinsterende nevel van regen achter de vettige, automatische glazen deuren, en telkens wanneer ze opengingen, voelde hij de koude lucht in zijn nek en rond zijn enkels. Hij betaalde en duwde het wagentje tot onder het afdak, waar de mensen stonden te wachten in de hoop dat het alleen maar een bui was. Enkelen onder hen trokken de stoute schoenen aan en zetten het voorovergebogen op een lopen, hun volle wagentjes voor zich uit duwend met wielen die roteerden, zodat de wagentjes over het asfalt slingerden, de mannen in shorts of joggingbroek, de vrouwen met blote benen onder hun zomerjurken. Onverbeterlijke optimisten, dacht Robert.

Een sluier van stromend water viel uit de goot van het afdak en eindigde in kleine explosies voor zijn voeten. De wind deed de regen boven het parkeerterrein golven als een tapijt, en het dode licht deed het regentapijt mat glanzen in rollende deiningen. Hij kreeg Andreas Bark in het oog in het groepje wachtenden. Hij stond tegen een oude damesfiets aan geleund, terwijl hij naar de regen keek. De jongen zat in een kinderstoeltje op de bagagedrager met de fietshelm scheef op zijn hoofd. De volle boodschappentassen hingen zwaar aan het stuur. Robert dacht aan de total loss gereden auto, waarvan de plaatselijke krant een foto op de voorpagina had geplaatst, zij het zonder de naam van degene wie het ongeluk was overkomen te noemen. Een tweeëndertigjarige vrouw. Dat kon willekeurig wie zijn, getroffen door willekeurig welk van de ongelukken waarvan de kolommen in de hele wereld dagelijks vol stonden.

Het werd blijkbaar een avondvullende voorstelling... Andreas Bark glimlachte dankbaar, alsof het een geheel onverdiende sympathiebetuiging was dat Robert überhaupt tegen hem praatte. De vreesachtige hondenblik leek niet te rijmen met de markante trekken van het gezicht. Afgaande op dat gezicht moest Andreas Bark iemand met een sterk ontwikkeld gevoel van eigenwaarde zijn. Nu was hij gebroken, en tot overmaat van ramp moest hij ook nog het hele stuk door de regen fietsen als een Vietnamese rijstboer met zijn loodzware lasten. Zijn dankbaarheid kende geen grenzen, en hij vroeg meermalen of Robert wel tijd genoeg had om zijn dochter te halen, terwijl ze hun tassen naast elkaar in de kofferbak zetten.

De fiets lieten ze staan. Robert stelde de veiligheidsgordel op de achterbank in, zodat die paste bij Lauritz' kleine lichaam. Onder het rijden vroeg Andreas Bark of hij mocht roken. Ja maar natuurlijk... Hij draaide het raampje open en stak een van zijn stinkstokjes op, waarop Robert bijna spijt kreeg van zijn humanitaire inval. Hij had er ook geen idee van waar ze het over moesten hebben, maar de regen op het dak maakte het gemakkelijker om stil in de auto te zitten. Andreas Barks leren jekker kraakte een beetje, en er klonk getik in het dashboard wanneer Robert een bocht nam. Verder hoorde je alleen het trommelen van de regendruppels en het stroeve geluid van de ruitenwissers op de voorruit. Ze reden over de spoorbaan en door de industriewijk, Andreas Bark gaf de weg aan.

Hij vertelde plotseling – vrij ongemotiveerd, vond Robert – dat hij net première in Malmø had gehad. Hij was dramaturg. Aha... Schreef hij iets anders dan drama? Je moest toch wat vragen. Hij had ooit gedichten geschreven. Maar dat was langgeleden, vervolgde hij grijnzend. Waar ging het over, dat stuk van hem? Tja, het was altijd moeilijk om daarop te antwoorden. De dramaturg glimlachte, en de glimlach maakte zowel een verlegen als een kokette indruk. Dat was immers de reden waarom je schreef. Om te achterhalen waarom. Als hij begreep wat hij bedoelde. Dat was niet het geval, maar Robert hield dat voor zich.

Het asfalt glansde tussen de zwarte velden, en de ploegvoren volgden de geleidelijke stijging van de weg naar de heuvelrug verderop, waar een bruingeverfd transformatorstation tegen de grijze aquareltonen van de wolkenlagen begon af te steken. Maar nu was het immers geschreven. Dan moest hij daar toch zeker wel enig idee van hebben. Andreas reageerde niet op Roberts plagerige toon, of misschien vatte hij het niet zo op. Het was een psychologisch stuk. Dat wilde zeggen niet psychologisch in traditionele, psychoanalytische zin. Eerder, hoe moest hij het zeggen... existentieel. Een scherpe gierstank drong de auto binnen. Andreas draaide zijn raampje dicht en doofde zijn sigaret.

Je zou kunnen zeggen dat het over het kwade ging, vervolgde hij. Nu was hij niet te stoppen. Over het kannibalisme van de gevoelens, over de verdrongen duisternis, het stomme en onaangepaste in ons, dat de sociale en talige orde te buiten gaat. Uiteindelijk ging het vermoedelijk zoals elk ander verhaal over de dood. Hij zweeg, haast uitgeput, dacht Robert. Als iemand die biedt bij een veiling en tenslotte moet inzien dat hij niet in staat is om hoger te bieden. Toen klonk opnieuw alleen het geluid van de ruitenwissers en van de regen op het dak, terwijl de velden en de boerderijen aan hen voorbij vloden omringd door bomen, als eilanden in een zwarte zee van aarde met hun graansilo's en witgekalkte stallen.

Ze sloegen af en reden verder langs een smalle zandweg naar de rand van het bos. Een paard hief het hoofd en keek hen na in de regen, zijn natte manen kleefden aan zijn hals. Robert keek met een half oog naar de wijzerplaat naast de snelheidsmeter. Over een halfuur moest hij bij het station zijn. Het was het tijdstip waarop de middagthee werd geserveerd. De verpleegster gaf haar vast een rietje, en wanneer zij weer weg was, zou de vrouw van de dramaturg roerloos in haar duister liggen luisteren naar de regen tegen de aluminium zonwering voor het raam. Dezelfde regen als die er rond haar huis viel.

Het was een oud landarbeidershuis van rode baksteen. Het

strooien dak was vervangen door eterniet. Het erf was bezaaid met speelgoed, er lag een omgevallen driewielertje naast een cementmolen en een stapel zakken bedekt met plastic. Het bos begon aan de andere kant van het huis, de wind ploegde verward rond in het natte beukenlover. Hij hielp Andreas met het naar binnen dragen van zijn boodschappen. De keuken en de kamer waren witgeschilderd en hadden zich net zo goed kunnen bevinden in een mondaine stadsflat, ingericht met chique, Italiaanse meubels, kunstaffiches aan de wanden en hele rijen gietijzeren pannen.

Aan de wand in de keuken was een plaat van geborsteld staal gemonteerd met magneten, waarop memootjes, recepten uit weekbladen en een paar foto's hingen. Dat moest zij zijn, die roodblonde vrouw met de hoge jukbeenderen, die op verscheidene ervan stond. Had hij trek in een glas wijn? Hij keek op zijn horloge. Ja graag, een enkel glaasje. Andreas nam tegenover hem plaats onder het prikbord en schonk twee glazen vol. Ze hadden de inrichting van het huis een maand geleden af gekregen. Andreas zweeg opnieuw en bekeek de jongen, die op de vloer met lego lag te spelen. Toen ontmoette hij Roberts blik en glimlachte onzeker. Er stond een verwelkt boeket tulpen op de vensterbank, ze gaapten naar de ruit, en meerdere bladeren lagen droog en samengevouwen om de vaas heen.

Het huis was een ruïne geweest toen ze erin trokken. Ze hadden het grootste gedeelte zelf gedaan, ze hadden werkelijk geploeterd. En nu... Hij wist het niet. Het was allemaal zo nieuw. Robert zei iets over revalidatie, waar en hoe, terwijl hij beurtelings naar Andreas en het prikbord achter hem keek. De meeste foto's waren om het huis genomen, dat in verschillende stadia van herstel te zien was. Een gebruinde Andreas mengde cement, met een metselaarspet op en met ontbloot bovenlijf. Lucca verfde raamlijsten, in overall, met het haar nonchalant bijeengehouden in haar nek en met verfplekken op haar wangen. Op een andere foto stond ze in een lichte zomerjurk voor de lage zon en duwde tegen Lauritz' schommel, zodat de jongen verticaal in de lucht hing en haar onderrok zich in een lichte bloesem van vouwen om haar lange benen spreidde.

Hij bleef zich afvragen of ze het expres had gedaan... Andreas bekeek hem in de pauze die volgde, niet zeker wetend of hij te ver was gegaan. Er was ook een foto uit Parijs. Robert herkende de rode markies boven het cafétafeltje en de ontschorste plataan op de achtergrond. Hij zei dat hij zich dat ook had afgevraagd. Ze zag bleek en was gekleed in een getailleerd, grijs jasje met een petroleumkleurig zijden doekje om haar hals. Het haar was samengebonden tot een paardenstaart, en ze droeg lippenstift. Had ze daarmee gedreigd? Het kleurenfilmpje versterkte de rode kleur, die de donkere, smalle spleet van de mond omlijstte, alsof ze op het punt stond iets te zeggen. Nee, niet direct gedreigd. Ze keek de camera in met haar groene ogen. Robert vertelde dat ze haar hulp van een psycholoog hadden aangeboden. Had ze... Andreas aarzelde. Had ze iets gezegd over... hen?

Nee, antwoordde hij. Zoals gezegd, had ze hem niet in vertrouwen genomen. De jongen kwam naar Andreas toe, en hij nam hem op zijn schoot en zoende hem op het haar. Hij zat een poosje met zijn neus begraven in het haar van de jongen, voordat hij weer opkeek. Het ontzettende, zei hij, het ontzettende was, dat juist die avond... Hij keek in zijn glas alvorens te drinken. Robert keek opnieuw naar de foto van Lucca Montale in een Parijs' café. Heel even kwam het hem voor dat hij haar blik ontmoette. Hij kon niet uitmaken of het een verraste blik was, omdat zij er niet op voorbereid was om gefotografeerd te worden, of een blik die in een plotseling inzicht een verband doorhad waarvan hij geen weet kon hebben.

Er hing een grote klok aan de wand naast het prikbord. Over tien minuten arriveerde Lea's trein. De jongen liet zich op de vloer glijden en holde de kamer in. Juist die avond... vervolgde Andreas en draaide zijn gezicht weg. Robert stond op. De ander keek hem gedesoriënteerd aan.

Lea stond op het perron naast haar grote tas. Ze huiverde in de kou, terwijl ze naar de glanzende rails keek. Hij vond dat ze was gegroeid, hoewel het maar twee weken geleden was dat ze bij elkaar waren geweest. Monica had nieuwe kleren voor haar gekocht. Ze had een dun windjack aan, een witte spijkerbroek, witte sokken en witte sportschoenen. Ze zag hem pas toen hij vlak bij haar was. Ze glimlachte opgelucht en omhelsde hem, maar hij kon zien dat ze haar teleurstelling verborg over het feit dat hij te laat was. Hij droeg haar tas door de wachtzaal. Hij schaamde zich over het excuus dat hij ter plekke fabriceerde, dat er een lange rij was geweest in de supermarkt. Er stonden een paar bijstandtrekkers bij de uitgang bier te drinken. Hun vale spijkerjasjes waren aangetast door het regenwater, een van hen hield een hond aan een lijn. De eigenaar van de hond maakte een joviaal toostend gebaar naar Robert met zijn fles terwijl ze passeerden. Lea trok haar neus op toen ze de lucht van bier en natte vacht opsnoof. Op weg naar de auto vertelde ze over een vriendin die haar had uitgenodigd naar het zomerhuisje van haar ouders in de grote vakantie. Hij keek over zijn schouder toen hij achteruit het parkeerterrein afreed. Lea worstelde een poosje met de veiligheidsgordel op de achterbank, voordat ze die wijder wist te maken en de gordel vastzette.

Ze zou ook naar hem toe kunnen komen in de vakantie, zei hij al schakelend. Maar Monica had gepland dat ze naar Lanzarote gingen. Was het daar niet te warm in de zomer? We vinden er wel wat op, zei ze, naar hem glimlachend in de achteruitkijkspiegel. Dat was een zeer volwassen antwoord. Het klonk als iets wat Monica had kunnen bedenken. Lea leek overigens niet op een van hen, behalve dan dat ze zijn haarkleur had, kastanjebruin. Ze was van meet af aan helemaal zichzelf geweest, een kant-en-klaar persoon, die hen enkel had gebruikt als assistenten voor haar verschijning. Ze vroeg wat ze die avond zouden eten. Lamsbout, antwoordde hij. Hij vroeg hoe Monica en Jan het maakten. Ze gebruikten voornamen, dat hadden ze gedaan sinds ze gescheiden waren. Ze moest de groeten doen.

Hij at soms bij hen wanneer hij in de stad was, dat betekende iets voor Lea. Het ging verbluffend glad, ze waren alle drie zeer geciviliseerd, maar hij stapte doorgaans op wanneer hij Lea welterusten had gekust. Ze hadden het soms over de echtscheiding, maar altijd in abstracte wendingen en zonder het ongelukje aan te roeren dat de verandering teweeg had gebracht toen hij op een winterse zondag te vroeg thuiskwam. Robert vroeg zich soms af of Monica en hij nog steeds bij elkaar zouden zijn geweest als hij niets had ontdekt. Hij had gewoon een bericht moeten inspreken op het antwoordapparaat toen hij vanuit Oslo naar huis belde. Dan had zijn collega op tijd zijn biezen kunnen pakken, en had alles er misschien anders uitgezien. Misschien was ze haar minnaar beu geworden, zou ze al het emotionele gedoe beu zijn geworden, de geheimzinnigdoenerij en al die praktische leugens. Het inruilen van de ene arts voor de andere was nu ook niet bepaald een revolutie.

Ze maakten niet zo'n hartstochtelijke indruk samen, maar het zou natuurlijk kunnen dat ze alleen maar takt aan de dag legden en deden alsof hun relatie al net zo'n sleur was als zijn en Monica's huwelijk op het laatst was geworden. Ze bestonden het zelfs om elkaar in zijn bijzijn met een gezellig pruimenmondje te zoenen, zoals echtelieden dat doen, als broer en zus. Misschien was het in werkelijkheid een geraffineerde attentie, dacht Robert, een dekmantel voor hun erotische orkanen. Tenzij je daar sowieso eindigde, als broer en zus, omdat het stichten van een gezin als puntje bij paaltje kwam een terugkeer vormde naar het gezin dat je dacht te hebben verlaten.

Lea zat op de bank televisie te kijken terwijl hij in de keuken de boodschappen stond uit te pakken. Hij had zoals gewoonlijk te veel broodbeleg en te veel koekjes gekocht, alsof het gewoon niet op kon wanneer zij kwam logeren. De lamsbout kon hij niet vinden. Hij ging weer naar buiten en opende de kofferbak, maar daar lagen alleen het EHBO-kistje, de krik en de moersleutel om wielen mee te verwisselen. Andreas Bark moest het tasje met de lamsbout hebben gekregen toen ze zijn boodschappen naar binnen droegen. Hij had geen zin om voor de tweede keer die dag naar het huis bij het bos te rijden, en hij had helemaal geen zin om zich op het drama van de ander in te stellen.

Hij had het tuinhekje vergeten dicht te doen. Achter het panoramavenster bij het terras zag hij Lea's afgewende gedaante en het tv-scherm, dat trilde als een druppel kwik, vloeiend in het halfdonker van de kamer achter de grijze arceringen van de regen. Ze keek naar Flipper. Hij had zelf als kind de avonturen van de moedige dolfijn gevolgd, en nu de serie opnieuw werd uitgezonden, zat zijn opgeschoten dochter daar te dromen van Florida's blauwe lagunes. Het was een klassieke film geworden. Wat een cultuurerfenis! Hij had voorzichtige pogingen in het werk gesteld om haar kennis te laten maken met zulke uiteenlopende zaken als Vivaldi's jaargetijden en Debussy's *Children's Corner*, maar dat kon het niet halen bij de Spice Girls en Michael Jackson.

Hij stond daar in de regen wat te mijmeren over de gracieuze dolfijn en de gebruinde, harmonieuze familie die hij had bijgestaan met het voorkomen van talrijke misdadige aanslagen op hun zonovergoten geluk. Met de jaren was het heldere technicolor van de beelden fletser geworden, en het deed allemaal nogal simpel aan, maar hij herinnerde zich heel goed hoe hij zelf de ene zaterdag na de andere had zitten filosoferen over de schrandere en speelse dolfijn. Zijn snaterende aansporingen, wanneer hij opsprong en zijn glanzende salto-mortales maakte boven het koraalblauwe water, waren een uiting van onvervalste blijdschap. Minstens zo uitbundig en juichend als Vivaldi's kwetterende, vioolglinsterende lente.

Hij maakte de hamburgers klaar, die ze de dag erna hadden moeten eten. Dan moesten ze maar een pizza halen wanneer het zover was. Lea zat nog steeds voor de televisie. Hij had haar eigenlijk willen vragen hem te helpen in de keuken. Dat deed ze soms. Het was een gezellige manier om bij elkaar te zijn, maar haar roerloosheid en haast melancholieke concentratie deden hem ertoe besluiten haar met rust te laten. Misschien was ze moe.

Ze zei niet veel onder het eten. Hij zei dat ze als het droog bleef aan de moestuin konden beginnen, en hij noemde de zaadsoorten op die hij had gekocht, maar ze leek er niet erg op gebrand te zijn om te gaan graven. En dat terwijl ze de vorige keer zo enthousiast was geweest, het was in feite haar idee. Hij vroeg hoe het op school ging en wat ze allemaal had gedaan sinds de vorige keer, en zij gaf antwoord, een beetje plichtmatig, vond hij, maar ze vertelde niets uit zichzelf. Ze zat sinds kort op paardrijden, en er was een soort verhaaltje aan het ontstaan uit haar relaas over een jonge hengst die een van haar vriendinnen had afgeworpen, maar er was niets met de vriendin gebeurd, en sindsdien had de hengst zich voorbeeldig gedragen. Ze at netjes, dat was iets waar Monica aan hechtte. Ja, ze was blij met de rolschaatsen, die waren *beregoed*.

Hij kon het niet laten om te glimlachen om dat woord. Het was net zoiets als die keer dat hij haar voor het eerst met nylonkousen aan zag toen ze een halfjaar tevoren prinses had gespeeld in de schoolkomedie, met mascara op haar ogen, donkerrode lippen en een vals schoonheidsvlekje op haar wang, zodat hij niet helemaal wist wat hij ervan moest vinden. En het reisje naar Lanzarote? Monica had het over begin juli gehad, en wanneer ze thuiskwam had ze de vriendin met het zomerhuisje. Hij wilde er niet te veel over doorzeuren, maar het vooruitzicht dat hij haar tijdens de grote vakantie niet zou zien zat hem een beetje dwars. Of was het eerder het idee dat Monica en Jan het monopolie over haar zouden krijgen? Hij vroeg of ze trek had in een toetje, hij had zowel ijs gekocht als voor vruchtensalade gezorgd. Ze koos de vruchtensalade. Hij vroeg zich even af of ze dat uit beleefdheid deed, omdat hij zich al die moeite had getroost.

Ze maakte een triestige indruk, maar misschien zocht híj te veel achter haar herhaalde stilzwijgen en naar binnen gekeerde blik. Hij was altijd bang dat hij er niet voldoende met zijn gedachten bij was. Toen ze het laatste schijfje banaan een tijdlang met haar lepel in het bord had rondgedraaid, vroeg hij of ze ergens over inzat. Ze vermeed zijn blik. Nee hoor. Hij liefkoosde discreet de rug van haar hand met zijn wijsvinger. Was het iets op school? Of thuis?

Ze liet haar hand liggen terwijl hij die voorzichtig streelde. Ze keek een andere kant op, naar de schemering van de tuin. Toen zei ze dat het was opgehouden met regenen. Ze had gelijk, het geruis van de regen was opgehouden, en de avondhemel lichtte op achter de contouren van de berken, teer gelig onder de blauwe, rafelige wolken, die voorbij ijlden. Ze hielp hem met opruimen en met het vullen van de vaatwasmachine. Hij vroeg of ze zouden tafeltennissen. Ze keek hem even aan. Oké, zei ze glimlachend, en haar glimlach leek echt. Ze speelden twintig minuten, ze was heel goed, hij moest ervan zweten en raakte buiten adem. Het was stom om vlak na het eten te spelen, maar zij leek zich te amuseren, en hij genoot van haar snelheid en soepele bewegingen.

Na afloop zette hij koffie voor zichzelf. Ze namen plaats voor de televisie. Ze leunde tegen hem aan op de bank, zoals haar gewoonte was, met de plaid over zich heen. Geen van hen zei iets bijzonders, haar blik was vaag en eenzaam. Af en toe vroeg hij haar iets in een poging om een echt gesprek op gang te brengen, maar ze reageerde met korte zinnen alsof ze het snel wilde afhandelen, zo te zien volledig in beslag genomen door wat er op het scherm gebeurde. Toen ze naar bed was gegaan, zat hij in de kamer met een whisky naar een van Bachs cellosuites te luisteren, een oude opname van Pablo Casals. Het speet hem dat hij haar zo rechtstreeks had aangepakt terwijl ze aan tafel zaten. De oude muziek weefde haar logische web om hem heen, en hij volgde elke afzonderlijke broze, trillende draad en keek uit naar elk knooppunt tot hij voelde dat hij de spin was.

Toen hij de volgende ochtend in de badkamer kwam, had ze haar natte badhanddoek zorgvuldig te drogen gehangen over de radiator. Hij zag haar nergens. Op haar kamer was het bed opgemaakt, onberispelijker dan een kamermeisje het had kunnen doen. Toen ze nog samenwoonden, liet ze de handdoeken altijd op een hoop ergens op de tegelvloer achter, en haar kamer deed je aan een aardbeving denken, maar ze was natuurlijk ook groter geworden. Ze stond in de tuin met haar vingertopjes in de zakken van haar strakke spijkerbroek geklemd en keek omhoog naar de bomen. Hij kon niet zien wat ze in het oog had gekregen. Een vogel misschien, of een wolk. Hij ging de keuken in om koffie te zetten. Toen ze even later door de bijkeukendeur naar binnen kwam, veegde ze haar voeten op de deurmat, grondig als een gast.

Het weer was in de loop van de nacht beter geworden, de zon droogde het gras en als het niet had gewaaid, was het bijna warm geweest. Zij bracht de ochtend door met het maken van haar huiswerk in de keuken. Hij vroeg of er iets was waarmee hij haar kon helpen. Ze keek op en glimlachte, nee, dat hoefde niet. Na de lunch nam hij het nieuwe tuingereedschap en het mandje met zaadzakjes mee naar het hoekje van de tuin dat hij als een rechthoek had afgebakend met touw en vier haringen. In het begin zat ze ernaast en keek toe hoe hij groef terwijl ze verstrooid plukjes gras uit de grond rukte en weer liet vallen. Hij begon een rood hoofd te krijgen doordat hij daar voorovergebogen stond te ploeteren, en hij begon zich belachelijk te voelen. Hij was immers helemaal geen tuinmens.

Toen begon ze het te saai te vinden om daar zo te zitten, en algauw groef ze samen met hem, zodat het zweet haar over het voorhoofd liep. Ze had er aardigheid in gekregen, en ze walgde voor de grap met een kokette grimas toen ze een worm doormidden hakte en zag hoe de twee roze delen elk een kant uit kronkelden. Toen hij een dierenschedel vond, gingen ze op hun hurken zitten en staken hun hoofden bij elkaar, terwijl hij de fijne aarde van de gewelfde botvliezen blies. Ze konden het er niet over eens worden wat het voor een dier was. Een wezel, zei ze. Hij was van mening dat het een das moest zijn. Ze gaf hem een vriendelijk duwtje tegen zijn schouder. Wat was hij toch dom! Hij droeg de schedel voorzichtig naar binnen op zijn uitgestrekte vlakke hand, en ze vonden een doosje dat ze met watten vulde, zodat ze hem mee naar school kon nemen. Om het pleit te beslechten, zoals ze zei met een pedant gezicht dat hem in een lach deed schieten.

Toen ze de tuin weer inliepen, stonden Andreas en Lauritz op het grasveld. Andreas had een draagtasje van de supermarkt in zijn hand en glimlachte verontschuldigend, in het midden latend of de verontschuldiging het feit gold dat hij onaangekondigd op bezoek kwam of dat hij per ongeluk Roberts lamsbout mee naar binnen had genomen. Hij had hem opgezocht in de gids, preciseerde hij, alsof hij daarmee zijn onverwachte verschijning dacht te kunnen verklaren. Lea keek afwachtend van de een naar de ander, Lauritz verschool zich achter de benen van zijn vader.

Robert zag zich genoodzaakt iets aan te bieden. Het werd een flesje bier. Nee merci, Andreas hoefde geen glas. De kinderen kregen sinaasappelsap. Ze zaten in de zon op het terras, het gesprek verliep traag. Wanneer Andreas met het hoofd achterover uit het flesje dronk, stelde Robert zich voor hoe hij zich als het ware het hele huis en de grond in ogenschouw nam met de omringende heggen en schuttingen. Hij die een vrij leventje leidde in het bos, in zijn leren jekker en op zijn roestige damesfiets, dramaturg en pionier in één en dezelfde persoon. Het moest prettig zijn met zo'n huis waar alles gewoon functioneerde. Ja, dat was zo. Robert beluisterde het negatieve toontje van de gladde repliek. De ander wist van geen ophouden. Was er ook een sauna? Nee, antwoordde Robert met een blik op zijn tennisblouse met de krokodil. Er was geen sauna en ook geen jacuzzi, en hij had evenmin een schotelantenne. Lea gniffelde, en Andreas glimlachte sukkelachtig. Robert waardeerde haar gniffelen.

Lea nam de jongen bij de hand om hem de tuin te laten zien, en hij ging vol vertrouwen met haar mee. Ze maakte een erg volwassen indruk, zoals ze hem bezighield en hem met een schoffel in de verse aarde liet wroeten, terwijl ze er voortdurend voor zorgde dat er niets misging. Ze praatte met de jongen op een vriendelijke, aanmoedigende toon, naast hem hurkend om op ooghoogte te komen, terwijl ze hem waarnam en af en toe lachte om zijn gezichtsuitdrukking en onhandige motoriek. Ze had haar haren naar achteren gestreken tot een paardenstaart. Af en toe verwijderde ze een lok die op haar wang hing en zette die met een vrouwelijk gebaar achter haar oor vast.

Hij had een mooie dochter. Ja, zei Robert. Andreas pulkte wat aan het etiket van zijn bierflesje. Robert moest het hem niet kwalijk nemen als hij de vorige dag een opdringerige indruk had gemaakt, maar hij had niemand om mee te praten, niet hier, en het was allemaal... Hij zuchtte. Robert wachtte. Lea maakte de jongen aan het schaterlachen aan het andere eind van de tuin. Het was allemaal zo... hoe moest hij het zeggen? Ingewikkeld... Dat had hij willen vertellen de dag ervoor, toen Robert weg moest. Op de avond dat Lucca verkeerd reed, had hij tegen haar gezegd dat hij wilde scheiden.

De schaduwen waren lang aan het worden. Lauritz kwam aangehold door het gras. Andreas stond op, tilde hem op en zwaaide hem in het rond, zoals Robert Lucca dat had zien doen op de foto in hun keuken. Lea liep naar hem toe en legde een hand op zijn schouder. Kon hij niet vragen of ze zin hadden om mee te eten? Ze hield haar hoofd scheef en glimlachte, alsof ze zijn vrouwtje was. Dat kon toch zeker gezellig zijn, nietwaar? Zij zou wel helpen met eten koken. Dan konden ze morgen verder graven. Andreas leek verrast te zijn over Roberts voorstel. Nu ze dat hele eind op de fiets hiernaartoe waren gekomen! Maar het was niet nodig om druk uit te oefenen, en hij stond erop dat hij zou koken. Hij zei dat Robert mooi woonde, toen hij binnenkwam en zijn blik liet gaan langs de houten meubels en langs de lithografieën aan de wanden. Het was er erg Scandinavisch en tijdloos, en Robert moest denken aan de projectielvormige, Italiaanse meubels in het boerenhuis bij het bos. Hij was vast een echte burgerman in de ogen van de ander.

Andreas bleek een geroutineerde kok te zijn, en hij zette Lea aan het bereiden van de groente terwijl hij de lamsbout met knoflook lardeerde. Voor Robert viel er niets te doen, en de keuken, waar hij anders altijd in zijn eentje zat te eten, deed opeens klein aan. Lauritz zat aan de tafel maanmannetjes te tekenen met borstelig haar en luciferslijven, en hij zelf liep af en aan, schonk rode wijn in, zette een schaaltje met olijven op tafel en speelde fragmenten uit Italiaanse opera's voor hen. Andreas zong mee met verscheidene aria's van de *Cavalleria Rusticana*, terwijl hij zijn wenkbrauwen optrok en met zijn ogen flitste, zodat Lea het bestierf van het lachen. In zijn hart moest Robert toegeven dat het hem jaloers maakte, midden in zijn verbazing over het feit dat Andreas zo vertrouwd was met Italiaans belcanto. Hij had meer weg van iemand die van bebop hield met zijn lange piekende haar, zijn zwarte T-shirt en zijn ongeschoren charme. Robert voelde zich overvallen, maar bovenal verbaasde hij zich over de luchthartige, haast uitgelaten stemming die zich plotseling meester maakte van zijn gast zo kort nadat hij met zijn schuldbewuste onthulling was gekomen.

Midden in alle drukte ging de telefoon. Het was Jacob. Hij vroeg hem aan de lijn te blijven en liep de kamer binnen, zette de muziek zachter en nam de hoorn van het toestel. Hij kon ze horen praten in de keuken en riep tegen Lea dat ze de hoorn erop moest leggen. Hij had kennelijk bezoek? Robert zei dat er een paar vrienden waren langsgekomen. Dat klonk betrouwbaar, vond hij zelf, maar toch ook knullig, alsof hij zich verdedigde. Hij had vrijwel nooit bezoek. Jacob was teleurgesteld, merkte hij. Hij had willen vragen of ze naar hem toe kwamen. Het was zo langzamerhand toch wel tijd dat hij hen aan zijn dochter voorstelde. Robert zei dat dat een andere keer moest, en was nu haast blij dat Andreas en Lauritz er waren. Jacob vroeg of ze maandag zouden gaan tennissen. Er was overigens iets waarover hij het met hem wilde hebben. Wat? Jacob sprak nu met gedempte stem, hij wilde er door de telefoon liefst niet over praten. Robert zei dat hij kon op maandag.

Ze gebruikten de pingpongtafel om aan te eten, dat was Andreas' idee. Er was geen plaats aan het tafeltje in de keuken. Ze zaten om de ene tafelhelft, en terwijl Lauritz methodisch en geconcentreerd de inhoud van zijn bord in zijn schoot schoof, vroeg Lea zijn vader hoe je toneelspeler werd. De prinsessenrol in de komedie op school had haar kennelijk het hoofd op hol gebracht. Andreas beantwoordde geduldig haar naïeve vragen, en zij luisterde en glimlachte volwassen met een hand onder haar wang terwijl ze de steel vasthield van haar wijnglas met cola. Na het avondeten gaf ze Lauritz pingpongles. Ze zette hem op een stoel en hield net zo lang vol tot de jongen er tot zijn eigen verbazing in slaagde te serven.

Lauritz viel in slaap op de zitbank. Lea serveerde koffie als een echte huisvrouw. Hij was te slap, maar Robert zei er niets van. Ze luisterde toe terwijl Andreas over Italië vertelde. Lucca en hij hadden in Rome gewoond voordat Lauritz werd geboren. Hij had het over haar alsof er niets was gebeurd. Alsof zij zichzelf niet halfdood had gereden op een avond een week geleden, omdat hij had gezegd dat hij wilde scheiden. Ze hadden in een flatje in Trastevere gewoond, en Lea verslond zijn anekdotes over de potsierlijke bewoners in de oude arbeiderswijk, die sloffend in slippers en ochtendjassen hun boodschappen deden, over de scheve stegen met afgebladderde muren en lijnen met wasgoed, over de snor van de bakkersvrouw en de kip van de smid. Ja, kip... stel je voor, midden in Rome! Robert vond het allemaal rijkelijk authentiek klinken. Lea zei dat het een merkwaardige naam was, Lucca. Andreas legde uit dat Lucca in werkelijkheid een jongensnaam was. Haar ouders waren er vast van overtuigd geweest dat het een jongen werd. Haar vader was Italiaan, ze was vernoemd naar de stad in Toscane, waar hij was geboren. Lea vond dat dat mooi klonk en keek Roberts kant op. Maar ze was toch blij dat Monica en hij haar niet Hvidovre hadden genoemd.

Ze begon te gapen en gaf onwillig toe aan haar vermoeidheid. Ze zoende Robert op zijn wang toen ze welterusten zei, aarzelde even en gaf de gast toen ook een zoen. De twee mannen zaten een poosje zwijgend boven hun koffiekoppen en hun calvados. De lichtvoetigheid was verdwenen met Lea. Ze konden horen hoe ze gorgelde bij het tanden poetsen, en even later was er het gedempte geluid van haar kamerdeur die dicht werd gedaan. Lauritz draaide zich om in zijn slaap, Robert legde de plaid over hem heen. Opnieuw verwonderde hij zich erover hoe zijn gast van het ene moment op het andere van uitdrukking kon veranderen. Andreas stak een sigaret op en zakte neer op de zitbank terwijl hij rook uitblies. Zijn mondhoeken hingen slap, het haar viel over zijn ene oog, en zijn dode blik was gevestigd op een punt op het vloerkleed onder de salontafel.

Het was duidelijk dat hij zich schuldig voelde, maar... Hij kon immers niet weten dat zij... Het kon ook niet bepaald als een verrassing voor haar zijn gekomen. Op het moment dat hij het had gezegd, reageerde ze er verrassend kalm op, vond hij. Ze zaten aan tafel, ze hadden gegeten, Lauritz was naar bed gebracht. In het begin leek het erop alsof ze er verstandig over zouden kunnen praten. Het viel Robert niet moeilijk het voor zich te zien, nu hij in dezelfde keuken had gezeten, aan dezelfde tafel en wist hoe ze eruitzag. Ze had gevraagd of er een ander was. Hij slaakte een diepe zucht. Hij had nee gezegd.

Mocht hij nog een calvados nemen? Robert maakte een kort handgebaar, Andreas schonk beide glazen vol. Tot nu toe was het allemaal erg banaal, de huwelijksscène op een avond in het huis bij het bos en de ontrouwe echtgenoot die hier op zijn bank zijn schuldgevoel zat te marineren in calvados. Hij had absoluut niet met hem te doen, maar het was ook niet zo dat het banale aan het verhaal van de ander Robert ertoe bracht op hem neer te kijken. Hij werd opeens gewoon zo moe. Andreas sloeg de inhoud van het glas in één teug naar binnen en keek hem aan door de golvende rooksluier van de sigaret in zijn hand. Hij steunde zijn bedroefde gezicht in de palm van zijn hand, zodat de wang het ene oog dichtdrukte en hem op een bedroefde Kaukasiër deed lijken. Wat voor een prikkelend silhouet zou er achter zijn bezwaarde blik dansen? Zou ze op een tamboerijn spelen?

Hij had de repetities gevolgd van zijn stuk in Malmø. De vrouwelijke decorateur was tien jaar jonger dan hij, uit Stockholm, een van de nieuwe talenten. Men verwachtte veel van haar. Andreas wierp een blik door het panoramavenster naar het vlakke, diepblauwe stuk hemel boven de donkere omtrek van de boomkruinen. Hij had niet gedacht dat het hem nogmaals zou overkomen. Hij dacht dat hij te oud was geworden om verliefd te worden. Hij keek in zijn lege glas. Hij was niet met anderen naar bed geweest sinds hij Lucca had ontmoet, hoewel er aanleidingen te over waren geweest. In zijn wereld... hij glimlachte en keek Robert opnieuw aan. Ja, er werd wat afgenaaid. Maar zo was het misschien ook in een ziekenhuis? Robert haalde zijn schouders op zonder iets te zeggen.

Ironisch genoeg hadden zij elkaar op ongeveer dezelfde manier ontmoet, Lucca en hij. Zij was actrice. In die tijd woonde ze samen met een regisseur, die veel ouder was. Hij had hen opgezocht in het huis van de regisseur in Spanje. De oude heer zou een van zijn stukken opvoeren, hij was een hele beroemdheid, het was vrij eervol. En toen was zij er opeens geweest, Lucca, en alles was vreselijk ingewikkeld geworden.

Hij zocht Roberts blik. Het was allemaal zo snel met hen gegaan, en opeens was ze in verwachting. Hij stak een nieuwe sigaret op en verwijderde een stukje tabak van zijn tong. Toen hij eenmaal met haar in zee was gegaan, durfde hij zichzelf niet met zijn twijfel te confronteren. Lucca móest eenvoudigweg de juiste zijn, en dus werd ze het ook, tenminste voor een poos. Al in Rome hadden ze het erover gehad dat ze een huis buiten wilden vinden. Maar wat moest hij zeggen? Het waren niet enkel de sleur, de onvermijdelijke beslommeringen wanneer je een kind kreeg. Het was iets anders, iets wat dieper wortelde. Een gemis waar hij geen woorden voor had en dat hij daarom lange periodes achtereen had kunnen negeren.

Hij voelde niet dat hij zijn diepste wezen met Lucca kon delen. Zij begreep hem niet, en daarom wist ze ook niet datgene in hem op te roepen dat hij amper onder woorden kon brengen. Al gebarend gooide hij haast de fles om. Robert wierp een blik op de slapende jongen, die onder de deken lag met het pingpongballetje in zijn handje geklemd. Lucca had het theater de rug toegekeerd, volledig in beslag genomen door het kind en het opbouwen van hun huis met troffel en stralende verwachtingen. Maar wat voor zin had dat wanneer zij niet... De wederzijdse aantrekking tussen hen was in de eerste plaats van fysieke aard geweest. In bed had het altijd gefunctioneerd, als vrouw was ze tamelijk... nou ja... Hij inhaleerde en blies de rook weer met een lange zucht uit. Maar er ontbrak iets.

Hier kwam Malmø op de proppen. Het was niet alleen een kwestie van erotische fascinatie. Overigens was ze erg mooi, verzekerde hij terloops. Haar ouders waren Poolse joden, en zij had die specifieke mengeling van pikzwart haar, een zeer blanke huid en ijsblauwe ogen. Robert kon het niet laten om te glimlachen. Zigeunerin of jodin, dat ontliep elkaar niet veel, een tamboerijn zou haast overbodig zijn. Maar er was iets anders wat de doorslag gaf, iets ... Andreas wist niet hoe hij moest beschrijven wat ze met hem deed, die joodse scenografe. Het was alsof ze iets in hem raakte, diep in zijn hart. Alsof ze een snaar aan het vibreren bracht, een snaar waarvan hij helemaal niet wist dat hij die in zich had. En elke keer dat hij de laatste vliegboot nam, had hij het gevoel dat het zwaartepunt in zijn leven zich had verplaatst, zodat hij zich ervan verwijderde en niet omgekeerd wanneer hij 's nachts van Kopenhagen naar huis reed.

Hij was niet eens met haar naar bed geweest, ergens was dat krankzinnig, maar het sterkte hem in de overtuiging dat er iets anders, iets serieuzers gaande was. Na de première was ze naar Stockholm teruggekeerd. Hij belde haar heimelijk op, en ze schreven elkaar brieven, dat soort brieven had hij in geen jaren geschreven. Er was een aantal weken op die manier verstreken. Het was om beroerd van te worden, omgeven door cementzakken, bouwland en Lucca's angstige, onderzoekende blikken. Gelukkig had hij gepland om een maand naar Parijs te gaan om te werken. Ze moest gevoeld hebben dat er iets mis was, maar ze vroeg er niet naar, ook niet toen ze daar een paar dagen bij hem op bezoek was. En tenslotte had hij een besluit genomen. Hij was net teruggekomen uit Parijs die avond dat hij het tegen haar zei. Hij zweeg en schonk nog een calvados in, ditmaal vergat hij Robert. De scenografe wist niets van zijn besluit af. Hij nam een slok met het hoofd achterover. Hij had eerst schoon schip willen maken, zei hij en veegde zijn mond af met de rug van zijn hand. En nu... nu wist hij het helemaal niet meer.

Robert moest plassen. Niet dat hij niet naar hem wilde luisteren, hoor, zei hij en ging naar de badkamer. Toen hij had doorgetrokken en zijn handen had gewassen, bleef hij over de wasbak gebogen staan terwijl hij sceptisch zijn eigen spiegelbeeld bekeek. Waarom had hij zich laten overvallen door deze vreemde man, die zich in de gunst drong bij zijn dochter en hem wakker hield terwijl hij zijn drank achteroversloeg? Wat moest hij met Andreas Barks romantische oprispingen en armzalige pogingen om zijn daden goed te praten? Hij had trek in een koud biertje, maar liet het bij de gedachte. Als ze eenmaal bier begonnen te drinken, kwam hij nooit van hem af.

Toen hij de kamer binnenkwam, had Andreas zijn leren jekker aangetrokken. Hij knielde voor Lauritz, die half zat te slapen met de fietshelm over zijn ogen terwijl zijn vader zijn voeten in zijn schoenen probeerde te krijgen. Robert vroeg meerdere keren of hij hen niet naar huis zou rijden. Onder geen beding! Bovendien was het nu mooi weer, Andreas glimlachte, de maan zou hun de weg wijzen. Robert werd onrustig bij de gedachte en verzocht hem voorzichtig te rijden, haast betuttelend. Hij ging met hen mee naar buiten. Het was volle maan. Hij bleef staan en keek Andreas' voorovergebogen silhouet op de fiets na. De dramaturg slingerde een beetje en verdween toen in de schaduw onder de bomen, zodat alleen het achterlicht nog te zien was. Even later dook hij weer op, steeds kleiner op het zilvergrijze asfalt tussen de verduisterde huizen.

Hij liep een eindje mee met de wagon toen de trein zich in beweging zette, terwijl hij bleef wuiven naar Lea in het coupéraam. Toen gleed ze van hem weg, glimlachend en wuivend, en haar gezicht vervaagde achter de weerspiegeling op het raam van de bleke avondhemel. Hij bleef staan onder het afdak van het perron en zag de trein verschrompelen en verdwijnen aan het eind van het spoor, waar de rails elkaar ontmoetten, glanzend in de schemering. Het was alsof alles om hem heen verstarde. De brandnetels aan de andere kant van de sporen wiegden zwakjes in de wind, maar hun bewegen op de plaats benadrukte slechts al de overige roerloosheid, de roestbruine goederenwagons met onbegrijpelijke witte getallen en letters, de lege perrons met hun eilanden van blauwachtig neonlicht en de reclames voor chocolade en levensverzekeringen met hun mooie vrouwen en resolute mannen. Hij liep terug naar het stationsgebouw, dat leek op een slapend slot met zijn overtollige erkers en zijn lichtende wijzerplaat onder de komische spits op de nok.

Er waren geen mensen op het plein voor het station, maar er brandde licht achter de ramen in de rode bakstenen huizen van rond de eeuwwisseling, teleurstellend eentonig bekleed met zandsteen of cement. Er was een rijschool in een opgeheven melkwinkel, en op een hoek bevond zich een radio- en tv-winkel. Op de schermen in de etalage liepen dezelfde voetballers rond. De kleuren van het gras en de shirts varieerden een tikkeltje van scherm tot scherm, en hier en daar zag hij het blauwe schijnsel van andere tv-schermen achter de tulen gordijnen en tropische kamerplanten met leerachtige bladeren. De blauwe lichtvlekken achter de ramen volgden ritmisch wie er in balbezit was.

Misschien had hij er te snel, te gemakkelijk de brui aan gegeven.

Wellicht had hij moeten vechten, had hij pogingen moeten doen om Monica terug te veroveren, maar hij kon het niet laten om te glimlachen bij het idee. Hij geloofde niet serieus dat het mogelijk was de wil van anderen om te buigen wanneer hun besluit eenmaal vaststond, of ze nu hadden besloten een nieuw gezicht lief te hebben of te sterven achter het stuur, vermorzeld onder een Nederlandse vrachtwagen. Bovendien zou het hem hebben ontbroken aan de pure, hartstochtelijke overtuiging die nodig is om ook een ander te overtuigen. Zijn leven was simpeler geworden nu hij niet langer iemand had op wie hij iets kon verhalen, en hij was feitelijk opgelucht geweest toen hij het achter zich liet, al dit gesjacher met betekenisvolle liefkozingen en onprecieze beloftes. Maar wanneer hij Lea voor zich zag in het coupéraam, wuivend en met haar veel te dappere, twaalfjarige glimlach, was het niettemin alsof zijn maag van binnen uit werd samengetrokken door een boze, verweesde hand met witte knokkels.

Toen hij thuiskwam, bakte hij een omelet en at die op in de keuken zoals altijd. Daarna ging hij op de bank liggen luisteren naar de beroemde opname van Richard Strauss' *Metamorfosen* met Karajan en de Berliner. Hij deed zijn ogen dicht en liet zich overweldigen door de brede, massieve vlakken van de strijkers die zachtjes over elkaar heen schoven, broedend en ondoordringbaar als laag op laag van aarde en duisternis. Hij werd iets hards gewaar tegen zijn rug en tastte ernaar met zijn hand. Het was het pingpongballetje dat Lauritz in zijn knuistje had gehad toen hij de avond ervoor in slaap viel. Hij zette de muziek af en schoof de terrasdeur open. Hij ging op de drempel zitten met een sigaret. Het was koel, maar hij bleef zitten.

Ze hadden lang geslapen, Lea en hij. 's Middags waren ze zoals gewoonlijk naar het strand gereden. Zij verzamelde meeuwenveren, een heel boeket, en hij haalde zijn zakmes voor de dag en liet haar zien hoe ze die aan de onderkant kon afsnijden, schuin en met een loodrechte inkeping bij het uiteinde, zodat ze dienst konden doen als ganzenveer. Ze was spraakzamer dan de dag ervoor, de onverwachte gasten hadden haar blijkbaar opgevrolijkt. Ze had het erover dat ze toneelspeelster wilde worden, en hij moedigde haar aan. Ze was goed geweest als prinses. De zon scheen, en hoewel het nog steeds een beetje waaide, was het zand warm om op te zitten. Lea raapte trossen ingedroogd wier op en vermorzelde de blaasjes tussen haar vingers. Er stond een landwind, en het glinsterde in het kalme wateroppervlak, waar de golfjes aanwiesen, eerst als lange strepen die langzaam dikker werden tot ze uitliepen in een smalle schuimkam, die natte sporen door het zand trok.

Hoe lang waren ze al bevriend, Andreas en hij? Ze vond hem best aardig, en Lauritz was lief. Robert glimlachte en keek een voorbijzwevende meeuw na. Plotseling begon hij opnieuw te klapwieken, en de beweging spiegelde zich als een wit klapperen op het water. Nog niet zo lang... Waren ze gescheiden, Andreas en die vrouw met die merkwaardige naam? Ze vroeg het terloops, op lichte toon. De helft van de ouders van haar vriendinnen waren gescheiden, zo was het nu eenmaal, en de kinderen pasten zich aan. Ja, zei hij.

Het was een zondagochtend toen ze het haar hadden verteld, Monica en hij, terwijl ze nog in de keuken zaten te ontbijten en de dikke weekendkranten lazen. Ze had hen alleen maar aangekeken, eerst de een en toen de ander, voordat ze naar haar kamer ging en de deur achter zich dichtdeed. Toen hij binnenkwam, zat ze op bed met een viltstift iets op haar hand te tekenen. Haar vriendinnen en zij tekenden soms bloemen op elkaars armen, maar ze tekende geen bloem, het was niets, een groeiend, steeds ingewikkelder moeras van turbulente lijnen, die elkaar kruisten op de smalle rug van haar hand. Hij ging naast haar zitten en legde een arm om haar heen. Ze draaide zich weg van hem, terwijl ze naar het Afrikaans geïnspireerde patroon van de gekleurde dekbedhoes staarde. Hij trok zijn arm terug en bleef een poosje zitten terwijl hij met haar trachtte te praten. Ze hielden immers allebei van haar. Hij bekeek haar afgewende gedaante tussen de speelgoeddieren, die vriendschappelijk tegen elkaar aanleunden. Ze waren er nog steeds, allebei. Ze zouden alleen niet meer samenwonen. Ze vroeg of hij weg wilde gaan.

In één klap waren ze opgehouden met schelden of sneren, Monica en hij. Door haar op heterdaad te betrappen had hij onvoorzien en in een handomdraai alle scheldpartijen overbodig gemaakt. Nadat haar nieuwe man hem door de open keukendeur collegiaal had toegeknikt en de voordeur met een voorzichtig klikje achter zich had dichtgetrokken, was alles tussen hen zakelijk en doelmatig toegegaan. Zij sliep op de bank in de huiskamer, tot ze verhuisde. Ze nam zelfs al het papierwerk op zich. Er viel kennelijk niet zoveel te discussiëren, en ze bleken allebei vol goede wil te zijn om de zaak zo pijnloos mogelijk af te handelen. Ter wille van Lea, zoals ze zeiden, haast samenzweerderig, alsof ze plotseling iets met elkaar hadden.

Hij had geen argwaan gekoesterd. Hij was ervan uitgegaan dat dit soort impasses normaal was na tien jaar huwelijk. Hij had er geen erg in gehad dat de dieptepunten steeds langduriger en dieper waren geworden, totdat het alledaagse leven een verraderlijk kalme waterspiegel was geworden, waar haaienvinnen opdoken wanneer je daar het minst op bedacht was. Een onschuldige woordenwisseling over de bereiding van het avondeten kon plotseling uitmonden in vreselijke beschuldigingen, en kleine vergeetachtigheden of slordige fouten hoopten zich op als bewijsmateriaal in een langdurig proces voor een imaginaire rechtbank. Maar wie moest de een vonnissen en de ander vrijspreken? Met het schaamrood op de kaken keerden ze voor een poosje terug naar de dagelijkse routine van trivialiteiten, totdat een van hen opnieuw bezweek onder de hand over hand toenemende verveling of vertwijfeling en bij de minste of geringste aanraking uit elkaar sprong.

Later begreep hij dat haar humeurige en geprikkelde uitbarstingen een dekmantel waren geweest voor haar wroegende geweten, en hij kreeg met terugwerkende kracht met haar te doen. Wat voor hem niet meer dan de dagelijkse verdoving van een uitgeblust samenleven was, moest een nachtmerrie zijn geweest. Toen alles in orde was gekomen en ze zich ieder voor zich hadden ingericht in hun nieuwe werkelijkheid, had hij op het punt gestaan haar te vertellen dat ze zich niet zo had hoeven afbeulen uit gewetenswroeging. Hij had ook een geheim gehad, maar dat was een oude geschiedenis, en als hij haar die nooit had verteld, waarom zou hij dat nu dan wel doen, nu het er allemaal niet meer toe deed?

Ze liepen verder langs het strand, naar de landtong toe. De wind streek over het water met vluchtige buien. Lea gaf hem een hand terwijl ze liepen te praten over wat hun zo te binnen schoot. Hij werd weemoedig bij de gedachte dat ze nu pas dicht bij elkaar waren gekomen, een paar uur voordat ze met de trein terug naar huis moest. Want het was immers haar thuis geworden, de villa die Jan en Monica hadden gekocht, enigszins protserig naar Roberts smaak, in een van de noordelijke voorsteden. Bij hem was ze alleen maar op bezoek. Ze zei dat ze iets met die kruidentuin moesten zien te doen wanneer ze de volgende keer kwam, misschien konden ze ook een appelboom planten, en ze keek hem intussen glimlachend aan, alsof ze zijn gedachte had gelezen.

Aan het eind, daar waar het strand oploste in landtongen en meertjes, zag hij twee figuurtjes naderbij komen. Een zwerm vogels steeg op uit het riet en zwierde door de lucht, waarbij de troep uitdijde en zich verspreidde. Toen ze dichterbij kwamen, herkende hij de bibliothecaresse. Ze liep daar samen met een man, die zo te zien wat jonger was, met een baseballpet. Ze had een oude trui aan en liep met haar schoenen in haar hand, op blote voeten aan de waterkant. Ze had mooie benen. Hij herinnerde ze zich, naast hem op de bank, in zwarte kousen. Het was zijn eigen schuld geweest. Ze keek naar Lea toen ze elkaar passeerden met een korte, afgemeten glimlach en een conventioneel knikje. Lea vroeg wie dat was. Iemand uit de stad, antwoordde hij.

Toen Robert maandagochtend op zijn werk kwam, vertelde de hoofdverpleegster dat Lucca Montale nog een inzinking had gehad tussen zaterdag en zondag. Ze hadden haar dezelfde kalmerende injectie gegeven als de eerste keer. Robert zag Andreas voor zich zoals die had gezeten op zijn bank en het verhaal van zijn ontrouw uit de doeken had gedaan met de ene calvados na de andere. Zondags had ze over pijn geklaagd en om meer Ketogan gevraagd, maar de dienstdoende arts had geweigerd haar dosis te verhogen. Ze lag zoals altijd toen hij bij haar binnenkwam, met haar benen opgehesen, vermomd in gips en verband. De onderkant van haar gezicht was nog steeds misvormd door zwellingen en donkere bloeduitstortingen. Hij vroeg of ze pijn had. Ja, antwoordde ze mat. Hij had begrepen dat ze zich triest had gevoeld in het weekend. Triest... Wat klonk dat krenterig. Hij begreep er geen moer van, antwoordde ze honend.

Terwijl hij aarzelde bij het voeteneind van het bed en de lelijk toegetakelde onderkant van haar gezicht bekeek, voelde hij een vaag schuldgevoel over de brokken informatie over haar leven, die onvrijwillig in zijn bezit waren gekomen. Ze was nog noodlijdender dan ze eruitzag, maar hij was niet in staat haar te helpen. Hij nam voorzichtig op de rand van het bed plaats en vroeg of ze zeker wist dat ze niemand nodig had om mee te praten. Ze was genoodzaakt haar situatie te accepteren, zei hij, om verder te komen. De woorden waren als deeg in zijn mond. Verder komen. Ze gaf geen antwoord. Hij verhoogde de dagelijkse dosis Ketogan zoveel als hij zou kunnen verantwoorden. De verpleegster wierp hem een korte, sceptische blik toe terwijl ze noteerde. Toen hij zich naar de deur begaf, keerde Lucca haar gezicht naar hem toe. Merci, zei ze. Hij haastte zich naar buiten.

Later op de dag verwonderde hij zich erover dat Andreas niet in de hal zat en zijn sterke sigaretten rookte wat hij elke dag deed wanneer Lauritz bij zijn moeder was. Hij vroeg de hoofdverpleegster of zij hen had gezien. Dat was niet het geval, en de patiënt had meermalen naar haar zoontje gevraagd. Toen Robert later op de middag het ziekenhuis verliet, hadden ze zich nog niet laten zien. Een uur later zou hij gaan tennissen met Jacob, en hij wist niet wat hij met zichzelf moest aanvangen. Hij reed de stad uit, langs de industriebuurt en verder, tot hij bij de zandweg kwam waar hij de vorige keer was afgeslagen. Het paard stond op dezelfde plek te grazen, het zonlicht glinsterde op zijn flank toen hij het hoofd hief en hem nakeek. Hij vervolgde zijn weg naar de rand van het bos en parkeerde zijn auto voor het huis.

Er lag geen speelgoed op het erf, en de cementmolen was weg, maar de oude damesfiets met het kinderzitje stond tegen de huismuur. Hij klopte meerdere keren. Terwijl hij wachtte, viel zijn blik op de elektriciteitsmeter, die in de muur was gemetseld naast de voordeur. De meterschijf stond stil. Hij begaf zich naar het keukenraam en schermde zijn ogen af met een hand terwijl hij naar binnen keek. Er was opgeruimd in de keuken, een baan zonlicht viel op de vloerplanken en het tafelblad. De deur van de koelkast stond wijdopen, het snoer lag op de vloerplanken in de zon, en de rekken waren leeg.

Het was warm geworden, het zonlicht glinsterde in de groene mazen van het net en deed de lucht boven het rode gruis trillen. Toen ze klaar waren met spelen, zaten Robert en Jacob uit te blazen op een bank tegen het hekwerk dat de banen van elkaar scheidde. Jacob gaf hem een vriendschappelijke stomp, hij moest iets aan zijn backhand zien te doen. Robert glimlachte alleen maar en kneep zijn ogen dicht tegen het scherpe licht. Achter hen klonken de herhaalde klappen, nu eens rechts, dan weer links, wanneer de ene of de andere speler de bal raakte met zijn racket, gevolgd door de doffere slagen wanneer de bal het gruis raakte. Er werd op meerdere banen tegelijk gespeeld, dus de geluiden waren asynchroon en regen zich af en toe aaneen tot gesyncopeerde combinaties die onmiddellijk weer oplosten.

Wat was er dan? Jacob keek hem verward aan. Waar moesten ze het over hebben? O ja... Hij zat een poosje met zijn racket in het gruis te krassen. Het was een beetje moeilijk. Maar hij voelde dat hij erop kon rekenen dat het onder hen bleef. Natuurlijk kon hij dat. Hij glimlachte verlegen, hij was soms afgunstig op Robert. Waarom? Jacob keek hem aan. Hij had immers zijn vrijheid. O, op die manier. Robert leunde achterover en strekte zijn benen voor zich uit. Jacob boog zich voorover en keek naar zijn racket. Het was iets anders wanneer je vrouw en kinderen had, het werd immers wat... ja, daar wist hij vermoedelijk alles van. Robert glimlachte. Was het iemand die hij kende? Jacob keek geschrokken, alsof Robert plotseling had onthuld dat hij helderziend was. Ze was gymnastiekjuf voor de klas van hun oudste.

Robert moest denken aan de jongeman met de baseballpet die langs het strand had gelopen naast de bibliothecaresse, en aan de vrouwelijke decorateur in Stockholm met zwart haar en blauwe ogen, die zonder het te weten Lucca Montales leven op zijn kop had gezet. Iedereen werd verliefd. Maar wat nu, wilde Jacob scheiden? Opnieuw keek de ander hem geschrokken aan. Dat was hij niet van plan. Het hoefde toch zeker geen kwestie van kiezen of delen te zijn. Bovendien was ze zelf getrouwd, hij glimlachte, het was een mooie boel. Maar wat moest hij doen? Hij was dol op haar, en zij... voor haar was het hetzelfde. Het had meteen geklikt toen ze elkaar voor het eerst zagen.

Ze was net begonnen op school als invalster voor een juffrouw die met zwangerschapsverlof was. Hij had haar ontmoet bij een ouderbijeenkomst, hij was daar in zijn eentje naartoe gegaan, ze had een fantastisch lijf. Ze hadden het gedaan in de auto, toen hij haar naar huis bracht. Ze had zúlke prammen... Jacob liet met zijn handen zien hoe groot, maar het woord lag slecht in zijn mond, prammen, en zijn handen vielen slap neer, alsof ze al uitgeput waren van het zwaarwegende heerlijks dat ze hadden trachten op te roepen. Met knikkende knieën bracht hij 's morgens zijn kinderen naar school. Hij voelde zich net als toen hij jong was.

Robert keek hem aan. Jacob zag er nog steeds erg jong uit met zijn blonde haar en zijn gezonde wangen. Hij bloosde, zowel ingetogen als trots bij de gedachte aan wat hij allemaal niet in zich had aan ontoombare en meedogenloze begeerte. En nu wilde hij Robert dus vragen of die zijn dienst kon overnemen vanavond. Haar man was op cursus. Robert aarzelde even, niet om de ander te kwellen, eerder om hem niet teleur te stellen door zijn gebaar al te onbeduidend te maken. Dat was geen groot offer, hij had geen plannen. Jacob was diep ontroerd. Hij had geweten dat hij op hem kon rekenen. Robert dacht aan zijn vrouw, die altijd naar hem glimlachte met koele, onwillige ogen. Wat kon er nou mis zijn met haar mooie gezicht en goedgetrainde vormen? Waarschijnlijk alleen het feit dat die altijd voor het grijpen lagen.

Vele jaren geleden had hij als jonge arts vaste wachten gehad, maar bij gebrek aan personeel moesten Robert en zijn collega's op de afdeling van tijd tot tijd om beurten nachtdienst doen. Hij was gesteld op de nachtelijke stilte, verbroken door verspreide geluiden, wanneer er een telefoon ging of een verpleegster door de gang liep op haar klompen. Het was een andere stilte dan thuis, wanneer hij had gegeten en in zijn eentje in zijn kamer zat. Die gaf hem niet zo'n geïsoleerd gevoel. Alleen ja, maar niet geïsoleerd. Wanneer hij nachtdienst had, stelde hij zich soms voor dat hij zich in het stuurhuis van een groot passagiersschip bevond. De enorme oliestook in de kelder was de machinekamer van het schip, de slapende patiënten waren passagiers die in hun kooien lagen, en de duisternis buiten was de duisternis boven een onzichtbare oceaan. Voor sommigen was het een tocht naar nieuwe avonturen, voor anderen was het de laatste reis, maar dat veranderde niets aan de snelheid of de koers van het schip.

Hij zat met de nachtverpleegster te praten, een tengere vrouw van achter in de vijftig. Ze vertelde over haar zoon, die dwars door de VS reisde in een auto samen met een kameraad. De laatste keer had hij vanuit Las Vegas gebeld. Ze keek bezorgd. Ze had twee horloges om, aan elke pols een. Het ene liet zien hoe laat het was in de VS. Ze had uitgerekend hoeveel mijl haar zoon zo ongeveer elke dag aflegde en stelde doorlopend de tijd van het Amerikaanse horloge bij, door met tussenpozen de wijzers een uur terug te zetten. Ze was nog nooit in Amerika geweest, en toch kon ze tot in details vertellen wat haar zoon op zijn reis had meegemaakt. Hij belde in de regel 's middags, plaatselijke tijd, wanneer het hier nacht was en zij op haar werk was. Hij belde collect. De verpleegster keek Robert enigszins geschrokken aan. Hij zei er niets van, hè?

Robert glimlachte en streek haar vriendelijk over haar rug tussen de uitstekende schouderbladen, terwijl hij dacht aan Jacob, die nu ongetwijfeld in zijn auto zat, met bonzend hart, op weg naar zijn afspraakje met de gymnastiekjuf. Ze hadden vaak samen dienst. Zij leefde alleen, sinds haar man tien jaar tevoren aan maagkanker was gestorven. Hij was metselaarsbaas geweest, de laatste maanden had ze hem zelf verpleegd. Het was geen gelukkig huwelijk geweest, maar ze sprak er zonder bitterheid over, zoals je spreekt over een lelijke tegenvaller. Ze had gewoon pech gehad in de grote loterij. Maar haar kinderen waren goed terechtgekomen, haar dochter was arts in Groenland, en de jongste studeerde op de Landbouwhogeschool in Kopenhagen, wanneer hij niet dwars door Amerika reisde.

Toen ze jong was, had ze als vrijwilligster in een kinderkliniek in Soedan gewerkt. Hij wist haar soms aan het vertellen te brengen over haar tijd in Afrika, en hoe ze op het punt had gestaan met een Afrikaan te trouwen, tot ze erachter kwam dat hij al twee vrouwen had. En dat terwijl zij had gedacht dat ze eindelijk haar grote liefde had ontmoet in de gedaante van een lange, mooie Soedanees. Elke keer dat ze het verhaal vertelde, verscheen dezelfde verraste, schalkse glimlach op haar gezicht, en Robert zag opeens hoe ze er als jong meisje moest hebben uitgezien. Een charmante, verbaasde jonge vrouw midden in het zwarte Afrika. Andere keren informeerde ze naar Lea en gaf hem op enigszins bedrijvige wijze goede adviezen over kinderopvoeding, maar Robert volstond ermee te luisteren zonder haar tegen te spreken.

Toen zij door een patiënt werd geroepen, haalde hij zijn walkman tevoorschijn en deed er een bandje in met strijkkwartetten van

Haydn. Hij spoelde voorwaarts naar het langzame deel, dat lang na Haydns dood was misbruikt als volkslied. Hij neuriede de inleidende strofen, *Deutschland, Deutschland über alles*, en toen moest hij glimlachen. Voor de zoveelste keer verwonderde hij zich erover hoe de muzikanten al onder de eerste aarzelende maten van het thema zich ontdeden van het keurslijf van de lelijke associaties en de muziek bevrijdden. Hij leunde achterover, terwijl Haydn geciviliseerd tegen hem fluisterde in de koptelefoon met het warme, tere vibrato van instrumenten die bijna net zo oud waren als de componist.

Jacob moest er nu wel zo ongeveer zijn. Robert stelde zich voor hoe hij als een stoute schooljongen met rode wangen in een vreemd huis tussen de benen van een vreemde vrouw lag en zich tegoed deed aan haar prammen. Het huis was vermoedelijk een eengezinswoning, net als dat van hem, en de vrouw onderscheidde zich waarschijnlijk niet zo heel erg veel van zijn eigen welgeschapen vrouw. Een vrouwenlichaam zoals dat er nu eenmaal uitziet, in een slaapkamer die vermoedelijk was gemeubileerd als de meeste andere, met meubels van vurenhout en spaanplaat bekleed met wit laminaat. En niettemin was het een drama dat zich tussen hen afspeelde, verboden en onbedwingbaar.

Terwijl de gymnastiekjuf haar benen voor Jacob spreidde, lag hij op zijn knieën, misschien een ogenblik in een soort devotie bij het zien van haar kut. Die leek vermoedelijk op alle andere kutten, zowel die in de werkelijkheid als die in allerhande seksbladen en op de gekleurde tekeningen in allerlei anatomische naslagwerken. Toen hij nog een groot kind was, vond Robert dat de vrouwelijke geslachtsorganen iets bar prozaïsch over zich hadden vergeleken met zijn vage dagdromen over wat hem te wachten stond wanneer hij volwassen werd. Anderzijds zorgde nu juist hun enigszins schrikaanjagende realiteit ervoor dat ze zo opwindend waren om aan te denken, de gelobde schaamlippen en hun kleurenscala van roodbruin en roze.

Wanneer hij zich Jacobs blik op de kut van de gymnastiekjuf voorstelde, die zich misschien juist nu voor hem opende, omgeven door het functionele, geïmpregneerde meubilair, kwam de organisch gelobde kutvorm hem net zo anachronistisch voor als een antiquiteit dat zou zijn geweest, een koddige schrijn in Jugendstil gevoerd met rood velours. Zeer opvallend in de functionele, met goedkope materialen in serie gefabriceerde nuchterheid van de eengezinswoning. Als je zo volgens de regels leefde als een arts of een gymnastiekjuf dat deed in zo'n middelgrote provinciestad, werd de vrouwelijke geslachtsopening ook het laatste sprookjeshol, het laatste toevluchtsoord voor je uitgemergelde fantasie.

Wanneer Robert voorheen voor het eerst met een vrouw naar bed was gegaan, had hij niet alleen haar lichaam begeerd, maar ook de vreemdheid ervan. Wanneer ze bij elkaar lagen, hij en een wildvreemde ander, was het alsof hij met zijn aanrakingen ook op zoek was naar een andere en vreemde wereld. Of liever gezegd drong hij eindelijk door tot de werkelijkheid, terwijl zijn handen het warme, onbekende lichaam naast hem onderzochten. Alsof hij in een droom had geleefd en eindelijk wakker werd. Tot het achter de rug was, en hij op de rand van het bed zat te kijken naar zijn aanhalige, onbekende minnares en zich afvroeg of dat alles was. Of dit hetzelfde lichaam was waarnaar hij zat te kijken, nu de werkelijkheid opnieuw een teleurstellende gelijkenis met zichzelf vertoonde.

Over een paar uur zou Jacob zich staan aankleden in de vreemde, maar geenszins vreemdsoortige slaapkamer, voor de schoonheid, die teder naar hem lag te kijken, bezweet en met rode koontjes. Misschien was zij een soort raadsel geweest dat hij tot op de bodem trachtte te doorgronden terwijl hij bij haar naar binnen drong, zo ver als hij kon. Maar na afloop was ze weer gewoon een gymnastiekjuf, die daar lag met haar grote prammen en vroeg wanneer ze elkaar weer zouden zien. Misschien was Jacob niet iemand die leed onder de onbestendigheid van alle dingen, misschien zou hij zijn verzadigde lichaam gewoon met een glimlachje achterover laten leunen in de bank wanneer hij huiswaarts reed naar zijn lieve, niets vermoedende vrouw. Of wat anders? Zou hij ook, net als Robert, in zijn herinnering moeten wroeten om de dierbare redenen terug te vinden waarom hij zo gespannen en duizelig van verwachting was geweest toen hij de andere kant opreed?

Wie zou het zeggen, en overigens maakte het ook niets uit, dacht Robert, terwijl Haydns gevoelvolle strijkers in zijn schedel vibreerden. De begeerte was als muziek, net zo abstract, net zo zinloos en net zo overweldigend. Zodra er weer op de oude instrumenten werd gespeeld, ontwaakte de muziek opnieuw en oefende haar invloed uit. Ver weg in het donker zag hij een glinsterende gele band, die een bocht maakte en verdween achter de andere vleugel van het ziekenhuis. Dat was de snelweg naar Kopenhagen. De rode en witte lampen passeerden elkaar in de oplichtende bocht, zoals ze dat elke nacht plachten te doen en zoals ze dat hadden gedaan op de avond dat Lucca Montale zich van het leven trachtte te beroven. Tenzij ze zich met haar dronken kop had vergist en puur toevallig op de verkeerde rijbaan was beland. Waarheen had ze gedacht op weg te zijn? Hij hoorde de telefoon door de gracieuze verwikkelingen van de strijkers heen, deed Haydn uit en nam de horen van de haak.

Een vrouwenstem vroeg in het Engels of men het gesprek wilde accepteren. Ze sprak met een Amerikaans accent. Robert zei ja, en even later hoorde hij een jongeman aan de andere kant. Robert vroeg waar hij was. Arizona. Hoe zag het eruit? De jongeman lachte, enigszins vertraagd vanwege de satellietverbinding. Hoe het eruitzag? Hij belde vanaf een parkeerterrein. Er was een benzinetank en een cafetaria, en in de omgeving waren grote cactussen en roodachtige, hoekige rotsformaties en een lange, kaarsrechte weg. Net als op de film! Robert glimlachte. Op de achtergrond hoorde hij stemmen, die spraken alsof ze aardappels in hun mond hadden. Hij ontwaarde de kleine gedaante van de nachtverpleegster aan het eind van de gang. Hij stak de horen omhoog en wuifde ermee. Ze trok haar klompen uit, nam ze in haar handen en zette het op een hollen, ijverig als een meisje. Hij werd een warm gevoel gewaar in de buikstreek. Arizona, zei hij en nam de ene klomp aan terwijl hij haar de horen overhandigde.

Hij zette de klomp op de vloer, zij glimlachte beschroomd en keerde hem de rug toe. Hij begaf zich naar de hal en nam plaats op de bank waar Andreas altijd zat. Hij stak een sigaret op, en toen hij de as in de cementen kom liet vallen, ontwaarde hij tussen de peuken die uit het zand staken een paar zonder filter, met donkere draden tabak aan het eind. Andreas was waarschijnlijk naar Stockholm gereisd om een nieuw leven te beginnen, nu zijn oude hoe dan ook in puin lag.

Hij keek op zijn horloge, het was kwart over twee. Jacob ging waarschijnlijk niet naar huis voordat de nachtdienst voorbij was, nu het zo goed uitkwam dat de man van de gymnastiekjuf op cursus was. Misschien lagen ze in elkaars armen te slapen, als echtelieden op proef. Misschien lag hij wakker, misschien snurkte zij. Zou hij toch verliefd worden op de gymnastiekjuf, omwille van haar prammen of uit puur enthousiasme bij de gedachte van voren af aan te kunnen beginnen? Robert stelde zich voor hoe een tobbende Jacob zijn vrouw het trieste nieuws meedeelde, een avond op het terras terwijl de barbecue nog nagloeide, nadat ze de kinderen een nachtzoen hadden gegeven. Hoe hij zich schuldbewust, maar ook met genotvol ontzag boog voor de wet der gevoelens en uit de ene eengezinswoning in de andere trok.

Erg waarschijnlijk was dat niet. Jacob was niet zo dramatisch aangelegd als Andreas, en Robert kon zich ook niet voorstellen dat zijn praktische, sportieve vrouw de fantasie had om zich kapot te rijden aan de verkeerde kant van de snelweg naar Kopenhagen. Misschien had zij ook haar geheimpjes. Robert borstelde as van zijn schortjas. De ruiten aan het eind van de hal gingen van plafond tot vloer, en ver weg in het geelbleke spiegelbeeld van de linoleumvloer en de lege zithoekjes ontwaarde hij vagelijk zijn witte jas en zijn over elkaar geslagen benen. Een willekeurige arts tijdens nachtdienst, die een sigaretje zat te roken. Wat had Jacob ook alweer gezegd? Het hoefde toch zeker geen kwestie van kiezen of delen te zijn. Hij zag opnieuw een bijzonder gezicht voor zich. Dat was lang geleden.

Ze hadden net een grotere flat gekocht. Waar ze bleven wonen totdat hij op een winterdag drie jaar later te vroeg thuiskwam. De flat was eigenlijk te duur geweest. Hij was groot, en er viel heel wat te schilderen, maar ze vonden niet dat ze geld hadden om het uit te besteden. De woning lag in een oud complex een eindje buiten het centrum, vlak bij de haven. Er was een speelplaats op de binnenplaats, waar men het achterhuis had afgebroken. Monica bracht de zomervakantie samen met Lea bij haar ouders door, terwijl hij aan het schilderen was. In de weekends ging hij naar hen toe. Lea zou pas na de vakantie in de eerste klas beginnen. Hij had zich geïnstalleerd in wat haar kamer zou zijn, met haar matras, een lamp, de stereo-installatie en een selectie platen. De meubels en de verhuisdozen stonden opgetast in een van de kamers onder een plastic dek.

Monica belde hem elke dag op. Ze had een slecht geweten omdat zij in de zon lag terwijl hij in de stad aan het ploeteren was, maar in feite genoot hij ervan om alleen te zijn. De meeste bewoners op hun trap waren vertrokken, en hij kon muziek spelen zo luid als hij wilde. Hij vergat de tijd, in beslag genomen door het monotone werk terwijl Verdi's *Requiem* door de lege kamers schalde. Wanneer hij 's avonds op Lea's matras ging liggen en de krant las, voelde hij zich als een nomade, die tijdelijk op een toevallige plek zijn tent heeft opgeslagen. Het uitzonderlijke aan de situatie had een opmonterend effect op hem, en er waren ogenblikken dat hij gewoon wenste dat dit zou kunnen voortduren, deze pauze tussen het leven van alledag dat was ingepakt en het leven dat zou beginnen wanneer hij klaar was met schilderen.

Soms zei hij voor de grap tegen Monica dat ze wanneer Lea volwassen werd het huis aan haar konden overlaten en hun intrek konden nemen in een hotel. Het was een oude dagdroom om te wonen in een hotelkamer en alleen het meest noodzakelijke te bezitten, klaar om van het ene moment op het andere te verhuizen, en terwijl hij daar liep te schilderen, was het alsof hij die droom realiseerde. Hij at elke avond in een restaurant, in zijn eentje of samen met een vriend, en na afloop fietste hij door de stad, net als in de tijd dat hij studeerde. De nachten waren licht, de muren en het asfalt gaven nog een beetje zonnewarmte af, en hij zat op de terrasjes naar de voorbijgangers te kijken, die gebruind en luchtig gekleed waren alsof het een stad in het zuiden was.

Samen met een van zijn oude studiegenoten belandde hij op een avond in een discotheek. Het was lang geleden dat hij in zo'n tent was geweest, de muziek was anders geworden, dommer en luider, vond hij. De meisjes gingen gekleed zoals de grote meisjes zich in het begin van de jaren zeventig kleedden, toen hij zelf nog maar een puber was. De plunje van die tijd was weer chic geworden, maar daardoor voelde hij zich nog minder op zijn gemak. Een nieuwe generatie had de stad overgenomen, en hij genoot ervan om aan de bar te staan en wat weemoedig te worden bij de gedachte aan de tijd dat hij bezweet en aangeschoten om zichzelf en om een of andere onbekende schoonheid in het flakkerende licht rondslingerde, op de muziek van Fleetwood Mac of The Eagles. Hij glimlachte, *Hotel California*, dat was de plek waarover je in de duffe en gewichtloze ochtenduren had gefantaseerd, in de hoop dat je er ooit zou komen te wonen.

Wanneer de jonge meisjes naar hem keken, merkte hij dat hij in hun ogen een uit de koers geraakte, ietwat sukkelige oude kerel was. Ze waren net zo ongenaakbaar en onzeker, net zo doorzichtig en tegelijkertijd uit de hoogte als mooie meisjes altijd waren geweest. Ze hadden alleen maar hun dromen, hun glanzende gezichten en hun jonge lichamen, maar zolang de muziek speelde, vormde het gebrek aan capaciteiten eerder een kracht dan een zwakte. Hij bekeek hen steels terwijl hij af en toe een slokje van zijn bier nam en zichzelf geruststellend voorhield dat hij niet langer iets hoefde te bewijzen. Hij was Monica nog nooit ontrouw geweest, het idee alleen al deed absurd aan.

Hij kreeg verkering met haar toen hij achter in de twintig was, in hun studententijd. Tot dan toe had hij vier, misschien vijf vriendinnen gehad – het hing ervan af hoe je dat definieerde – en daarnaast had hij een stuk of wat losse ervaringen gehad zonder nawerkingen van enigerlei aard. Hij was amper in staat zich hun namen te herinneren of hun gezichten uit elkaar te houden. Als jongeman was hij verlegen geweest, het was hem moeilijk gevallen om het spel te spelen, en hij vond vooral dat het moeilijk was om met wildvreemde meisjes te praten, wanneer het zo duidelijk was, althans voor hemzelf, dat het hem er allerminst om te doen was een gesprek tot stand te brengen. Des te verrassender was het voor hem geweest wanneer een van hen zich zonder meer aanbood. Dan kreeg hij het plotseling op zijn heupen, alsof hij nooit iets anders had gedaan dan vrouwen versieren.

Toen Monica en hij een stelletje werden, kenden ze elkaar al een paar jaar. Ze hadden dezelfde vriendenkring en ze waren zelf bevriend geraakt, geen van hen had gedacht dat het ooit op iets anders zou uitdraaien. Misschien was het hun beider terughoudendheid, die ervoor zorgde dat ze zich op hun gemak voelden in elkaars gezelschap en die hen er tegelijk van weerhield om verliefd te worden. Maar ze hadden ook een droog soort humor met elkaar gemeen. Ze stonden bekend als de ironische waarnemers van de vriendenkring, die zich op een afstand vrolijk maakten over de uitspattingen van de anderen. Verder verschilden ze erg van elkaar, Robert met zijn ingetogenheid en zijn excentrieke hang naar klassieke muziek, Monica met haar koele, hoekige manier van doen en de onverbloemde wijze waarop ze zich uitdrukte, zonder verzachtende omhaal.

Haar contouren waren zo helder en scherp dat het haar bijna geheimzinnig maakte. In een discussie hielden haar argumenten steek, ze zwom als een otter, en met tennissen kon ze harder serveren dan zelfs de fermste knapen. Niemand had haar ooit zien dansen, en ze kwam altijd in haar eentje naar feesten of etentjes. Ze ging ook in haar eentje weg, en het gerucht deed de ronde dat ze misschien een lesbienne was. Ze gebruikte nooit make-up en kleedde zich als een jongen in spijkerbroek en trui met rolkraag het hele jaar door, maar eigenlijk zag ze er vrij goed uit. Ze was blond, en haar profiel was haast klassiek met de markante neus en haar robuuste kaak. Je stond er niet zo bij stil dat ze in feite heel knap was. Je kwam er niet aan toe om zover te denken, omdat haar energieke, mannelijke bewegingen en haar confronterende grijsblauwe ogen je verhinderden om haar in alle rust te bekijken.

Robert was bang voor haar geweest, tot hij ontdekte dat hij haar aan het lachen kon maken. Sindsdien waren ze onafscheidelijk geweest bij de feesten in ettelijke zomerhuisjes aan de noordkust, tot diep in de nacht, wanneer de mensen twee aan twee naar de slaapkamers of naar het strand afdropen. Ze bleven altijd als laatsten achter bij de halflege flessen en flakkerende kaarsen, maar ze waren allebei zo bedachtzaam of goed van de tongriem gesneden dat het idee om elkaar aan te raken hun zonder meer komisch zou zijn voorgekomen. Er waren overigens heel wat mensen die hem vroegen of er niet gauw wat van kwam. Bij hemzelf kwam die gedachte niet op.

Op dat moment had hij een verhouding met een bouwkundig studente, die altijd in het zwart gekleed was en die zich bleek schminkte als een pop, met bloedrode lippen. Hij kwam er nooit achter of ze verkering met elkaar hadden, zij was nogal humeurig en voelde er niets voor om zich te laten bezichtigen, zoals ze zei. Zij verlangde dat hij haar handboeien omdeed wanneer ze met elkaar naar bed gingen, dat had hij nog nooit eerder geprobeerd. Voor het overige was ze moeilijk vast te houden, maar in haar vluchtigheid kon ze opeens op het idee komen zich aan hem over te geven. Hij liet zich haar grillen welgevallen, enkel en alleen om haar nog een keer te horen schreeuwen als een gek en om te voelen hoe ze haar lange, rode nagels in zijn schouders boorde bij het klaarkomen. Hij was afhankelijk geworden van haar nerveuze, tengere lichaam en van haar drang tot rituele onderwerping, en wanneer hij de handboeien hoorde klikken om haar dunne polsen, was hij er niet helemaal zeker van wie er hier geboeid werd. Al met al was hij nergens zeker van wanneer het om haar ging. Hij had het vermoeden dat ze nog steeds contact had met haar voormalige minnaar, een architect, die uiteindelijk toch niet de moed had om vrouw en kinderen te verlaten, maar voordat het hem lukte daarachter te komen, verdween ze definitief uit zijn leven.

Dat maakte hem vrij terneergeslagen, en hij had geen zin om mee te gaan toen de groep vrienden op hun jaarlijkse skivakantie naar Frankrijk zou gaan. Zijn relatie met de humeurige slavin was zo gespannen en hectisch geweest, dat hij nooit de tijd kreeg om zich af te vragen of hij andere gevoelens voor haar koesterde dan een hitsige en verwarde begeerte. Maar toen ze was verdwenen, versomberde hij totaal en wist hij opeens zeker dat het meisje met de handboeien iets dieps en ondoorgrondelijks had, en dat hij gewoon niet mans genoeg was geweest om dat bloot te leggen. Bovendien kon hij ook niet skien, maar op het laatst liet hij zich overhalen door Monica, die hij had onderhouden met zijn tobberige verhalen, dankbaar dat ze naar hem wilde luisteren. Zij nam de taak op zich om hem les te geven, en na een dag of wat ging hij samen met haar de skilift in. Een paar uur later lag hij in de plaatselijke EHBO-post met een gebroken enkel.

Volgens Monica had hij het makkelijk onder de knie kunnen krijgen, en in het begin dacht hij dat ze alleen maar uit gewetenswroeging zoveel werk van hem maakte. Nu volstond ze ermee om 's morgens te skiën, de middagen bracht ze samen met hem door in de vakantieflat in het lelijke betoncomplex, waar hun vrienden overal in slaapzakken sliepen en waar op alle radiatoren natte skisokken zuur lagen te dampen. Ze zorgde voor de lunch en maakte *vin chaud*, en hij raakte verrast over haar zachtheid wanneer ze vroeg of het zeer deed, of hem steunde wanneer hij naar de badkamer strompelde. De eerste keer dat hij het gemerkt had, die zachtheid, was toen ze naast hem zat in de EHBO-post terwijl zijn voet in het gips werd gelegd. Ze keek hem glimlachend aan, en plotseling stak ze een hand uit en streek met een korte, simpele beweging het haar weg van zijn voorhoofd.

Ze stak kaarsen aan wanneer het schemerig werd. Ze zaten met hun rode wijn, gehuld in dekens, over de met sneeuw bedekte bergtoppen uit te kijken tussen de betoncarrés van de skihotels. Ze spraken over van alles en nog wat, wisselden jeugdherinneringen uit en vertelden over boeken die ze hadden gelezen. Ze waren niet erg diepzinnig, maar nu was er ook niet die beschuttende, ironische distantie tussen hen, die hen tegelijkertijd bij elkaar had gebracht en in toom had gehouden. Op een middag, na een lange pauze waarin geen van beiden iets had gezegd, vroeg ze of hij het erg pijnlijk zou vinden als ze hem een zoen gaf.

Het was anders, het had weinig met handboeien en geschreeuw en scherpe, rode nagels van doen. De overgangen waren zachter en onmerkbaarder, van woorden naar pauzes, van pauzes naar liefkozingen, en van de lome, speelse uitwisselingen van hun handen tot de eerste keer dat ze schrijlings op hem ging zitten en haar blozende gezicht naar het zijne toe liet zakken onder de deken, die ze over hen heentrok als een bedoeïenenentent van wol, met halfgeloken ogen en een beschroomd lachje, dat hij niet eerder bij haar had gezien.

In het begin hielden ze het geheim, de anderen waren te dichtbij, en het was te teer, te nieuw. Terwijl ze deden of ze van de prins geen kwaad wisten, verwonderde hij zich erover hoe verschillend ze kon zijn, en hoe knap ze haar verschillende gezichten uit elkaar kon houden. Daar bleef hij zich in de daaropvolgende jaren over verwonderen. Wanneer ze hem het ene gezicht liet zien, het koele en gedistantieerde, werd hij des te meer door haar aangetrokken omdat hij dacht aan het andere, en wanneer ze hem haar zachte, kwetsbare kant liet zien, werd zijn tederheid versterkt bij de gedachte dat het een gezicht was dat zich alleen heimelijk, in het verborgene liet zien, net als de eerste keer onder de wollen deken in de Franse Alpen.

Op een warme zaterdagochtend nam hij de trein naar de noordkust. De coupé was vol met licht geklede kinderen en volwassenen, die ongeduldig zaten uit te kijken over het glanzende water en de witte driehoekjes van de plezierboten, die overhelden in de wind achter al het groene dat langs de ramen suisde. Monica had de auto, ze haalde hem af van het station. Ze stond in shorts en badkleding en leunde tegen de motorkap aan, terwijl ze verstrooid met de autosleutels rinkelde. Toen hij haar in het oog kreeg, drong het tot hem door dat hij haar had gemist. Normaal gesproken waren ze altijd bij elkaar, een week was lang. Ze lachte grimmig en zond hem een onheilspellende blik toe terwijl ze de auto startte. Hij zou zijn lol op kunnen, haar vader was in topvorm. Maar haar jongere zusje was over uit New York, dat was een verzachtende omstandigheid. Ze hadden het zo fijn samen, zei Monica met nadruk, alsof ze er niet helemaal zeker van was. Robert had Sonja maar een paar keer ontmoet.

Monica's vader was jurist bij het Hooggerechtshof, en zij had zijn haviksneus en zijn stevige kaak geërfd, zij het in een gemodificeerde uitgave. Ze had ook zijn koele, bijtende sarcasme geërfd en iets van zijn aristocratische dictie. In de stad droeg hij altijd een grijs kostuum en een butterfly, maar hij was net zo verstrooid als hij elegant was, en hij was meer dan eens in de rechtszaal opgetreden met fietsklemmen om zijn broekspijpen. Wanneer hij in het zomerhuisje was, trok hij noodgedwongen de ontspannen kledij van de vakantieganger aan, een kakibroek, maar aan zijn witte benen staken de bruine leren schoenen, fonkelend gepoetst, en zijn overhemd was zoals altijd pas gestreken.

Hij kon ontzettend kifterig zijn, en bij de lunch in de tuin mopperde hij er dagelijks over dat de haringen te zoet waren. Met het jaar werden ze onmiskenbaar zoeter, alsof er sprake was van snoepgoed voor kinderen! Afgezien van die zoete haringen zag hij overal communisten, en de val van de Berlijnse muur had zijn fobie niet kunnen genezen. Integendeel, hij klaagde constant over de hereniging van Duitsland en de ontoelaatbare wanorde die er al met al in zijn wereldbeeld was ontstaan. Het klonk haast alsof het IJzeren Gordijn er naar zijn mening toe gediend had om de Aziatische horden buiten te houden, eerder dan ze op te sluiten. Robert was ermee opgehouden om hem tegen te spreken, tot zijn duidelijke teleurstelling.

Monica's moeder was een weelderige, maar bevallige vrouw, altijd in geplisseerde of geruite rokken en een zijden blouse waarvan de bovenste knoopjes openstonden. Ze was een schim, elke beweging die ze maakte en elk woord dat ze uitsprak correspondeerde met wat de jurist bij het Hooggerechtshof deed of zei. Ze liet zich zijn boosaardige arrogantie en zijn cholerische aanvallen welgevallen, ze kwam tegemoet aan zijn minste wensen met lieve glimlachjes en een kalmerende, moederlijke toon, en haar enige revolte leek te bestaan uit de aanvallen van migraine, die haar ertoe brachten middagen achtereen in de slaapkamer achter dichte gordijnen door te brengen. Volgens Monica had ze wraak genomen door jarenlang een affaire te hebben met een afdelingshoofd in de psychiatrie. Iedereen wist het, maar niemand sprak erover, zei Monica. Raadselachtig, dacht Robert. Het kon toch haast niet anders of iemand moest wat gefluisterd hebben. Overigens leek het afdelingshoofd, met zijn zilvergrijze haar en stalen standpunten als twee druppels water op haar vader, vertelde ze. Het enige verschil was dat hij een zijden sjaaltje droeg in plaats van een butterfly.

Toen de auto te horen was op de inrit, kwam Lea aangevlogen. Ze droeg alleen maar een onderbroek, haar slungelachtige benen en armen waren gebruind en de navel puilde uit haar bolle buikje. Ze sprong in Roberts armen zodat hij bijna omviel. De lunchtafel stond gedekt onder een parasol in de tuin, die grensde aan een heuvelachtig terrein begroeid met heide en jeneverbesstruiken. Ze gingen aan tafel, en Monica's moeder riep meerdere keren tevergeefs het jongere zusje, ongeduldig klagend zoals je een kind roept dat zijn spel niet wil onderbreken. Ze dook pas op toen de jurist bij het Hooggerechtshof haar naam had geroepen met zijn diepe stem en het hoofd half naar het huis gedraaid, voorovergebogen en afwachtend, met ingehouden irritatie.

Ze moest een jaar of twintig zijn. Toen ze plaatsnam tussen Robert en Monica, verwonderde hij zich erover dat het zussen waren. Terwijl Monica's bewegingen hoekig en effectief waren, had Sonja iets indolents over zich. Ze bewoog zich in een langzamer tempo en verwijlde bij alles wat ze deed, alsof ze zich moest afvragen waar ze eigenlijk mee bezig was, of het nu ging om het smeren van kwark op het knäckebröd dan wel het verwijderen van het ongekamde haar van haar zachte, hartvormige gezicht. Haar donkere haar was vol krullen en langer dan het gladde, praktische kapsel van Monica. Ze had een zilveren ring om haar ene grote teen, en ze sprak op enigszins lijzige toon, waarbij ze de s'en stemhebbend maakte op een meisjesachtige manier, die Robert irriteerde. Haar lange gebatikte jurk was verbleekt door het wassen en hing los om haar heen. Monica droeg nooit jurken.

Zij was de wildebras in de familie. Zo hadden ze haar genoemd toen ze kind was, de kleine wildebras. Ze hadden haar niet in toom kunnen houden, de jurist bij het Hooggerechtshof en zijn geruite echtgenote, en als veertienjarige werd ze op een kostschool gedaan. Na de school reisde ze naar Israël, ze bracht een halfjaar in een kibboets door, en toen ze genoeg had van het sinaasappelplukken, trok ze naar Jeruzalem, waar ze danslessen begon te nemen en verliefd werd op een Amerikaan. Ze ging met hem mee toen hij terug naar New York reisde, nu scheen het uit te zijn tussen hen, maar tot ieders verrassing was het haar gelukt toegelaten te worden tot Martha Grahams school. De jurist bij het Hooggerechtshof betaalde zonder morren. Om ervoor te zorgen dat ze wegbleef, had Monica met een glimlach gezegd.

Na de lunch trok ze de jurk over haar hoofd en begon tai chi te doen op het grasveld, slechts gekleed in een slipje net als Lea, die met open mond toekeek. De jurist bij het Hooggerechtshof verving de bruinleren schoenen door een paar volkse klompen en begon het rozenbed te wieden terwijl hij zijn kiezen energiek op elkaar beet om zijn pijp. Moeder de vrouw ging naar binnen om een dutje te doen. Robert en Monica zaten in een dekstoel te lezen. Van tijd tot tijd keek hij steels naar Sonja, die haar langdradige Chinese poppenkast afwikkelde met een zelfingenomen, ingekeerd gezicht. Haar torso had iets fragiels over zich, wat niet in overeenstemming was met de sterke armen en gespierde kuiten. Haar borsten waren klein en tenger, alsof ze niet volledig waren ontwikkeld, en haar heupen waren smal als die van een jongen.

Aan het eind van de dag reden Robert en Monica naar het strand met Sonja en Lea. Sonja zat op de achterbank, ze speelde muis met een hand op Lea's rug en kietelde haar in de nek en onder de kin. Ze giechelden allebei, alsof zíj zussen van elkaar waren. Toen Sonja Lea in haar zij kietelde, zodat ze het bestierf van het lachen en tegen de chauffeursplaats aan schopte, werd het te veel voor Monica, en ze vroeg scherp of ze erin geïnteresseerd waren in de berm te belanden. Robert draaide zich om. Ze zaten muisstil elk in een hoek en keken steels naar elkaar, met rode koppen van het ingehouden lachen. Monica beet op haar onderlip en keek strak voor zich uit op de weg. Hij legde een verzoenende hand op haar knie, ze verplaatste haar knie, hij verwijderde zijn hand.

Ze had het zelden over Sonja. Ze was het huis uitgegaan toen haar zusje vijf jaar oud was, maar hoewel de kleine wildebras daarmee haar ouders voor zichzelf kreeg, had ze een onverzoenlijke jaloezie tegenover haar zus gekoesterd. Toen Monica op een keer een vriendje mee naar huis had genomen, beet Sonja hem zo hard in zijn vinger dat hij naar de EHBO-post moest. Haar vader was op dat moment midden vijftig en was verstrooider dan ooit, en haar moeder, die vijftien jaar jonger was, leek het te begeven bij het vooruitzicht van voren af aan te moeten beginnen. Zij had immers ook een leven, zoals ze dat van tijd tot tijd uitdrukte tegenover haar volwassen dochter. Monica vroeg waarom ze dan in godsnaam nog een kind had gekregen, maar haar moeders blik was vaag geworden. Het was een ongelukje geweest.

Bij stukjes en beetjes kreeg Robert de verhalen te horen over Sonja, die het ondergoed van haar moeder kapot had geknipt met een keukenschaar, inkt had uitgegoten over de processtukken in de werkkamer van de jurist bij het het Hooggerechtshof en een zak suiker had geleegd in de benzinetank van zijn nieuwe Volvo. Het hoogtepunt was geweest toen ze als veertienjarige een van de jongens in haar klas zover kreeg dat hij een telefonische bommelding deed bij het Hooggerechtshof, op een dag dat haar vader moest optreden. Monica wist nog hoe haar zusje met over elkaar geslagen armen had gezeten en haar blik op het vloerkleed gericht, terwijl haar vader haar vroeg waarom ze hen zo haatte. Ze gaf geen antwoord, maar toen hij vroeg of ze er liefst verschoond van wilde zijn om samen met hen te wonen, had ze opgekeken en ja gezegd.

Zo gezegd, zo gedaan. Monica beweerde dat ze haar ouders ertoe had trachten te bewegen om haar niet op een kostschool te doen. Het was ook gegaan zoals ze had gevreesd. Sonja's haat jegens haar was alleen maar dieper en angstaanjagender geworden. Haar stilzwijgen en geforceerde welgemanierdheid wanneer ze thuis op bezoek kwam, waren erger dan al haar terroristische invallen. Pas toen Sonja op het gymnasium zat, hadden ze elkaar gevonden, zei Monica, maar Robert vond niettemin dat er een sluier van veinzerij over Sonja's gezicht kwam toen ze klaar was met haar tai chi en ze glimlachend een plekje vond in het gras naast Monica's dekstoel. Tijdens de lunch had hij notitie genomen van haar korte, registrerende blikken naar haar oudere zus, die geconcentreerd luisterde naar haar vader en zijn vragen beantwoordde met haar lichtere en als het ware verdunde uitgave van zijn verouderde dictie.

De zon stond laag boven de pijnbomen achter de duinen en het orthopedische instituut. Het was een oud badhotel uit de jaren twintig. Robert kon niet naar het witgekalkte functionalistische gebouw kijken zonder een vage naklank van aanhalige saxofoons te horen. Monica's moeder had meer dan eens verteld hoe de jurist bij het Hooggerechtshof naar haar hand had gedongen daar op de dansvloer, gestoken in een witte smoking. Hij verbeterde haar elke keer, het was een zwarte, maar zij hield voet bij stuk in een zeldzame aanval van weerbarstigheid. Hij wás wit. Het was hoe dan ook de enige keer geweest dat iemand naar haar hand had gedongen. Het schuim op de golven lichtte op in de laagstaande zon. De Sont was donkerblauw en vloeide samen met de nevelige hemel achter de Zweedse kust. Kullen was niets anders dan een tengere, grijze vinger aan de horizon. Robert hield Lea's handen vast, ze gilde wanneer hij haar door de branding trok. De zon veroorzaakte een roodachtige gloed op Sonja's en Monica's blote ruggen terwijl ze de golven inliepen. Monica was een tikkeltje langer dan haar zus, maar van achteren gezien vond hij dat ze op elkaar leken, met hun holle ruggen en smalle heupen. Ze lachten toen ze erin sprongen en verdwenen in een bloem van schuim en bellen om even later een eindje verderop weer op te duiken.

Sonja kwam het eerst terug, ze vond dat het te koud was. Haar lippen waren blauw en trilden, ze had kippenvel op haar dijen en borsten, en haar donkere tepels waren stijf van de kou. Hij reikte haar een handdoek aan. Ze glimlachte en keerde hem de rug toe terwijl ze zich afdroogde. Monica crawlde langs de uiterste zandbank met lange, rustige slagen. Haar voorhoofd en wangen vingen de zon wanneer ze van tijd tot tijd haar gezicht even naar hen toe keerde. Hij zei tegen Sonja dat ze veranderd was sinds hij haar de vorige keer had gezien. Dat hoopte zij eerlijk gezegd ook. Ze glimlachte opnieuw, bond de handdoek om zich heen en ging naast hem zitten. Hij keek naar hun ribbelige schaduwen in het zand. Een stukje van hen vandaan zat Lea op haar hurken, ze had een heuveltje van nat zand gemaakt, dat ze met schelpen decoreerde.

Hij bood Sonja een sigaret aan, ze rookte niet, hij stak er een op voor zichzelf. Hoe lang bleef ze? Een maand, dan ging ze weer terug. Ze vertelde over New York. Samen met een Belgisch meisje woonde ze in een flat in Little Italy. Er was zo langzamerhand niet veel Italiaans aan Little Italy, de Chinezen hadden de hele boel overgenomen. Aha... Ze vroeg of het niet lastig was voor Monica en hem om in hetzelfde ziekenhuis te werken. Lastig? Ja... Ze glimlachte om het onbegrip op zijn gezicht. Hij zei dat het eigenlijk erg praktisch was. Maar zaten ze elkaar niet in de weg? Hij wuifde naar Lea, toen zij opkeek in hun richting. Ze had een schaduw van nat zand op haar ene wang. In feite zaten ze haast niet, antwoordde hij, en bovendien werkten ze elk op hun eigen afdeling. Ze knikte bevestigend en keek hem aan met een al te aandachtige blik, alsof ze helemaal niet luisterde naar wat hij zei.

Hij was ook veranderd. Ze boorde haar tenen in het zand. Hij glimlachte en keek naar zijn sigaret. Door de wind raakten de stukjes as los van het gloeiende puntje en vlogen weg. Hij was vermoedelijk wat dikker geworden. Ze bekeek hem even. Ja, maar dat stond hem goed. Hij begon naar haar dansopleiding te informeren om haar over iets anders te laten praten. Monica kwam uit het water en holde naar hen toe, glinsterend nat. Sonja viel zichzelf in de rede en keek hem opnieuw aan. Waarom vroeg hij dat? Het interesseerde hem immers toch niet. Ze zei het met een glimlach, zonder een zweem van gekrenktheid. Monica steunde en streek met beide handen het natte haar weg van haar voorhoofd. Ze trok zijn badjas aan, haalde de ceintuur aan en stak een sigaret op terwijl ze over het water uitkeek. De mouwen kwamen tot de uiterste vingerkootjes. Ze schoof haar onderlip naar voren en blies de rook uit. Ze was mooi op die manier, met nat, achterovergestreken haar en glanzende waterdruppels tussen de wimpers om de kalme, grijze ogen.

Ze aten op het terras aan de westkant, waar je kon uitzien over de heuvels. De laatste zonnestralen sneden horizontaal door het gras en de glazen met witte wijn op de tafel. Het bliksemde in het bestek en in de montuurloze bril van de jurist bij het Hooggerechtshof op het uiterste puntje van zijn verbrande haviksneus. Het gesprek ging over het weer en de wijn. Die was Zuid-Afrikaans, dat was vrij riskant, maar er was niet veel keus bij de plaatselijke kruidenier, en eigenlijk was hij zo slecht nog niet. Monica gaapte discreet, en Lea wipte op haar stoel, hoewel ze voortdurend te horen kreeg dat ze dat moest laten. Sonja liet haar zien hoe haar servet om beurten in een witte duif en een wit konijn kon veranderen. Ze hadden allemaal hun vaste servetring van doublé. Robert had er ook een. De servetten werden meerdere dagen achtereen gebruikt, ze woonden immers buiten.

Toen de anderen naar bed waren gegaan, bleef Robert buiten in de schemering zitten samen met de jurist bij het Hooggerechtshof, hoofdzakelijk uit beleefdheid. Ze rookten Italiaanse sigaartjes, dat was iets wat ze gemeen hadden. Zouden ze nu niet een whisky nemen? De jurist bij het Hooggerechtshof had een zeer voortreffelijke *single malt*, een cadeau van een cliënt. Hij ging naar binnen. Het smeulde nog steeds violet in de heide en het hoge gras tussen de silhouetten van de pijnbomen en jeneverbesstruiken. Hij kwam terug met de fles en twee glazen, gekromd en getaand in het blauwe halflicht. Hij was erg blij met die symfonie van Sibelius die Robert hem cadeau had gedaan voor zijn verjaardag, was het niet de zesde? Hij zat even met het sigaartje geheven tussen zijn vingers. Gewoonlijk was muziek immers iets wat zogezegd aan je voorbijging met haar thema's en neventhema's en hoe het allemaal ook mocht heten. Robert moest hem stoppen als hij te mistig werd. Maar in het geval van Sibelius was het eerder omgekeerd. Alsof je in een geweldig landschap rondliep. Niet dat er eigenlijk iets bepaalds gebeurde in de muziek, het overkwam je gewoon. Hij schudde het hoofd. Dit was vast lariekoek. Robert glimlachte. Helemaal niet. Maar hij was er blij mee, zeer zeker.

Hij schonk opnieuw in. Het was een goede, nietwaar? Niet die gebruikelijke, naar spiritus stinkende troep. Ze zaten een poosje naar de sprinkhanen en de koekoek te luisteren. Een silhouet maakte zich los van de schaduwen en kwam naderbij. De weerschijn van de lampen in de kamer viel op Sonja's ronde wangen en scherpe kin ingelijst door het loshangende haar. Ze had een wandeling gemaakt. Een afzakkertje? Ze glimlachte meewarig, nee merci. Ze draaide zich om in de deuropening toen ze welterusten zei. Robert hoorde de vloerplanken kraken en het droge geluid van haar blote voeten op de trap en in de verte een deur, die werd dichtgedaan. De jurist bij het Hooggerechtshof knipte zijn aansteker aan en zoog zijn wangen naar binnen om het sigaartje weer aan de praat te krijgen. Opeens zag hij er erg oud uit.

Het moest een onzekere carrière zijn, die van danser. Hij hield het sigaartje loodrecht tussen twee vingers en bekeek de dunne rookslierten. Maar hij was blij dat ze er uiteindelijk achter was gekomen wat ze wilde. Hij wachtte even. Het was niet gemakkelijk geweest met Sonja. Robert voelde hoe de ander hem aankeek in de schemering, maar hij kon zijn ogen niet zien. Nou ja, ze kenden elkaar immers zo langzamerhand, hij rekende erop dat het onder hen bleef. Hij had het nog nooit aan iemand verteld. Hij smeet de sigarenpeuk weg, een rood puntje tussen de grassprieten. Sonja was zijn dochter niet. Hij was erachter gekomen toen ze klein was en hij in ander verband een bloedproef liet doen bij hun huisarts, een oude vriend. Hij had zijn vriend verzocht de nodige analyses te maken, in alle vertrouwelijkheid. Noch de meisjes noch hun moeder wisten ervan. Maar daarmee kreeg hij een oud vermoeden bevestigd. Híj kon ook op zijn vingers tellen.

Robert kleedde zich uit zonder het licht aan te doen. Lea sliep op een divan die tegen de andere wand aan stond. Monica was wakker toen hij naast haar ging liggen. Ze drukte zich tegen hem aan en kuste hem in zijn hals terwijl haar hand onder het elastiek van zijn onderbroek gleed. Ze lagen muisstil toen ze de zware stappen hoorden van de jurist bij het Hooggerechtshof op de trap, als tieners in een vakantiekolonie, dacht Robert. Hij voelde zich belast door de informatie waarmee haar vader hem had opgescheept, en over het feit dat hij verplicht was het voor zichzelf te houden. Ze stak haar tong in zijn oor en pakte zijn testikels beet. Eigenlijk voelde hij zich te moe, maar hij wist wat ze dacht. Het was een week geleden, en morgenavond was hij weer weg. Hoe meer tijd er tussen elke keer verliep, des te belangrijker werd het, alsof het iets was dat ze moesten bewijzen. Ze spraken er niet over op die manier, het hing gewoon in de lucht, hoe vaker hoe beter, en als er te veel tijd was verstreken, kon hij aan haar merken dat ze bezorgd werd.

Er was zoveel dat hij begreep zonder dat ze het hoefde te zeggen. Een blik was genoeg of een zwijgen, waarna ze aan het opruimen sloeg in de kamer of vuil wasgoed in de machine stopte, veel te energiek. Maar het kon ook een ironisch glimlachje zijn dwars door de conversatie en het gezellige samenzijn heen, als ze in gezelschap van anderen waren. Hij wist onmiddellijk wat ze dacht. Ze maakten zich soms vrolijk over hun haast telepathische vermogens, wanneer een van hen iets zei wat de ander het moment ervoor had gedacht, of dat nu een reactie was op wat er zich op dat ogenblik afspeelde om hen heen dan wel iets waar ze het een paar dagen tevoren over hadden gehad.

Als hun wederzijdse, woordloze begrip datgene was wat hen met elkaar verbond, waren ze in zekere zin voor elkaar bestemd geweest, lang voordat ze er zelf zo tegenaan keken, onder de wollen deken in de Alpen. De ironie, die hen lange tijd had verhinderd om concreet te worden en die hun eventuele aandrang om elkaar bij het lijf te pakken had getemperd, was tegelijkertijd een geheime code, een voorbode van de latere vertrouwelijkheid. Maar bij al hun vertrouwde intimiteit lieten ze net zoveel ongezegd als ze hadden gedaan toen ze van lieverlede kennis aan elkaar kregen zonder er zelf erg in te hebben.

Ze kenden elkaar zo goed. Hij kende haar opvliegendheid achter de koele façade, en haar weerzin om de eerste te zijn die een verzoenend gebaar deed. Zij kende zijn onhandige verstrooidheid en ingetogenheid, die zijn omgeving met arrogantie verwisselde. Ze hielden rekening met elkaars zere tenen, naar buiten toe waren ze vrijwel onoverwinnelijk, en onderling gebruikten ze hun kennis zowel om elkaar te verblijden als elkaar te straffen. Achter een opmerking dat Lea schoenen nodig had of waar je de beste tomaten kon kopen, kon een oceaan van tederheid schuilen, terwijl de constatering dat de oven hoognodig moest worden schoongemaakt kon trillen van verontwaardiging over iets heel anders. En het werd begrepen, de inkoop van witte kinderschoentjes of vaste, donkerrode tomaten veranderde in een liefdesdaad, en terwijl de oven van gestold vet werd ontdaan, werd de strijdbijl weer begraven.

Het was niet nodig om zoveel te zeggen, had hij gedacht, gelukkig over het feit dat hij begreep en begrepen werd, maar gaandeweg waren er misschien ook dingen die helemaal niet gezegd konden worden. Daar dacht hij aan terwijl Monica naast hem lag en hem volhardend bewerkte, totdat hij eindelijk gehoorzaamde, als in een soort reflex, en begon te groeien en hard te worden in haar bekwame hand. Nu moest het ervan komen, na de gedwongen onthouding van een hele week. Ze ging op hem zitten, het bed kraakte ritmisch toen ze op en neer begon te glijden. Lea draaide zich mompelend om in haar slaap, Monica hield even op en giechelde gedempt. Ze ging door, langzamer, en het krakende geluid ging over in een droog knerpen telkens wanneer hij tegen haar baarmoederhals stootte.

Hij probeerde zin te krijgen en vormde zijn handen tot kommetjes onder haar borsten. Ze waren wat gaan hangen, niet veel, een beetje maar, ze had nog steeds een mooi lichaam. Maar het was alsof ze het aarzelen van zijn handen voelde, het attente van hun lichte aanraking, want ze pakte zijn polsen beet en drukte die in het matras aan weerszijden van het kussen terwijl ze steunde en het schaambeen harder tegen zijn schoot stootte. Dat had effect, hij voelde hoe de bloedvaten tot het uiterste gespannen werden en hoe het van onderen begon te sudderen en te stromen, terwijl zij aanmoedigend tegen hem fluisterde dat hij zo stijf en hard was. In een fractie van een seconde zag hij Sonja voor zich, de druppels zout water op haar kleumende, spitse borsten terwijl hij haar de handdoek aanreikte. Hij verjoeg het beeld, en toen kwamen ze eindelijk klaar, kort na elkaar, zij zachtjes jammerend, terwijl ze zich over hem heen boog en haar gezicht tussen zijn hals en schouder begroef.

Ze vlijde zich weer tegen hem aan met haar wang tegen zijn borst. Hij kuste haar op het voorhoofd en liet zijn vingers door haar haar glijden. Ze fluisterde dat het goed was. Hij zei hetzelfde. Ze kon niet weten wat hij dacht, maar toch was hij een beetje bang dat ze het zou merken. Het was warm in de nauwe kamer, hij legde zijn ene been op het dekbed. Monica ademde hem in het gezicht. Haar adem had een zoetige lucht, een beetje als opgewarmde melk. Hij kuste haar opnieuw en keerde haar de rug toe. Ze legde een arm om zijn buik en drukte zich tegen zijn rug aan. De vertrouwelijkheid... hij dacht er opnieuw aan. Op dit moment was het alleen maar het gevoel opgesloten te zijn in een veel te kleine kamer. Een gesloten ruimte, dacht hij, waar de zuurstof gaandeweg opraakte. Maar zo was het alleen nu.

De volgende avond gingen Sonja en hij samen naar de stad. Monica reed hen naar het station. Hij had de weekendkranten meegenomen, maar zij had geen zin om te lezen. Hij zat zich af te vragen of die golf spelende psychiater soms haar biologische vader was. Alsof dat iets uitmaakte voor anderen dan de jurist bij het Hooggerechtshof, die zo egoïstisch en sentimenteel was geweest om hem in te wijden in zijn kleine privé-hel. Hij probeerde zich voor te stellen hoe zij zou reageren als hij het haar vertelde. Zou ze instorten? Zou ze opgelucht zijn? Zij die gewend was geraakt aan de rol van de ongewenste rebel in de familie. Zijn geheime kennis vergrootte de afstand tussen hen en versterkte de indruk dat hij hier tegenover een eenzaam, gehavend kind zat.

Ze wisselden toevallige opmerkingen uit met lange tussenpozen, waarin ze keken naar de verlichte ramen van de villawijken, het gebladerte van de bomen boven de paden langs de spoorbaan en het blauwe lint van de Sont, dat verdween en weer opdook. De lantaarns lichtten violet op in de schemering en schenen door de bladeren van de bomen. Ze kenden elkaar niet, ook al was zij zijn schoonzus. Het woord maakte een totaal verkeerde indruk, als een krankzinnige hoed. Ze zei dat hij de krant maar moest lezen als hij geen zin had om te praten. Hij sloeg een stuk van de krant open en las wat te hooi en te gras. Hij kon zich niet concentreren, en toen hij op een gegeven moment opkeek, zat ze hem gade te slaan. Hij wierp een blik naar het station waar de trein zojuist was gestopt en strekte zijn hals om het bord boven het perron te lezen, alsof hij even wilde zien hoever ze waren gekomen.

Het irriteerde hem dat hij aan haar had gedacht toen hij met Monica naar bed was. Het was gewoon een beeld geweest, net als een van die lichtbeelden die soms per abuis in de carrousel terechtkomen, zodat de serie impressies van een zomerdag buiten plotseling wordt onderbroken door Lea in een gele regenjas, die haar hand naar voren steekt zodat het lijkt alsof ze tegen de scheve toren van Pisa aanduwt. Je weet niet hoe die daar is beland en klikt haastig verder. Bovendien was ze helemaal niet aantrekkelijk, Sonja, zoals ze daar tegenover hem zat in de coupé, met een wijde linnen broek aan en een sweatshirt met capuchon. Opnieuw sloeg hij acht op haar enigszins vlegelachtige trekken, haar gewoonte om de mouwen van de trui over haar handen te trekken en de kinderlijke manier waarop ze de woorden uitsprak, alsof ze zich verslikte in de consonanten. Ze hadden ook niets om over te praten.

De dag erna begon het te regenen. Hij liet de ramen openstaan en snoof de geur op van fris lover en nat asfalt, die zich mengde met de verflucht, terwijl *La Traviata* door de lege kamers van de flat schalde. Wanneer hij aan Monica dacht, zag hij niet hun routineachtige geslachtsgemeenschap voor zich in het krakende bed, maar haar profiel in de middagzon, de vaagheid in haar grijze blik toen ze met zijn badmantel aan stond uit te kijken over de Sont, alsof ze haar hele leven in ogenschouw nam. Hun hele leven. Er was geen verschil, haar leven en dat van hen kwam op hetzelfde neer. Opeens miste hij haar. Hij had zin om op te staan en naar haar toe te gaan, de badmantel los te maken, die ze zo strak had gebonden, haar naar zich toe te trekken en zijn handen op haar heupen te leggen. Ook al was het maar een beeld.

Hij moest de muziek zachter zetten, hij wist niet zeker of hij de deurbel werkelijk had horen gaan. Hij stond onbeweeglijk in de plotselinge stilte. Er werd opnieuw gebeld. Hij liep naar de hal en pakte de deurtelefoon, het was Sonja. Even later verscheen ze op de overloop met nat haar en een onwennig glimlachje. Ze droeg schoenen met hoge hakken, de dunne zijden rok kleefde tegen haar benen, en haar vochtige cardigan was iets te nauw, zodat de huid van haar buik te zien was tussen de knopen. Ze had een fles witte wijn in haar armen. Ze was toevallig in de buurt, ze was verrast door de regen, ze dacht dat hij misschien dorst had... De verklaringen krioelden tevoorschijn en struikelden over elkaar. Hij vond een handdoek voor haar, en zij wreef er haar haar mee droog, zodat het naar alle kanten begon te pieken.

Hij nam de fles mee naar de keuken, maar bedacht toen dat de kurkentrekker zich onder in een verhuisdoos bevond. Er lag een schroevendraaier op de aanrecht, hij drukte de kurk naar beneden. Glazen waren er ook niet, ze moesten drinken uit theekroezen. Toen hij de hoekkamer binnenkwam, stond ze bij het raam, slechts gekleed in bh en rok. Haar cardigan hing te drogen over een schuurmachine. Ze draaide zich om, hij bood haar een trui aan. Dat hoefde niet, het was immers warm. De zwarte bh schoof haar borsten omhoog als twee zachte halve koepels, zodat ze groter leken dan ze waren. Hij ging op de vensterbank zitten, zij zat op de bovenste trede van de trapladder. Ze hieven de kroezen, een beetje ceremonieel, en moesten allebei glimlachen. De bomen van de allee spiegelden zich in het blanke asfalt. Hij had er geen idee van wat hij moest zeggen.

Ze zei dat het een leuke flat was. Hij vertelde in het kort hoe ze zich de inrichting hadden voorgesteld. Zij knikte, terwijl ze hem met een plagerige glimlach aankeek, en opnieuw verdacht hij haar ervan dat ze niet luisterde naar wat hij zei. Ze zette de kroes op een van de treden van de ladder en liep in de kamer rond. De hakken van de schoenen maakten haar langer en deden haar gespierde benen eleganter lijken. Ze draaide zich om en liep langzaam op hem af. Haar armen bengelden van de ene kant naar de andere, en ze boog het hoofd lichtelijk voorover terwijl ze hem geheimzinnig aankeek vanonder de krullerige draden vochtig, drooggewreven haar.

De nachtverpleegster zat nog steeds met haar zoon in Arizona te praten. Hij liep een eindje door de gang, terwijl hij zich een zonovergoten straatweg voorstelde, eindeloos en kaarsrecht tussen de rotsen. Er stonden opgemaakte bedden langs de wand over de hele lengte van de gang, onderbroken door ramen, waar je uitzicht had op de rijen lichtplekken van de straatlantaarns, die samenkwamen en dichter werden in het midden van de stad. De deur van een spoelruimte stond op een kier, de kraan lekte met een hol, trommelend ritme in de stalen wasbak. Hij draaide de kraan dicht en vervolgde zijn weg.

Hij passeerde de kamer waar Lucca lag. Hij aarzelde voordat hij de deur voorzichtig opendeed. Ze kermde zachtjes, hij liep naar haar bed toe. Ze vroeg wie het was. Haar stem was iel en uitgeput van het huilen, en haar neus was verstopt, zodat ze na elke zin naar adem hapte. Ze vroeg hoe laat het was, hij antwoordde. Hij was er anders toch nooit 's nachts? Een enkele keer, zei hij, een enkele keer was hij er 's nachts. Hij haalde een papieren doekje van het planchet boven de wasbak en hielp haar bij het snuiten van haar neus. Merci, zei ze en steunde hees. Ze kon niet in slaap komen. Hij nam plaats op een stoel naast het bed.

Ze vroeg waarom Lauritz die middag niet was gekomen, zoals hij gewoon was te doen. Ze miste hem. De laatste woorden trilden en losten op in een benard gepiep, terwijl ze haar mond vertrok. Haar halsspieren werden zichtbaar onder de huid, trillend van inspanning, en haar schouders schokten terwijl ze beurtelings naar adem hapte en de lucht uitstootte in krampachtige zuchten, tot ze haar tranen de vrije loop liet. Hij legde een hand op haar ene schouder en streelde die voorzichtig, alsof hij de kramp kon stoppen. Ze huilde lang, hij liet haar niet los. Af en toe leek het huilen minder te worden, maar dan barstte ze opnieuw in snikken uit.

Toen ze uitgehuild was, vertelde hij haar dat Andreas en Lauritz vertrokken waren. Waarheen? Dat wist hij niet. Hij vertelde dat hij bij hun huis was geweest. Ze zei dat ze naar Kopenhagen moesten zijn gegaan. Ze woonden vermoedelijk bij vrienden van hem. Ze was opeens heel rustig en helder. Hij haalde een nieuw papieren doekje en hielp haar opnieuw met het snuiten van haar neus. Dat bracht haar ertoe even om zichzelf te lachen. Waarom was hij naar het huis toe gegaan? Hij vertelde haar over zijn ontmoeting met Andreas en Lauritz in de supermarkt, over de regen en de meegenomen lamsbout, over hun avond met Lea en over zijn verwondering toen Andreas die middag niet zoals gewoonlijk in de hal zat. Maar hij verzweeg wat Andreas hem had verteld over Malmø en Stockholm.

Je hebt een prettige stem, zei ze midden in zijn relaas. Hij bedankte. Toen zwegen ze beiden. Hij had het licht niet aangedaan toen hij binnenkwam. De kamer werd alleen verlicht door het zwakke schijnsel van de gang, dat door de halfopen deur drong. Hij hoorde haar door haar neus ademen, haar ademhaling was nu rustiger. Ze vroeg hem of hij zijn hand weer op haar schouder wilde leggen. Waarom had hij haar niet verteld dat hij hen op bezoek had gehad? Het was niet gepland, zei hij, en hij was zelf net zo verrast geweest. Normaal gesproken raakte hij niet verwikkeld in het leven van de patiënten, het ging hem immers niets aan. Nee, zei ze na een poosje, dat was natuurlijk zo.

Hij vroeg waarom ze geen bezoek van Andreas wilde. Eerst antwoordde ze niet. Dat is een lang verhaal, zei ze tenslotte. Maar hij kende er misschien al iets van? Iets... zei hij. Opnieuw verstreek er enige tijd waarin geen van hen iets zei, totdat hij zich eindelijk vermande en het haar vroeg. Had ze besloten, die avond dat het ongeluk gebeurde... wilde ze er een eind aan maken? Ze antwoordde niet meteen, alsof ze haar best deed het zich te herinneren. Nee, ze wilde er geen eind aan maken. Ze had zich in de richting vergist toen ze bij het viaduct over de snelweg kwam. Ze had naar de stad willen rijden, ze had naar Kopenhagen gewild. Ze zweeg. Hij bleef bij haar zitten met zijn hand op haar schouder, ook al dwong dat hem zijn arm geheven te houden op een onpraktische, inspannende manier.

Hij vroeg of ze dorst had. Ze gaf geen antwoord, ze was in slaap gevallen.

De hoofdverpleegster glimlachte naar hem toen hij de volgende ochtend op zijn werk kwam. Zo, dus hij was de Kerstman! Hij keek haar vol onbegrip aan, waarna ze naar haar kin wees. Hij betastte de zijne en voelde het plukje watten, dat nog aan de gestolde bloedvlek kleefde, waar hij zich had gesneden tijdens het scheren. Hij was in de war geweest toen hij wakker werd, hij had maar twee uur slaap gehad, en het duizelde hem toen hij zijn bed uitstapte. Het was vreemd om terug te komen naar het ziekenhuis een paar uur nadat hij er vroeg in de ochtend vandaan gereden was. De telefoon ging op het moment dat hij de deur van zijn kantoor opendeed, het was Jacob. Zijn vrouw was net de deur uit met de kinderen, hij wilde alleen maar even bedanken, het was zó onwijs gaaf geweest. Toen Robert tijdens de visite bij Lucca kwam, stelde hij haar de gebruikelijke vragen, en zij antwoordde zoals gebruikelijk met eenlettergreepwoorden, alsof hij die nacht niet bij haar bed had gezeten, haar neus had afgeveegd en haar schouder had vastgehouden.

Later op de middag, voordat hij naar huis ging, liep hij opnieuw bij haar binnen. Ze lag met haar gezicht naar het raam toe. De zonwering deelde het zonlicht in schuine strepen, en een van die zonnestrepen raakte het onderste gedeelte van haar gezicht. Ze moest de warmte daarvan op haar huid kunnen voelen. Hij nam plaats naast het bed. Ze vroeg hoe laat het was. Hij zei het. Ze bedankte. Waarvoor? Omdat hij bij haar was gebleven. Hij vroeg hoe zij wist dat hij het was die daarnet was binnengekomen. Ze glimlachte zwakjes, ze had het geluid van zijn stappen herkend. In dat soort dingen was ze zich aan het bekwamen. Hij onderdrukte een gaap, maar een geluidje ontsnapte er niettemin. Ze zei dat hij moe moest zijn. Ja, zei hij. Hij wist niet wat hij zeggen moest. Had ze zin om naar de radio te luisteren? Nee, dan riskeerde ze haar moeders stem te horen. En dat risico durfde ze niet te lopen? Hij bekeek de anonieme mond en kin in de zonnestreep, onder het gaasverband dat haar ogen, voorhoofd en kruin bedekte. Waarom niet? Ze keerde haar gezicht af, zodat het in het kussen zakte.

Hij bleef zitten, geen van beiden zei iets. Hij wist niet zeker of ze nog steeds wakker was. Hij zat te luisteren naar het brommende geluid van het tractortje van de tuinman, dat beurtelings vager werd en in sterkte toenam wanneer het het raam passeerde, heen en weer op het grasveld tussen de vleugels van het ziekenhuis. Ze draaide haar gezicht weer naar hem toe. Rookte hij? Ja, antwoordde hij gedesoriënteerd. Wilde hij een sigaret opsteken? Ze had zin om te roken. Hij stak er een op en plaatste die voorzichtig tussen haar lippen, die zich samentrokken rond het filter. Ze inhaleerde diep. De rook ving de zonnestreep in een licht web toen die tussen haar lippen uit stroomde. Hij opende het raam. Gras, zei ze. Hij keek door de lamellen van de zonwering naar het grasveld, dat door de tractor van de tuinman was ingedeeld in lange, parallelle banen van afgesneden grasprieten. Zelf rook hij het niet. Hij ging op de rand van het bed zitten. Van tijd tot tijd, wanneer ze een teken maakte met haar mond, plaatste hij de sigaret weer tussen haar lippen.

Hij viel in slaap op de bank toen hij thuiskwam. Hij werd pas wakker toen de zon achter de berken en de schutting was verdwenen. Hij had honger, maar hij was er niet aan toegekomen om boodschappen te doen. Het was al schemerig in de kamer. Op het terras stonden de tuinstoelen in een toevallige formatie zoals Andreas, Lea en hij ze afgelopen zaterdag hadden achtergelaten. Hij had het gevoel of dat al meerdere weken geleden was. De stoelen lichtten wit op in de schemering, op een domme en tegelijk raadselachtige manier. Hij overwoog een pizza te gaan halen, maar hij kon er niet toe komen. Hij dacht aan Lucca. Misschien zou ze vannacht weer wakker liggen, alleen met haar tranen en haar gedachten. Ze wilde niet eens naar de radio luisteren. Maar misschien wilde ze wel muziek horen. Ze kon zijn walkman lenen, hij kon een bandje voor haar opnemen. Zijn keuze viel op kamermuziek en hij begon platen voor den dag te halen. Hij besloot het bandje in te leiden met een paar van Glenn Goulds Bach-opnames en stelde daarna een programma samen met stukken van Debussy, Ravel en Satie. Het amuseerde hem, en hij vergat helemaal om iets te gaan eten. Aan de B-kant van het bandje nam hij Chopins nocturnes op, zoveel als erop konden. Midden onder Chopin ging de telefoon.

Hij had in geen weken met Monica gesproken. Lea was het enige dat ze met elkaar hadden, en zij had allang geleerd zelf haar tas te pakken en de trein heen en terug te nemen om de veertien dagen.

Monica was zoals gewoonlijk nuchter door de telefoon. Ze klonk niet onvriendelijk, maar er was ook niets in haar stem dat erop duidde dat ze ooit bij elkaar hadden gehoord, geen bitterheid en ook geen verzoenende nostalgie. Ze was praktisch en rechtstreeks zoals altijd, ze belde om het over de grote vakantie te hebben. Jan en zij waren van plan Lea mee te nemen naar Lanzarote, maar dat had Lea misschien al verteld? Hij vroeg wanneer. De datums kwamen prompt. Het viel samen met zijn eigen vakantie. Hij trachtte zijn teleurstelling te verbergen, maar ze hoorde het toch, ze kende hem ondanks alles. Hij kon Lea in de herfstvakantie krijgen.

Hij protesteerde niet, dat had hij nooit gedaan. Sinds die winterochtend toen zijn opvolger hem confuus had toegeknikt op weg de deur uit, na op heterdaad betrapt te zijn, had Robert zich voorgenomen scheldpartijen te vermijden. Soms verdacht hij Monica ervan gefrustreerd te zijn over zijn inschikkelijkheid. Enige agressiviteit van zijn kant zou haar benarde geweten waarschijnlijk hebben gesust. Zij mocht alle meubels houden. Ze kreeg het al met al zoals ze het wilde hebben, met Lea en met al het andere, en in haar verbazing besloot ze vast te houden aan haar eisen, altijd paraat met een of ander steekhoudend argument. Toch bleef hij concessies doen telkens wanneer zij kwam aanwalsen, omwille van Lea zoals hij bij zichzelf placht te zeggen, maar ook, dat moest hij toegeven, omwille van zichzelf. Het verlichtte zijn smeulende schuldgevoel, en ze kon bijna geïrriteerd raken wanneer ze inzag dat ze te ver was gegaan. Alsof zij hem belette een schuld te vereffenen waarvan ze onkundig was.

Hij wist zeker dat ze nooit iets had ontdekt van zijn affaire met Sonja, niet terwijl die zich afspeelde en ook niet later, toen het achter de rug was. Hij was ervan overtuigd dat ze het zou hebben gevraagd, onbevreesd en rechtstreeks als ze was. Het deed er nu niet toe, maar door de jaren heen had zijn geheim liggen rotten in een hoek van zijn bewustzijn samen met zijn onvrijwillige kennis van het feit dat Sonja alleen maar haar halfzus was. Niemand leek iets in de gaten te hebben toen hij het weekend erna naar het zomerhuisje van haar ouders kwam, nadat Sonja en hij hun eerste nacht samen in de lege, pas geverfde flat hadden doorgebracht. Zo gemakkelijk was het dus, dacht hij, terwijl hij Sonja voor zich zag op Lea's matras, naakt in het schijnsel van de kaars die hij in de wijnfles had gestoken.

Wanneer de jurist bij het Hooggerechtshof hem over zijn montuurloze bril heen aankeek, had hij het gevoel dat ze niet één, maar twee geheimen met elkaar deelden. Er was overigens niets nieuws onder de zon, de haringen waren zoals gewoonlijk te zoet, en het voorval vervaagde en vervluchtigde in zijn herinnering als iets wat je gewoon had gedroomd. Hij slaagde er zelfs in zich 's nachts zo hartstochtelijk te gedragen dat de vertrouwelijke tederheid in Monica's blik haar de dag erna blind maakte voor zijn ontwijkende, rusteloze humeur. Hij was verbluft over Sonja's koelbloedigheid wanneer ze op het strand lag te babbelen met Monica of krijgertje speelde met Lea. Zelfs als ze toevallig alleen waren, gaf ze geen krimp. Ze praatte terloops nonchalant over toevallige dingen en antwoordde net zo indolent op wat hij zei. Schijnbaar was ze alles vergeten, of misschien hechtte ze er weinig waarde aan.

Het duurde een paar weken. Soms sliep ze bij hem, andere keren kwam ze 's middags en ging ze 's avonds weer weg. Wanneer ze bleef slapen, werd hij altijd half op de vloer liggend wakker omdat er geen plaats genoeg op het smalle matras was. Een enkele keer maakten ze samen een wandeling. Ze lagen in de zon te midden van de ontklede mensen in Kongens Have, het park midden in de stad, en af en toe ging ze plotseling boven op hem liggen en zoende hem net zoals de andere paartjes dat deden. Hij was bang dat ze iemand zouden tegenkomen die Monica en hij kenden, en hij duwde haar arm verlegen weg als ze die aanhalig om zijn schouder legde. Ze plaagde hem er soms mee, en hij vroeg zich meer dan eens af of ze domweg hoopte dat iemand hen zou herkennen. Het was merkwaardig om naast haar te lopen, alsof ze een paar vormden, en hij raakte beurtelings enthousiast en geprikkeld over haar speelse invallen, wanneer ze balanceerde op een hekje in het park of zich verliefd op een jong hondje stortte terwijl de eigenaar gevleid toekeek.

Hij bracht haar naar de luchthaven toen ze terug moest naar New York. Het was een opluchting voor hem dat ze vertrok, maar toch werd hij een beetje sentimenteel in de vertrekhal, al was het misschien alleen uit beleefdheid. Geen seconde was hij verliefd op haar geweest, maar zijn begeerte was des te razender geweest, alsof hij haar ervoor strafte dat hij haar begeerde. Wanneer hij haar bezig zag met haar narcistische tai chi in de tuin van haar ouders buiten, begreep hij niet dat hij een affaire met haar had, en wanneer hij op haar wachtte in de lege flat, hoopte hij af en toe dat ze helemaal niet kwam. Maar telkens wanneer hij in de voordeur stond en haar met een geheimzinnig gezicht op de overloop zag verschijnen, liet hij zich opnieuw door de onharmonische mengeling van kracht en broosheid van haar lichaam overweldigen.

Misschien was het niet zozeer haar lichaam op zichzelf dat hem fascineerde. Misschien was het domweg de concrete en toch onwaarschijnlijke aanwezigheid ervan. Het provocerende en duizelingwekkende feit dat het mogelijk was geworden, en dat hij maar een paar stappen in de richting van Lea's matras hoefde te zetten, waar zij naakt op hem lag te wachten. Wanneer hij naderhand tussen de speelgoeddieren een verhaaltje voor het slapen gaan voorlas voor Lea, schoot hem soms te binnen dat Sonja en hij op datzelfde matras in dezelfde kamer met elkaar hadden gelegen, bezweet en steunend. Het had net zo goed een droom kunnen zijn.

Ze praatten niet serieus met elkaar, ze leuterden en fantaseerden, en hij mompelde lieve dingetjes in haar oor, dat ze zo fantastisch en uniek was. In zijn hart wist hij dat hij loog. Ze was niet fantastisch en ook niet uniek, ze was er gewoon, en hij had zelfs haast haar vader kunnen wezen. Daar dacht hij aan toen hij in de vensterbank zat en de regen merkte voor het open raam als een koele vlaag tegen zijn rug, terwijl zij op hem toe liep, nonchalant zwaaiend met haar armen en slechts gekleed in rok, bh en schoenen met hoge hakken. Hij voelde zich oud toen zij zich tussen zijn knieën posteerde en hem haar jonge, ietwat onrijpe borsten uit het zwarte, damesachtige ding liet peuteren. Daar stond tegenover dat hij zich net zo bevreesd en ongeduldig voelde als hij in zijn jeugd was geweest, toen hij even later tussen haar dijen lag en zij hem met een ervaren greep bij zich naar binnen voerde. Alsof hij zelf de weg niet kende.

Zijn opgestuwde begeerte veranderde in woede, en terwijl hij werkte als een oververhitte zuiger, voelde hij zich merkwaardig alleen, achtergelaten midden tussen zijn verloren jeugd en zijn ontspannen, zelfverzekerde volwassenheid. Na afloop zat ze hem in kleermakerszit ernstig aan te kijken, met holle rug en met haar decoratieve haar afhangend op de ene borst. Ze vroeg of hij van Monica hield. Hij wist niet wat hij moest antwoorden. Ze gaf een levenswijs verhaal ten beste over luisteren naar je gevoelens en andere dingen die je zegt wanneer je jong bent, in het wilde weg. Hij probeerde volwassen te glimlachen, maar de glimlach wilde niet helemaal uit de verf komen nu hij zo bereidwillig voor haar verleidingskunsten was bezweken.

En misschien had ze gelijk. Misschien was hij bijziend en hardhorend geworden door de gemakzucht van alledag. Leefde hij zo langzamerhand niet onder een permanente plaatselijke verdoving? De kleuren leken opeens zo flets, en hij kreeg oog voor de versleten plekken, de verraderlijke slijtage en de gekneusde, afgeschilferde hoeken in zijn relatie met Monica. Hij voelde zich lauw en traag bij de gedachte aan alles wat tevoren zo aantrekkelijk aan haar was geweest, en hij droomde diffuus van grote veranderingen.

Maar het duurde niet lang of de dromen vervaagden weer, alles in hem was zo tijdelijk, zo wisselvallig. Net als het weer, dacht hij, onzeker over zijn gesteldheid over een uur of over een week. Dat verontrustte hem. Als hij in staat was om in zijn nieuwe woning met de halfzus van zijn vrouw te liggen kezen, zonder dat het iets bijzonders voor hem betekende, hoeveel betekende het dan dat hij samen met Monica lag? Maar wat was dat ook voor een vraag? Het leven ging ondanks alles om andere dingen dan seks! Sonja moest hem hebben besmet met haar jeugdige drang naar levensfilosofie, zo zwaar hoefde je er toch zeker niet aan te tillen. Hij ging er niet nader op in, en de vraag bleef onbeantwoord. Algauw dacht hij er niet meer over na. Hij vergat haar snel toen ze weg was, en wanneer hij af en toe aan haar moest denken, verwonderde hij zich erover dat hij zo dol op haar was geweest. Hij dacht aan haar kinderlijke manier van praten en haar meisjesachtige gewoonte om de trui over haar knieën te trekken wanneer ze op de vloer zat terwijl hij schilderde.

Het ergerde hem dat hij zo devoot had liggen luisteren, nog zwetend van de lieve strapatsen, terwijl zij pretentieus zijn gevoelsleven analyseerde. Pas achteraf bedacht hij dat hij vermoedelijk alleen maar de voorhanden bijpersoon was in een familiedrama dat hem niets aanging. Hij schaamde zich tegenover Monica, die niet wist waarom haar zusje zo lief tegen haar deed wanneer ze op het strand zaten en Sonja dromend haar krullenkop op haar schouder legde terwijl ze naar het blauwe strookje kust aan de andere kant van de Sont keken.

Toen hij de volgende ochtend tijdens de rondgang bij Lucca binnenkwam, had hij zijn walkman bij zich. Hij legde hem op het dekbed en zette de koptelefoon op het verband om haar hoofd. Ze glimlachte afwachtend. Hij pakte voorzichtig haar vingers, die uit het gips van haar armen staken, en demonstreerde haar hoe je de band aan en uit kon doen, en heen en terug kon spoelen. Ze was goedleers. Merci, zei ze, en opnieuw viel het hem op dat ze in staat was dat woord te beklemtonen zodat het noch te licht noch te zwaar klonk. De verpleegster keek hem aan, maar hij kon niet nagaan of ze ontroerd was dan wel gewoon verrast over zijn inval.

Voordat hij later op de middag naar huis zou gaan, ging hij bij haar langs, zoals hij dat ook de dag ervoor had gedaan. Ze lag nog steeds met de koptelefoon om haar tulband van verbandgaas geklemd. Hij hoorde vagelijk de zwakke discant van de piano. Hij nam plaats op de stoel naast het bed, zette het raam op een kier en stak een sigaret op. Ja graag, zei ze. Hij stak de sigaret tussen haar lippen, en zij zoog er gulzig aan. Halfvijf, zei ze, en liet de rook tussen haar lippen door stromen. Halfvijf? Ja, het moest nu halfvijf zijn. Hoe wist ze dat? De zon, zei ze.

Een van de zonnestrepen die door de lamellen van de zonwering drongen, trok een warm spoor over het onderste gedeelte van haar gezicht. Net als de dag ervoor. Ze vroeg wat ze hoorde. Hij boog zich voorover naar haar gezicht en bracht zijn oor bij de ene telefoon. Ravel, zei hij, *Tombeau de Couperin*. Ze glimlachte opnieuw. Paco Rabanne, zei ze. Was dat zo? Ja, zei hij en registreerde dat ze een deskundige was wanneer het om aftershave ging, maar dat ze niets van muziek afwist. Hij bracht een hand naar zijn kin. Het plukje watten was er in de loop van de dag afgevallen. Er was alleen maar een ruwe plek van gestold bloed over, daar waar hij zich tijdens het scheren had gesneden.

Ze stopte de band en tuitte haar lippen. Hij gaf haar nog een haaltje van de sigaret en nam er zelf een. Ze blies de rook met een lange zucht uit. Hij stak zijn hand met de sigaret door het raam en tikte de as eraf. De stukjes as zweefden omhoog en verspreidden zich. Haar stem was haast niet meer dan een fluisteren. Misschien hield ik echt van hem, zei ze. Hij keek haar weer aan. Ze draaide haar gezicht naar hem toe. Nu voelde ze niets. Nu was het gewoon een woord. Alsof ze de woorden had opgebruikt. Hij doofde de sigaret en gooide de peuk het raam uit. Hoezo opgebruikt? Het was niet enkel Andreas, vervolgde ze. Misschien waren ze al op aan het raken lang voordat ze hem ontmoette. Ze liet haar vingers over de knoppen van zijn walkman glijden. Het waren immers dezelfde woorden, telkens weer dezelfde. En elke keer had ze gedacht dat ze eindelijk begreep wat ze betekenden.

Toen hij opstond om weg te gaan, was de zon verdwenen achter de tegenoverliggende vleugel van het ziekenhuis. Hij zei dat hij de volgende middag weer zou komen. Ze vroeg of hij een witte jas aan had. Hij liet zijn blik langs zijn lichaam gaan, alsof hij er niet helemaal zeker van was. Ja, zei hij een beetje verwonderd. Zou hij die uit willen doen voordat hij kwam? Hij kwam toch pas wanneer hij vrij had, of niet soms? Ze glimlachte verontschuldigend. Ze wist immers niet hoe hij eruitzag, vervolgde ze. Ze wist alleen dat hij een witte jas droeg, en dan wilde ze liever helemaal niets weten. Oké, zei hij. Geen jas. Ze glimlachte opnieuw. Halfvijf? Ja, halfvijf.

Voor de verandering luisterde hij nu eens niet naar muziek toen hij thuiskwam. Hij liet de terrasdeur openstaan en ging op de bank liggen. Hij sloot zijn ogen en herinnerde zich de foto van Lucca, die op een terrasje in Parijs zat en met een verraste uitdrukking de lens inkeek, alsof ze er niet op voorbereid was om gefotografeerd te worden of opeens een tot dan toe onbekende samenhang had ingezien.

Hij dacht eraan wat ze had gezegd, en wat Andreas hem had verteld. Hij probeerde zich voor te stellen in wat voor verhaal ze thuishoorden, die losse zinnetjes die er bij hem opkwamen. Ze waren nog steeds net zo vluchtig en onsamenhangend als de geluiden die hem van buiten bereikten en die hun sporen achterlieten in de stilte, de lijsters en de bladeren van de bomen, een passerende auto, het geroep van de kinderen, een bal die tegen het asfalt ketste. Zo lag hij geruime tijd, met gesloten ogen. Een bromvlieg cirkelde rond in de kamer en bonsde zachtjes tegen de ruiten aan, tot hij eindelijk een uitweg vond door de open deur. De secondewijzer van zijn horloge tikte zachtjes onder het glas, vlak bij zijn oor.

DEEL II

Lucca zweefde een ogenblik boven het ribbelige zand. Ze had een drukkend gevoel op haar trommelvliezen en het zoemde in haar hoofd. Ze liet zich omhoogtillen en schoot door de beweeglijke zilveren spiegel, happend naar adem. De zon prikte in de druppels tussen haar wimpers, en de kleine golven glinsterden terwijl ze naar het licht toe zwom. Het verst weg, waar de hemel wit werd, zag ze de torens en flats van de stad, de dunne schoorstenen van de energiecentrale en de kranen in de haven, allemaal klein en zwart. Ze keerde om en zwom terug. Het was een donderdagmiddag begin juni, en er waren maar weinig bezoekers in het zwembad. Otto zat tegen de groene planken wand aan geleund met de benen voor zich uitgestrekt en een handdoek op schoot. Hij was te ver weg om zijn gezicht als iets anders te kunnen zien dan een blinde vlek. Het leek alsof hij naar haar keek, maar ze was er nog niet zeker van. Ze zwom dichterbij. Hij bekeek haar terwijl ze hem naderde.

Heel even wankelde ze van uitputting en door een plotseling licht gevoel toen ze uit het water stapte. Otto las de krant. Ze ging op de handdoek naast hem zitten en vroeg om een sigaret. Hij ging door met lezen terwijl hij haar het pakje en de aansteker aanreikte. Ze genoot van de lichte duizeling toen ze inhaleerde. Hij vroeg of het koud was. Ze keek hem aan door het blauwe plastic van de aansteker, dat zijn profiel misvormde. Niet als je eenmaal onder water was. Ze rolde haar zwempak tot aan haar navel naar beneden en ging liggen met gesloten ogen, zodat de zon werd getemperd tot een oranje nevel achter haar oogleden.

De druppels verschrompelden op haar huid en verdampten met een prikkend gevoel. Ze likte haar onderlip om een flintertje tabak te verwijderen, en de smaak van zout vermengde zich met de smaak van rook. De zon stak in haar huid, maar de windstootjes waren koel. Ze liet haar vingertoppen lusteloos langs zijn lende glijden onder de rand van de handdoek en verder over zijn dij. Haar vingers herkenden zijn gespierde contouren, en ze stelde zich voor dat haar nagels tussen de kroezige haartjes hem een kriebelig gevoel moesten geven. Ze glimlachte bij de gedachte wat er misschien met hem gebeurde onder de handdoek, terwijl ze haar verstrooide liefkozing herhaalde.

Ze was laatst op een avond gezien... Zijn stem drong tot haar door via de oranje nevel tussen de andere stemmen en de auto's verder weg en de golven, die klotsten om de palen onder hen. De palen waaraan ze zich vasthield wanneer ze lang had gezwommen, ietwat aarzelend omdat ze slijmerig waren om aan te raken, terwijl ze zich op en neer liet wiegen door de golven. Ja? Ze zag de palen voor zich, ze waren zwart en bedekt met schelpen en groene slierten wier, die er deels aan vast kleefden en deels wapperden in het water als loshangend haar.

Een van zijn vrienden had haar samen met Harry Wiener gezien, op weg naar zijn auto. Otto's stem was net zo vast en soepel als zijn lijf. Die was geschikt voor feiten, alles wat vast en onvermijdelijk was. Het was een stem die de woorden met dezelfde vanzelfsprekendheid hanteerde waarmee zijn brede handen de dingen of haar vastgrepen, een glas kappertjes openden met een enkele plof van samengeperste lucht of zich rond haar polsen sloten wanneer hij zich over haar heen boog in bed. Hij wist niet dat ze elkaar kenden, zij en Wiener.

Ze drukte de peuk tussen twee planken. Dat was ook niet zo. Ze zag hem vallen door de schaduw en met een korte sis het wateroppervlak raken. Kom nou, zeg... die ouwe komediant! Ze schermde haar ogen af met een hand, hij bladerde in de krant en boog zich voorover, terwijl hij een kop las alsof hij bijziend was. Dacht hij heus...?

Hij wist niet wat hij ervan moest denken. De zon scheen op de krantenpagina, zodat ze haar ogen dicht moest knijpen. Het viel niet te lezen wat er stond. Hij keerde zich naar haar toe, ze glimlachte. Hij ging liggen en sloot zijn ogen. Zij draaide zich op haar buik en leunde over hem heen, zodat haar vochtige haarpunten zijn borstkas even aanraakten. Hij pakte haar nek beet en wreef met zijn duim tussen haar halswervels. Hij verwonderde zich er gewoon over dat ze er niets van gezegd had... dat ze hem had ontmoet. Ze bekeek de topjes van haar vinger, die waren nog steeds ribbelig net als de zandbodem. Otto's stem klonk anders wanneer hij lag, vlakker, dacht ze. Ze zette haar zonnebril op en ging naast hem liggen, zodat ze zijn schouder tegen de hare voelde. Ze moest het vergeten zijn.

Ze was het bijna vergeten. Toen Otto haar eraan herinnerde, had ze er in elk geval verscheidene dagen niet aan gedacht. Er was ook niets gebeurd, niet op die manier. Het was een van de laatste avonden dat ze hadden gespeeld, en de zaal was halfvol. De recensies waren trouwens positief geweest, en in een aantal ervan had men hoog van haar opgegeven, maar het weer was te goed die lente. Er waren te veel avonden waarop je alleen maar zin had om door de stad te slenteren en in de schemering te zitten en te voelen dat de zomer op komst was. Er waren er maar weinigen die zulke avonden vrijwillig in een stoffige, tot undergroundtheater omgebouwde bioscoop doorbrachten, in een trieste straat buiten het centrum. Bovendien was geen van hen erg bekend en zeker niet de dramaturg, een pedante Zweed van hun eigen leeftijd, een jaar of twintig, in het zwart gekleed natuurlijk. Ze hadden zich erop toegelegd om zijn arrogante Stockholmse accent na te bootsen.

Ze wist dat ze goed was die avond, beter dan ooit. De woorden waren vanzelf gekomen, alsof ze zichzelf voortbrachten, en ze hadden haar mond verlaten zonder dat ze zich hoefde in te spannen, zonder dat ze erover nadacht. Ze had zich laten gaan en had alleen maar de bewegingen van de rol gevolgd, eraan toegegeven, volkomen aanwezig. Daar had hij het over gehad, Harry Wiener, haar geconcentreerde aanwezigheid op het toneel. Ze had hem zien zitten tijdens de voorstelling, maar vreemd genoeg was ze niet zenuwachtig geworden. Ze wist dat ze het niet anders kon doen, en het gevoel zich bloot te geven boezemde haar helemaal geen angst in. Het was als wanneer je iets pijnlijks toegeeft, in de gedachte dat je nu niets meer te verliezen hebt. Dezelfde merkwaardige rust.

Ze had nooit eerder met hem gepraat, had hem alleen maar op foto's gezien en op afstand bij een première. Zijn grijze haar was weggestreken van het gebruinde voorhoofd, het was lang en krulde in zijn nek. Zijn gezicht met de loodrechte groeven en de smalle lippen had iets geresigneerds over zich, alsof hij de wereld bekeek met de bittere wijsheid van een zuurverdiende levenservaring. Maar misschien ging je er mettertijd gewoon zo uitzien, of je nou verstandiger werd of dommer. Hij was altijd elegant, of hij nu optrad in mohairen jas en Italiaans kostuum of zich tijdens een repetitie liet fotograferen in T-shirt en linnen broek waarin de knieën stonden, met een bril aan een koord om zijn nek en zijn smalle ogen op het toneel gericht. Hij was voor de vierde keer getrouwd, wat hem er niet van weerhield de Don Juan uit te hangen. Een paar maanden per jaar trok hij zich terug in zijn huis op een berghelling in Andalusië, waar hij naar verluidde zijn memoires aan het schrijven was.

De Zigeunerkoning. Dat had Otto bedacht, en sindsdien had hij niet anders geheten. Het was niet vriendelijk bedoeld, maar koning was hij. Er was niemand die Harry Wiener naar de kroon stak. Otto had een rol gehad in een van zijn Ibsen-ensceneringen en kon verhalen opdissen over gruwelijke vernederingen en hysterische huilbuien wanneer de Zigeunerkoning met zijn onzichtbare zweep klapte. De toneelspelers vreesden hem en droomden van niets anders dan dat ze een rol bij hem kregen. Door Harry Wiener geïnstrueerd te worden was zoiets als je tenen dopen in de eeuwigheid.

Otto was niet onder de indruk, maar het leek er eerder op dat hij had besloten dat niet te zijn. Volgens hem waren de voorstellingen van de Zigeunerkoning niets anders dan mondaine theatergastronomie voor de cultuurproevende burgerij, beladen met psychofiele symboliek. Dat was ook weer zo'n zelfbedachte uitdrukking van hem, *psychofiel.* En waarom stortte de Zigeunerkoning zich eigenlijk alleen maar op de goudomrande klassieke stukken? Wanneer had hij voor het laatst zijn nek uitgestoken met een stuk moderne dramatiek, waar hij er niet bij voorbaat op kon rekenen dat het publiek met gevouwen handen binnenkwam als voor een kerkdienst? Otto wilde veel liever films maken, hij had al meerdere hoofdrollen gehad en had bijna een Bodil gewonnen.

Lucca wist het niet helemaal. Ze zag best wat hij bedoelde, en ze had een keer een hele mondvol rode wijn over hem uit gespetterd van het lachen, toen hij de Zigeunerkoning parodieerde terwijl hij aan het demonstreren was hoe je Shylock speelt. Zo met alle registers open, met veel joodse stennes, zoals Otto zei. Toch voelde ze zich enorm aangesproken, haast in het geheim, wanneer zij en Otto een van de ensceneringen van de Zigeunerkoning zagen. Daar dacht ze aan die lenteavond, toen ze zich na de voorstelling zat af te schminken voor de spiegel en ze Harry Wiener in de deur van de kleedkamer zag staan.

Hij was anders, dat was het eerste wat ze dacht, anders dan ze zich had voorgesteld. Hij maakte bijna een verlegen indruk zoals hij daar in de deuropening stond te aarzelen. Hij leek op een excuus voor zichzelf en zijn bonte reputatie. Of hij even mocht storen. De andere spelers gaapten hem aan als schaapherders die hun leid-ster in het oog hadden gekregen. Lucca was de eerste die het waagde om onaangedaan te glimlachen en die hem een stoel aanbood. Hij wilde alleen maar even dag zeggen en vertellen hoe voortreffelijk hij vond dat ze waren geweest. Dat was het woord dat hij gebruikte, *voortreffelijk*. Lucca kreeg warme wangen toen hij haar aankeek en een paar woorden over haar vertolking zei. Dat soort woorden had ze nog nooit van iemand te horen gekregen.

Ze zaten in een halve cirkel rond Harry Wiener te luisteren, terwijl hij commentaar gaf op hun voorstelling. Lucca meende nu pas te begrijpen wat ze de laatste weken op het toneel had gedaan. Over de tekst zelf had hij een aantal kritische opmerkingen, maar hun enscenering had er niet alleen alles uit gehaald wat erin zat, ze waren ook in staat geweest er een diepere psychologische resonantie aan toe te voegen. Harry Wieners woorden klonken ouderwets en voornaam, als oude zilveren vismessen die elk in hun perfect afgeperkte vakje liggen, rustend in mosgroen velours. Hij had zijn mohairen jas aangehouden, misschien omdat niemand hem had gevraagd die uit te doen. Eronder droeg hij een donkerblauw T-shirt en een zwarte spijkerbroek, maar zijn mocassins waren van krokodillenleer. De juiste mengeling van elegant en informeel, nu hij kwam kijken wat de jongelui konden presteren. Het was of ze Otto hoorde.

Ze keek naar haar collega's om zich heen. Die luisterden met hun hele hoofd. Het scheelde maar weinig of ze vergaten hun mond dicht te houden, en ze was blij dat Otto er niet was. Hij zou hen hebben gehoond omdat ze zo vereerd waren over het bezoek van deze hoge gast en over de genadige lof die hij hun toezwaaide. Als een troep welpen, die op audiëntie waren gekomen bij Baden Powell himself. Maar hijzelf dan? Waarom werd hij zo paniekerig en sarcastisch zodra er over iets gevoelsmatigs werd gesproken? Misschien schaamde hij zich er in feite een beetje over dat hij toneelspeler was. Misschien was dat de reden waarom hij altijd de spot moest drijven met die oude theaterflikkers en hun zijden doekjes en gaslampdictie, die hij kon nabootsen zodat je schudde van het lachen en tranen in je ogen kreeg. In zijn hart droomde hij vermoedelijk van een optreden met ontbloot bovenlijf in een of andere Amerikaanse piefpaf-film met een heleboel handwapens.

Op een gegeven moment ving Harry Wiener haar blik op in een van de spiegels, en ze keek hem aan met een ironisch glimlachje, dat zowel superieur meewarig als op een gedistantieerde manier sexy aandeed. Alsof ze een zekere afstand wilde bewaren en niettemin even iets van zichzelf wilde laten zien. Misschien bespeurde ze een speciale belangstelling in zijn korte blik, die haar in een fractie van een seconde leek te lezen voordat hij weer wegkeek. Misschien flirtte zij een beetje. Het was te vluchtig om er nader bij stil te staan, het was niet meer dan een blik, en hij wendde hem snel af. Hij had iets ingetogens over zich, en ze haalde de ceintuur van haar kamerjas strakker aan, in een plotseling besef dat ze niets anders aan had. Ze was net onder de douche vandaan gekomen toen hij opdook, maar daar moest hij aan gewend zijn.

Hij was gewoonweg onhandig, ontdekte ze, toen hij om zich heen keek op zoek naar een asbak en daarbij een poederdoos omgooide op zijn chique jas. Hij glimlachte en sprak verder terwijl hij de jas met de rug van zijn hand afborstelde. Hij was bepaald geen zigeunerkoning daar in die rommelige kleedkamer. Hij sprak gedempt en ernstig met zijn donkere, hese stem over het toneel als een mentale ruimte, waar we een rendez-vous hebben met onze inwendige demonen. Lucca genoot ervan te luisteren naar zijn stem en naar hem te kijken terwijl hij sprak. Hij klonk als iemand die wist waar hij het over had, iemand die voor elk inzicht had betaald.

Nu begreep ze beter waarom alle toneelspelers met wie hij had gewerkt zo over hem spraken. Afgezien van Otto dan. Wanneer Harry Wiener haar van tijd tot tijd aankeek, voelde ze dat hij iets zag waar ze geen weet van had, alsof ze meer bevatte dan ze besefte. Hij sprak zorgvuldig en aarzelend, zoekend naar woorden, haast alsof hij hardop dacht terwijl hij keek naar de neuzen van zijn schoenen of naar de sigaret tussen zijn gebruinde vingers. Zijn handen waren verrassend tenger. Hij viel zichzelf midden in een zin in de rede en glimlachte excuserend, waarna hij vroeg of ze geen dorst hadden.

Ze gingen naar een café in de buurt, hij bestelde champagne. Dat overdreven gebaar maakte hen verlegen. Hij vertelde anekdotes over bekende toneelspelers, zowel levende als dode. Hij maakte hen aan het lachen en gaf zowaar blijk van zelfironie, zonder dat het aanstellerig overkwam. Hij luisterde ook wanneer ze voor den dag durfden komen met hun eigen overwegingen en intuïties, en gaf hun goede adviezen zonder belerend te worden, alsof hij gewoon zijn ervaringen met hen wilde delen en zijn verwondering wilde uiten over alle vragen, waarop hij niet eens zelf de antwoorden had gevonden. De dag erna vroegen ze elkaar waarom hij een hele avond aan hen had willen besteden. Misschien had hij er gewoon aardigheid in gehad, had hij vrij genomen van de rol van rondwandelende mythe. Misschien genoot hij van hun enthousiasme, omdat dat hem herinnerde aan de dieper liggende redenen waarom hij zelf was doorgegaan, jaar na jaar, in plaats van op zijn lauweren te rusten.

Toen het café dichtging, waren alleen Lucca, haar vriendin Miriam en Harry Wiener over. Ze stonden wat te praten op het trottoir, waar een kelner bezig was met het stapelen van tafeltjes en stoelen. Miriam deed haar fiets van het slot en zoende Lucca op haar wang, tamelijk demonstratief, dacht Lucca, toen haar vriendin wuifde en om de hoek verdween. Plotseling was het toch de Zigeunerkoning, met wie ze voor een dicht café na middernacht stond, op een plein aan de rand van het centrum. Hij sloeg de kraag van zijn jas op en bood haar een sigaret aan. Ze nam die aan zonder te overwegen of ze zin had om te roken, en hij knipte zijn zilveren aansteker aan terwijl hij haar nieuwsgierig aankeek, alsof het initiatief nu uitsluitend bij haar lag.

Later moest ze bij zichzelf toegeven dat het haar imponeerde hoe simpel en direct hij te werk was gegaan. Hij had helemaal niets verlegens meer over zich. Hij vroeg of ze honger had. Hij had een werkflat in de stad, ze konden daarheen gaan om een hapje te eten. Hij zei het vrij onschuldig en toch met een snaakse blik, zodat ze het niet kon laten om te glimlachen. Ze was moe, zei ze. Maar dan kon hij haar toch zeker naar huis rijden! Zijn auto stond een paar straten daarvandaan.

Terwijl ze daar door de stille zijstraten wandelden, verwonderde het haar dat ze daar samen liepen, zij en Harry Wiener. Hij zei dat hij al heel lang zin had gehad haar op het toneel te zien. Hij had foto's van haar gezien. Ze hadden hem geïnteresseerd, die foto's, ze had een karakteristiek gezicht. Hij keek haar aan. Daar hoefde ze niet rouwig om te zijn! Hij had het over fotografie, hoe foto's onthullen wat we nooit met het blote oog zien, omdat onze blik altijd een spiegel zoekt voor onze voorstellingen. Hoe de foto een werkelijkheid kan onthullen die anders ontoegankelijk voor ons is, waarin het gezicht zich vertoont in al zijn angstaanjagende en fascinerende vreemdheid. Op die manier had ze er nooit eerder over nagedacht.

Het was een oude Mercedes Cabriolet, zilvergrijs met een beige leren bekleding. Ze overwoog of hij die kleur soms had gekozen omdat hij bij zijn grijze haar paste. Alles aan Harry Wiener had iets met zilver te maken. Ze zat met haar handen tussen haar dijen in de dunne jurk. Af en toe wierp hij een blik op haar in zwarte kousen gestoken knieën onder de zoom van de jurk, naast zijn hand die op de versnellingspook rustte, maar ze vond dat het belachelijk zou aandoen wanneer ze ze toedekte. Ze luisterde naar de zoemende motor en keek naar de verlichte stad, die zich om haar wendde en draaide. Hij deed een beetje vreemd aan, de stad, gezien vanuit zijn auto. Ze waarschuwde toen hij af moest slaan en verzocht hem een paar huisnummers voor haar huisdeur te stoppen. Hij zette de motor af en wendde zich tot haar. Opnieuw werd ze verbluft door zijn eerlijkheid. Hij had zin om haar een zoen te geven, mocht hij dat? Ze glimlachte en schudde het hoofd. Ze was heel talentvol en ook heel aantrekkelijk, zei hij, en ze vergiste zich als ze dacht dat die twee dingen niets met elkaar hadden uit te staan.

Toen ze was uitgestapt, boog ze zich voorover en glimlachte opnieuw. Hij hoopte dat ze elkaar een andere keer zouden ontmoeten. Ze bedankte hem voor de lift en gooide het portier dicht. Zijn koplampen wierpen een hard schijnsel over de stoeptegels. De reflectors van de fietsen die tegen de muur aan stonden kaatsten een rood licht terug, en haar lange schaduw rees abrupt en zwaaide over de gevel toen hij passeerde. Ze ontwaarde een korte glimp van zijn silhouet in de achterruit, voordat hij afsloeg en uit het zicht verdwenen was. Otto was naar bed gegaan. Ze trok haar schoenen uit in de hal en kleedde zich uit zonder het licht aan te doen. Ze stelde zich voor dat Harry Wiener aan haar dacht terwijl hij door de stad reed. Een merkwaardige gedachte. Tevreden vlijde ze zich dicht tegen Otto's rug aan, zodat ze huid tegen huid lagen onder het dekbed.

Miriam belde de volgende ochtend terwijl Otto in bad zat. Was er iets gebeurd? Lucca raakte geïrriteerd. Wat zou er gebeurd zijn? Miriam lachte door de telefoon, dat was toch duidelijk genoeg geweest. Lucca protesteerde, hij had toch net zoveel met de anderen gepraat? Miriam lachte opnieuw. Lucca zat in een leunstoel met een versleten zijden bekleding, roze bloemen op een kerriegeel fond. Ze hadden hem in een container gevonden. Ze droeg een van Otto's gekreukelde overhemden, verder had ze niets aan, ze was net wakker. Ze trok haar benen op in de stoel en keek naar zichzelf in de hoge spiegel die tegen de wand naast het bed aanleunde. Ze hield de horen tussen kin en schouder terwijl ze haar haar in een losse knoop bij elkaar bond. Het was lang geworden, de helft viel weer naar beneden om haar wangen. Otto hield ervan wanneer ze het haar op die manier, toevallig, opstak. Miriam had het over haar vriendje, zij wilde graag een kind, hij niet. Ze was bang dat hij niet meer van haar hield. Lucca liet haar praten. Een kind, dat was bijna onvoorstelbaar.

Ze keek naar haar benen. Ze had mooie benen, ze waren lang, en haar dijen waren smal en stevig. Haar kut was ook mooi. Ze had hem geschoren, zodat er maar een klein plukje haar over was. Daar had de Zigeunerkoning zo graag in gewild. Het was komisch om te denken aan al die inspanningen die hij zich had getroost met champagne en anekdotes en diepzinnige adviezen geput uit de ervaring van een lang leven, en dat allemaal voor niemendal. Enkel en alleen omdat hij een foto van haar had gezien en zin had gekregen in zo'n jong, talentvol kutje.

Ze spreidde haar benen zodat haar knieholtes op de armleuningen van de stoel rustten, terwijl ze luisterde naar Miriams gezeur over het kind dat ze zo graag wilde. Nu leek ze op de voorpagina van een van die seksbladen, waarnaar ze Otto af en toe zag gluren in een kiosk. Stel je voor dat de Zigeunerkoning haar nu zou kunnen zien. Hij zou vast uit zijn vel springen. Zijn oude, losse, rimpelige vel. Eigenlijk had ze hem zijn gang moeten laten gaan, enkel en alleen om na afloop te kunnen genieten van zijn beschaamde facie. Was dat alles? Ja, Sire, dat was alles! Ze besloot niets tegen Otto te zeggen. Hoewel ze standvastig was geweest, zou hij er misschien toch het zijne van denken. Bovendien ergerde het haar dat ze had zitten luisteren naar de diepzinnigheden van de Zigeunerkoning en dat ze zich naar huis had laten rijden in zijn patserige Mercedes.

Toen ze de hoorn op het toestel had gelegd, kwam ze overeind en bleef een poosje voor de spiegel staan. Ze knoopte het overhemd open, ze was afgevallen, haar buik was helemaal plat. Zij moest geen kind, voorlopig wilde ze haar buik graag voor zichzelf hebben. Otto had de douche afgezet, ze hoorde hem water in de afvoer vegen met de rubberen schraper. Ze duwde het dekbed op de vloer en ging met gesloten ogen op bed liggen. Ze voelde de lucht van het open raam tegen haar gezicht, buik en dijen. Er klonk muziek vanuit een van de andere etages, een monotone, dreunende bas. Beneden op straat blafte een hond.

Otto opende de badkamerdeur. Zo dadelijk zou hij naar haar toe komen. Het was een spel. Zij zou met gesloten ogen blijven liggen zonder zich te verroeren, en hij zou heen en weer lopen, alsof hij naar iets zocht en haar helemaal niet gezien had. Hij zou haar laten wachten, het zou stil worden in de kamer, en in de stilte zou ze volkomen blootstaan aan zijn blik, roerloos, tot het uiterste gespannen, terwijl ze probeerde te raden op welke plek van haar lichaam ze de eerste aanraking zou voelen.

Lucca had Otto anderhalf jaar na het beëindigen van de toneelschool ontmoet. Ze had over hem gehoord en had hem gezien in cafés en bars wanneer ze uit was met haar vriendinnen. In die tijd was hij al een ster in de dop, een underground-ster, als je dat zo mocht noemen. Hij was geïnterviewd in een damesblad als de ontembare lummel van de jonge film, en als hij bij een feest opdook was je er zeker van dat je ergens aan meedeed. Hij had een verhouding gehad met een bekende rockzangeres en was al met al iemand die de meisjes vanuit hun ooghoeken en in de spiegels in de gaten hielden terwijl ze in beslag genomen leken door hun cappuccino en met een koel, ondoorgrondelijk gezicht de andere kant op keken. Ze hadden altijd een ironisch commentaar paraat, als een van hun vriendinnen in de val liep en toegaf aan haar nieuwsgierigheid. In hun ogen was hij al gesetteld, hoewel hij naar de maatstaf van zijn omgeving nog niet meer dan een veelbelovend talent was. Lucca vond ook dat hij een vrij verwaande en zelfgenoegzame indruk maakte wanneer hij optrad in voetbalshirt, gebreide muts en slippers, of wat hij verder had bedacht terwijl hij de bar monsterde.

Toen ze een rol in een tv-serie kreeg aangeboden waarin ze samen met Otto moest spelen, verwonderde het haar eerst dat hij aan zoiets wilde meedoen, maar natuurlijk zei ze ja. Hij was uit de gevangenis ontsnapt, zij was zijn vriendin, en terwijl hij in de bak zat, was zij natuurlijk verliefd geworden op de smeris die hem erbij had gelapt. Het manuscript was compleet idioot, maar Otto was goed en daarom werd ze zelf beter dan ze anders was geweest. Hij deed aardig tegen haar, hij stelde haar met een glimlach of een grappige opmerking op haar gemak wanneer ze zenuwachtig was, en ze was verrast over zijn discipline. Hij kon de krant zitten lezen of verhalen vertellen vlak voordat ze op moesten, en hem dan van katoen geven, alsof hij maar met zijn vingers hoefde te knippen om één te worden met zijn rol.

Eigenlijk speelde hij niet. Hij was altijd zichzelf, een fictieve versie van zichzelf, zoals hij zou zijn geweest en zich zou hebben gedragen als het toeval zijn leven had gevormd in de richting die het manuscript voorschreef. Hij vond moeiteloos die facetten in zichzelf die de rol van hem vergde, en vulde die helemaal op met zijn lijzige dictie en zijn behendige, gespierde fysiek. Ze zaten tussen de lampenstatieven en de kabelrollen in een hoek van de studio te praten terwijl de fotograaf het licht in stelling bracht. Otto had nooit op de toneelschool gezeten en was het ook niet van plan. Hij had geen zin om drie jaar door te brengen met op de vloer liggen en elkaar aanraken en diep ademhalen. Ze had best kunnen protesteren, maar ze deed het niet.

Hoe was het begonnen? Zoals zoiets begint, als vage voorstellingen, wensdenken, een bijzondere gewaarwording door naast hem te zitten, zijn stem te horen en zijn ogen te voelen. Al haar bewegingen en woorden hielden rekening met zijn aanwezigheid, zelfs wanneer ze hem de rug toekeerde en met een ander praatte. Het ene moment kon ze ontzettend ontevreden raken over zichzelf, over haar uiterlijk, haar stem en de dingen die ze zei. Het volgende moment bekroop haar het gevoel dat ze niet helemaal degene was die ze dacht te zijn. Alsof ze een geheime versie van zichzelf achter de hand hield, zo geheim dat ze niet in staat was erachter te komen wie dat zou kunnen zijn, die ander achter haar argwanende spiegelbeeld.

Hij provoceerde haar met zijn zelfverzekerdheid en koele kalmte. Ze voelde hoe hij dwars door haar ironische distantie heen keek. Wanneer ze het met een scherpe opmerking probeerde, deed hij domweg alsof hij haar niet had gehoord, of hij keek haar recht in de ogen zodat zijn stilzwijgen als een grovere krenking overkwam dan het meest beledigende antwoord. Ze bewonderde hem omdat hij zo onbeschaamd kon zijn, maar ze liet zich niet kennen. Ze wachtte op een gelegenheid dat hij zich bloot zou geven.

Toen ze op een dag in de studio aankwam, zat hij buiten in de zon zijn replieken in te studeren. Er lag een tasje van een speelgoedwinkel naast hem. Ze keek erin zonder om toestemming te vragen en vond een doorzichtig doosje met een rood speelgoedautootje erin. Ze vroeg of hij nog steeds met autootjes speelde. Hij zei dat het voor zijn zoontje was. Ze ging naast hem zitten en vroeg langs haar neus weg hoe oud zijn zoontje was. Zes jaar, antwoordde hij, en hij legde het manuscript weg. Hij leunde zijn nek tegen de roodgeschilderde plankenwand van de studio en sloot zijn ogen. Dan moest hij heel vroeg vader zijn geworden. Hij haalde zijn schouders op, ze voelde zich dom. Hoe heette hij dan, die kleine? Lester... Wat een ongebruikelijke naam. Hij keek uit over de binnenplaats. Hij had zijn zoontje sinds zijn geboorte niet gezien. Hij had de moeder ontmoet toen hij in de VS woonde, ze was per ongeluk zwanger geworden. Ze hadden niet met elkaar overweg gekund. Hij zei het op droge toon, alsof hij vertelde hoe hij zijn zondag had doorgebracht.

De week erop deden Lucca en Otto mee aan nachtopnames in een jachthaven. Het was de laatste scène die ze samen zouden maken. Ze moesten lang wachten voordat het licht was opgesteld. Hij moest in het water vallen tijdens een vechtpartij in een speedboat, en hij viel keer op keer, maar zíj was degene die het koud had ook al was het midden juli. Hij leende haar zijn jasje. Later namen ze samen een taxi naar de stad. Ze hadden het over het verschil tussen het maken van film en theater en over een van hun oudere collega's, die zich gedroeg als een ster uit de tijd van de stomme film zelfs wanneer men een close-up van hem maakte. Hij gaf haar een hand, een beetje formeel vond ze, en zei dat ze prettig hadden samengewerkt. Insgelijks. Toen ze op straat stond en de taxi weg was, ontdekte ze dat ze nog steeds zijn jasje aan had. Het was een motorjack met ritssluitingen, hij was iets te kort bij de mouwen. Dat deed haar glimlachen, alsof het iets ontroerends was. Ze had er helemaal niet aan gedacht dat zij langer was dan hij. Ze stak haar neus onder de kraag en snoof zijn vreemde geur op.

Ze belde hem de volgende dag op, over het jasje. Hij klonk alsof ze hem had gewekt. Sorry, hoor. Ze kon gewoon komen. Zijn flat lag in een zijstraat. Ze belde meermalen aan en stond op het punt weg te gaan toen hij eindelijk opendeed. Hij had een versleten badmantel aan met bordeauxrode strepen, zo eentje waarin oude mannen rondlopen aan het strand. Ze moest glimlachen, en hij glimlachte terug. Gaaf, hè? Ze wist niet of hij de badmantel bedoelde, of het jasje dat hij haar had laten houden. Hij nam het aan, en ze stonden een poosje tegenover elkaar. Toen trok hij haar naar binnen, duwde de deur dicht en zoende haar. Ze sloot haar ogen en drukte zich tegen hem aan met een plotselinge heftigheid, die haar verraste, alsof ze zich moest haasten om niet verlamd te worden door het merkwaardige aan de situatie.

Vanuit de ramen keek je neer op een bouwterrein vol onkruid en scherven, waar de straathoeren en de plaatselijke pushers zich 's winters stonden te warmen aan een vuur in een roestige olieton. De flat was spaarzaam ingericht met meubels uit een uitdragerij, vermoedelijk afkomstig van een nalatenschap. In de jaren vijftig hadden ze ooit in een arbeiderswoning gestaan met ambities om hogerop te komen, en nu waren ze herrezen dankzij Otto's ietwat perverse, maar zeer chique gevoel voor teak en echte moquette. Aan een van de wanden hing een enorm, met de hand getekend affiche voor een Sergio Leone-film, en in het raam vormde een neonbord in spiegelbeeld met vuurrood schoonschrift de woorden *Vis is gezond.* Ze stelde zich soms voor hoe de junks beneden op het bouwterrein de vettige pieken van hun voorhoofd verwijderden en hun versluierde blikken op Otto's raam richtten. Ze vroeg zich af of de boodschap in hun verdoofde hersenen zich voordeed als een openbaring of als uitgekookte hoon.

In de straat waren een Turkse groenteboer, een Egyptisch restaurant met buikdanseressen, een petroleumwinkeltje, een Halal-slager en een paar massagesalons. De trap was donker en schurftig, het rook er naar gas en etensluchtjes en natte hondenvacht, en soms verraste ze een kromme gedaante, die op de trap zat te spuiten. Ze was gesteld op de sfeer van hitsige seks en lichtschuwe ondernemingen, de exotische geuren, de mannen met zwarte snorren en wollen mutsjes, die Turks en Arabisch spraken, en de vrouwen met hun doeken en lange jassen. Zelfs aan de junks en de hoeren was ze gewend geraakt. Die kenden haar en bietsten sigaretten van haar, en ze was gaan voelen dat ze er net zo thuis was als zij. Maar in hun ogen leek ze vermoedelijk nog steeds op een bourgeois trut, die hier verdwaald was en zich met lange passen en geheven kin voortbewoog.

Wanneer ze schoenen met hoge hakken aan had, was ze bijna een hoofd langer dan Otto, maar hij leek daar niets op tegen te hebben. Anders waren ze wel niet met elkaar gegaan. Zij was van zichzelf al lang, maar toch liep ze altijd op schoenen met hoge hakken. Ze hield ervan om steels naar haar benen te kijken, die zich spiegelden in de etalages, terwijl ze op het trottoir wandelde. Ze voelde zich soms nog steeds als een klein meisje dat mevrouwtje speelde, en het wilde er nog niet helemaal bij haar in dat ze nu zogenaamd volwassen was, hoewel ze allang op hoge hakken had leren lopen zonder dat het er stuntelig uitzag. Ze was onhandig geweest als teenager, ze had er geen idee van gehad wat ze moest beginnen met haar lange benen en armen, die constant struikelden over de meubels en die glazen en porselein op de vloer gooiden. Ze leek nog steeds op een bonenstaak, haar gezicht was lang en smal, zelfs haar neus, en wanneer ze een slechte bui had, vond ze dat ze op een paard leek. Maar als paard was ze ondanks alles niet te versmaden. Haar haar was borstelig en blond als stro, met een roodachtige tint, haar ogen waren groen, en haar lippen waren vol en zeer kuswaardig. Dat zei Otto in elk geval, wanneer hij een doodenkele keer galant uit de hoek wilde komen.

Ze waren zo verschillend als je je maar kunt voorstellen. Otto had iets compacts en hoekigs over zich. Hij had brede schouders en brede handen, kaken en dijen, maar zijn achterwerk was klein, en zijn ogen waren blauw op een onschuldige manier, die in tegenspraak was met al de kracht die hij in zich had. Onder het lopen liet hij zijn hele gewicht rusten in elke stap die hij deed. Zijn bewegingen waren zelfverzekerd en precies, en hij keek je altijd in je ogen zonder te knipperen. Hij had een tatoeage van een draak op zijn ene arm, hij had gevaren. Misschien was dat de reden waarom hij zo'n Pietje precies was geworden. Hij was altijd gladgeschoren, en zijn kleren waren altijd pas gewassen. Hij was degene die schoonmaakte in de flat, verbeten en met grote armbewegingen, alsof hij het dek van een vrachtschip boende en zwabberde.

Wanneer hij haar omhelsde, moest ze soms denken aan een tekening die ze als kind op een bord had gezien. Ze was vergeten waar het bord een reclame voor was, maar ze herinnerde zich nog steeds de tekening van een naakte man, die met gespreide benen stond en een reuzenslang bij kop en staart hield. De slang was veel langer dan de man, hij kronkelde rond zijn gespierde gedaante en siste hem in het gezicht met zijn gespleten tong, maar hij was gevangen in zijn greep. Ze voelde zich een beetje als die slang. Ze vond het prettig om hem wat te tergen en om tegen te spartelen, en ze vond het erg prettig dat hij wat hardhandig was. Wanneer ze zich eindelijk overgaf, weerspannig zodat hij haar vast moest houden, leek het alsof ze hem er tegelijkertijd toe wilde verlokken te onthullen wie hij in werkelijkheid was. Ze waren nu al bijna twee jaar bij elkaar. Ze was nog nooit zo lang bij iemand geweest, en ze was niet met anderen naar bed geweest sinds ze bij hem was ingetrokken. Soms vroeg ze zich af hoe lang dit zou kunnen doorgaan. Het viel haar moeilijk zich voor te stellen dat er geen eind aan kwam, maar ze speelde niettemin met het idee.

Het was ook niet zozeer een idee, het was eigenlijk niet meer dan een beeld, wanneer ze bijvoorbeeld in een restaurant zag hoe een man van middelbare leeftijd zijn vrouw in haar jas hielp, haar haren schikte over de kraag en met een glimlach de deur voor haar openhield. Ze dacht eraan hoe lang die al bij elkaar zouden zijn, en heel even volgde ze Otto en zichzelf met haar blik door het raam van het restaurant. Twee wat gezette, wat rimpelige volwassenen, die naast elkaar liepen en naar fraai keukengerei keken in de etalages terwijl ze over koetjes en kalfjes praatten. Twee die elkaars gewoontes, zwakke kanten en pijnlijke geheimpjes kenden. Misschien waren ze gelukkig en bezadigd, misschien leefden ze in een comfortabele hel van stomme berusting en onverklaarbare bitterheid. Misschien van alles wat.

Over dat soort dingen sprak ze niet met Otto. Dat stond niet op de agenda, zogezegd. Ze had het idee dat ze hem gaandeweg beter leerde kennen, en ze hadden elkaar in grote lijnen verteld wat er te vertellen viel over vroegere liefjes, en wat hun zoal was overkomen in het leven. Er waren nog steeds gesloten deuren en donkere hoeken in hem, dat had ze wel in de gaten, maar ze zou niet weten wat ze moest vragen, zo ze het al gedurfd had. Voorzover zij wist, was hij evenmin met anderen naar bed geweest sinds ze elkaar hadden ontmoet, maar ze was er dan ook voortdurend. Het was gemakkelijker om haar binnen handbereik te hebben dan vreemd te gaan in de stad. Otto was helemaal niet de grote ladykiller waarvoor zij en alle anderen hem hadden gehouden. Hij wist best welke uitwerking hij had op vrouwen, maar hij deed of zijn neus bloedde. Hij leek eerder schuw en had veel minder vriendinnen gehad dan zij had gedacht. Op haar had hij evenmin jacht gemaakt, ze was zelf gekomen.

Wanneer ze in gezelschap van haar vriendinnen was, had ze het gevoel dat ze een onzichtbare drempel had overschreden. Ze gedroegen zich als altijd, het was bijna demonstratief, alsof alles bij het oude was, maar ze kon het zien in hun ogen. Als ze terloops iets over Otto vertelde, moest ze zich inspanning getroosten om hem als een heel gewone vent te laten overkomen. Alsof hij in werkelijkheid een monster was en niet het ongenaakbare voorwerp van hun afgunst. Niets was bij het oude, in één klap was ze zichtbaar geworden. Wanneer Otto en zij zich in de stad vertoonden, deden de mensen overdreven vriendelijk tegen haar, ook al had ze hen nog nooit eerder gezien. Degenen die iets voorstelden vroegen zelfs naar haar plannen en kwamen met zweverige, wazige beloftes aanzetten. Ze zei er een keer iets van tegen Otto, maar hij begreep haar niet. Als de mensen aardig tegen haar waren, dan mochten ze haar vermoedelijk. Ze dacht dat je misschien over een zekere onschuld moest beschikken om zo soeverein te kunnen zijn.

Ze was gefascineerd door zijn rust. Hij was altijd dezelfde, of ze nu alleen waren dan wel samen met anderen. Vaak had ze het gevoel dat het weinig verschil maakte of zij er was of niet. Net zoals zijn lichaam opging in zijn perfecte proporties, had zijn innerlijk blijkbaar genoeg aan zichzelf. Je zou hem op een verlaten eiland of in een vreemde grote stad kunnen planten waar hij de taal niet sprak, en het resultaat zou hetzelfde zijn. Hij leek iemand die zich overal op de een of andere manier zou weten te redden. Hij kon uren achtereen doorbrengen zonder een woord te zeggen, en dat deed hij niet omdat hij boos was. Het verhinderde hem niet om haar in het voorbijgaan plotseling over haar billen te strijken of haar een kopje koffie te brengen zonder dat ze erom had gevraagd.

Beetje bij beetje was ze met zakken en tassen bij hem ingetrokken. Ze hadden er niet veel woorden over vuil gemaakt. Haar schoonheidsmiddeltjes breidden zich uit in de badkamer, haar kleren verdrongen de zijne in de klerenkast, en haar paperbackuitgaven van Engelse en Amerikaanse toneelspelen lagen met stapels tegelijk op de vloer tussen zijn krimi's en videobanden. Hij leek er geen last van te hebben en hij scheen er niet over na te denken wat dit allemaal moest voorstellen en waartoe het kon leiden. Moesten ze ergens naartoe? In een lente gingen ze naar Londen en in een winter naar Marokko, toen hij een pauze had tussen twee filmrollen. Ze leken bij elkaar te horen.

Wanneer ze uit moesten, vroeg ze hem af en toe wat hij vond dat ze moest aantrekken, maar hem maakte het niets uit, of ze nu een trui over haar hoofd trok of een mini-jurk met decolleté. Hij was nooit jaloers, en hoewel zij hem geen redenen gaf om het te zijn, verraste het haar niettemin. Er waren mannen genoeg, als ze daarin geïnteresseerd was. Daar was wat haar betrof nooit gebrek aan geweest. Meerdere keren liet ze zich een hoek in praten door een of andere gabber die haar probeerde te versieren, enkel om te zien of er een reactie kwam. Maar Otto praatte onaangedaan met zijn vrienden zonder haar kant uit te kijken, en ze moest zelf maar zien hoe ze zich aan haar experimentele flirt ontworstelde.

Het was niet zo dat zij hem koud liet. Hij was meestal attent, bij tijden zelfs hartelijk, maar net zo vaak liet hij haar met rust, en ze merkte dat hij hetzelfde van haar verwachtte. Af en toe vroeg ze of hij liever alleen wilde zijn, maar hij keek haar alleen maar verwonderd aan en glimlachte, alsof ze iets vreemds had gezegd. Wanneer hij alleen wilde zijn, ging hij weg. Er was een kroeg om de hoek, waar hij biljartte, een rauwe en duistere plek met tabakgele, gehaakte gordijnen, waar geen van haar vrienden zich naar binnen zou hebben gewaagd.

Hij kon haar het gevoel geven dat ze onzichtbaar was wanneer hij bezig was met de afwas, televisie keek, schoenen poetste of aan het gewichtheffen was. Alsof ze er niet was. Ze voelde af en toe dat ze niets anders was dan een paar hongerige ogen, die vastkleefden aan zijn afwezige gezicht en perfecte lijf. Zijn aanvallen van naar binnen gekeerde zelfgenoegzaamheid prikkelden haar, net als de pijnlijke, genietende verwachting wanneer ze in bed lag en zich overgaf aan zijn cirkelende, plagerige liefkozingen. Zijn stilzwijgen kon de flat vullen met een sfeer die net zo ondraaglijk als opwindend was, en die zich volledig van haar meester maakte, tot haar lichaam en blik één grote gezwollen, sidderende ontvankelijkheid waren.

Als ze geen van beiden iets moesten, sliepen ze lang. Toen ze op een ochtend in de lente wakker werd, zat hij in zijn onderbroek voor het open raam in de zon de krant te lezen. Ze riep hem, hij gaf geen antwoord. Ze lag hem lang gade te slaan. Het scherpe licht glinsterde in zijn borsthaar en in de stofdeeltjes die door de lucht zweefden. Ze sloop van achteren op hem toe, legde haar handen op zijn borst en boog zich voorover om hem te kussen, zodat haar haren over zijn gezicht vielen. Hij haalde haar hoofd weg en pakte haar verstrooid bij haar kin terwijl hij verder las, zoals je de losse huid rond de bek van een jonge hond beetpakt.

Ze ging op de vloer zitten onder het raam en zette haar voeten op de rand van de stoelzitting tussen zijn knieën. Ze liet een grote teen vluchtig langs de binnenkant van zijn dij strijken en masseerde hem zachtjes in het kruis. Hij verroerde zich niet, maar ze merkte dat het effect sorteerde. Toen boog ze zich voorover en trok zijn pik uit zijn gulp. Hij blonk violet in de lentezon, ze nam hem in haar mond. Hij legde de krant weg en keek haar aan, neutraal en afwachtend als een toeschouwer. Ze beantwoordde zijn blik terwijl ze zich trachtte voor te stellen hoe ze eruitzag van daaruit, met zijn pik in haar mond, als een van de hoeren in zijn dagdromen.

Het volgende ogenblik lag ze onder hem, op haar buik. Hij drukte haar tegen de grond met zijn hele gewicht, zodat ze bijna geen adem kon halen, en drong bij haar naar binnen terwijl hij haar gezicht tegen de stoffige vloerplanken perste. Ze genoot van zijn plotselinge heftigheid, als een opgestuwde woede die in één keer werd losgelaten. Het deed pijn, en hij kwam klaar voordat ze zelf een kans kreeg, maar toen ze even later onder de douche stond en zijn lauwe zaad langs haar dijen voelde lopen, kon ze het niet laten om te glimlachen bij de gedachte dat zijn plotselinge hartstocht iets moest bevatten van al datgene waar hij kennelijk geen woorden voor had. Al datgene dat schuilging achter zijn stilzwijgen en zijn vage blik.

Het was warm geworden. De zweetdruppels kropen langzaam van haar haarwortels over haar neusrug. Ze lag op haar buik de lucht van zweet en zonnebrandcrème op haar armen op te snuiven, de zomerlucht. De golfjes versmolten in een knipperend veld van reflecties, en aan de lege hemel zag ze hoe de condensatiestreep van een vliegtuig zich een weg baande als een witgloeiende naald. Ze draaide zich om en schermde haar ogen af met een hand. De witte streep werd gaandeweg dikker en loste op in wolkjes, die leken op de wervels van een ruggengraat.

Ze sloot haar ogen. Er waren meer mensen gekomen, de kinderen schreeuwden wanneer ze het water insprongen, en de volwassen stemmen liepen in elkaar over, zodat ze niet kon horen wat ze zeiden. De planken bogen onder haar telkens wanneer er iemand voorbijliep. Ze stak haar arm uit en liet de rug van haar hand tegen Otto's buik rusten. Ze keek naar hem. Hij lag onbeweeglijk, alsof hij sliep. Ze had hem net zo goed kunnen vertellen over haar ontmoeting met Harry Wiener toen ze de dag erna aan het ontbijt zaten. Ze hadden samen kunnen lachen om de mislukte verleidingspoging van de Zigeunerkoning. Dat was dom, en het was nog dommer dat hij dacht dat er iets gebeurd was.

Otto ging rechtop zitten, haar hand gleed van zijn buik af. Hij keek uit over de Sont. Ze had zin om iets te zeggen, onverschillig wat. Hij stond zo snel op dat ze er niet in slaagde zijn blik te vangen. Hij liep naar het eind van de steiger en stond even met zijn rug naar haar toe voordat hij erin sprong en weg was. Een paar seconden later dook hij weer op en begon zeewaarts te zwemmen.

Hij had haar aangekeken alsof het hem niet interesseerde, toen ze beschreef hoe Harry Wiener op onaangekondigd bezoek in de kleedkamer was gekomen en hen allemaal op champagne had getrakteerd. Ze smeerde zich in met zonnebrandcrème, langzaam en grondig, zodat ze hem niet voortdurend in de ogen hoefde te zien, terwijl ze vertelde wat hij over hun voorstelling had gezegd. Ze vertelde hoe blij ze was geworden, hoofdzakelijk om reliëf te geven aan haar verbazing over zijn avances in de auto. Ze was werkelijk te goeder trouw geweest, ze had het niet voor mogelijk gehouden dat de Zigeunerkoning het in zijn hoofd zou halen om zich zo te vernederen. Ze dikte het zelfs wat aan door een uitgebreide beschrijving te geven van zijn oude, wat vrouwelijke handen, en hoe pathetisch hij zijn kwijlende geilheid ten toon had gesteld. Hoe meer ze zei, des te meer het ging klinken, vond ze zelf, alsof ze iets te verbergen had.

Otto zei grijnzend dat ze nu vast binnenkort een aanbod kreeg om Ophelia of Julia te spelen, dat kon niet lang duren. Wilde ze dan een goed woordje voor hem doen en ervoor zorgen dat hij de rol van

Romeo of Hamlet kreeg? Of zou dat een beletsel vormen voor haar plannen? Hij zei het op luchtige toon, en zij bokste tegen zijn schouder aan, quasi-nijdig als een dankbare reactie op zijn ironische glimlach.

De mensen lagen in lange rijen langs de steiger en op het strand, het waren er langzamerhand zoveel dat niet meer viel uit te maken wie er samen met wie was. Vlak bij haar lag een groepje magere bakvissen met kleine borstjes en benige schouders. Ze fluisterden en giechelden, en van tijd tot tijd richtte een van hen zich half op en hield een hand boven haar ogen, alsof ze op iemand wachtte. Aan de waterkant droeg een dikke, kale man een jongetje met zwemvleugels. De buik van de man was bedekt met zwarte haren, en de armen van het jongetje waren zo dun dat de zwemvleugels voortdurend tot op zijn polsen afgleden.

Het was gaan waaien, en de wind zwiepte het water op tot verwarde, gulden spitsen. Hij sloeg de lijn tegen de mast van een in het natte zand overhellende jol, waar de golven zich in stortten en uit teruggleden. Het geluid drong helemaal tot haar door, scherp en ritmisch, en de wind rukte aan de stammen van de hoge beuken waarachter de zon zich langzaam verschool. De bovenste takken zwaaiden en blonken nerveus met hun bladeren in sidderende zuigingen achter de kronkelige rooksliert die opsteeg van de sigaret tussen haar vingers.

Toen ze zich omdraaide, was Otto met lange slagen op weg naar de steiger. Ze ging weer liggen. Even later werd ze zijn zware stappen gewaar als een toenemend schommelen in de planken. Hij druppelde op haar, en de koude druppels wekten haar warm geworden huid uit zijn sluimering. Een van de druppels raakte haar ene zonnebrilglas, terwijl hij met een zucht naast haar ging zitten. De druppel deed de hemel sidderen en smelten. Hij stak een sigaret op en legde een hand op haar knie. Haar knieschijf verdween erin als in een hol. Ze vroeg of hij honger had. Ze klonk als een huismoedertje, bezorgd over de voeding van haar echtgenoot. Hij verwijderde zijn hand van haar knie. Niet zo erg... zij wel? Hij at overigens op een lelijke manier. Dat was het enige aan hem dat haar tegenstond. Ze had er verder nooit bij stilgestaan, ze had er alleen maar notitie van genomen. Hij smakte, en hij zat altijd voorovergebogen met een beschermende arm om het bord, terwijl hij met zijn rechterhand het voedsel naar binnen werkte, loerend naar alle kanten, alsof hij bang was dat iemand het zou komen stelen.

Hij vroeg of ze ervandoor zouden gaan. Hij wist blijkbaar ook niet waarover ze het moesten hebben. Terwijl ze in de richting van de stad fietsten, vroeg ze zich af of ze de Zigeunerkoning zelf had aangezet tot zijn avances toen ze in de kleedkamer zat en zijn blik ontmoette in de spiegel. Misschien had ze te lang gewacht voordat ze een andere kant opkeek, of misschien had ze haar blik te snel afgewend, alsof ze zich doorzien voelde. Ze beet geërgerd op haar onderlip. Waar kon je tegenwoordig je ogen nog laten? Het was best mogelijk dat ze er heel eventjes aan had gedacht wat voor indruk ze op hem maakte, en wat dan nog? Strikt genomen waren haar gedachten toch zeker van haarzelf. Bovendien had ze de indruk gekregen dat hij werkelijk meende wat hij zei over haar prestatie. Zou dat allemaal gewoon een manoeuvre zijn geweest, een onderdeel van de listige verleidingsstrategie?

Het was haar eerste hoofdrol, en ze was vreselijk nerveus geweest. Toen Otto de middag voor de première thuiskwam, stond ze op de vloer in de huiskamer stemoefeningen te doen. Hij had een plaat van Iggy Pop gekocht die hij meteen opzette, waarna hij zich op de bank liet vallen en een joint begon te rollen. Ze ving zijn blik op en maakte haar lippen smal. Hij vroeg quasi-onschuldig of ze last van de muziek had. Ze smeet de deur achter zich dicht toen ze de slaapkamer binnenging. Iggy Pops eentonige stem bereikte haar door de deur samen met de monotone bas en de dreunende drums. Aan de overkant van het binnenplaatsje kon ze een keuken binnenkijken, waar een kale peer brandde achter de smerige ruit. Er stond een oude man in een gaatjeshemd voor het fornuis. Hij stond gebogen, met zijn rug naar haar toe, zodat ze alleen zijn benige schouders en de uitstekende schouderbladen in het veel te grote hemd zag. Hij bakte bacon, rook ze.

Ze haalde diep adem en produceerde een donkere toon, die als een zuil vanuit het middenrif opsteeg, zoals ze dat had geleerd. Toen zette Iggy Pop weer in. Ze ging op bed liggen, ze herinnerde zich geen enkele van haar replieken, en over drie uur moest ze op het toneel staan. Ze draaide zich om en bekeek verwonderd de kleine donkere plek die zich uitbreidde in het kussensloop, alsof hij niet van haar was, de traan die werd opgezogen door het fijnmazige katoen.

Toen ze na de voorstelling een paar keer werd teruggeroepen, begreep Lucca niet hoe het was gelukt. Ze wist niet of ze goed of slecht was geweest, ze had gewoon het vaste patroon van de woorden en de bewegingen gevolgd, mechanisch als een speelgoedtreintje dat vol vertrouwen op zijn rails rondrijdt. Desalniettemin zei iedereen dat ze met zoveel inleving gespeeld had, vol echte gevoelens. Ze was het middelpunt van het premièrefeest, iedereen kwam naar haar toe om haar te zoenen en te knuffelen, zelfs mensen die ze maar een enkele keer had begroet. Ze gaf zichzelf permissie er met volle teugen van te genieten. Otto hield zich op de achtergrond, hij bracht de avond door in een hoek samen met een vriend van hem. Wanneer ze voorbijliep, hoorde ze het sarcasme in zijn stem.

Toen ze weer thuis waren, gaf hij haar zijn onverbloemde mening over de voorstelling, en na het lezen van de recensies die stuk voor stuk haar prestatie prezen, snoof hij verachtelijk en waarschuwde haar ervoor zich te laten vleien door zo'n meute kwispelstaartende poedels. Ze vroeg of hij jaloers was, maar dat was bluf, ze geloofde er zelf niet in. Het was ook niet bepaald een publiekstrekker geweest, en de bloemen die ze had gekregen, in cellofaan net als in de grote theaters, verwelkten in de loop van een paar dagen. Otto smeet ze weg, de flat stonk goddomme als een Pools bordeel. Hij zei het op de gebruikelijke, ingestudeerd brallerige toon die hij aansloeg wanneer ze moest begrijpen dat hij het niet zo kwaad bedoelde. Maar waarom kon hij haar niet een beetje succes gunnen, hij die zich wentelde in de bewondering van anderen als een blij zwijn in zijn derrie?

Ze dacht aan het contrast tussen Harry Wieners sympathieke, welsprekende complimenten en Otto's honende commentaar. Wie moest ze geloven? De Zigeunerkoning had blijkbaar zijn concrete redenen gehad om haar stroop om de mond te smeren, maar waarom kon Otto er niet tegen dat het haar voor de wind ging? Was hij dan toch jaloers? In haar rusteloze gedachten op weg van het zwembad naar huis verwisselde ze de volgorde van de gebeurtenissen, zodat Otto's hoon na de première een reactie leek op het zwoele dubbelspel van de Zigeunerkoning drie weken later.

Misschien had Otto voorzien wat er kon gebeuren in het kielzog van de eerste gunstige besprekingen en het eerste kranteninterview dat ze ooit had gegeven, waarin ze werd gepresenteerd met zwijmelende ogen, lange benen en hoge scenische idealen. Misschien voelde hij wel dat alle aandacht die haar opeens te beurt viel een bedreiging vormde voor zijn eigendom, voor wat er achter die ogen en tussen die benen stak. Als ze daar zin in had gehad, had ze gewoon kunnen blijven zitten in de Mercedes van de Zigeunerkoning. Ze had zonder meer met hem mee kunnen gaan naar het roemruchte dakappartement zoals zoveel anderen voor haar, een beetje schuchter, een beetje meisjesachtig, voortdurend met een kokette, nerveuze hand door het haar, nog met haar jas aan, terwijl hij drankjes mixte en anekdotes ten beste gaf over zijn ontmoetingen met Bergman en Strehler.

Otto fietste snel, alsof hij haar van zich af trachtte te schudden, en ze moest flink op de pedalen trappen om hem bij te houden. Het zweet parelde op haar voorhoofd en haar wangen en deed de blouse aan haar huid kleven. Toen ze bij een kruispunt met verkeerslichten moesten stoppen voor rood, kwam ze naast hem staan. Ze leunde op zijn schouder zonder haar voeten op de grond te zetten, terwijl het kruisende verkeer passeerde in een blauwe nevel van uitlaatgas en verblindende reflecties. Ze kon zijn ogen niet zien achter al die glitterende beweging in zijn zonnebrilglazen. Hij glimlachte terwijl hij een hand uitstak en een haarlok verwijderde die voor haar ogen viel en tegen haar voorhoofd kleefde. Ze kreeg zin om hem een zoen te geven, maar op dat moment werd het groen.

Eigenlijk moest ze blij wezen dat hij van een tikkeltje jaloezie had blijk gegeven naar aanleiding van de avances van de Zigeunerkoning. Dat moest bewijzen dat ze ondanks alles meer voor hem betekende dan hij wilde erkennen. Maar het was niks voor hem. Het was eerder iets voor Daniël. Ironisch genoeg had ze in geen maanden aan hem gedacht. Misschien zat hij nog steeds in zak en as, met zijn gebroken hart op schoot.

Ze had hem nooit iets beloofd. Ze zei het zo behoedzaam mogelijk, maar tegelijkertijd op haar qui vive. Hij zat op de pianokruk naar het dichte deksel boven de toetsen te staren. Ze zag zichzelf als een wazig, glanzend zwart spiegelbeeld met over elkaar geslagen benen in het gestroomlijnde instrument. De vleugel nam eenderde van de kamer in beslag, en dat gold ook voor zijn onopgemaakte matras. In de ruimte ertussen was precies plaats voor het tafeltje waaraan hij zijn partituren in het net schreef. Hier bracht hij de meeste tijd door, gebogen over zijn merkwaardige muziek van losse, schelle tonen en verwarde klanken, geschreven voor een orkest dat hij alleen in zijn eigen krullenkop hoorde. Ze was gefascineerd geweest door de sfeer die zich om hem heen verspreidde wanneer hij voor haar speelde, zodat zelfs de deprimerende muziek iets geheimzinnigs over zich kreeg. Hij hief het hoofd en staarde haar aan door zijn stalen brilletje. Ze stond op en liep naar het raam. Hij zei dat hij van haar hield. Het was allemaal erg treurig.

Aan het eind van zijn straat bevond zich een viaduct van door vocht aangetast cement, en op de hoek lag een vervallen discountsupermarkt beplakt met citroengele reclameplaten. Door het raam keek ze uit op de binnenplaats voor een garage. Er zaten vlamvormige klodders vogelstront op de dakramen, en het gescheurde asfalt was bedekt met olievlekken. Er stond een boom in de hoek van de binnenplaats, en zelfs de wortels van de boom waren zwart van de olie, daar waar ze zich het asfalt in boorden. Het regende, de druppels troffen de ruit met doffe slagen en spikkelden haar uitzicht met parelvormige koepeltjes, waar hemel en aarde van plaats hadden gewisseld.

Ze draaide zich om toen er geen verdere details in het uitzicht te inventariseren vielen. Hij vroeg wie het was. Een maand lang had hij haar achtervolgd op alle momenten van het etmaal, in de Toneelschool, in de cafés, telefonisch. Hij had haar gekweld door midden in de nacht onaangekondigd en ontredderd op bezoek te komen in de hoop dat ze kon worden overgehaald van hem te houden. Alsof hij punten dacht te kunnen scoren met zijn verbeten ijver alleen. Ze dacht aan Otto's geheimzinnige gezicht, dat ze diezelfde ochtend had liggen bestuderen terwijl hij nog sliep, om elk detail in zich op te nemen. De onregelmatige boog van het voorhoofd onder het lange, blonde haar, de krachtige wenkbrauwen, de brede neus en de volle lippen.

Daniël was van meet af aan jaloers geweest, zelfs wanneer hij haar voor zichzelf had. Anderzijds kon hij gelukkig zijn in zijn onkunde, wanneer ze rechtstreeks bij een andere man vandaan kwam om hem op te zoeken in zijn ascetische flat. Ze voelde zich als een verblindende gast uit een anderszins verharde en losbandige wereld, en ze verwonderde zich erover hoe abrupt de werkelijkheid kon veranderen, met een paar uur ertussen. Hij serveerde thee in de Engelse faiencekopjes, die hij van zijn grootmoeder van vaderskant had geërfd, terwijl hij vertelde over het stuk dat hij aan het componeren was. Ze liet hem praten en bekeek de afbeeldingen op de theekopjes van romantische, minnende paartjes in smalle roeiboten, die wiegden op de golfjes van een meer in de maneschijn omgeven door bergtoppen, hoge bomen en lisdodden, die zachtjes bogen in de wind.

Wanneer ze samen op zijn matras lagen, kon hij in gepeins verzinken over haar schoenen met hoge hakken en haar zijden ondergoed en de zwarte kousen, die zich vermengden met zijn componistenbiografieën en symfoniepartituren als sexy meteorieten, die uit de ruimte waren komen aanvliegen om midden in zijn eenzaamheid te landen. Ze had ervan genoten om haar ogen te sluiten en te luisteren wanneer hij over zijn muziek sprak of voor haar voorlas uit de Bhagavad'gita of Omar Khayyam. Ze had gespeeld met de gedachte van het bijzondere aan de combinatie van hem en haar, maar het was niet meer dan een spel geweest, een gedachte.

Ze had zich nooit voorgesteld dat het iets anders zou zijn dan wat het was. Dat hij de man zou zijn die alle andere mannen uitsloot. Zoveel had ze zich helemaal niet voorgesteld. Ze had alle voorstellingen voor onbepaalde tijd opgeschort, geheel open voor wat er kon gebeuren. De toekomst was blank en ongerept geweest, en ze had er tegenaan gekeken zoals je dat kunt doen wanneer je een deur opent in een huis buiten, op een ochtend dat het gesneeuwd heeft. Je blijft aarzelend op de drempel van de deur staan, want je kunt het haast niet over je hart verkrijgen om naar buiten te gaan en je sporen achter te laten in die onverstoorde witheid, waar alleen de pootjes van de merels enkele stippellijnen hebben achtergelaten, die net zo abrupt eindigen als ze beginnen.

Ze had het allermeest van Daniël gehouden wanneer hij achter zijn vleugel zat en leek te vergeten dat zij er was. Er kwam iets hards en kordaats over zijn mond en zijn ogen wanneer hij over de claviatuur zat gebogen met het hoofd een beetje naar opzij gedraaid. Alsof de muziek ergens in de zwartgelakte bak verborgen zat, zodat hij ernaar moest zoeken met de toetsen, in den blinde, oneindig behoedzaam om haar niet weg te jagen. Er school een ingehouden kracht in de greep van zijn handen om de akkoorden, zijn vingers die zich snel en precies verplaatsten. Op de toetsen legden zijn handen een gedisciplineerde zekerheid aan den dag, die onverenigbaar leek met de stuntelige en weke manier waarop hij haar liefkoosde in bed.

Zodra hij opkeek, kreeg zijn blik weer een bijziende en wereldvreemde uitdrukking. Wanneer ze hem omhelsde, voelde ze soms een plotselinge aandrang om hem te beschermen, zodat hij zich niet aan de harde werkelijkheid zou bezeren. Maar ze luisterde niet naar wat hij zei wanneer hij zich tegen haar aanvlijde en lieve dingen in haar oor fluisterde. Zijn dwepende woorden en deemoedige aanrakingen waren als een plakkerig web, en ze kreeg zin om hem te slaan om zich te bevrijden uit de kleverige draden waarin hij haar spon, om hem ertoe te provoceren een gevaarlijker en ondoorgrondelijker muziek aan haar te ontlokken dan de conventionele zuchten waarmee ze zijn inspanningen beloonde. Ze geloofde hem niet wanneer hij haar buiten adem en verzaligd vertelde hoe fantastisch ze was. Hij had er geen idee van waar hij het over had, hij kwam niet in aanmerking voor de woorden die hij in zijn mond nam.

Maar dat begreep ze pas goed toen ze Otto ontmoette. Merkwaardig genoeg, want Otto zorgde ervoor dat ze zich dom en onmogelijk voelde, niet vanwege de dingen die hij zei, maar eenvoudigweg door zijn uitdrukkingsloze, blauwe ogen op haar onbeschermde gezicht te laten rusten. In haar gedachten bleef ze terugkeren naar die ochtend toen ze bij hem aanbelde met zijn jasje over haar schouder en een snorrend gevoel in haar buik. Hij had alleen maar geglimlacht en haar naar binnen getrokken in een lange, overrompelende zoen. Hij kon doen wat hem goeddocht, ze was zelf gekomen.

Ze had heel wat afgezworven, en een aantal mannen waren in haar leven de revue gepasseerd, jonge of wat oudere, voor kortere of langere tijd. Op sommigen van hen was ze verliefd geweest, tot ze zich helemaal gewonnen gaven en zich aan haar trachtten vast te klampen als schipbreukelingen die op het punt stonden te verdrinken. Anderen waren terughoudender geweest, of dat nu was omdat ze getrouwd waren en last hadden van een morele kater, of dat zij voor hen niets anders was dan een lekker stuk, dat ter beschikking stond wanneer de aandrang over hen kwam. Ze had maandenlang met hen gedweept, tot haar dromen totaal versleten waren door telkens opnieuw gedroomd te worden.

Otto was anders, hij bedelde niet om liefde, en hij vluchtte evenmin, toen zij steeds minder deed om haar gevoelens te verbergen achter een masker van vrijblijvende luchtigheid. Ze was het zat om weg te lopen van gevoelige, grienende kerels, die er alleen maar van droomden haar aan handen en voeten te binden. Maar ze had er ook de buik van vol om een levende lolitapop te zijn, die haar lieflijke dromen koesterde over de boeiende, ongenaakbare mannen die als bezetenen tussen haar benen lagen te pompen. Wanneer Otto haar omhelsde, had ze geen zin om te vluchten of te dromen.

De eerste dag bleven ze in zijn bed. Ze vroeg naar de jongen in Amerika, die een rood autootje met de post had gekregen van zijn verre, onbekende vader. Hij had er niets op tegen dat ze dat deed, maar toen hij antwoordde, beknopt en nuchter, klonk het alsof hij het over een soort technische storing had. Een kind, tja, dat kon gebeuren. Toch kon ze het niet laten zich voorstellingen te vormen van de onbekende gebieden in hem, waar niemand ooit was binnengedrongen. Misschien waren ze zelfs onbekend voor hemzelf. Terwijl ze in de schemering naar zijn onduidelijke gezicht lag te kijken, fantaseerde ze dat ze als een soort ontdekkingsreiziger de witte plekken in zijn innerlijk onderzocht en in kaart bracht en dat die op een dag naar haar vernoemd werden.

Toen ze op een regenachtige dag een paar weken later bij Daniël langskwam, wist ze dat het de laatste keer was. Hij speelde een nieuw stuk voor haar, dat hij net af had gekregen. Ze nipte aan de warme thee en bekeek het romantische paar van het kopje in hun roeiboot in de maneschijn. De zwarte en witte toetsen spiegelden zich in zijn brillenglazen. Zijn gezicht was gesloten van de concentratie op een manier die haar eraan herinnerde dat hij feitelijk een aantal jaren ouder was dan zij. Alleen wanneer hij speelde, dacht ze daaraan. Ze hoopte dat hij door zou gaan, dat de muziek niet ophield, misschien omdat ze wist wat er te gebeuren stond, maar ook omdat dit de manier was waarop ze hem graag zag, gesloten om zichzelf en zijn muziek.

Ze draaide zich weer om naar het raam om zijn gekwelde blik te vermijden en keek door de druppels heen naar de binnenplaats met de garage. Een van de boomtakken zwaaide heen en weer en verspreidde een zilveren wolkje van druppels om zich heen toen er een vogel opvloog en in een ongelijkmatig slingerende curve verdween. Een magere, grijsgestreepte kat sloop langs de schutting met verende tred en gebogen kop. Hij bleef stilstaan, strekte zijn hals en snoof met de oren naar achteren. Aarzelend stak hij een poot naar voren, raakte behoedzaam het gebarsten asfalt aan en trok de poot weer terug waarna hij ging zitten met de staart om de voorpoten geslingerd, nonchalant en volkomen onbeweeglijk alsof hij daar altijd had gezeten.

Ze voelde Daniëls handen op haar heupen en zijn adem tegen haar hals. Hij hield van haar. Het geweten trof haar in haar buik met een harde, koude stoot, maar niet meer dan één, want vlak daarna werd ze een totaal ander gevoel gewaar. Het doorstroomde haar met zijn warmte, alsof het door het schuldgevoel zelf was teweeggebracht. Ze zag Otto voor zich. Hij kon haar krijgen, of hij haar nou wilde hebben of niet. Zo was het nu eenmaal, en niemand kon er iets aan doen. Maar als Daniël er niet was geweest, zou ze het niet zo eenvoudig, zo duidelijk, hebben gevoeld.

Konden ze niet een laatste keer met elkaar naar bed gaan? Ze draaide zich om. Hij keek haar aan met een vreemde blik, alsof het hem allemaal niets kon schelen. Dat meende hij toch zeker niet? Hij bloosde. Wilde ze dat voor hem doen? Hij deed een poging haar te zoenen, ze wendde haar hoofd af, hij bleef doorzeuren. Toen gaf ze zich gewonnen, net zo overrompeld als hij, en terwijl het zich een laatste keer afspeelde, keek ze in zijn eerloze, vertwijfelde gezicht, maar ze voelde niet zozeer minachting en eigenlijk ook geen mededogen. Het leek nog het meest op dankbaarheid.

Ze voelde nog steeds de warmte van het asfalt en de muren, ook al was de zon achter de huizen verdwenen, toen ze door hun straat reden. De hemel was geel boven de daken. Otto reed door tot om de hoek, hij wilde een pizza halen. Ze snapte niet hoe het in het trappenhuis naar natte hond kon stinken wanneer het in geen veertien dagen had geregend. Op de vloer voor de deur lag een stapel reclame en daartussen een paar brieven, een van de belastingdienst voor Otto, de andere voor haar. Het logo van de Koninklijke Schouwburg stond in de hoek van de envelop gedrukt. Ze registreerde het zonder er nader bij stil te staan, misschien omdat ze moe was na de fietsrit en de uren in de zon. Vervolgens scheurde ze de envelop open, begaf zich naar het raam en vouwde de brief open.

Het waren maar een paar regels, ondertekend door een secretaresse. Het theater zou in het komende seizoen *De vader* van August Strindberg opvoeren met première in november, geregisseerd door Harry Wiener. Een van de actrices was in verwachting geraakt en zou daarom niet zoals gepland in staat zijn om de rol van Bertha, de dochter van de ritmeester, te spelen. Zou Lucca haar kunnen vervangen? Met het oog op de verdere planning werd haar verzocht binnen acht dagen te reageren. Ze voelde dat ze in de zon had gezeten, haar wangen prikten en gloeiden. Er werd een lamp aangedaan achter een raam aan de andere kant van het bouwterrein, en ze zag een figuurtje heen en weer gaan door het gele vierkant. Ze stopte de brief terug in de envelop en stak hem in de zak van haar jasje. Ze hoorde Otto op de trap.

Ze aten voor de televisie en dronken een paar biertjes. Geen van hen zei iets bijzonders. Otto zat met zijn benen op het tafeltje voor de bank tussen de bierflesjes en de lege pizzadoos, terwijl hij lui registreerde hoe een krachtpatser in een vies hemd met een beledigd gezicht het magazijn van zijn machinegeweer leegde. Ze pakte een blad en sloeg de pagina's om met mooie meisjes die de zomermode showden, slenterend met de hoofden scheef in de avondzon, nu eens tussen de slanke palmen in een Marokkaanse oase, dan weer onder het natte wasgoed en de dichte zonweringen boven de balkons in een steeg in Lissabon.

Later op de avond waren ze samen met een paar vrienden in een bar. Lucca pakte de opgevouwen brief vast in haar jaszak. Ze had het hem kunnen vertellen terwijl ze thuis waren, maar Otto was geheel verdiept in zijn film. Het ergerde haar dat ze hem had weggestopt in plaats van hem te laten liggen, zodat hij hem zelf zou kunnen vinden. Alsof ze zich toch schuldig voelde. Het was stampvol in de bar, en de menigte deinde heen en weer telkens wanneer iemand zich een weg baande naar de tapkast. Terwijl ze naast Otto stond in het lawaai van muziek en stemmen, realiseerde ze zich dat ze de kans had gekregen waarvan ze had gedroomd sinds ze op het idee kwam om actrice te worden. Harry Wiener had blijkbaar gemeend wat hij zei. Ze keek om zich heen naar al die gezichten. Op een goede dag zouden ze allemaal weten wie zij was. Ze schaamde zich een beetje over de gedachte, maar ze kon het niet laten zo te denken.

Aan het eind van de bar ontwaarde ze een lange vent, die over een mooi meisje stond gebogen. Ze wist zeker dat ze hem eerder had gezien, maar ze kon zich niet herinneren waar. Hij had een elegant, zwart jasje aan, en zijn kroezige haar was kortgeknipt. Het gezicht van het meisje was bleek van de poeder, en haar borsten leken elk moment uit de bolstaande C-schaal te willen springen. Ze glimlachte met haar rode lippen en knikte vol begrip bij wat de man zei. Lucca herkende zijn ingetogen glimlach en de stuntelige manier waarop hij gesticuleerde. Het zag ernaar uit dat hij over de ergste verlegenheid heen gekomen was, maar waar was zijn bril gebleven? Daniël had blijkbaar contactlenzen gekregen.

Ze baande zich een weg naar hen toe. Toen hij haar in de gaten kreeg, zag ze hoe hij zijn speeksel wegslikte, maar verder was er weinig over van zijn oude onzekerheid. Hij stelde Lucca en de welgevormde schoonheid aan elkaar voor. Ze heette Barbara, en ze sperde haar neusvleugels open terwijl ze Lucca glimlachend opnam met haar grote, dramatische ogen. Ze waren zojuist teruggekeerd van een festival voor nieuwe muziek in München, waar hij een van zijn werken had gedirigeerd. Hij was zelfs geïnterviewd in de *Süddeut-*

sche Zeitung. Al met al had hij heel wat te vertellen. Ze zei dat het leuk was om hem te zien, en zoende hem op zijn wang alvorens door te lopen naar de toiletten.

Ze hield haar handen lang onder het koude water. Het spoot tegen de spiegel aan, en ze ontmoette haar eigen blik achter de rollende druppels, terwijl ze haar handen tegen haar rozige wangen drukte. Ze had niet zo lang in de zon moeten liggen. Zou Daniël Omar Khayyams liefdesgedichten ook voorlezen voor Barbara met de fraaie voorgevel? Dronk ze Chinese thee uit een kopje met romantische dwepers in de maneschijn, terwijl hij haar onderhield met zijn twaalftoonsserenades? En wat dan nog? Toen ze zich opnieuw een weg baande door de menigte en de sigarettenrook, waren Daniël en Barbara vertrokken. Otto volgde haar met zijn ogen vanaf zijn plaats aan het eind van de bar. Ze glimlachte naar hem, maar hij glimlachte niet terug, keek alleen maar naar haar, alsof hij iets in de gaten had gekregen waar zijzelf geen weet van had. Ze zei dat ze moe was. Hij kon blijven als hij zin had.

Het was warm, het raam stond open, en ze lag naakt onder het laken terwijl ze luisterde naar de geluiden van de stad, de stemmen uit de andere flats en het holle gerammel van de container op de binnenplaats toen de kok van het Egyptische restaurant vuilnis naar buiten droeg. Er klonk een Arabisch lied uit de keuken van het restaurant, een klaaglijke vrouwenstem begeleid door abrupte trommels en strijkers. Ze dacht aan Otto's registrerende blik toen ze terugkwam van het toilet. Ze lag doodstil te luisteren. Eindelijk hoorde ze de voordeur slaan beneden in het trappenhuis, en ze herkende zijn snelle stappen op de trap. Ze sloot haar ogen. Het geluid van voetstappen kwam naderbij en verstomde ineens. Toen hoorde ze het gerinkel van zijn sleutels, het slot dat klikte en de deur die werd opengedaan. De vloerplanken kraakten in de hal, en even later hoorde ze hem plassen in de wc-pot en de explosie van water toen hij doortrok.

Hij kwam de slaapkamer binnen. Ze voelde de zoele lucht tegen haar borsten, buik en dijen toen hij aan de rand van het laken trok. Ze stelde zich zijn handen voor, hun droge warmte en vaste greep. Ze verroerde zich niet, en ze hield haar adem in terwijl ze wachtte, gespannen en geprikkeld. Haar tepels trokken zich samen tot twee kleine, harde stekels, en ze voelde dat de poriën in haar huid wagenwijd open stonden als evenzovele opengesperde snavels van jonge vogeltjes, reikhalzend, piepend van de honger.

Er gebeurde niets. Daarna wist ze niet hoe lang ze had liggen wachten voordat ze voelde hoe de matras onder hem meegaf terwijl hij op de rand van het bed ging zitten. Ze hoorde de metaalachtige klik van zijn aansteker en ademde de lucht van sigarettenrook in. Ze opende haar ogen. Hij had nog steeds zijn jasje aan. Hij zat met zijn rug naar haar toe naar de binnenplaats te kijken. Ze vroeg om een haaltje. Hij draaide zich om en reikte haar de sigaret. Ze kon zijn gezicht niet zien, hij was niets anders dan een donkere contour tegen de achtergrond van het open raam. Hij nam de sigaret weer aan en tikte de as eraf, in de asbak, die op de vloer stond tussen zijn voeten. Er was iets waarover ze moesten praten.

Het was stil op de binnenplaats. Hij inhaleerde diep en blies de rook uit in ringen, die zweefden als zachte nullen voor de lavendelblauwe hemel. Ja? Ze deed haar best om luchtig te klinken, maar het lukte niet. Haar maag kromp ineen. Misschien had hij de brief van de Koninklijke Schouwburg in haar zak gevonden. Maar daarin werd haar immers alleen maar een baantje aangeboden. Er was niets voorgevallen tussen haar en de Zigeunerkoning. Ze had het verteld precies zoals het was gebeurd, en onder het vertellen had hij haar aangekeken met een onverschillige blik, die haar geruststelde. Ze hadden er zelfs geintjes over gemaakt. Waarom zou dat nu dan een probleem moeten zijn? Waarom had ze hem die brief niet gewoon laten zien?

Ze schraapte haar keel. Wat was er? Haar stem was iel en droog. Ze richtte zich half op en keek naar zijn onduidelijke silhouet. Het ging niet, het speet hem. Ze rechtte haar rug en trok het laken om zich heen. Wat ging er niet? Hij draaide zich naar het raam toe. Het was maar beter dat ze hier stopten. Het blauwige licht van buiten viel op de ene kant van zijn gezicht. Ze herkende hem haast niet. Was er een ander? Hij doofde de sigaret in de asbak en stond op. Als ze het dan per se wilde weten... Ze richtte haar ogen op hem. Was het iemand die ze kende? Hij liep naar de deur toe. Hij sliep vannacht ergens anders. Het was het handigst als ze morgen verhuisde.

De punt van het mes had amper de witte buik van de vis geraakt toen die zich opende in een lang split rond de rode en violette ingewanden, die op de marmeren toonbank uitstroomden. Ze herinnerde zich hoe ze bij het zien hiervan haar gezicht tegen de buik van haar vader had gedrukt in het zachte geblokte overhemd, dat hij altijd droeg wanneer ze buiten waren. Ze had hem in geen jaren gezien, en soms was ze bang dat ze zou vergeten hoe hij eruitzag, net als toen hij was vertrokken. Ze had 's nachts met een zaklantaarn in bed gelegen, bang dat haar moeder haar zou verrassen met de fletse zwartwitfoto, die ze uit het album in de boekenkast op zijn werkkamer had verwijderd zonder dat hij het ontdekte. Giorgio was jong op de foto, ongeveer van haar eigen leeftijd. Hij was genomen ergens in zijn geboorteplaats, de stad waarnaar ze was vernoemd. Ze was er nog nooit geweest. Hij had zwart haar en een gladde kin, en hij zat op een caféstoel te wippen voor een kerkmuur met schaduwen van laagvliegende zwaluwen.

Ze sloeg vol belangstelling gade hoe het mes van de vishandelaar de verbluft gapende kop tussen de blauwe aderen van de toonbank deponeerde. Het mes schraapte de buitenste, slijmerige schubben van het bruine en groenachtige, met zwarte sproeten bedekte lijf. Ze moest aan het rode neonbord in Otto's raam denken. Ze had altijd een afschuw van vis gehad. Buiten hoorde ze het holle, tuffende geluid van een kotter en de auto's die van het veerbootje aan land reden. Ze had haar wang tegen de gelakte houten railing gedrukt, zodat ze de trillingen van de machines kon voelen terwijl ze het vissersplaatsje kleiner zag worden achter de waaier van het kielzog, alsof ze ver weg zouden reizen en nooit meer terugkomen. Het is een flinke meid aan het worden, zei de vishandelaar met een zweterige glimlach. Dat had hij elke zomer gezegd. Zijn korte nagels waren bloederig bij de wortels.

Ze fietsten door het bos, zoals ze altijd deden. Lucca reed achter haar moeder op Giorgio's oude fiets. Het plastic tasje met de vis bengelde aan het roestige stuur van haar moeder, zodat het voortdurend bijna beklemd raakte tussen de spaken van het voorwiel. Ze was nog steeds slank, Else, maar elke zomer werden de spataderen duidelijker in haar knieholtes, en haar haar was zo langzamerhand helemaal grijs. Achter de donkere rijen sparren kon je de zee vaag horen koken. Het huis was opgetrokken uit geteerde planken, het was het laatste huis op een pad met een schutting om de tuintjes met pijnbomen en berken. Alleen aan het eind van de middag had je er een paar uur zon. De rest van de tijd was hun tuin een overschaduwd moeras van stammen, hoog gras en frambozen, die de stenen wal tussen de tuin en het bos volledig aan het oog onttrokken.

De zon scheen bijna horizontaal op de planken wand. Ze lagen allebei in een ligstoel, en de teerlucht mengde zich met de schimmelige lucht van het muffe linnen van de stoelen. Er was geen telefoon in huis, Otto zou niet kunnen bellen, zelfs niet als hij raadde waar ze was. Else lag met gesloten ogen en uitgespreide armen, zodat de zon op de blekere binnenkant kon schijnen. De huid bij haar decolleté was kreeftrood en gezwollen, met diepe spleten tussen de slappe borsten. Ze zei niet veel, misschien uit kiesheid, het was immers niet zo vreemd als Lucca een beetje stil was. Hoewel ze blij moest zijn dat het nu was gebeurd en niet later, zoals Else had gezegd toen ze haar afhaalde bij de veerboot. Stel je voor dat ze al zover waren geweest dat ze een kind hadden! Lucca moest denken aan Miriam, die ervan droomde haar eigen baby'tje te krijgen.

Ze had Miriam gebeld toen Otto weg was. Ze was in één klap erg helder, en een halfuur later was ze klaar met het pakken van haar kleren en haar spullen. Het kon allemaal worden weggestopt in twee tassen en vier plastic draagtasjes, zoveel had ze gevuld in Otto's leven. Ze ging op de hoek staan om een taxi te praaien. Er stond een hoer te roken, met opgetrokken schouders alsof ze het koud had. Ze hield de sigaret een stukje van haar lichaam af en boog nu eens het ene en dan weer het andere been in de strakke spijkerbroek. Lucca groette haar, ze passeerden elkaar elke dag. Zo, ging ze op reis? Dat kon je wel zeggen, ja. Waar naartoe? Dat wist ze nog niet. De hoer knikte instemmend. Dat kende ze heel goed.

Miriam keek haar met een tragisch gezicht aan toen ze de deur opendeed. Ze was een kop kleiner dan Lucca, die zich voorover moest buigen om zich door haar vriendin te laten omhelzen. Zo bleven ze staan, aan elkaar vastgeklemd, heen en weer wiegend. Lucca begon te huilen, en tegelijkertijd vroeg ze zich af waarom ze nu pas huilde. Gaf ze toe aan Miriams medeleven, in plaats van aan het verdriet over het feit dat Otto haar de bons had gegeven? Miriam was alleen thuis, haar vriend was jazzmuzikant en had die avond een klus. Ze zaten in de keuken wodka te drinken terwijl ze het topje van hun sigaretten ronddraaiden in de asbak, zodat ze spits werden als gloeiende speren. Miriam had altijd al gevonden dat Otto een rotzak was, Lucca was immers niet de eerste die hij op die manier had laten stikken. Maar dat had ze niet zo goed kunnen zeggen terwijl ze met elkaar omgingen. Miriams vriend had hem laatst trouwens in de stad gezien met een mulattin, ze scheen fotomodel te zijn. Miriam had er niets van willen zeggen tegen Lucca, om haar niet verdrietig te maken.

Ze ging door met het zwartmaken en veroordelen van Otto tot Lucca haar in de rede viel. Zouden ze een kind krijgen, of hoe zat dat? Eigenlijk kon dat Lucca geen zier schelen, maar die vuilspuiterij tegen Otto moest stoppen. Ze voelde zich getroffen door de hatelijke opmerkingen van de ander. Miriam begon dadelijk uit een ander vaatje te tappen en ging op fluistertoon over, ingetogen maar ook gevleid over het feit dat ze haar geluksdroom met haar bedroefde vriendin kon delen. Haar vriend kon niet kiezen, hij had iets gemompeld over zijn vrijheid. Wat moest hij daar nou mee aan? Ze hadden ruzie gekregen. Maar zelf was Miriam bereid, het was een gevoel in haar lichaam, ze wilde gewoon dat kind, het zou ook goed voor hun relatie zijn. Snapte hij dat nou maar. Bovendien, wat waren haar vooruitzichten? Werkloosheidsuitkering en hier en daar een cabaret, als de grapjurk. In feite zong ze heel goed, maar niet veel beter dan zoveel anderen. Zíj was ook niet door Harry Wiener uitgenodigd voor een afzakkertje! Ze zag de kleine flikkering in Lucca's ogen en legde een hand op haar schouder. De Koninklijke Schouwburg, dat was fantastisch! Dat deed haar werkelijk deugd.

Later lagen ze arm in arm, de jazzvriend moest op de sofa slapen, maar Lucca kon niet in slaap vallen. Voorzichtig bevrijdde ze zich uit Miriams zware omhelzing en ging op de rand van het bed zitten.

Het grauwe ochtendlicht drong al door het rolgordijn. Tussen de enkele boeken in de boekenkast stonden plastic mandjes vol met slipjes, onderbroeken en sokken. Ooit waren die wit geweest, maar ze waren lichtrood of lichtblauw verkleurd na alle beurten in de wasmachine. De wanden waren versierd met foto's van bezwete, oververmoeide jazzmusici, vastgezet met punaises, en langs de plint stonden de afgetrapte schoenen van Miriam en haar vriend op een rij tussen de stofvlokken. Op het nachtkastje, naast de wekker, lagen een voetvijl en een pessarium. Het was iets na vijven.

Miriam draaide zich om op haar zij, in haar slaap leek ze bijna een man. Desalniettemin ging ze gekleed in strakke topjes, die haar weelderige boezem goed deden uitkomen, en leggings – hoewel haar dijen vrij krachtig waren. Miriam had iets opdringerigs over zich. Wanneer ze zich in ernst opdofte, kon ze heel aardig uit de verf komen, maar toch werd ze erg lawaaierig en grof in haar mond als ze in gezelschap was van vrouwen die mooier waren dan zij. Alsof ze heimelijk beledigd was over hun genen. Lucca had er meermalen versteld van gestaan hoe ze de vloer aanveegde met haar vriend, een lange, broodmagere jongeman met een ring in het oor, om het volgende moment bij hem op schoot te gaan zitten en aanstalten te maken tot een tongzoen. Ze had Lucca lachend verteld dat ze hem haast had moeten verkrachten, de eerste keer dat ze met elkaar naar bed gingen. Wat niet uit zichzelf kwam, nam Miriam op eigen initiatief. Volgens haar was het kennelijk een mensenrecht om begeerd te worden.

Lucca voelde iets kriebelen op haar ene voet. Een bosmier was op weg langs de ader, die voor den dag kwam onder de dunne huid van de welving van haar voet. De ligstoel kraakte toen ze zich voorooverboog. De stof was half vergaan, hij scheurde onder haar terwijl de mier ineenkromp en uit elkaar viel tussen haar vingers. Het was warm, ze stond op, en een ogenblik werd het zwart voor haar ogen.

Ze liep de schaduw in aan het eind van de tuin, waar het kreupelhout bij de stenen wal een barrière vormde die de toegang tot het bos geheel versperde. Op enkele plekken drongen stoffige, gebroken zonnestralen door het struikgewas en raakten een roodachtige stam of een pluim van donkergroene naalden, zodat je blik gedesoriënteerd raakte in een warrig web van geel licht omgeven door zachte, vormloze schaduwen. Het was allemaal in beweging geweest, de harige stammen en de schaduwen en de zonnebalken wanneer ze haar benen vastklemde om zijn hals. De baard kietelde haar aan de binnenkant van haar knieën terwijl hij verder liep over de koepelvormige, met verdorde naalden bedekte bosgrond met een vaste greep rond haar enkels. Hij wankelde en verloor bijna zijn evenwicht telkens wanneer ze haar armpjes in de lucht stak omdat ze een eekhoorn in de gaten kreeg of een duif die opvloog en tegen de takken klapwiekte, maar dan verspreidden de bomen zich om plaats te maken voor de duinen met helmgras, dat glad in de wind golfde, en daar was de zee, enorm en zo blauw, zo blauw.

Ze draaide zich om en ging in het gras zitten. Elses ligstoel was leeg. Ze had haar niet overeind zien komen. Haar maag kromp ineen, en ze ging in het gras liggen terwijl ze aan Otto's ogen en zijn brede handen dacht. De grond was koel en vochtig door haar jurk heen. Misschien lag hij juist nu naar zijn handen te kijken terwijl die het lichaam van een bloedmooie mulattin onderzochten, ontroerd over het verschil tussen zijn eigen blanke huid en de hare. Het sissende geluid van boter in de pan vermengde zich met het geluid van sprinkhanen. Lucca stond op. Het bovenste gedeelte van de staldeur in de keuken stond open. Ze keek toe terwijl Else de stukken vis door ei en paneermeel haalde alvorens ze in de pan te leggen. Else stond met een hand in haar zij terwijl ze dat deed. Haar grijze haar was opgestoken in een nonchalante, meisjesachtige knot, en ze had een lichtrode sjerp als schort om haar middel gebonden; onverwoestbaar vrouwelijk, dacht Lucca.

Er zijn andere dingen in het leven dan liefde, zei ze en schonk witte wijn in hun glazen. Ze zaten buiten aan tafel in het laatste, gulden licht. Daar kom je op een gegeven moment wel achter. Ze keek in haar glas en toen weer naar Lucca. Werk bijvoorbeeld... Zei je Strindberg? Ze toostten. En kinderen dan? Else dacht na terwijl ze de graten en het visvlees van elkaar scheidde. Kinderen waren een valkuil. Jij niet, voegde ze er haastig aan toe met een kalmerend klapje op haar hand. Lucca was zo gemakkelijk geweest. Else verwijderde een dun graatje van haar mondhoek en legde het op de rand van haar bord. Maar je gaat op een koe lijken, zei ze, en je voelt je als een koe, en je wórdt een koe. Lucca dacht aan Miriam.

Als ze nou eens een kind hadden gekregen? Hij was daar vermoedelijk nooit mee akkoord gegaan. Ze dacht aan het Amerikaanse jongetje, dat een rood autootje voor zijn verjaardag had gekregen. Otto had het nooit over hem, hij had kennelijk verteld wat er te vertellen viel. De jongen bestond, maar ze kenden elkaar niet, en zo was het. Otto had niet eens een foto van hem. In de herfst was er een brief van Lester gekomen met een tekening. Het enige levensteken van de moeder was het regelmatige, stijve handschrift op de envelop. Lucca bevestigde de tekening met tape op de koelkastdeur. Otto accepteerde het, maar toen hij op een dag dat het waaide op de grond viel, mocht hij daar blijven liggen. Ze wist hem ertoe te bewegen de jongen een adventskalender te sturen. Ze kocht hem zelf. Hij keek haar aan alsof hij vond dat ze niet goed snik was, maar hij stuurde hem.

Ze had niet eens overwogen dat ze een kind zouden kunnen krijgen. Nu pas dacht ze eraan hoeveel eventuele kinderen er elke keer nutteloos uit hem waren gespoten. Een hele schoolklas, een hele school, een hele stad met ongeboren baby's. Ze had zich nooit serieus kunnen voorstellen dat ze op een dag samen zouden gaan wandelen met een kinderwagen, op een zaterdagochtend, om boodschappen te doen. Misschien omdat ze dat niet zou hebben gedurfd. Ze zag Otto's blauwe ogen voor zich. Ze wist niet eens wat die hadden gezien, die ogen. Vermoedelijk gewoon een meisje te midden van zoveel anderen, een gezicht in de reeks van gezichten, die elkaar uitwisten op zijn laken als lichtbeelden op een doek. Klik, en dan was de wereld veranderd. Maar zo zag hij het vast niet. Zijn wereld was waarschijnlijk altijd dezelfde, gewoon vol meisjes.

Lucca keerde haar gezicht naar het bos. De schaduwen waren dichter geworden tussen de kaarsrechte colonnes sparren. Ze probeerde zich de mannen voor de geest te halen die ze had gehad, of dat nu voor één nacht, voor een paar maanden of langer was geweest. Alles bij elkaar waren het er vierentwintig wanneer ze haar eerste vriendjes erbij telde. Ze moest aan de adventskalender denken, die ze voor Otto's zoontje had gekocht. Daarop stonden een heleboel kinderen, die sleeden en sneeuwpoppen maakten en met sneeuwballen gooiden, allemaal met frisse, rode wangen. Ze probeerde de volgorde te reconstrueren waarin ze de mannen had gekend, en ze zag ze voor zich met rode, verhitte wangen en een getal op het voorhoofd. Wanneer ze een nieuw, vreemd gezicht zoende, had het geleken alsof ze het zoveelste luikje opende, gespannen als een kind om te zien wat zich daarachter verschool. Had ze werkelijk gedacht dat Otto's gezicht het laatste was? Was ze zo naïef? Had ze zich misschien voorgesteld dat het in het vervolg elke avond kerstavond kon zijn?

Het was nog licht toen ze naar bed ging. Ze zei tegen Else dat ze hoofdpijn had. Ze liet het rolgordijn neer, zodat het donker werd in de kamer. Ze had nooit veel op gehad met de witte nachten. Als kind was ze bang geweest dat het geen nacht zou worden, ze wist niet waarom, en ze was net zo bang geworden wanneer Else het zwarte rolgordijn neerliet. Ze had verlangd dat de lamp naast haar bed aan zou zijn tot ze in slaap viel. Else had een van haar Indiase doekjes over de lamp gelegd, en ze had liggen kijken naar de vage, grijze kroonbladeren en stengels die zich verspreidden op het plafond en de wanden, waar de geborduurde bloemen van het doekje hun vergrote schaduwen wierpen. Nu lag ze met open ogen in de dichte duisternis van de kamer.

In de lente van 1965 maakten Else en haar eerste man een autotocht naar Italië. Ze waren jong, en ze waren nog maar net een jaar getrouwd. Ze was getrouwd met een welgestelde jongeman, in elk geval waren zijn ouders welgesteld, en Elses vader en moeder waren dik tevreden. Ze had met de gedachte gespeeld om toneelspeelster te worden en had een paar maanden van iemand les gekregen, maar meer was het niet geworden. Op een van de foto's van die tocht zit ze in een open, witte Aston Martin te glimlachen. Ze draagt een zonnebril en heeft een licht, zijden doekje onder haar kin gebonden, en achter haar kronkelt de weg tussen de rijen zwarte sparren op de berghellingen in Tirol. Elses eerste man komt op geen van de foto's voor. Hij was degene die ze nam.

Volgens Lucca was het alleen maar passend dat hij op geen enkele van zijn foto's voorkwam. Hij was niets anders dan een blik in de camera, die hij richtte op haar moeder, die er nog geen idee van had dat ze een jaar later moeder zou worden, terwijl ze op het San Marcoplein stond en onder de gewelven van het Colosseum, met diezelfde enthousiaste glimlach op haar gezicht. Lucca moest zelf glimlachen wanneer ze die foto's zag. Ze gaven haar het gevoel dat ze de verrassing in eigen persoon was. Als Else bij de onzichtbare fotograaf was gebleven en met hem een kind had gekregen, zou Lucca nooit geboren zijn.

Op de terugweg uit Rome bracht het jonge stel een paar dagen in Viareggio door, waar de onzichtbare fotograaf op een avond een portie oesters at die hij niet had moeten eten. Wie weet, dacht Lucca. Als zijn burgerlijke opvoeding hem niet had uitgerust met dit fatale zwak voor oesters, zou de wereld er misschien anders hebben uitgezien. Het zou een wereld zijn geweest zonder haar, met andere woorden een totaal ondenkbare wereld, aangezien zij degene was die eraan dacht. Maar daarom nog niet minder werkelijk.

Terwijl Elses man ziek in bed lag, maakte zij wandelingen door de stad en op de strandpromenade. Op een middag werd er een film opgenomen, en ze stelde zich op in de haag toeschouwers achter de camera en de lampen, die in de zon een wit licht wierpen op een knappe, bleke vrouw met een zonnebril op en een mantelpakje aan dat bijna hetzelfde was als dat van Else. De knappe vrouw liep met snelle passen en een naar binnen gekeerde uitdrukking op haar gezicht heen en weer op de promenade. Else herkende Marcello Mastroianni in de bezorgde man in een zwart pak en een wit overhemd met stropdas die achter de vrouw aan liep terwijl hij haar tevergeefs trachtte over te halen om stil te blijven staan. Pas na de vierde of vijfde opname viel Elses oog op de jongeman in een gestreepte zeilerstrui, die naast de camerarails liep met de microfoonhengel boven zijn gebruinde hoofd geheven. Zelf hield hij al enige tijd de lange, Scandinavische vrouw die tussen de toeschouwers stond in het oog.

De filmcrew bleek in hetzelfde hotel te verblijven als Else en haar man, en de volgende dag al stapte Else op de verkeerde etage uit de lift, ontsteld en verrukt over haar eigen trouweloosheid, terwijl de onzichtbare fotograaf op de verdieping eronder aan een toiletpot zat gekluisterd. Ze liet hem even bijkomen voordat ze hem op de hoogte stelde van wat ze inmiddels had besloten. Hij moest naar huis zonder haar. Ze hield niet meer van hem, en ze moest haar gevoelens gehoorzamen, vertelde ze hem, en toen was de witte Aston Martin noordwaarts gereden met zijn eenzame, versmade chauffeur, de geschiedenis uit. Hij liet niets anders achter dan een handvol vakantiekiekjes van zijn verloren geliefde, die hij haar later toestuurde zonder begeleidende brief samen met de echtscheidingspapieren, zodat ze zich kon afvragen in hoeverre het een wanhopig of een superieur verzoenend gebaar was.

Toen hij weggereden was, verhuisde Else naar de kamer van de jonge geluidstechnicus, maar ze werd het algauw beu om aanwezig te zijn bij de filmopnamen. In plaats daarvan lag ze de hele dag op het strand, voor het eerst weken achtereen alleen. Voor het eerst van haar leven, dacht ze opstandig. Later vergezelde ze Giorgio naar zijn geboorteplaats en werd voorgesteld aan zijn moeder, een in het zwart geklede, grijsharige vrouw, die haar slaapkamer aan hen afstond en 's morgens koffie op bed serveerde terwijl ze heimelijk een kruis sloeg. Daar, in het krakende en veel te korte, veel te zachte bed van een Toscaanse weduwe, was ze volgens haar moeder zwanger geworden van Lucca. In Lucca, met uitzicht op de platte pannendaken en de heuvels met olijfbomen en cipressen. Het was Elses idee geweest om haar zo te noemen, om zich het uitzicht te herinneren vanuit hun kamer, elke keer dat ze haar naam uitsprak. Giorgio had haar verteld dat Lucca een jongensnaam was. Stel nou dat het een meisje werd? Dat kon Else niets schelen. Jongen of meisje, het uitzicht over de daken van Lucca was hetzelfde.

Het was de gelukkigste tijd in haar leven, vertelde ze later. Drie maanden lang dartelden ze rond in Italië. Er was zoveel dat hij haar wilde laten zien, en overal waren er mensen die hij kende. In het begin snapte ze geen fluit van wat hij zei, maar dat gaf niet. Zijn ogen en zijn handen en zijn lach waren expressief genoeg. Het was een feest dat maar niet wilde ophouden, een lange keten van lichte, stralende uren en een rusteloze jacht in de eindeloze, warme nachten op de dolle ogenblikken waarop ze zich overgaven aan lachbuien en de gekste invallen.

Giorgio ging met haar mee naar Kopenhagen. Ze trouwden in het raadhuis en woonden de eerste jaren in een zolderkamer met schuine wanden en een plee op de binnenplaats. Else vergat nooit om dat erbij te zeggen, de plee op de binnenplaats, alsof dat een speciale attractie was geweest. Ze gaf haar toneeldromen op en werd radio-omroepster, en Giorgio rende tevergeefs de filmstudio's af. Maar niemand kon een geluidstechnicus gebruiken die de replieken niet begreep die hij opnam, en Else moest het gezin in haar eentje verzorgen. Lucca kon zich niets herinneren van die tijd. Het eerste wat ze zich herinnerde was de slaapkamer in de Frederiksbergse villa, waar ze introkken toen haar grootouders stierven, de een kort na de ander. Het oude mahonie bed, waar ze zich 's morgens tussen Giorgio en Else nestelde. Ze kroop altijd bij hem onder het dekbed, en hij boog zijn ene knie zodat het dekbed een hol vormde met een smalle opening naar Elses zachte lichaam in het ochtendlicht. Ze maakte zich daar klein als een eskimootje in haar iglo, met haar knieën onder haar kin zodat ze tussen zijn dijen en borstkas kon zijn terwijl ze zijn vertrouwde lichaamsgeur opsnoof.

Toen ze op een ochtend wakker werd, was hij vertrokken. Else zat op de rand van het bed en streek over haar haren terwijl ze kalm tegen haar sprak met haar prachtige stem, die van alles en nog wat tegen Jan en alleman kon zeggen, in alle radiotoestellen van het land. Lucca raakte gewend aan de vreemde *vrienden*, die kwamen eten. Soms waren ze er 's morgens nog, wanneer zij naar school moest. Haar vader was een dromer geweest, zei Else vele jaren later tegen haar, een verwende slapjanus. Maar waren ze dan niet gelukkig geweest? Haar moeder zweeg heel lang eer ze antwoordde. Gelukkig was je vermoedelijk maar een paar ogenblikken achter elkaar.

Lucca herinnerde zich de ochtenden in hun bed, wanneer ze zich tegen Giorgio's warme lichaam aandrukte, een zomerdag waarop ze op zijn schouders door het bos reed en een oudejaarsavond waarop ze slaapdronken was rondgedragen in de villa door de ene vreemde gast na de andere, verkleed als een Indiase prinses, gewikkeld in zijde en met een rode plek lipstick op haar voorhoofd. Ze herinnerde zich Giorgio en Else, die samen dansten, langzaam en dicht tegen elkaar aan in de zoete, weeë lucht van die grappige pijpjes zonder mondstuk die de ronde deden, en ze herinnerde zich de muziek waarbij ze dansten, Ravi Shankar, Carole King. Natuurlijk was ze verliefd op hem geweest, zei Else, maar ze waren zo jong geweest, het was een jonge droom geweest. Op een gegeven moment werd je wakker.

Lucca dacht aan de ochtend toen ze wakker was geworden doordat Else zwijgend op de rand van het bed zat en haar wang streelde. Ze was bang dat ze Giorgio zou vergeten, en van lieverlee vergat ze hem ook. De rest van haar jeugd zag ze hem niet, maar het kwam niet bij haar op hem dat te verwijten, en ze liet achterwege aan Else te vragen waarom hij nooit op bezoek kwam. Ze wilde geen kwaad woord over hem horen, ze wilde liever helemaal niets weten. Op die manier werd hij steeds vager en onduidelijker. Wanneer ze terugdacht aan die ochtend met het nieuws dat hij was vertrokken, leek het alsof haar vader niets anders dan een droom was geweest.

Het viel haar moeilijk zijn gezicht voor zich te zien. Ze herinnerde zich zijn lichaam, zijn bruine huid en zwarte baard en het zachte geluid van zijn stem, níet wat hij had gezegd. Ze vergat de taal die ze samen hadden gesproken. Van lieverlee zag ze hem alleen maar voor zich in losse beelden. Ze wist nog dat hij geluiden voor haar opnam op zijn bandrecorder. Ze moest raden wat het was. Het kirren van een duif, het wapperen in de wind van vochtige lakens, wrijvend zeemleer op een ruit of de iele gitaartonen van een eiersnijder.

Hij had haar spaghetti met boter en geraspte muskaatnoot leren toebereiden. Ze herinnerde zich de zoete muskaatgeur en hoe ze in de keuken zaten te eten terwijl ze naar Elses koele, precieze stem op de radio luisterden. Geen van hen verstond helemaal wat ze zei. Ze luisterden naar de stem zelf, die zowel welbekend als vreemd was terwijl ze tegen Jan en alleman praatte. Opeens was hij er niet meer. Ze zat in de eerste klas. Ze zat alleen in de keuken, onder toezicht van een oppas, wanneer Else 's avonds op de radio was. Toen ze ouder werd, bereidde ze zelf *pasta al burro* met nootmuskaat, terwijl ze luisterde naar haar moeder, die door de vibrerende plastic spijltjes van de transistorradio sprak, ver weg en toch zo dichtbij dat ze het speeksel tussen de consonanten in haar mondholte kon horen.

Er waren ruzies geweest achter gesloten deuren, en op een keer toen ze hoorde hoe ze tegen elkaar stonden te schreeuwen, sloop ze zijn kamer binnen met de boekenkast vol banden met geluiden van regen en donder en knetterend vuur, van honden en vogels, telefoons en slaande deuren. Ze vond het album met foto's van hem als jongeman, de foto's van de stad van haar naam. Voorzichtig maakte ze de oude lijm los die haar lievelingsfoto aan het dikke stuk karton bond, angstig als een dief. Alsof ze niet gewoon nam wat haar toekwam. Want het was haar eigen geschiedenis, die begon bij de zwartwitfoto's, die ze wegstopte. Die van Else in een open Aston Martin op weg door Tirol, niet wetend dat ze op weg was naar haar rendez-vous met haar vader. Die van Giorgio op een plein in zijn geboortestad, wippend op een caféstoel voor een kerkmuur, die door de zwaluwen werd aangeraakt met hun pijlvormige schaduwen, terwijl hij op Else wachtte zonder het zelf te weten.

Elses eenzaamheid had iets resoluuts over zich gekregen. Al die mannen, dacht Lucca, om dan uiteindelijk toch alleen achter te blijven in haar ouderlijk huis omringd door de wrakstukken van haar drie huwelijken in de vorm van meubels van zeer verschillende stijl, al naargelang de smaak van de mannen en wat er in de loop der tijd modern was geweest. Lucca was gefascineerd door de veranderingen aan haar moeder, zoals die te zien waren op de foto's die er van haar bestonden.

Samen met haar eerste man was ze een kokette blondine op hoge hakken met een smalle zonnebril en projectielvormige borsten geweest, heupwiegend wegwandelend in het ene pepita-geruite mantelpakje na het andere. Lucca was vergeten hoe hij heette. Samen met Giorgio was Else een hennakleurige hippie geworden in loshangend katoen, en toen Ivan op het toneel verscheen, werd ze een kordate carrièrevrouw in donkere, getailleerde jasjes. Else lachte om zichzelf wanneer ze naar foto's zaten te kijken, maar alleen uit verbazing over het feit dat ze werkelijk had kunnen vallen voor zo'n Jacqueline Kennedy-hoed of zo'n djellaba met geborduurd garneersel langs de kraag. Over de gedaanteverwisseling zelf scheen ze zich niet te verwonderen, de tijden veranderden, zij was gewoon met haar tijd meegegaan.

Ivan was directeur van een reclamebureau. Hij had een hoekig, bruut gezicht en was altijd gebruind, maar Lucca was er niet zeker van of dat door de zon of de whisky kwam. Zijn stem was heel diep, en ze kon horen hoe blij hij daar zelf mee was. Hij was altijd kordaat en effectief, zo ongeveer als de piloten wanneer die door de luidsprekers vertellen over de vlieghoogte en de geplande vliegtijd, zodat er zich een stemming van aftershave en optimisme in de cabine verspreidt. Wanneer hij van een van zijn vele zakenreizen terugkeerde, had hij altijd een gigantische doos chocolade bij zich voor Lucca. Zij stikte zowat in al die chocolade en van schaamte over het feit dat ze zich door hem liet omkopen.

Eerst geloofde ze het niet toen Else haar vertelde dat hij bij hen introk. Ze kon zich geen man voorstellen die meer verschilde van Giorgio en de andere mannen die voor kortere of langere tijd bij hen hadden gewoond. Dat waren allemaal toneelspelers, journalisten of architecten geweest, en Ivan paste slecht bij de gehavende villa met zijn vegeterende rotzooi aan schurftige erfstukken, jichtige rieten meubels en wegkwijnende planten. Overal slingerden kranten, tijdschriften en boeken rond, en er werd met de Franse slag schoongemaakt, wanneer Else één keer per maand een wandeling maakte door de kamers met de stofzuiger in haar ene hand en een sigaret in de andere. Maar binnen de kortste keren werd alles anders. De rieten meubels werden vervangen door caféstoelen, een opulente leren zitbank hield zijn intocht samen met een marmeren lage tafel, en de wanden in het door vocht aangetaste krot werden zo wit geverfd, dat Lucca er pijn van kreeg in haar ogen.

Else onderging zelf een geleidelijke verandering. Ze begon zich onder haar armen te scheren en knipte haar lange haar af. Ze leek wel een ander in haar nieuwe deftige damesschoenen, met lipstick en oogschaduw en lichte strepen in haar haar. Terwijl ze voorheen lui en slordig was geweest, straalde ze een tot dan toe ongeziene energie uit wanneer ze thuiskwam van haar werk bij de radio en in een handomdraai een fraai diner serveerde. Vroeger had ze er geen been in gezien om haar wisselende minnaars met een rappe, cynische opmerking op hun nummer te zetten. Nu glimlachte ze vrouwelijk terwijl ze luisterde naar Ivans saaie, zelfgenoegzame verslagen over het geniale *concept* dat hij had bedacht voor een of andere campagne voor een bank of een reisbureau of een nieuw soort dropjes. Ze was domweg verliefd.

Lucca vroeg zich af hoe diezelfde vrouw verliefd had kunnen worden op haar vader. Ze bracht Giorgio meermalen ter sprake wanneer ze aan tafel zaten voor het avondeten, maar Ivan liet zich niet van zijn stuk brengen. Hij informeerde vol belangstelling naar zijn voorganger, en hoewel zijn koelbloedigheid Lucca irriteerde, genoot ze er toch van te zien hoe Else zich in allerlei bochten wrong terwijl ze afgemeten zijn vragen beantwoordde. Nee, ze hadden geen contact met hem afgezien van af en toe een ansichtkaart en een cadeautje, met jaren ertussenin, wanneer hij zich Lucca's verjaardag herinnerde. Dat was vreemd, vond Ivan en hij zond Lucca een meewarige blik, die haar razend maakte.

Else lachte veel wanneer ze samen met Ivan was, en het was niet langer het ironische, bij wijlen zelfs honende gelach, zoals wanneer zij en haar vriendinnen in de keuken witte wijn zaten te drinken en elkaar verhalen vertelden over hoe belachelijk mannen konden zijn. Het was een open, bevrijde lach, alsof ze bovenal om zichzelf lachte. Haar lachen liet vaak een onbewuste glimlach achter op haar lippen, terwijl ze voor zich uitkeek, verzonken in haar verwondering over wat haar was overkomen. Ivan maakte haar aan het lachen, zoals Lucca zich vagelijk herinnerde dat Else had gelachen wanneer Giorgio haar optilde en haar de koude golven indroeg, terwijl ze spartelde met armen en benen.

Ze was in zichzelf gekeerd wanneer ze 's morgens in de keuken kwam. Voorheen had ze gepraat als een machinegeweer. Nu was zij degene die verstrooid en vertraagd opkeek van haar koffiekroes en Lucca verzocht te herhalen wat ze net had gezegd. Lucca dacht dat het er misschien niets toe deed wie haar moeder blij maakte, en de gedachte verwarde haar. Else had door de jaren heen zoveel mannen gekend, het ene gezicht had het andere afgelost als de getallen op een rad van fortuin, die voorbij klikten aan de kleine tap, die Lucca altijd deed denken aan de lont van een reuzenrotje. Alsof de hele tombola en de inhoud ervan met gigantische speelgoedberen zouden exploderen in een spetterend vuurwerk, als het rad van fortuin te snel draaide en vonken begon te schieten. Maar het rad sloeg niet op hol, het stopte bij Ivan. Híj zou Elses mascotte zijn, die ze 's nachts kon knuffelen.

Ze trouwden, in een kerk, het jaar nadat Lucca haar eindexamen had gedaan. Ze stelde zich voor dat ze per ongeluk midden in een filmopname was beland en genoodzaakt was op de kerkbank te blijven zitten omdat de camera draaide. Ongelovig bekeek ze haar moeder in de blote, van splitten voorziene bruidsjurk van crèmekleurige Thaise zijde toen ze in haar eentje door het middenpad van de kerk liep, terwijl Ivan bij het altaar stond te wachten, glimmend van het zweet in zijn rokkostuum. Wanneer ze eertijds met haar hennakleurige vriendinnen in de keuken zat, had Else altijd een krasse opmerking in petto gehad over het burgerlijke huwelijk als vermomde prostitutie. Nu liep ze daar zelf als een soort premiekut in luxeverpakking.

Tijdens het feest verwonderde het Lucca hoe weinig gasten ze kende. De meesten waren vrienden van Ivan, maar velen van hen leken eerder zakenrelaties dan wat je onder vrienden verstaat. Er werd gesproken over *segmenten* en *communicatiestrategie* aan de tafel waar Lucca zat. Onder de bruidswals kneep ze ertussenuit en kwam pas midden in de nacht thuis. Else zat op de keukentafel met een sigaret in haar ene hand en een boterham met salami in de andere, in een corselet en witzijden kousen. Haar dijen puilden uit op het blote stuk boven de kousen, en de bh zat zo strak dat het leek of ze vier borsten had. De lach borrelde tevoorschijn in Lucca's keel, ze kon hem niet stoppen. Else keek haar een ogenblik strak aan, doodsbleek, toen legde ze de boterham met salami op de broodplank, kwam met een sprongetje van de tafel af en gaf haar een lel.

Lucca kon zich niet herinneren dat ze ooit een klap had gekregen. Met stomheid geslagen verliet ze de keuken en ging naar haar kamer. Haar wang gloeide nog steeds, en ze had spijt van haar wrede gelach. De volgende ochtend bood ze Else haar excuses aan. Ivan was naar zijn werk gereden, en ze zaten zoals gewoonlijk met hun koffiekroes. Else streelde haar wang, dezelfde wang. Ze moest het proberen te begrijpen, ook al was het misschien moeilijk. Else keek haar aan met vermoeide, bedroefde ogen. Ze wilde dit. Ze wilde haar best doen om gelukkig te worden, en niemand, zelfs Lucca niet, zou dat verhinderen.

Lucca hield zich zo min mogelijk in de villa op, vaak sliep ze bij een vriendin. Die zomer werkte ze tijdelijk in een kinderdagverblijf. Geen van haar vriendinnen was in de stad, ze was alleen. Else en Ivan brachten de meeste tijd in het zomerhuisje door. Elke dag reden ze samen naar de stad, en Ivan haalde haar 's avonds op bij de radio. Lucca zag ze bijna nooit. De grote vakantie was begonnen, en er waren maar weinig kinderen in het dagverblijf. Het was een makkelijk baantje, de meeste tijd bracht ze op de speelplaats door, waar ze in het zonnetje sigaretten zat te roken samen met de kleuterleidsters terwijl de kinderen zichzelf bezighielden.

Op een middag was zij degene die de zaak moest afsluiten. Een van de kinderen was nog niet afgehaald, een jongetje van drie jaar. Hij vroeg bezorgd waar zijn vader bleef, en zij haalde een puzzel tevoorschijn. Op het laatst begon hij te huilen. Ze zat met het snikkende jongetje in haar armen toen zijn vader eindelijk opdook, met een rood hoofd en vol excuses. Hij kwam van een belangrijke bespreking vandaan.

Ze had hem niet eerder gezien. Gewoonlijk werd het jongetje door de moeder afgehaald. Hij moest tussen de dertig en veertig zijn, er zaten grijze haren in zijn kortgeknipte haar, maar zijn gezicht deed jong aan. Hij nam de jongen op zijn ene arm en stak zijn vrije hand uit. Hij vond kennelijk dat ze elkaar behoorlijk moesten begroeten nu hij haar had laten wachten. De daaropvolgende dagen was hij ook degene die de jongen afhaalde, en elke keer sloofde hij zich uit om te vragen hoe de dag was verlopen, terwijl hij verlegen glimlachte.

Hij zag er goed uit, hij had brede schouders en was smal in zijn taille, en zijn bewegingen hadden iets soepels over zich, maar daar dacht ze niet verder over na, niet voordat ze hem op een zaterdagmiddag tegenkwam, op de fiets. Zijn haar was nat en piekerig, en hij had een hemd aan zonder mouwen zodat je zijn bruine, pezige bovenarmen kon zien. Er stak een badmintonracket uit de tas op zijn bagagedrager. Hij had gebadmintond, zei hij ten overvloede, verlegen met de onverwachte ontmoeting. Hij vatte moed en nodigde haar uit een biertje te gaan drinken.

Het stelde haar enigszins op haar gemak dat hij verlegen was, ook al was hij dubbel zo oud. Hij leek een leeftijdgenoot die toevallig veel eerder was geboren. Het bleek dat ze goed met hem kon praten, en hij had een jongensachtige manier van glimlachen, om niets. Later herinnerde ze zich hem wegens zijn ingehouden kracht, alsof hij bang was haar kwaad te doen. Het was de eerste keer dat ze een affaire had met een man, die zoveel ouder was dan zijzelf.

Het duurde een maand. Hij bezocht haar 's avonds een paar keer in de week, en hij vergat nooit een douche te nemen voordat hij naar huis fietste. Ze hadden de villa voor zichzelf, maar het risico dat Else en Ivan het in hun hoofd zouden halen op te duiken, stemde haar alleen maar opgewonden en nog ongeduldiger wanneer ze op hem wachtte. Ze lagen in het mahonie bed in Elses en Ivans kamer, waar Else en Giorgio indertijd hadden gelegen, en waar zij op zondagmorgen bij haar vader onder het dekbed was gekropen. Ze hield ervan om daaraan te denken terwijl ze zichzelf in de spiegel zag op de deur van de klerenkast, ontroerd en verwonderd zoals ze daar in datzelfde bed schrijlings boven op een wildvreemde, getrouwde man zat.

In de dagen die verstreken tussen hun afspraakjes, voelde ze dat ze zich in een andere wereld bewoog dan tevoren. De gevaarvolle en dramatische wereld, waar ze ieder voor zich het geheim met zich meedroegen over de ander. Ze dacht bijna voortdurend aan hem, zowel wanneer ze alleen was als wanneer ze op de speelplaats zat en met een half oor luisterde naar wat de kleuterleidsters zeiden. Ze bekeek zijn zoontje, dat rondrende tussen de andere kinderen, zonder enig vermoeden van wat zijn vader met haar uitspookte in een vreemd huis wanneer hij hem een kusje voor het slapengaan had gegeven en ervandoor fietste met zijn racket. Was ze verliefd? Ze wist het niet. Ze herinnerde zich hem altijd een beetje anders dan hij was wanneer ze weer samen in Elses bed lagen. Ze was meer verliefd op hem wanneer ze niet bij elkaar waren en zij in haar eentje door de stad fietste, omgeven door de onzichtbare aura van hun geheim.

Hij haalde de jongen niet meer zo vaak, maar de enkele keer dat het gebeurde, verraste het haar dat hij zo goed was in het doen of zijn neus bloedde. Haar benen begonnen te trillen wanneer ze hem in de gaten kreeg. Hij keek haar zelfs in de ogen terwijl hij glimlachend afscheid nam met de jongen op zijn arm, alsof ze nooit dichter bij elkaar waren geweest. Meestal kwam zijn vrouw. Ze had kort haar en leek op een muis met haar spitse neus en wijkende kin. Het was een beetje raar om haar te begroeten, maar niet zo raar als ze had gevreesd. De ontmoetingen met haar man vonden plaats in een wereld waar de vrouw met het muizengezicht helemaal niet bestond. Net zo min als Lucca bestond in het knusse, overzichtelijke wereldje van de muis als iets anders dan de pedagogische hulpkracht, die op haar kind paste.

Het mahonie bed in de stille villa was een wit eiland in de schemering, een betoverd eiland waar je vergat waar je vandaan kwam. Een geheim eiland, waar je een heel leven kon wonen zonder een dag ouder te worden dan je was toen je aan land ging. Hij was slechts een donkere gedaante op het witte laken in de schemering, en ze vond dat ze alles wat ze kende achter zich liet wanneer ze zich langzaam voor hem uitkleedde en ze de lucht van het open raam tegen haar huid voelde. Ze sloot haar ogen, en hij liefkoosde haar voorzichtig tot ze niet langer kon wachten. Wanneer hij eindelijk bij haar naar binnen drong, had ze het gevoel alsof ze overlangs werd gedeeld en haar ledematen en beenderen van elkaar werden gescheiden, licht en tenger als vogelpootjes. Ze stelde zich voor dat ze bij elkaar werd gehouden door zijn harde, pezige armen, dat ze weg zou waaien met de wind als hij losliet, en ze klampte zich aan hem vast opdat hij haar nog vaster zou houden en nog dieper in haar zou dringen en haar zou opdelen in nog fijnere, nog meer afgesplitste en minimale deeltjes.

Op een avond toen ze lag te luisteren naar het water dat op de tegels van de badkamer stroomde, hoorde ze daar een gedempt gesnik. Ze liep de gang in en opende de deur. Hij zat ineengekropen onder de douche met het hoofd tussen zijn knieën en de handen om zijn nek gevouwen. Het water gutste over zijn rug, die ritmisch schokte op de maat van zijn huilen. Ze hurkte naast hem neer. Ze stond op het punt haar arm uit te strekken en die om zijn schouder te leggen, maar er was iets wat haar daarvan weerhield, ze zou niet kunnen zeggen wat. Misschien was het de aanblik van de volwassen man die op de tegelvloer zat te huilen. Hij stond op, vond een handdoek en ging de slaapkamer in. Zij zat op bed en bekeek hem terwijl hij zich aankleedde. Toen hij zijn veters had gestrikt, zei hij dat ze moesten ophouden met elkaar te zien. Hij was opeens heel kalm. Hij kon het niet. Hij kon het niet doen. Wat? Hij keek haar kort aan. Niets... Ze keek hem na door het raam toen hij verdween op zijn fiets met het badmintonracket dat uit de sporttas stak op zijn bagagedrager. De volgende dag belde ze het kinderdagverblijf op om te zeggen dat ze niet meer kwam.

Later op de middag ging ze naar het zomerhuisje. Ivan zat in de tuin te lezen. Hij droeg een verschoten T-shirt en sandalen. Hij leek op een oude hippie die was geknipt, en niet op de dynamische reclamedirecteur die sprak als een frisse piloot. Ze had hem nog niet eerder met een boek zien zitten. Hij stond op toen ze de tuin in kwam, niet erg verrast, vond ze. Hij verklaarde, bijna excuserend, dat Else overwerkte en vermoedelijk pas de volgende dag kwam. Maar ze bleef toch zeker wel? Hij had een grote biefstuk gekocht, die was groot genoeg voor twee personen. Eerlijk gezegd had hij af en toe de buik vol van vis. Lucca moest glimlachen, en hij keek haar vragend aan terwijl hij onhandig met het boek wuifde, dat hij nog steeds in zijn hand hield. Het was een vergeelde paperback, hij had hem op de boekenplank gevonden, *De vreemdeling* van Camus. Hij had het jaren geleden gelezen. Hij had veel gelezen toen hij jong was, voegde hij eraan toe, alsof hij bang was dat ze hem niet geloofde.

Hij was minder dynamisch dan anders, vriendelijk zonder dat het als een charmeoffensief aandeed. Ze realiseerde zich opeens dat hij zich gedroeg als iemand die thuis was bij zichzelf. Ze waren allebei thuis, maar ze gedroegen zich niettemin heel beleefd, alsof ze tegelijkertijd elkaars gasten waren. Hij opende een fles witte wijn, zij haalde glazen voor den dag. Ze zaten in de tuin over Camus te praten. Het beste aan het boek waren de beginhoofdstukken, vond hij. De beschrijving van het eigenaardig verdoofde leven, de warmte en de zee, de vrouwen, de monotonie. Het gevoel van anonimiteit, alsof alles tegelijkertijd zeer aanwezig en niettemin vaag was. Zo had hij zich jarenlang gevoeld, tot hij haar moeder ontmoette.

Hij had aan een stuk door gewerkt, in grote lijnen had hij niets anders gedaan, voor een privé-leven was geen tijd geweest, en het had hem ook niet geïnteresseerd. In feite was er niets dat hem geïnteresseerd had. Het werk misschien, wanneer hij er middenin zat, maar verder... Hij had verschillende vrouwen gekend, maar het was elke keer op niets uitgelopen. Hij had het gevoel gehad dat hij op drift was, als in een boot zonder roer, stroomafwaarts, alsmaar verder, zonder te weten waarheen.

Hij had niet gedacht dat hij geschikt was om in een vaste relatie te leven. Misschien was hij dat ook niet, voegde hij er met een glimlach aan toe, dat zou de tijd leren. Hij keek ingetogen in zijn glas. Het was niet altijd even makkelijk, ging hij tenslotte door. Zijn moeder was beslist iets voor gevorderden, maar dat wist ze vermoedelijk al. En wanneer je allebei een verleden had... Zo jong waren ze ook niet meer, en enthousiasme alleen... Hij glimlachte opnieuw en liet de zin in de lucht hangen.

Lucca keek hem aan, gespitst op elk woord dat hij zei en elke beweging die hij maakte. Ze zag dat haar blik hem schuw maakte, zodat hij die maar een seconde achter elkaar waagde te beantwoorden. De rest van de tijd keek hij voor zich uit of bestudeerde de vouwen in zijn kreukelige broek terwijl hij ze peinzend met de vlakke hand gladstreek. Voor het eerst had ze er een idee van wat Else in hem moest hebben gezien achter de façade van zelfvertrouwen, aftershave en dure gewoontes. Iets eenzaams en onbeschermds, dat heel even aan het licht trad op zijn gezicht, haast onschuldig in zijn appèl om begrepen of op zijn minst geaccepteerd te worden.

Hij opende nog een fles toen ze gingen eten. Ze zaten buiten, zoals altijd wanneer Else hier was. Hij vroeg haar wat haar plannen waren. Ze wist niet wat ze moest antwoorden. Reizen, zei ze. Misschien wilde ze graag toneelspeelster worden. Dat klonk naïef. Ze had de gedachte amper zelf tot het eind toe gedacht, en Else was niet erg aanmoedigend geweest toen ze hoorde dat haar dochter erover dacht de gestrande ambities van haar eigen jeugd te herhalen. Ze vond dat het niks voor haar was, en vroeg hoe Lucca erbij kwam dat ze überhaupt talent in die richting had. Maar Ivan leek haar serieus te nemen.

Ze had in elk geval de uitstraling. Hij had geen verstand van theater, maar hij wist iets van uitstraling, van *présence.* Ze maakte een zeer volwassen indruk, vond hij, ouder dan ze was. Maar gelukkig was ze nog te jong om beledigd te zijn over die opmerking. Hij glimlachte en gaf haar een knipoogje. Lucca stond op het punt geïrriteerd te raken over zijn knipoog en de manier waarop hij het woord *présence* uitsprak, toen hij vroeg waarom ze haar vader niet opzocht. Ze antwoordde dat ze niet eens wist waar hij woonde. Maar daar kon ze toch zeker achterkomen! Dat was belangrijk voor haar, belangrijker dan ze misschien zelf besefte. Hij had ook ogen in zijn hoofd...

Hij keek haar aan, en nu was het Lucca's beurt om de ogen neer te slaan. Maar hij had makkelijk praten, vervolgde hij kalmerend, en begon toen over zijn jeugd te vertellen. Zijn ouders hadden hem op een kostschool gedaan, toen ze scheidden. Zijn moeder zou een ander hebben gevonden. Zijn vader verhinderde dat hij haar zag, maar daar kwam hij pas achter toen hij volwassen was geworden en het te laat was. Stel je voor dat je je moeder haat, zei hij, om dan te ontdekken dat je je vergist hebt. Opnieuw ving ze een glimp op van iets kwetsbaars in zijn blik, alsof er binnen in hem een kostschooljongetje op zijn tenen stond, met een korte broek aan en met gras op zijn knieën, die door de spleten van het verharde masker gluurde, waarin zijn gezicht met de jaren was veranderd.

Hij had aardbeien gekocht. Hij opende de derde fles wijn, hoewel ze protesteerde. Was hun bruiloft heel erg geweest? Ze haalde haar schouders op en liet hem inschenken. Het was Elses idee geweest. Ze zat met haar voeten in de stoel en leunde achterover terwijl ze haar glas tegen haar knieën aan zette. Ze voelde zich op een aangename manier doezelig. Dat het in het wit moest, vervolgde hij terwijl hij zijn glas hief. Ze dacht aan Elses dijen, die hadden uitgepuild op het blote stuk tussen de kousen en het corselet, toen ze elkaar ontmoetten in de keuken in haar bruiloftsnacht. Hij keek in de richting van de bosrand voordat hij een slok nam.

Aan hem was die poppenkast niet besteed geweest. Hij zocht opnieuw haar blik. Ze keek hem aan over de rand van het glas terwijl ze nipte aan de wijn. Hij begreep best dat ze ertussenuit was geknepen. Het had weinig gescheeld of hij had ook de benen genomen, glimlachte hij, maar dat had hij Else natuurlijk niet kunnen aandoen. Ze was die dag zo blij geweest. Lucca knikte. De aardbeien waren groot en donkerrood, ze at ze met haar vingers en beet ze van het kroontje af. Het sap prikkelde een beetje op haar lippen. Hij vroeg of ze koffie wilde. Ze zei dat ze graag wilde slapen. Het was gezellig geweest, ging hij door. Ja, zei ze en beantwoordde zijn blik. Hij vond dat ze elkaar beter begrepen.

Pas toen ze in bed lag, merkte ze hoe dronken ze was. De lucht was warm en bedompt in het kamertje. Ze opende het raam en schopte het dekbed van zich af, zodat ze naakt lag en de koelte gewaarwerd, ineengekropen met haar knieën onder haar kin net als toen ze klein was en 's morgens tegen Giorgio aankroop. De wijn maakte haar duizelig, ook al lag ze doodstil. Het leek alsof de kamer langzaam om haar heen draaide, of misschien was zij degene die draaide, als lag ze in een boot zonder roer, op drift in de wervelingen van de stroom, die haar rond deden tollen, voortdurend verder door de witte nacht.

Ze dacht aan de huilende badmintonspeler onder de douche en aan zijn sterke armen, die haar hadden geliefkoosd en tegelijkertijd bij elkaar gehouden, zodat ze niet uiteen zou vallen en wegwaaien als de gewichtloze resten van een in stukken gesneden vogel. Het deed al zo vaag aan, als iets wat ver achter haar lag, iets wat ze allang had verlaten. Ze draaide alsmaar in het rond, meedrijvend op de stroom, en opeens had ze het pijnlijke, maar toch ook gelukkige gevoel dat ze zijn handen voor het laatst zo had ervaren toen ze in elkaar gekropen lag en hij naast haar ging liggen met zijn gespannen buik tegen haar rugwervels en zijn warme, stijve pik tussen haar dijen perste.

Maar wat ze gewaarwerd, waren niet zijn handen of zijn pik, en het was niet als het wegglijden uit een diepe slaap in een droom. Het was als een ontwaken, niet tot de werkelijkheid, maar uit een nevelige droom in een die schel en scherp was, toen ze zich als getroffen door een elektrische stoot omdraaide en schopte. Ivan viel met een dreun op de vloer, bleek in het schemerige licht en met een erectie, die daar midden in zijn vage naaktheid zowel komisch als macaber aandeed. Ze had zich teruggetrokken in de verste hoek van het bed en perste zich tegen de plankenwand aan met het dekbed tegen zich aangedrukt. Rót op, schreeuwde ze, rót op, verdómme! Hij krabbelde overeind, wankelde en stond haar even vertwijfeld aan te kijken voordat hij wegging en de deur achter zich dichtdeed. Trillend over haar hele lijf bleef ze in haar hoek zitten. Even later hoorde ze het starten van zijn auto en het grind op de weg, dat knarste onder de banden toen hij wegreed. Toen haar ademhaling rustiger was geworden, stapte ze het bed uit en kleedde zich aan.

Ze nam het fietspad door het bos hoewel het een omweg was. Ze huiverde tussen de sparren in de schemering. Toen ze bij de haven aankwam, keek ze angstig om zich heen, maar Ivans auto was nergens te bekennen. Er waren geen mensen. Ze ging op een bank zitten bij de ligplaats van het veer en keek naar de lege etalage van de vishandelaar, waar een krom maantje zich spiegelde boven de marmeren toonbank en de palen van het bolwerk en hun vage schaduwen tussen de rimpels van het rustige water. De laatste veerboot was uitgevaren. Ze was bang om in slaap te vallen terwijl ze wachtte, en het leek een fragment uit een film, droomloos en zonder overgang, toen de zon haar wekte en ze verward opstond van de bank en de auto's aan boord zag rijden, rammelend over de stalen oprijklep.

Ze legde haar handen op de gelakte railing en voelde zwak het trillen van de stampende machines, dat door de scheepsromp trok. Het kielzog opende langzaam zijn waaier van schuim in de toenemende afstand tot het bolwerk onder het rode vuurtorentje, dat haar altijd had doen denken aan een clown in een rode trui, met een witte streep op zijn buik en de clownsneus in de wind. Ze herinnerde zich hoe ze tussen Giorgio en Else had gestaan en haar ogen had dichtgeknepen tegen de reflecties op het water, die als spelden in een knipperende wirwar staken. Ze herinnerde zich dat het op een echte reis had geleken, ver weg van alles wat ze kende.

Haar moeder kwam nooit aan de weet wat er was gebeurd. Lucca wachtte ermee naar de villa te gaan tot ze zeker wist dat Else bij de radio moest zijn. Ze moest opeens denken aan de laatste ansichtkaart die ze van Giorgio had gekregen een paar dagen na haar verjaardag. Die was kort zoals altijd en geschreven met het gebruikelijke, slordige en onleesbare handschrift. Er was een vroeg renaissanceschilderij op afgebeeld, een altaarstuk, dat de Madonna met haar kind liet zien, bleek en met stijve trekken, rank, met smalle ogen, omringd door goud. De kaart was gestempeld in Florence net als de andere kaarten die de afgelopen jaren waren gekomen. Waarschijnlijk woonde hij daar. Het was in elk geval haar enige houvast.

Ze pakte een tas met het meest noodzakelijke en liet een briefje achter voor Else, waarop stond dat ze een weekje op reis ging met een vriendin. Vervolgens haalde ze haar pas voor den dag, ging naar de bank en nam al haar geld op. Dezelfde avond zat ze in een trein die naar het zuiden ging. Ze stapte over in Hamburg en sliep het hele traject door Duitsland, tegen haar tas aangeleund. De volgende ochtend arriveerde ze in München, waar ze opnieuw overstapte. Een paar uur later keek ze uit over de hellingen met zwarte sparren in Tirol.

De remmen gierden onder haar, en de trein stopte abrupt, zodat haar bovenlichaam naar voren schoot. Haar dijen zaten onder het bloed. De monotone klank van de luidsprekers overstemde haar snikken met zijn litanie aan stadsnamen. De zon scheen horizontaal door de gematteerde ruit in de toiletcabine, goudachtig als de achtergrond achter de harkerige Maagd Maria en haar dikke kind op Giorgio's kaart. Inderhaast was ze vergeten dat ze ongesteld moest worden. Het drukkende gevoel in haar buik had ze toegeschreven aan de shock, de vertraagde woede en het besef dat ze volkomen aan zichzelf was overgelaten. Ze was wakker geworden in een tunnel halverwege de Alpen door een kleverig gevoel in haar kruis. Ze vervloekte zichzelf toen het weer licht werd in de wagon en ze het bloed onder haar rok langs haar kuiten zag druipen. Ze legde haar trui over de donkere plek op de bank en zocht koortsachtig in haar tas naar een schoon slipje.

Het stonk in de toiletcabine. De vloer was bevuild rond de wc-pot, waar de mannelijke passagiers hadden staan balanceren met de bewegingen van de trein. Ze gooide het bloederige slipje in de vuilnisbak, trok een handvol papieren servetten uit de houder aan de wand en stopte die in het schone slipje, maar het bloed sijpelde er onmiddellijk doorheen. Ze had bijna een uur zitten bloeden toen de trein eindelijk tot stilstand kwam. Ongeduldige handen hadden meermalen aan de deurknop gerukt. Het afgelopen etmaal had ze niets anders gegeten dan een droge sandwich met ham op het station in München, en ze had de helft weggegooid omdat de sandwich als een spons in haar mond was uit gaan zetten. De honger, de pijn en het bloedverlies deden haar beven, en haar voorhoofd was bedekt met koude zweetdruppels.

Tegen de avond arriveerde de trein in Milaan. Haar benen begaven het onder haar toen ze overeind probeerde te komen. Ze bedacht dat ze een blouse met lange mouwen onder haar spijkerjasje droeg. Ze bond de blouse als een lendendoek onder de rok, sloot het jasje rond haar naakte bovenlijf en bekeek zichzelf in de spiegel. Ze leek op een zwangere drugsverslaafde, bleek en bezweet, met rode kringen rond haar ogen en een gezwollen onderlijf. Ze voelde zich draaierig, alsof ze high was, toen ze op het perron stapte met de tas in haar armen.

Ze vond de weg naar de damestoiletten met het tasje van de stationskiosk. Een oude, kromme vrouw in een blauwe schortjas was de vloer aan het dweilen met een reusachtige zwabber. Haar gezicht was donker en rimpelig, en haar ogen waren groot en zwart onder het hoofddoekje, dat ze helemaal over haar voorhoofd had getrokken. Ze nam Lucca van top tot teen op en schudde glimlachend haar hoofd. Ze miste de helft van haar tanden, en haar kirrende stem klonk eerder als die van een baby dan die van een oude vrouw.

Ze zette de zwabber aan de kant, pakte Lucca bij haar pols en geleidde haar door de deur. Haar hand was knokig van de jicht. Misschien was ze een echte heks, dacht Lucca terwijl ze zich door een donkere passage liet voeren en verder door een gang met smerige wanden. De heks bleef het een en ander voor zich uit mompelen met haar kirrende babystem zonder Lucca's pols een moment los te laten, wiebelend van de ene kant naar de andere als een kleine loodsboot.

De laatste deur in de gang gaf toegang tot een witgekalkt vertrek met een douche en een wasbak. Lucca begon zich uit te kleden, en de heks klapte in haar kromme handjes. Ze raapte de bebloede kleren op van de vloer en ging weg. Lucca hapte naar lucht toen de stralen ijskoud water haar raakten. Ze draaide de warme kraan open en sloot haar ogen terwijl de warmte door haar huid en in haar vlees drong.

Ze vroeg zich af hoe Else gereageerd zou hebben als ze had verteld wat er was gebeurd. Ze was er niet zeker van dat haar moeder zonder meer partij voor haar zou hebben gekozen. Ze dacht aan wat Else had gezegd die nacht na de bruiloft, toen ze haar aantrof in corselet en zijden kousen. Ze wilde gelukkig worden, en Lucca zou dat niet verhinderen. Misschien zou ze haar zelfs sceptisch hebben aangekeken, zoals wanneer ze een korte, steelse blik wierp op haar solide, slanke lijf en gespannen borsten.

Misschien zou ze zelfs hebben gevraagd of Lucca het zelf met Ivan had aangelegd, eventueel zonder het te beseffen. Ze was immers nog steeds zo jong dat ze waarschijnlijk niet helemaal de reikwijdte begreep van de indruk die ze op een volwassen man maakte. Lucca moest denken aan de blikken die Ivan haar af en toe had gestuurd als hij de keuken in kwam terwijl zij zich over de vaatwasmachine boog, zodat haar borsten te zien waren in het decolleté van de blouse, of wanneer ze elkaar tegenkwamen op de gang op weg naar de badkamer, hij met een badjas aan, zij in een slipje en een T-shirt. Versluierde, enigszins schuwe blikken. Ze had er geen aandacht aan geschonken, en wanneer ze eraan dacht, voelde ze zich kleverig. Ze probeerde zich te herinneren of ze een verkeerde beweging had gemaakt terwijl ze witte wijn zaten te drinken in de tuin. Of ze hem op een dubbelzinnige manier in de ogen had gezien of dat ze een glimlach een paar seconden te lang op haar lippen had laten blijven, verwonderd als ze was over het feit dat hij zo gevoelig over zichzelf kon praten.

Ze was niet onkundig van de indruk die ze op volwassen mannen maakte. Ze prikkelde hen, merkte ze, of dat nu kwam door de tengerheid van haar lange ledematen of door haar moedige ogen, die een vreemde blik durfden te beantwoorden en vast te houden. Misschien kwam het door het contrast tussen haar jonge broosheid en de onbevreesdheid in haar ogen. Soms vond ze het vermakelijk, andere keren schrok ze ervan hoe snel alleen haar aanblik al barsten veroorzaakte in hun pantser van evenwichtige volwassenheid. Dat kon een toevallige uitwisseling van blikken op straat zijn, het kon een vader van een vriendin of een van Elses kennissen zijn, met wie ze in gesprek was met een meisjesachtige glimlach. Dan was het alleen maar een spelletje, zoals wanneer je een mes oppakt en voelt hoe scherp het is, met een voorzichtige vinger langs de snede. Ze voelde zelf een geprikkelde, maar ook angstige onrust wanneer de volwassen mannen een deur op een kier zetten in hun ervaren, meewarige façade. Eigenlijk had het iets afstotelijks dat ze zich zo in de kaart lieten kijken terwijl ze informeerden naar haar toekomstplannen, alsof dat hun iets zou kunnen schelen. Ze voelde zich alleen aangetrokken tot de volwassen mannen die zich niet door haar jeugdigheid lieten provoceren. Bedaarde mannen, die goed in hun al niet meer zo jonge vel staken.

Toen ze de badmintonspeler ontmoette, wist ze onmiddellijk dat het van korte duur zou zijn. Ze wandelden door het park Frederiksberg Have, op die zaterdag dat ze elkaar toevallig tegenkwamen. Ze passeerden verscheidene bruidsparen, die zich lieten fotograferen voor de vijver met zwanen en de vijver met het Chinese prieel. Er waren zo langzamerhand zoveel bruidsparen in het park, zei hij, dat ze uit moesten kijken dat ze niet op elkaars foto's kwamen. Hij bleef stilstaan om zijn veter vast te maken. Zij hield zijn fiets voor hem vast terwijl hij voorovergebogen op één been stond te balanceren. Er was een grote, donkere zweetplek op zijn hemd, tussen de schouderbladen, en plotseling legde ze haar hand op zijn rug, zonder er verder bij stil te staan. Misschien had ze alleen maar zin om het dunne, vochtige katoen te voelen dat aan zijn ruggengraat kleefde. Hij zette zijn voet weer op de grond en keek haar aan met een bedroefde blik, alsof haar aanraking hem een onverwachte pijn had bezorgd. Ze bleven tegenover elkaar staan, hij tilde zijn ene hand op. Hij stopte en hield de hand voor zich in de lucht, alsof hij op het punt stond van gedachten te veranderen, en streek toen met de rug van zijn hand behoedzaam langs haar wang. Hij wist zelf dat het zinloos was, maar hij deed het toch.

Toen ze zich had afgedroogd en schoon goed had aangetrokken, liep ze de gang weer in. Ze vond de heks achter een deur die op een kier stond, zittend aan een tafeltje met een zeiltje erop. De wanden waren bekleed met stalen kasten vol schoonmaakmiddelen, en in een hoek stond een hele batterij zwabbers. Haar kleren lagen in een emmer met sop. De heks knikte en kirde het een en ander terwijl ze koffie in een kom goot, er suiker in deed en de kom voor haar op het zeiltje zette. Lucca nipte aan de warme koffie. De rimpelige mond van de heks bewoog zich als de bek van een hamster terwijl ze haar gadesloeg met haar zwarte ogen, die het ingevallen gezicht nog kleiner maakten. De koffie was sterk en erg zoet, en Lucca voelde hoe de suiker en de koffie zich verspreidden in haar uitgehongerde lichaam.

Opeens gaf de heks een klap op tafel alsof haar iets te binnen schoot, en ze begon in een versleten kunstlederen damestasje te rommelen. Ze legde een foto voor Lucca neer, met ezelsoren van de vele keren dat hij uit het versleten tasje was opgevist. De drie glimlachende personen hadden rode ogen in het flitslicht. Een dunharige man in een loshangend overhemd stond met een sigaar in zijn ene hand en een arm om de schouders van een net zo fors uitgevallen vrouw met een kind in haar armen. Ze stonden op een trottoir, en aan de andere kant van de straat achter een sportterrein met een omheining van ijzerdraad viel vagelijk een vierkant gebouw van bruine baksteen te onderscheiden. Een auto was op weg de foto uit, en Lucca herkende de gele kleur van films die ze had gezien. *Mio figlio,* kirde de heks terwijl ze met een kromme wijsvinger op het gezicht van de glimlachende man trommelde. *America, America,* vervolgde ze, Lucca opmonterend aankijkend.

Terwijl ze zwijgend tegenover elkaar zaten, hoorde ze dat iemand het water liet lopen in de douche. Even later kwam er een lange Afrikaan naar hen toe. Hij knikte vriendelijk en begaf zich naar het verste eind van het vertrek, waar de zwabbers stonden. Hij droeg net zo'n blauwe schortjas als de heks, hij had een kaalgeschoren schedel en was erg mager. Zijn blote voeten lieten natte afdrukken achter op de stoffige vloer. Ze waren heel groot, zijn voeten. Hij rolde een matje voor zich uit en ging met het gezicht naar een van de planken met schuurpoeder en grote plastic bakken met chloor staan. De heks keek naar de foto van haar zoon, schoondochter en kleinkind, verzonken in haar eigen gedachten, terwijl de man in de hoek zijn handen voor het gezicht optilde en schor voor zich uit praatte, gedempt en eentonig. Lucca had zin om op te stappen, maar kon er niet toe komen. De man knielde op het matje en stond weer op, dat herhaalde zich meerdere keren. Hij knielde opnieuw neer en boog zich voorover met het voorhoofd naar de grond, zodat ze alleen zijn gebogen rug zag in de blauwe schortjas en de lichte huid op zijn voetzolen, doorsneden door donkere lijnen.

Het was avond geworden toen ze opnieuw in een treincoupé zat, frisgewassen, van top tot teen in schoon goed gestoken en met een schoon maandverband in haar slipje. Ze passeerde de trieste woningblokken langs de spoorbaan, waar al licht brandde achter de halfgesloten zonweringen, en van tijd tot tijd ving ze een korte glimp op van helverlichte kamers of van eentonige zijstraten met geparkeerde auto's en flikkerende neonborden. Op een heuveltje zag ze een pijnboom tegen de achtergrond van de gele avondhemel. De boom had een scheve, kromme stam, en de takken van de tengere kruin vielen naar opzij onder het gewicht van de trossen met naalden. Ze leunde met haar voorhoofd tegen de donkere, sidderende ruit aan terwijl ze een toenemende gespannenheid in haar lichaam gewaarwerd, alsof ze een klok was die werd opgewonden.

Ze arriveerde in Florence na middernacht en vond een goedkoop pension in een zijstraat. Een kale man met levervlekken op zijn kruin ging haar voor door een duistere gang. Ze opende de luiken, het raam keek uit op een smalle binnenplaats. Ze stak haar hoofd naar buiten en keek op naar het kleine stukje donkere hemel. Toen ze zich had uitgekleed en onder de deken lag tussen de versleten lakens, kwam het haar absurd voor dat ze zich in dezelfde stad als Giorgio bevond. Dat hij ergens anders in de stad in een bed lag, alleen of samen met een onbekende vrouw. Misschien vond ze hem nooit, misschien wilde hij niets van haar weten. Misschien was hij naar een andere stad verhuisd.

Toen ze de volgende ochtend bij de kleine receptiebalie aan het eind van de gang kwam, was de kale man afgelost door een zwangere vrouw met een groot schort. Achter haar stond een deur open naar de keuken, waar al een pan stond te dampen op het fornuis. Een oudere, in het zwart geklede vrouw zat in een hoek van de keuken televisie te kijken. De geluiden van het toestel overstemden Lucca, en er kwamen meerdere pogingen aan te pas voordat ze eindelijk met veel gebaren de zwangere aan het verstand wist te brengen dat ze graag een telefoongids wilde inzien. Er stonden vier personen vermeld met de naam Giorgio Montale. Ze schreef de adressen en de telefoonnummers op. De zwangere stond bij het fornuis in de pap te roeren met een hand tegen haar lenden gedrukt. Lucca vroeg of ze de telefoon mocht gebruiken en hield een vuist bij haar ene oor. De zwangere schudde glimlachend het hoofd zonder te stoppen met de mechanische cirkelbewegingen van de lepel in de dampende pan.

Er was een bar op een hoek aan het eind van de straat. Lucca bestelde een espresso en deed er drie zakjes suiker in. Ze had nog nooit eerder zwarte koffie gedronken. Dat was iets wat de heks in Milaan haar had geleerd. Er hing een telefoonautomaat aan het eind van de bar. Ze toetste het bovenste nummer op de lijst in en stopte een vinger in haar oor om de luide stemmen en het sissen van het koffieapparaat te dempen. De eerste Giorgio Montale was een oude man met een gebarsten, piepende stem. Toen ze het volgende nummer had ingetoetst, werd er opgenomen door een vrouw. Lucca vroeg naar Giorgio Montale, en de vrouwenstem herhaalde meermalen dezelfde onverstaanbare vraag op een insisterende toon, tot ze het eindelijk opgaf. Lucca dacht dat de vrouw de horen erop had gelegd, maar even later hoorde ze een zachte mannenstem. Ze vroeg in het Engels of ze met Giorgio Montale sprak. Inderdaad. De man met de zachte stem sprak een beetje Duits.

Lucca's benen begonnen te trillen terwijl ze zich voorstelde en uit de doeken deed waarom ze belde. De man was erg vriendelijk. Nee, hij had helaas geen dochter in Denemarken, maar zijn vrouw en hij hadden altijd zin gehad om Stockholm te bezoeken. Hij had daarentegen twee zoons, maar zij was een meisje, waarom heette ze dan Lucca? Ze verklaarde dat ze naar de geboortestad van haar vader was vernoemd. Dat was een mooie stad, zei hij, ze moest een mooi meisje zijn. Zelf kwam hij uit Palermo. Lucca hoorde zijn vrouw tegen hem praten op de achtergrond. Hij excuseerde zich en zei dat hij genoodzaakt was de horen erop te leggen. Hij was ervan overtuigd dat ze haar vader zou vinden.

Noch de derde noch de vierde Giorgio Montale nam op. Lucca vond de weg naar het station en kocht een stadsplattegrond in een kiosk. Ze vond de straatnamen in het register, vouwde de kaart uit op de tegels en boog zich hurkend over het bochtige spinnenweb van straten, omringd door passerende schoenen en koffers op wieltjes. De ene Giorgio woonde in een buitenwijk, de andere in het centrum, aan de overkant van de rivier. Ze besloot ernaartoe te wandelen. Het was warm, en de smalle straten waren vol toeristen, die zich traag en in grote groepen voortbewogen. Ze liep met de kaart in haar hand om niet te verdwalen en schonk slechts glimpsgewijs acht op de gevels van wit en groen marmer van de kerken die ze onderweg passeerde. De rivier was geelbruin net als de muren van de huizen, en vanaf de brug waarover ze liep zag ze een andere brug vol kleine huisjes die op een afstand op vogelhokjes leken. Achter de platte pannendaken langs de rivier verhief zich de koepel van de kathedraal, ook die bedekt met rode pannen, een tikkeltje spits in zijn enorme kromming.

Even later stond ze op de tweede verdieping in een oud gebouw en belde aan. De marmeren vloer op de overloop was geruit als een schaakbord, en de houten panelen in het trappenhuis waren donker en glanzend van de lak. Ze belde nogmaals aan en stond op het punt om weg te gaan toen ze hoorde hoe er een grendel werd weggeschoven. Ze schrok, ze had geen stappen gehoord in de woning. De man die de deur opendeed moest een jaar of dertig zijn. Zijn korte haar was blond en piekerig, maar hij had een donkere huid en bruine ogen. Hij was zeer gespierd, en er was een merkwaardig contrast tussen zijn brede, behaarde armen en de zachte beweging waarmee hij de kraag van zijn kimono gladstreek, alsof hij zichzelf tegelijkertijd liefkoosde. Hij glimlachte en hield zijn hoofd scheef terwijl hij haar vragend aankeek.

Ze vroeg of hij Giorgio Montale was. Hij schudde het hoofd, nog steeds glimlachend, en bewoog zijn wijsvinger ontkennend heen en weer, alsof ze een kind was dat iets had gedaan wat niet mocht. Ze vroeg of Giorgio Montale daar woonde. Hij knikte, maar ze verstond niet wat hij zei met zijn lome, melodische stem, die verrassend licht was. De man keek haar afwachtend aan. Er verscheen een grote, blauwgrijze kat in de deuropening. Hij legde zijn oren plat en drukte zijn kop aanhalig tegen de krachtige kuiten van de man. Ze wist niet wat ze moest zeggen. Hij hield een vlakke hand voor zich op om aan te geven dat ze moest wachten, deed de deur op een kier en kwam even later terug met een schrijfblok en een balpen. Ze noteerde haar naam en de naam van het pension.

Terwijl ze terugliep naar de rivier, bedacht ze dat ze de hele dag nog niets had gegeten. Het deed allemaal tamelijk hopeloos aan. Ze voelde zich ervan overtuigd dat háár Giorgio niet samen met de blauwe kat en de man met het gele haar woonde. Het briefje met de vier adressen was al verkreukeld doordat het in haar hand werd geklemd. Toen ze een taxi in de gaten kreeg, stak ze haar arm in de lucht. Ze gaf het laatste adres op en leunde achterover op de achterbank. Van lieverlee hielden de historische gebouwen op, en het begon te lijken op een willekeurige stad met rechte straten en moderne huizen. Ze hadden lang gereden toen de taxi opeens stopte voor een groot flatgebouw. Ze betaalde en bleef even staan terwijl ze om zich heen keek. Een troep jongens liep tegen een voetbal aan te trappen op de kale grond tussen de blokken van door vocht aangetast beton met overdekte balkons, waar het wasgoed te drogen hing. De zon stond al laag. In de verte verhief zich een watertoren boven de rij cipressen langs een snelweg. Aan de andere kant zag ze het silhouet van het grote, gewelfde dak boven de tribunes in een stadion.

Ze belde meerdere keren aan toen ze uiteindelijk de juiste deur had gevonden. Er was niemand thuis. Ze ging op de trap zitten en leunde tegen de koele wand aan. Er klonken stemmen van de flats om haar heen, een kind huilde, en een televisie krakeelde met opgewonden fanfares. Ze zette haar knieën naast elkaar en drukte zich tegen de wand aan toen er een vrouw langskwam met haar volle boodschappentassen. Even later kwam er een oude man van de andere kant, langzaam en kromgebogen. Een paar treden lager bleef hij stilstaan en keek haar nieuwsgierig aan met zijn lopende ogen. Het overhemd stak door de gulp van zijn kaal gesleten broek, en hij had vergeten zich te scheren in de hals. Lucca glimlachte naar hem. Hij leek het niet op te merken, of misschien liet haar vriendelijke gezicht hem koud. Hij staarde haar alleen maar aan met een lege blik voordat hij zijn weg naar beneden vervolgde.

Er verstreek een halfuur voordat Lucca opnieuw stappen op de trap hoorde. Een vrouw verscheen en bleef stilstaan op de plek waar de oude had gestaan. Ze moest achter in de veertig zijn, misschien vijftig. Haar krachtige haar stond als een grijs en zwart vogelnest om haar bleke, scherp getekende gezicht. Haar ogen waren smal en namen Lucca met een harde blik op terwijl ze langzaam de trap opliep. Lucca stond op en stelde zich voor. De vrouw verwijderde het haar voor haar ogen met een benige hand voordat ze die aarzelend naar Lucca uitstak. Ze sprak Engels met een fors accent, haar stem was hees. Terwijl ze de deur van het slot deed, verklaarde ze dat Giorgio pas later kwam. Ze heette overigens Stella. Ze keek Lucca aan en zond haar een vertraagde glimlach toe.

Ze excuseerde zich voor de rommel. Het zag ernaar uit dat er heel lang niet was opgeruimd of schoongemaakt. De inrichting was zo anoniem dat die niets anders vertelde over de bewoners van de flat dan dat het hun niets kon schelen hoe het eruitzag. Er bevond zich een eettafel aan het ene eind van de kamer, waarop nog kopjes en borden van het ontbijt stonden. Aan de andere kant stonden een versleten bank en twee niet eendere leunstoelen. Er hingen geen gordijnen, en de wanden waren leeg. In een hoek stonden een televisie en een strijkplank voor een stapel kartonnen dozen vol kleren. Stella vroeg of ze honger had en begon kopjes en borden te verwijderen.

De slaapkamerdeur stond op een kier, Lucca keek steels naar het onopgemaakte bed. Het is een kleine flat, zei Stella achter haar rug, en ze zette een bord met kaas en worst op de eettafel. Had ze een logeeradres? Lucca knikte en nam plaats. Wanneer was ze gekomen? Stella rookte een sigaret terwijl Lucca at en uitlegde hoe ze hen had weten te vinden. Stella moest zo meteen weer weg, maar ze kon hier gewoon op Giorgio blijven wachten. Ze werkten allebei 's avonds, maar hij was anders gewoonlijk thuis op dit uur. Maar ze moest ook iets te drinken hebben! Ze schudde het hoofd over haar eigen verzuim en ging weer naar de keuken. Lucca wierp een blik op het overdekte balkon. Drie herenoverhemden hingen aan de waslijn en wuifden slap met de mouwen.

Stella kwam terug met een fles mineraalwater en een glas. Er was helaas niets anders. Ze had moeten weten dat Lucca kwam. Lucca zei dat ze had proberen te bellen. Stella stak een nieuwe sigaret op en inhaleerde terwijl ze haar aankeek met haar harde, smalle ogen. Ze had erop gerekend dat Lucca op een dag zou opduiken. Plotseling stond ze op, Giorgio kwam vermoedelijk gauw. Ze liep de slaapkamer in. Toen ze terugkwam, was ze gekleed in een wit overhemd met een zwarte butterfly, een zwarte minirok en zwarte kousen. De butterfly had iets vernederends over zich, en Stella leek te kunnen zien wat Lucca dacht. Haar haren waren achterovergekamd, weg van het voorhoofd, en werden bijeengehouden door een sierspeld. Haar gezicht leek nog hoekiger en versletener zonder de omlijsting van het ongekamde vogelnesthaar. Ze stak haar hand uit bij wijze van afscheid. Lucca was vermoedelijk vertrokken wanneer zij terugkwam. Ze wenste haar een prettig verblijf in Italië.

Lucca hoorde haar stappen wegsterven in het trappenhuis. Ze

stond op en opende de slaapkamerdeur. Hun kleren lagen in hopen in elkaar gewikkeld op het bed, op de vloer en over een stoel. Er stond een lage boekenkast met boeken in dichte stapels, en boven de boekenkast hing een ingelijste foto. Ze herkende Stella, een jongere, gebruinde Stella met een bloemetjesjurk aan. Naast haar stond een man met donker krulhaar en een volle baard. Hij droeg een geruit overhemd, dat los over zijn broek hing. Hetzelfde oude overhemd dat hij had gedragen wanneer ze in het zomerhuisje waren. Lucca herinnerde zich de gewaarwording van de zachte, door veel wassen vaal geworden stof, wanneer ze haar gezicht tegen zijn buik aan drukte. Ze legde een hand over het onderste gedeelte van zijn gezicht. De ogen waren ook dezelfde, en de rimpels om de ogen, wanneer hij glimlachte.

Ze ging op de bank in de kamer liggen. Nu was het slechts een kwestie van wachten, dan zou ze stappen in het trappenhuis horen en een sleutel die in het slot werd gestoken. Ze dacht aan Stella's harde, vorsende blik, voordat ze de laatste stappen op de trap deed en haar hand uitstak.

Het was schemerig toen ze wakker werd. Eerst wist ze niet waar ze was. Ze merkte dat er iemand in de kamer was en ging verward overeind zitten. Hij zat schrijlings op een stoel bij de tafel met zijn armen op de rugleuning. Hij keek haar aan terwijl hij zijn kin op zijn gekruiste armen liet rusten. De volle baard was weg, en zijn springerige haar maakte de indruk dat iemand een asbak op zijn hoofd had geleegd. Langzaam herkende ze zijn trekken van de zwartwitte jeugdfoto achter de groeven op zijn gezicht. Hij had haar zitten gadeslaan terwijl ze sliep. Ik ben het, zei ze in het Deens met gedempte stem. Ik ben het, Lucca...

Hij knikte en glimlachte zwakjes, en nu pas ontdekte ze de tranen die zich in zijn ooghoeken hadden verzameld. Ze stond op en liep naar hem toe, maar bleef stilstaan toen hij zijn gezicht afwendde. Ze bleef even staan alvorens voorzichtig een hand op zijn schouder te leggen. Hij keek haar aan, droogde zijn wangen met de vlakke handen en kwam overeind uit zijn stoel. Toen glimlachte hij plotseling en sloeg op clownachtige wijze zijn armen uit, alsof hij zich wilde verontschuldigen voor zijn tranen. Hij omhelsde haar. Zij huilde niet. Ze had graag willen huilen, ze had zich voorgesteld dat ze zou gaan huilen.

Het verraste haar dat hij niet langer was. Hij rook een beetje naar zweet, maar zijn geur was niet zoals ze zich die herinnerde. Terwijl ze elkaar stonden te omhelzen, zei hij iets wat ze niet verstond. Hij hield haar een eindje van zich vandaan en glimlachte opnieuw. Hij sprak Italiaans tegen haar. Het mondje Deens dat hij had geleerd terwijl hij samen met Else leefde, was hij kennelijk vergeten. Het was niet in haar hoofd opgekomen dat ze misschien niet met elkaar zouden kunnen praten. Het stemde hen verlegen. Hij wees naar zijn horloge en glimlachte opnieuw. *Andiamo*, zei hij, en hij knikte in de richting van de voordeur.

Ze had er geen idee van waar hij haar naartoe bracht. Af en toe keek hij haar aan met zijn trieste ogen en glimlachte fijntjes. Hij verzocht haar te wachten voor een winkel en kwam even later terug met een fles wijn en een zak, die naar gegrilde kip rook. Hij zwaaide met de wijn en de zak, terwijl hij glimlachend te verstaan gaf dat ze verder moesten. Hij zette er de pas in, en van tijd tot tijd keek hij op zijn horloge. Na een kwartier lopen kwamen ze bij een bioscoop. Zou hij haar uitnodigen voor een film? Giorgio liep voorop langs een steile trap naast het gebouw. De trap voerde naar een deur in het midden van de kale muur. Hij deed de deur van het slot, deed het licht aan binnen en hield met een galant gebaar de deur voor haar open.

Terwijl ze toekeek, nam hij een groot wiel met een filmrol uit een ronde doos en monteerde die met geroutineerde bewegingen op een van de filmprojectors. Hij riep haar met een listige blik naar zich toe en wees door een ruitje. Beneden in de bioscoop waren de bezoekers hun plaatsen aan het innemen. Hij drukte op een knop, en het licht in de zaal doofde. Vervolgens bracht hij de machine op gang, en de filmspoel begon met een tikkend geluid te draaien waarbij de film langs de krachtige lichtstraal liep die zich verspreidde door de duisternis van de bioscoop. Giorgio wees opnieuw op zijn horloge, schudde zijn pols en blies erop, alsof hij zich had verbrand. Lucca moest glimlachen.

Hij haalde borden, bestek en glazen tevoorschijn uit een kast en serveerde het eten op een tafeltje tussen de filmprojectors. De gegrilde kip was nog steeds warm, en Giorgio bekeek haar vrolijk terwijl ze aan het vlees van haar helft knaagde en van tijd tot tijd haar vingers aflikte. Hij nipte aan de wijn en spoelde die rond in zijn mondholte met een kieskeurig kennersgezicht, dat haar opnieuw deed glimlachen. Ze toostten zwijgend, Giorgio met een quasi-plechtige uitdrukking op zijn gezicht, en ze voelde al met al dat ze meespeelde in een stomme film, deels wegens het tikkende geluid van de filmprojector, deels wegens Giorgio's komische gebaren. Hij wilde haar graag amuseren, maar de trieste uitdrukking verliet zijn ogen niet. De wijn zorgde ervoor dat de gespannenheid, die haar twee etmalen achtereen in een harde greep had gehouden, uit haar wegtrok en plaatsmaakte voor een beschaamde matheid. Er waren zoveel dingen die ze hem graag had willen vragen, zoveel dingen die ze hem had willen vertellen.

Hij stond op, zette een filmspoel op de andere filmprojector en gebaarde dat ze door het ruitje moest kijken. Lucca bekeek het verre filmbeeld, dat in de duisternis zweefde. Een man en een vrouw lagen in een hemelbed met elkaar te vrijen in het gouden schijnsel van een open haard, en plotseling zag ze een wit glimpje in de rechterhoek van het beeld. Op hetzelfde moment bracht Giorgio de andere filmprojector op gang, en het volgende ogenblik maakte het paar in het hemelbed plaats voor een groep ruiters in wapperende schoudermantels, die in de dageraad langs de rand van een bos galoppeerden. Hij deed de eerste filmprojector uit, nam de filmrol eruit en droeg die naar een tafel met twee stalen draaischijven, waar hij de film terugspoelde. Zij bleef voor het ruitje staan en volgde verstrooid wat er zich op het doek afspeelde.

Toen ze na de voorstelling op straat stonden, nam hij haar bij de arm en geleidde haar naar een bushalte. Hij viste een gekreukeld pakje sigaretten uit zijn borstzak en bood haar een sigaret aan. Ze nam die aan hoewel ze geen zin had om te roken. Er was haast geen verkeer. Lange rijen auto's stonden geparkeerd langs de neergelaten rolluiken voor de winkels. Een eind daarvandaan klonk het schelle keffen van een alarminstallatie. Giorgio stond enigszins voorovergebogen met afhangende schouders en een hand in zijn zak terwijl hij van tijd tot tijd een haaltje van zijn sigaret nam. Hij keek haar aan en schudde het hoofd, alsof hij nog steeds zijn ogen niet geloofde. Lucca... zei hij zachtjes. Zij glimlachte terug, maar het werd een langzame glimlach, haar mondhoeken voelden traag en stijf aan.

Er zaten maar weinig mensen in de bus. Een meisje van haar eigen leeftijd zat met een lege blik naar de gesloten gevels te kijken. De dikke laag poeder op haar wangen deed haar in het bleke licht op een pop lijken. Ze trok voorzichtig aan de nylonkous op haar ene knie, waar een ladder te zien was, en draaide haar hoofd van de ene kant naar de andere. Vermoedelijk had ze een stijve nek omdat ze de hele dag in een kantoorstoel had gezeten. Achter haar zat een jongeman in soldatenuniform met een valies tussen zijn benen. Hij had een koptelefoon op en zat met gesloten ogen mechanisch te knikken. Lucca hoorde een zwak pulserend smoezelen uit zijn oren.

Giorgio gaf haar een klapje op haar arm en wees in de ruit op hun doorzichtige spiegelbeelden. Hij zette haar profiel recht als een soort pleinfotograaf en liet zijn eigen profiel zien waarbij hij beurtelings naar haar neus en die van hemzelf wees, haar aankijkend vanuit zijn ooghoek op een manier die haar aan het lachen maakte. Hij lachte zelf. Het was waar, ze had zijn neus. Hij keek naar zijn handen in zijn schoot, lachte nogmaals en liet zijn schouders hangen terwijl hij verwonderd het hoofd schudde. Lucca, mompelde hij, Lucca... Zij legde voorzichtig een hand op die van hem en streelde de duidelijk zichtbare aderen op de rug van zijn hand. Hij bekeek haar vingers aandachtig.

Voor een groot, modern hotel stapten ze uit de bus. De portier wierp een misprijzende blik op Giorgio's kreukelige overhemd, dat los over de vale spijkerbroek hing. Toen ze hem gepasseerd waren, draaide Giorgio zich om en stak zijn tong uit naar de afgewende gedaante met hoge hoed en pandjesjas. Hij knipoogde naar Lucca met een vlegelachtige uitdrukking. Waardoor hij leek op een schooljongen die haar bewondering incasseerde voor zijn domme streken. Ze liep met hem mee naar de lege bar. Die was ingericht als een Engelse club met donkere panelen en diepe lederen sofa's. Er stond een lange vrouw in een wit overhemd met butterfly achter de bar. Stella zag er niet verrast of blij uit toen ze hen in de gaten kreeg. Giorgio begon hen aan elkaar voor te stellen, maar zij viel hem met een snelle opmerking in de rede. Hij maakte een weids gebaar en ging op een barkruk zitten. Stella vroeg wat ze wilde drinken. Lucca vroeg om een jus d'orange, Giorgio kreeg een biertje.

Stella vertaalde wat hij zei op neutrale toon, als een professionele tolk, maar ze vertaalde niet alles, hoorde Lucca, en niet precies zoals het werd gezegd. Hij was erg verrast geweest. Als hij had geweten dat ze kwam, zou hij een vrije dag hebben genomen, zodat ze uit eten konden gaan. Hij was erg blij om haar te zien. Lucca beantwoordde de vragen, die Stella vertaalde, en bekeek Giorgio terwijl hij geconcentreerd luisterde naar Stella's weergave van haar antwoorden. Hij informeerde naar gewone dingen, of ze nog steeds op school zat, en wat voor plannen ze had voor haar verdere opleiding. Ze vertelde dat ze misschien toneelspeelster wilde worden. Hij keek haar ernstig aan, dat was een onzeker beroep.

Ze vroeg waarom hij niet meer bij de film werkte. Stella aarzelde even voordat ze vertaalde. Hij glimlachte en gesticuleerde met de topjes van zijn vingers tegen elkaar. Hij werkte nog steeds bij de film! Vervolgens wierp hij een lange blik in de spiegel achter de bar. Het was niet zo makkelijk. Bovendien werden er ook geen echte films meer gemaakt. Er werd zo langzamerhand niets anders gefilmd dan achtervolgingen met auto's en blote borsten! Stella glimlachte zoetsappig terwijl ze vertaalde. En hij had geen zin om het alleen maar voor het geld te doen. Hij keek haar belerend aan. Je moest geloven in wat je deed, anders diende het nergens toe. Je kon altijd een manier vinden om het te redden. Hij wipte rebels met zijn kin. Hij had zich weten te redden... Lucca knikte, hij zond haar een warme blik. Misschien zou ze een groot actrice worden. Misschien zou ze op een goede dag de hoofdrol spelen in een van de films die hij in de bioscoop vertoonde! Hij lachte bij het idee.

Ze deden er een poosje het zwijgen toe. Stella bediende een Duits echtpaar, dat aan het eind van de bar had plaatsgenomen. Nu pas hoorde Lucca de synthetische strijkmuziek, die overal vandaan leek te komen. Giorgio hield met een dromerige uitdrukking zijn hoofd schuin terwijl hij op een onzichtbare viool speelde. Stella kwam terug. Lucca schraapte haar keel. Waarom had hij hen nooit opgezocht? Stella keek haar kort aan voordat ze vertaalde. Hij keek een andere kant op en pakte de laatste sigaret uit het pakje en sloeg op zijn zakken. Hij kon zijn aansteker niet vinden, Stella overhandigde hem een doosje lucifers. Hij brandde zijn vingers toen hij de lucifer aanstreek, en zoog gulzig aan de sigaret. Dat was een lang verhaal. Hij wist niet hoeveel haar moeder had verteld. Ze waren zo verschillend geweest... Hij zond haar een om begrip vragende blik. Hij had het een keer voorgesteld, dat hij op bezoek zou komen, maar haar moeder had dat geen goed idee gevonden. Lucca kon niet aan hem zien of hij loog. Hij gleed van de barkruk af en keek haar excuserend aan terwijl hij in de richting van de toiletten knikte.

Stella verwijderde de asbak voor zijn plaats en zette er een nieuwe. Toen hij uit het gezicht was verdwenen, keek ze Lucca aan en hield haar blik vast met haar smalle ogen. Ze maakte opeens een erg vermoeide indruk, haar wangen hingen om haar mondhoeken. Lucca wist niet of ze angst of woede las in de blik van de ander. Stella sprak zo zachtjes dat het bijna niet te horen was wat ze zei. *Leave him alone...* fluisterde ze ... *please...* Lucca keek een andere kant op. De Duitser gaf een seintje met een bankbiljet tussen zijn vingers. Giorgio kwam terug. Hij sloeg de handen op elkaar en zei iets op luide toon tegen Stella, die zich omdraaide en hem een boze blik zond, terwijl de verbaasde Duitser het wisselgeld van de tapkast raapte. Giorgio keek Lucca aan met opgetrokken wenkbrauwen en een uitdrukking die zoiets moest beduiden als dat hij met een vreselijke feeks samenwoonde.

Toen de Duitsers weg waren, herhaalde hij wat hij had gezegd. Stella vertaalde met een vermoeide stem. Hij wilde haar morgen rondleiden in de stad als zij kon. Wist ze waar de kathedraal was? Daar konden ze elkaar ontmoeten. Om twaalf uur? Giorgio knikte met een vragende blik, Lucca knikte terug. Stella vroeg hoe lang ze bleef. Dat vertaalde ze niet. Lucca antwoordde dat ze dat nog niet wist. Ze zei dat ze opstapte. Giorgio bood aan haar naar huis te brengen. Ze zei dat ze een taxi nam. Stella ging er een bellen. Hij vergezelde haar tot voor het hotel, geen van hen zei iets terwijl ze wachtten. Toen de taxi eindelijk kwam, glimlachte hij uitbundig, bijna opgelucht dacht ze, terwijl hij haar tegen zich aandrukte.

Ze aarzelde toen ze hem de volgende dag bij de doopkapel zag staan, achter het drukke verkeer. Hij droeg een pak van bruin fluweel, hoewel het erg warm was, en een wit, pas gestreken overhemd. Ze had gehuild in de taxi terug naar het pension, geluidloos om te voorkomen dat de chauffeur het zou ontdekken. Ze had lange tijd wakker gelegen, luisterend naar de geluiden van de stad die tot de binnenplaats doordrongen. Maar wat had ze eigenlijk verwacht? Hij was een ander geworden na al die jaren, zijn leven was veranderd. Voor hem was zij een vage, pijnlijke herinnering.

Had Else verhinderd dat hij haar zou zien? Dat kon ze haast niet geloven. Ze wilde het graag, maar ze kon het niet. Ze kon ook niet voor zichzelf uitmaken of ze hem ontroerend of gewoon zielig vond toen hij voor de groen en wit gestreepte marmeren gevel van de doopkapel stond in zijn netste pak terwijl hij nerveus naar haar uitkeek. Ze aarzelde op het moment dat hij haar in de gaten kreeg, en wuifde uitgelaten alsof ze zich schaamde, of dat nu over hem was of over zichzelf. Hij zag er vrij goed uit met zijn markante trekken en zijn weerbarstige, grijzende haar, maar zijn afhangende schouders en zijn eeuwige fratsen gaven ook de indruk van een man die door het bestaan was geknecht. Een man die zich had neergelegd bij de blinde en beschamende overmacht van het leven.

Hij liet haar de kathedraal zien en de Galleria dell'Accademia met Michelangelo's David en de slaven, die vechten om zich te bevrijden uit het marmer waaruit ze maar half zijn opgedoken. Hij nam haar op sleeptouw mee door de Uffizi, en ze liep naast hem te midden van de Japanse en Amerikaanse toeristen en zag de oude schilderijen alleen maar in onsamenhangende glimpen van gezichten, lichamen en landschappen. Hij praatte onafgebroken, alsof hij dacht dat ze het op het laatst zou verstaan als hij maar doorging, net als toen ze klein was. Hij was onvermoeibaar, maar de bezienswaardigheden vormden dan ook het enige wat ze met elkaar hadden. Gelukkig viel er genoeg te zien. Ze moest denken aan Stella's angstige, dreigende gezicht toen ze haar vroeg om hem met rust te laten.

Ze aten in een restaurant in een zijstraat, een eenvoudige gelegenheid met zaagsel op de vloer, waar werklui kwamen. Hij was kennelijk stamgast. De waard glimlachte naar haar en schudde goedkeurend het hoofd om de raadselen des levens toen Giorgio zijn volwassen dochter uit Denemarken voorstelde. Nee, ze sprak geen Italiaans. Wat jammer! Zoiets verstond ze tenminste. Terwijl ze na de lunch hun espresso dronken, haalde Giorgio een foto uit zijn zak met een geheimzinnige uitdrukking op zijn gezicht. Was het een foto van hen tweeën? Misschien bestond er dan toch een spoor van de jaren dat hij er nog was. Een vluchtige afdruk van een oudejaarsavond, toen zij op zijn arm zat verkleed als Indiase prinses. Een bewijs dat het waar was dat hij ooit had rondgeholld met haar op zijn schouders tussen de pijnbomen van het bos, zodat het lachen in haar schuimde en rees als golven.

Ze keek naar de zwartwitfoto en herkende de jonge Giorgio. Hij stond met een microfoonstang in zijn ene hand terwijl de andere rustte op de schouder van een man die ze ook eerder meende te hebben gezien. Een knappe man, knapper dan Giorgio, met vermoeide, toegeknepen ogen en een markante kinpartij. Hij zette een wijsvinger op de foto, en ze moest denken aan de heks in Milaan en haar portret van de zoon en de schoondochter met de rode ogen. Hij keek haar triomfantelijk aan. *Mastroianni!* zei hij, en hij glimlachte nostalgisch terwijl hij zijn koffiekop leegde. Ze gaf hem de foto terug. Hij keek naar buiten door het gekleurde vliegengordijn. Opeens wees hij op zijn horloge, zoals hij dat de dag ervoor had gedaan. Ze zag de projectieruimte voor zich waar ze kip hadden zitten eten en glimlachte verlegen.

Ze wandelden terug naar de kathedraal. Nu moest er afscheid worden genomen. Zij wist het, en ze kon zien dat hij het ook wist. Ze omhelsden elkaar. Ze had besloten hem met rust te laten, maar nu pas drong de reikwijdte van dit besluit tot haar door. Hij stond haar aan te kijken met zijn handen langs zijn lijf, een ogenblik zonder de verzoenende grimassen van de clown die zwoor bij het lachen omdat de laatste vrijheid in de wereld er kennelijk in bestond dat je vrijwillig komisch was, belachelijk voor eigen rekening. Maar zo dacht ze pas lange tijd erna, vele jaren later. Ze zou zich zijn gezicht herinneren in de omlijsting van de klare, simpele renaissancegeometrie van de doopkapel, zijn uitdrukkingsloze gezicht. Ook hij wist dat het afscheid erop zat, dat het nog maar een kwestie van seconden was, en daarom kon hij het zich permitteren om nog even te blijven staan.

Ze sloeg acht op zijn ongekamde, grijze haar, de rimpels op zijn voorhoofd en wangen, zijn mond met de natuurlijke uitdrukking van stom leedwezen en zijn ogen met de lachrimpeltjes, die zich in de dunne huid hadden gegutst. Zoveel had hij geglimlacht in zijn leven. Hij tilde zijn hand op, aarzelde een seconde en raakte zachtjes het puntje van haar neus aan met het topje van zijn wijsvinger. Zijn neus. Het enige spoor dat hij had achtergelaten behalve haar naam en een paar vage kiekjes. Toen deed hij langzaam een stap achterwaarts en nog een. Zijn ogen werden donker als tunnels, en hij tilde zijn armen een eindje op, met open handen, terwijl hij zich omdraaide en met haastige passen wegliep.

Alles in haar balde samen tot een harde, ademloze knoop, en ze klampte zich heel even vast aan de ijzeren leuning tussen het verkeer en de marmeren wand van de doopkapel, tot de knoop losging en de klinkers onder haar wegsmolten en vervaagden voor haar ogen. Ze liet haar tranen de vrije loop, zonder zich iets aan te trekken van de bezorgde of nieuwsgierige blikken van de voorbijgangers. Het was gemakkelijker om adem te halen wanneer ze op die manier liep, met lange passen en een zoutsmaak in haar mondhoeken. Toen ze bij het station was aangekomen, waren haar ogen weer droog. De ingedroogde sporen van de tranen deden haar wangen alleen maar een beetje strak staan.

De hemel boven de muren die de binnenplaats omkransten had een diepere blauwe kleur gekregen toen ze wakker werd doordat er iemand op haar deur klopte. Ze stond op en deed open. De zwangere vrouw met het schort gebaarde haar dat ze mee moest gaan. Toen ze bij de balie kwamen aan het eind van de gang, ontwaarde ze een lange, geheel in het wit geklede man. Hij leek een jaar of dertig te zijn, zijn lange, kastanjebruine haar viel over zijn voorhoofd, en zijn groene ogen keken rechtstreeks in de hare terwijl hij haar glimlachend een hand toestak. Hij sprak vloeiend Engels, zijn naam was Giorgio Montale.

Hij had haar bericht ontvangen. Ze keek hem vol onbegrip aan. Hij toonde haar het briefje met haar naam en die van het pension, en ze herkende haar eigen handschrift. Ze verklaarde dat ze had gedacht dat hij misschien haar vader was. Hij keek haar aandachtig aan, schijnbaar begreep hij alles meteen. Hij had geen kinderen. Hij glimlachte opnieuw, voorzichtiger nu. Hij had gedacht dat zij een van zijn onbekende nichten was. Hij was een paar jaar geleden thuisgekomen, hij had in Engeland gewoond. Maar had ze haar vader gevonden? Ze knikte. De zwangere vrouw sloeg hen nieuwsgierig gade vanuit de keuken terwijl ze in haar eeuwige pan roerde. Mocht hij haar dan tenminste een drankje aanbieden? Nu ze geconstateerd hadden dat ze geen enkele relatie met elkaar hadden... Ze glimlachte. Waarom niet?

Zijn auto stond voor de poort geparkeerd, een zwarte Ferrari. Toen ze zich achterover liet vallen in de zachte leren bank, moest ze denken aan het witte puntje dat als een gezichtsstoornis in een hoek van het beeld haar vader had laten weten dat hij het andere projecticapparaat moest starten, zodat het publiek in de zaal er geen erg in had dat er van rol werd gewisseld. Maar het was niet enkel een andere rol, het was een hele andere film. De in het wit geklede Giorgio kende de weg in de wirwar van smalle straten. Hij doceerde Engels op de universiteit, hij had in Cambridge gestudeerd.

Ze vertelde over haar reis, over het weerzien met Giorgio en over Stella, verrast over haar openhartigheid. Het was alsof ze een ander hoorde vertellen. Het was een illusie geweest, zei ze, verwonderd waar dat woord vandaan kwam. Ze had gedacht dat het weerzien als een openbaring zou zijn, maar hij was immers niet meer dan de man die toevallig haar vader was geworden. Wat hadden ze elkaar ook moeten zeggen na al die jaren? Giorgio bekeek haar met zijn groene ogen, en zijn ernstige gezicht gaf haar het gevoel dat ze al pratend iets ontdekte over het leven, iets hards en volwassens.

Ze zaten witte wijn te drinken op een terras met uitzicht over het nevelige silhouet van de stad met de verspringende pannendaken en de koepel van de kathedraal in het avondlicht tussen de zachte, begroeide berghellingen. Tijdens een pauze glimlachte hij opeens. Moet je horen, zei hij, en ze hoorde de klokken, sommige zwakjes en ver weg, andere dichterbij, verenigd in een perspectief van lichte en donker galmende slagen. Hij vroeg of ze plannen had voor de avond. Ze haalde haar schouders op en schudde glimlachend het hoofd. Hij stond op en ging naar binnen om te bellen. Ze zag hem bij de telefoonautomaat staan, een sprookjesachtige, witte gedaante in het halfduister van de bar. Even later kwam hij terug. Hield ze van kreeft? Carlo was boodschappen aan het doen.

Giorgio's familie bezat het hele gebouw, een palazzo uit de zeventiende eeuw. Hij zei het niet op een opschepperige manier, eerder als een soort verontschuldiging, terwijl hij haar voorging door het portaal, waar een grote, in ijzer gevatte lantaarn hing. Het portaal voerde naar een beplante binnenplaats met een door duister lover omgeven kleine fontein. De geblondeerde Carlo verwelkomde hen in de deuropening, ook ditmaal gekleed in een kimono van donkerrode, glanzende zijde. Later bedacht ze dat Carlo minstens evenzoveel kimono's moest hebben als er kamers waren in Giorgio's woning. Ze was er niet zeker van of ze ze ooit allemaal te zien zou krijgen, de kamers en de kimono's. De woning maakte een eindeloze indruk, en alle kamers hadden hoge plafonds en waren vierkant, met geblokte marmeren vloeren, zware fluwelen gordijnen en chique, bezadigde antiquiteiten.

Het voltrok zich allemaal zonder merkbare overgangen, in één zachte beweging, die deed denken aan de manier waarop Carlo zich bewoog in zijn gladde kimono's, net zo gespierd en soepel als de grote, blauwe poes die hem overal volgde. Onder het eten moest Lucca voortdurend lachen om zijn overdreven, theatrale poses en zijn melodieuze stem, die de woorden rekte. Hij had er niets op tegen dat ze lachte, hij karikaturiseerde zichzelf bijna om haar te vermaken, en onderwijl bekeek Giorgio hen fijntjes met zijn lichtende ogen. Hij vertaalde wat Carlo zei en vertelde zelf van de Engelse schrijvers over wie hij een dissertatie aan het schrijven was. Allemaal flikkers, zoals hij zei met een van zijn onverwachte glimlachjes.

Lucca had nog nooit van Forster of Isherwood gehoord, maar ze genoot ervan naar zijn Cambridge-accent te luisteren en door zijn groene ogen bekeken te worden. Giorgio sprak een tijdlang over de ontheemde Isherwood, die op de loop was gegaan voor de Engelse burgerlijkheid van zijn jeugd naar het decadente Berlijn van de jaren twintig, en die naderhand, toen de nazi's aan de macht kwamen, verder vluchtte naar Californië, waar hij met het hindoeïsme flirtte. Zijn identiteit was niet stevig verankerd, zei Giorgio, omdat hij het ene ankertouw na het andere had gekapt en zo in zijn leven de zin realiseerde die zijn Berlijnse roman inleidde: *I am a camera*.

Wanneer hij tegen haar sprak, leek het alsof een oeroude, excentrieke wereld deze charmante volwassen jongen had voortgebracht om zich aan haar kenbaar te maken via zijn woorden en zijn wijze blik. Hij praatte met haar zoals je met iemand praat die je al heel lang kent. Hij luisterde aandachtig naar haar relaas over de manier waarop ze haar jonge leven had doorgebracht, en behoedzaam, om haar niet in verlegenheid te brengen, demonstreerde hij hoe je een kreeft at zonder hem in duizend oranje stukjes te versplinteren. Ze had het idee dat ze een vriend had gekregen. Ze had het nog nooit zo ervaren met een man, ook niet met de jongens van haar eigen leeftijd, maar ze voelde zich op haar gemak, want Carlo's aanwezigheid herinnerde haar er voortdurend aan dat Giorgio onmogelijk andere plannen met haar kon hebben dan gewoon wat zitten praten, luisteren en lachen.

Waarom bleef ze niet slapen? Ze lagen elk op een sofa groene thee te drinken, die door Carlo werd toebereid op een kolenbekken in de enorme haard. Tja, waarom niet? Carlo wees haar de weg naar een kamer, waar een hemelbed stond dat leek op het bed dat ze de avond ervoor in de bioscoop in de buitenwijk had gezien waar haar vader werkte. Er lagen al een handdoek, een tandenborstel en een kimono klaar, alsof het voortdurend de bedoeling was geweest dat ze zou blijven. Toen hij haar welterusten wuifde, moest ze lachen om de aanstellerige golfbeweging die hij met zijn vingers maakte. Hij glimlachte terug met een blik vol verstandhouding en trok de deur achter zich dicht.

Ze sliep een gat in de dag. Toen ze de luiken opende, keek ze uit over een wirwar van pannendaken, een rode vlakte van starre, golvende pannen. Haar tas stond op een kruk naast het raam. Ze hoorde een zacht gerinkel achter haar rug en draaide zich geschrokken om op het moment dat Carlo een dienblad met een kopje koffie op het nachtkastje zette. Vandaag was zijn kimono muntgroen met gele bloemen. De blauwe poes sprong op het bed. Carlo pakte hem bij zijn nekvel en droeg hem naar buiten. Ze trof Giorgio in de keuken aan. Hij had 's morgens haar tas opgehaald en haar kamer betaald in het pension. Ze vroeg of hij haar had ontvoerd. Hij glimlachte. Heus? De groene ogen keken haar vragend aan.

Die dag namen ze haar mee naar de Uffizi. Ze kon het niet over zich verkrijgen hun te vertellen dat ze daar de vorige dag al was geweest. Het was ook heel anders dan toen ze met haar vader door het museum liep. Ze had op het punt gestaan te stikken in al die schilderijen, die ze amper behoorlijk kon bekijken. Giorgio stelde haar gerust, ze zouden maar een enkele etage bekijken. Je kon een heel leven in de Uffizi doorbrengen, zei hij. Dus je moest kiezen wat je wilde missen, vervolgde hij met een glimlach, de kunst of het leven op straat. Hij was opnieuw in het wit gekleed, en Carlo droeg een zwarte zijden pyjama. Ze genoot ervan te merken hoe de toeristen steelse blikken wierpen naar het lange, slanke meisje, dat liep te lachen met de in het wit geklede aristocraat en hun uit de kluiten gewassen, geblondeerde vriend.

Giorgio wilde haar een van de zalen met altaarstukken uit de vroege Renaissance laten zien. Hij had het over de zuivere, gestileerde uitbeelding van de gezichten, de figuren en de plooien van de gewaden, en hij vertelde haar over de invloed van Byzantium. Carlo liep vooruit. Ze bleef stilstaan voor een van de vele stukken die de Madonna met het kind voorstelden. Ze wist het niet zeker, maar ze had het idee dat ze het schilderij herkende van de kaart waarnaar ze had zitten staren in de trein, haar enige houvast bij het opsporen van haar vader. Ze keek een hele tijd naar het jonge, bleke vrouwengezicht met het blauwachtige schijnsel, introvert en dromerig alsof ze het kind in haar armen was vergeten, omringd door het fletse en vlekkerige verguldsel van de achtergrond met het fijne craquelé. Het goud smolt voor haar ogen en stroomde over het gezicht van de vrouw. Haastig droogde ze haar ogen met de rug van haar hand, maar Giorgio had het gezien. Hij legde een lichte hand op haar schouder en glimlachte terwijl hij haar blik vasthield. Het is niets, zei ze.

Hij nam haar onder de arm en voerde haar naar de galerij die over de hele lengte van het gebouw liep. Ze herkende Carlo aan het eind, in silhouet tegen een hoog raam, op het moment dat hij stil bleef staan en zich naar hen toe keerde. Giorgio liet haar arm los. Het is merkwaardig, zei hij terwijl ze verder liepen. Je lijkt op mijn zus... Toen ze bij Carlo aankwamen, viel het haar op dat die haar blik vermeed. Hij hield zijn hoofd scheef en zei iets met een klaaglijke stem, die Giorgio aan het lachen maakte. De arme man is aan het creperen van de honger, zei hij. Maar vermoedelijk hadden ze genoeg pre-Renaissance gehad voor vandaag.

Ze bezochten een duur restaurant, een ouderwetse, deftige gelegenheid waar de witte tafellakens als ijsschotsen op het stille halfduister ronddreven. Toen ze hun bestelling hadden gedaan, stond Carlo op en verliet de tafel met een opmerking die ironisch, bijna hatelijk klonk. Lucca vroeg wat hij had gezegd. Hij zegt dat hij jaloers is, glimlachte Giorgio. Maar daar moest ze zich niets van aantrekken. Carlo was dol op haar, en hij deed alleen maar of hij jaloers was voor zijn eigen plezier. Hij keek haar een tijdlang aan, en plotseling stak hij een hand uit, streek haar loshangende haar weg van het voorhoofd en verzamelde het in haar nek. Er was werkelijk een zwakke gelijkenis, ook al was zij blonder. Hij schudde verwonderd het hoofd en liet haar haren los. Het was natuurlijk maar denkbeeldig, maar hij kon het idee niet uit zijn hoofd zetten dat zij eruit zou hebben gezien als Lucca.

Ze vroeg of hij haar iets over zijn zus wilde vertellen. Hij verplaatste het zware bestek een stukje. Er was maar een paar jaar verschil tussen hen geweest, ze waren een soort tweeling geweest. Ze waren onafscheidelijk en hadden elkaar alles verteld wat ze dachten. Wanneer ze buiten waren, verstopten ze zich in de bomen zodat de volwassenen hen niet konden vinden, en 's nachts kropen ze bij elkaar in bed. De eerste die wakker werd moest de ander wekken, om te voorkomen dat ze betrapt werden. De wijnkelner kwam naar hen toe met een fles. Giorgio wierp een wantrouwige blik op het etiket en stelde de kelner een paar vragen voordat hij hem met een berustend gezicht verzocht de fles te openen.

Het leek of ze doormidden werden gekliefd, vervolgde hij, toen zijn ouders hem naar Engeland stuurden. Carlo kwam terug. Hij hield zijn hoofd scheef, plantte zijn ellebogen op tafel en bracht de vingertoppen bij elkaar alsof hij een en al aandacht was, maar Lucca zag dat hij niets verstond van wat Giorgio zei. Giorgio sloeg geen acht op hem. Hij had niet alleen een deel van zichzelf verloren, hij had ook zijn zus doormidden gescheurd om weg te reizen met haar ene helft. Hij laste een pauze in en schoof het voetje van het wijnglas heen en weer op het laken. Ze was verdronken tijdens een vakantie op Elba, toen ze veertien was. Als hij er was geweest... Het was een ongeluk, maar hij had het zijn ouders nooit vergeven. Na de begrafenis was hij naar Engeland teruggekeerd en daar gebleven. Zichzelf onderbrekend hief hij het glas en glimlachte naar hen allebei.

Het was werkelijk een soort ontvoering, een avontuurlijke ontsnapping aan alles wat ze kende. Elke dag maakten ze autotochtjes in de zwarte Ferrari langs kronkelige wegen tussen terrassen met wijnstokken en olijfbomen naar door hoge muren omringde bergdorpen. Ze werd rondgeleid in middeleeuwse kloosters met koele gewelven, waar in het donker het water duister neerdroop, en ze zaten uren achtereen te lunchen op zonovergoten terrassen met uitzicht over de bergen. Ze kamde haar haren weg van haar voorhoofd en maakte er een paardenstaart van. Sinds haar vroege jeugd had ze geen paardenstaart meer gedragen, ze had de gewoonte haar haren los te laten hangen en wapperen. Ze zag dat het Giorgio opviel, maar hij gaf er geen commentaar op.

Ze dacht aan wat hij had gezegd toen hij het haar oplichtte van haar gezicht, dat ze op zijn jongere zus leek, zijn voorstelling van zijn zus, zoals ze eruit had kunnen zien. Als ze was blijven leven, zou ze nu van Giorgio's leeftijd zijn geweest, een volwassen vrouw. Lucca was niet in staat zich haar eigen gezicht over tien of twintig jaar voor te stellen. Als kind had ze Else vaak gevraagd hoe ze eruit zou komen te zien als volwassene. Else had haar schouders opgehaald. Dat zou de tijd leren, maar ze zou vast wel op zichzelf lijken. Else was er in elk geval mettertijd anders uit gaan zien, sinds ze als jonge vrouw in een open sportwagen door Italië had gereden zonder te weten hoe alles zou uitpakken. Was het alleen maar een kwestie van leeftijdsverschil, of ging het ook om iets anders?

Wanneer ze na de zoveelste excursie 's avonds naar huis reden, zat ze in elkaar gekropen onder een deken op de achterbank naar Giorgio en Carlo te luisteren, die vertrouwelijk met elkaar praatten. Als een echtpaar, bedacht ze, een stel dat al een hele tijd samenleefde. Maar toch begreep ze niet dat Giorgio met Carlo samenleefde alsof hij een vrouw was. In tegenstelling tot Carlo was er niets vrouwelijks aan Giorgio, en wanneer ze zijn onderzoekende blik ontmoette, moest ze zichzelf eraan herinneren dat hij niet naar haar keek zoals andere mannen dat deden.

Hij bracht zijn zus niet meer ter sprake, maar ze wist zeker dat hij aan haar dacht. Ze speelde met de gedachte dat ze voor hem een levende herinnering vormde, of liever gezegd een levend spiegelbeeld van zijn fantasie over het gezicht en de gedaante waar zijn overleden zus nooit aan toe was gekomen. Een glimlachend spook, dat naast hem liep door de stille dorpen met het ongewoon strakke gevoel van het achterovergekamde en met een elastiek bijeengebonden haar. Wandelend langs de door de onzichtbare cicaden omringde, vervallen borstweringen, stelde ze zich voor dat hij haar broer was, die haar had teruggehaald naar de toekomst die haar ontnomen was.

Op een warme namiddag lagen ze met zijn drieën op het grote Perzische tapijt een stickie te roken, dat ze met lome bewegingen aan elkaar doorgaven. Het zonlicht smeulde door de spleten in de gesloten luiken en verspreidde een gulden schijnsel in het halfduister. Ze waren vroeg thuisgekomen en lagen daar in hun kimono, alsof ze om aan de middaghitte te ontsnappen verpozing hadden gevonden in een lommerrijke, oosterse tuin. Lucca had zich gedoucht, haar haren waren nog steeds nat, en de kimono kleefde aan haar vochtige huid. Carlo had zich op zijn zij gelegd, en rustte met halfopen mond op zijn gebogen arm. Hij was in slaap gevallen. Ze stond op en zag hoe de wijnrode en mosgroene arabesken om haar heen draaiden. Ze bleef even staan wachten tot het schommelende gevoel onder haar voeten zou afnemen. Giorgio zond haar een omfloerste blik en smeet het laatste stukje van het stickie in de haard. Een rookzuiltje kronkelde omhoog in het donker. Ze glimlachte terug. Ze wist dat hij haar nakeek toen ze over de koele marmeren vloer liep.

Ze begaf zich naar haar eigen kamer en ging achterover op bed liggen. Ze voelde al haar spieren ontspannen. De roes gaf haar het gevoel alsof haar hoofd, lichaam en ledematen van elkaar werden gescheiden en alle kanten op begonnen te zweven rond een groeiende leegte zonder zwaartekracht. Ze wist niet hoe lang ze zo had gelegen. Eerst leek het alsof ze werd aangeraakt door een warm briesje van het open raam, toen ze zijn ademhaling en vervolgens zijn lippen gewaarwerd op haar voeten. Ze had hem niet horen binnenkomen. In het begin raakten die haar slechts vluchtig aan, daarna baande zijn mond zich al kussend een weg langs haar kuiten en dijen. Hij schoof zijn handen onder haar billen en trok haar naar zich toe. Ze hield haar ogen gesloten en lag er slap bij terwijl zijn tong tussen haar schaamlippen naar binnen gleed, en concentreerde zich op de rillingen die haar doorstroomden, keer op keer, alsmaar sterker, tot ze begon te sidderen in een lang, krampachtig orgasme. De wanden weergalmden van een hard, scherp handgeklap. *Bravo!* Ze herkende Carlo's melodische, vrouwelijke stem.

Giorgio lag nog steeds op zijn knieën voor het bed, tussen haar dijen. Carlo stond in de deuropening met het hoofd scheef en een sarcastische glimlach om zijn lippen demonstratief te applaudisseren. Giorgio kwam overeind en keerde zich naar hem toe. Carlo pakte zijn gezicht tussen zijn handen in een vaste greep en gaf hem een tongzoen. Vervolgens liet hij hem los, met een triomfantelijke blik naar Lucca, terwijl hij zijn lippen aflikte en achterwaarts de deur uitging. Giorgio bleef staan, met zijn rug naar haar toegekeerd. Zijn gezicht hield hij voorovergebogen, naar de wand toe. Het was waarschijnlijk het beste, zei hij, als ze hen verliet. Hij liep de kamer uit en deed de deur achter zich dicht.

Ze kleedde zich aan en pakte haar tas. Giorgio en Carlo waren nergens te zien. Toen ze de deur opende, was het doodstil in de woning. Alleen de blauwe poes zat haar vanuit een hoek gade te slaan, terwijl hij kalm zijn staart heen en weer veegde over de tegels. Voorzichtig schoof ze de grendel opzij en glipte door de voordeur naar buiten. Als een dief, dacht ze. Onder het lopen verwijderde ze het stuk elastiek dat haar haren in een paardenstaart bijeenhield en schudde het hoofd zodat de haren om haar schouders vielen. In de buurt van het stationsplein passeerde ze een busstation, waar ze een bus ontwaarde met haar naam boven de voorruit. Zonder zich te bedenken kocht ze een kaartje en ging helemaal achter in de bus zitten. Ze had er toch geen flauw benul van waarheen ze op weg was.

Kijkend naar de heuvels in de lage zon, besefte ze dat deze reis van meet af aan was geleid door haar naam, die van haar vader en die van haarzelf. Maar ze had haar naam niet zelf gekozen, en ze had niet zelf uitgemaakt wie haar vader zou worden. Ze dacht aan de ene Giorgio Montale, aan het donker in zijn ogen toen hij haar bij het afscheid omhelsde en een paar stappen achteruit deed langs de gevel van de doopkapel, met een verontschuldigend handgebaar. En ze dacht aan die andere Giorgio Montale, die haar een uur tevoren de rug had toegekeerd en die zijn gezicht had laten omklemmen en zoenen door Carlo, terwijl hij aarzelend, met eenzelfde berustend gebaar zijn handen op Carlo's heupen zette. Ze dacht aan wat hij had gezegd over ontheemdheid, over het kappen van alle ankertouwen. Waren de hare niet allang gekapt? Lucca was gewoon een naam, een klank, meer niet. Wat moest ze daar? Was Lucca iets anders dan de zoveelste dodelijk mooie stad, waar ze met haar ziel onder haar arm kon rondlopen te midden van de kuddes elkaar fotograferende Japanse toeristen?

De bus stopte bij een kromming van de weg. Een man baande zich een weg door het middenpad met een koffer en een kartonnen doos, die met touw was dichtgebonden. Ze rukte haar tas naar zich toe en wist naar buiten te komen juist toen de deuren weer dichtgingen. Ze bleef aan de kant van de weg staan toen de bus was verdwenen in de bocht om een helling met cipressen. De man volgde een pad langs een hoge stenen wal, schommelend met zijn koffer en zijn kartonnen doos, tot hij verdween tussen de vergroeide olijfbomen. Ze ontwaarde een smalle hagedis, die roerloos op een van de onregelmatige, door de zon beschenen stenen boven het pad zat. Een zweetdruppel kroop over haar ene ooglid en deed haar knipperen. Toen ze haar ogen weer opende, was de hagedis weg. Ze pakte haar tas beet en begaf zich naar de schaduw aan de overkant van de weg.

Ze bleef liggen toen beneden de telefoon ging, in de verte, als iets wat haar niets aanging. Het was vast iemand die Else wilde spreken. Ze had nog aan niemand verteld dat ze weer bij haar moeder was ingetrokken. Zelfs Miriam dacht dat ze nog steeds bij Else buiten was, maar ze was maar een paar dagen in het zomerhuisje gebleven. Misschien was het Else. Haar wilde ze in geen geval spreken. Ze kreeg een punthoofd van haar medelijden, die constante cocktail van bittere preken en vitterige analyses van Otto's afgestompte gevoelsleven. Ze waren geen hartsvriendinnen, en ze had geen boodschap aan de troost van haar moeder en hoefde ook niet te weten dat Else altijd al had geweten hoe het zou aflopen.

Ze was net wakker geworden. Ze lag naar buiten te kijken door de deur van het Franse balkon, die 's nachts open had gestaan. Het had geregend, en ze had naar de zwepende zomerregen liggen luisteren tot ze wegdommelde in een lange, onmerkbare overgang waarin de regen bleef schuimen en fluisteren. Daar ging de telefoon weer. De lucht was warm en vochtig, het zonlicht sijpelde bleekjes door de nevel boven de landbouwhogeschool, en de natte boomkruinen glansden mat. Het gerinkel hield aan.

Die is niet klein te krijgen, dacht Lucca. Ze herinnerde zich opeens hoe ze aan Elses hand had gewandeld langs de rozen met bordjes waarop hun extravagante namen met sierlijk schrift stonden vermeld. Ze herinnerde zich de Japanse bomen met de tengere, vergroeide takken, die bloeiden in de lente en die hun witte bloembladeren verloren in de wind, zodat ze op sneeuwvlokken leken. 's Winters staken alleen de namen van de rozen op hun dappere bordjes uit de sneeuw op. Daar hadden ze om gelachen, Lucca en Else, het lege, witte bed waarop de namen onverdroten verder bloeiden. Of het nu zomer was of winter, de wandeling eindigde er altijd mee dat ze het smalle paadje in het meer naar het eiland volgden, waar een oude boom stond met een bank om de dikke stam. Daar zaten ze naar de eenden en naar de muren van de landbouwhogeschool te kijken, en ze herinnerde zich nog het verloren gevoel dat haar had bekropen, van samen met je moeder op een verlaten eiland te zitten zonder dat iemand wist dat ze daar zaten.

Alleen Else wist dat ze weer in haar oude kamer lag. Die was niet veranderd in al die jaren die waren verstreken sinds ze het huis uit was gegaan, een paar dagen na haar terugkomst uit Italië. Waar had ze toch uitgehangen? Ze zag het bezorgde, verwijtende gezicht van haar moeder weer voor zich. Gelukkig was Ivan op een van zijn zakenreizen. Lucca vertelde hoe ze Giorgio had gevonden, en ze vertelde over Stella, maar ze liet niets los over de andere Giorgio en over de keer dat Ivan bij haar binnen was gekomen, aan de vooravond van haar vertrek. Else wilde een paar dingen over Stella weten, hoe ze was. Kennelijk interesseerde het haar toch wel een beetje, en Lucca vertelde bereidwillig over Stella's harde, hoekige trekken, over haar kelnerkostuum en over de in Engelse stijl ingerichte bar van het hotel in de buitenwijk.

Het moest een keer gebeuren, zei Else. Natuurlijk had ze haar vader moeten opzoeken. Die woorden klonken vreemd in haar mond, je vader. Else keek haar aan met een blik die zowel teder als vermoeid aandeed. Het was zeker een teleurstelling geweest? Lucca pakte haar hand. Dat doet er nu niets meer toe, zei ze. Op het moment dat ze dat zei, voelde ze voor het eerst dat zij en haar moeder even volwassen waren. Else was wat ouder, dat was het enige verschil. Ze had algauw door dat Else niets wist van wat er in het zomerhuisje was voorgevallen toen zij daar alleen met Ivan was. Hoe had ze dat ook kunnen weten? Ze wist niet eens dat Lucca er die avond was geweest.

Op dat moment bewoonde een van haar vriendinnen van het gymnasium een flat samen met een ander meisje, en ze hadden een derde huurder nodig. Zo ontmoette ze Miriam. Ze kreeg een baantje in een café en verdiende precies genoeg om van rond te komen. Na de verhuizing bleef ze een paar weken uit Elses en Ivans buurt, totdat ze zich niet langer kon verontschuldigen zonder dat het opviel en misschien argwaan wekte. Ivan deed net of zijn neus bloedde toen ze op een zondag kwam eten, maar na het hoofdgerecht, terwijl Else in de keuken was, glimlachte hij op een manier die haar vertelde dat hij zich niet bedreigd voelde en dat hij haar integendeel als een soort medeplichtige beschouwde.

Miriam kreeg les van een toneelspeler, ze was van plan om naar de toneelschool te gaan, en toen ze hoorde dat Lucca ook met dat idee had gespeeld, wist ze haar na lang aandringen zover te krijgen dat ze samen toelatingsexamen deden. Lucca slaagde, Miriam zakte en werd pas het jaar erna toegelaten. Lucca begreep zelf niet dat het zo gemakkelijk was gegaan. Ze had gewoon gedaan wat men haar vroeg te doen, maar misschien was het gelukt omdat ze er niet net zo op gebrand was om toegelaten te worden als haar vriendin. Ze was gewoon zichzelf geweest, zeiden haar docenten naderhand tegen haar. Daar moest ze om glimlachen. Gewoon zichzelf... Wie zou dat kunnen wezen?

Ze bediscussieerde het met een van de andere leerlingen, een luidruchtige, al enigszins kalende jongeman, met wie ze bevriend raakte omdat hij haar altijd aan het lachen kon maken. Jezelf! brieste hij. Hoe zou je jezelf kunnen kennen? Als je jezelf kende, moest je immers een ander zijn dan jezelf. Hier was sprake van een talig misverstand, een logische impasse. Je zou jezelf alleen maar kunnen leren kennen als je jezelf vanaf een plek buiten jezelf kon bekijken. Maar dan was je jezelf niet meer! Het was integendeel zo dat je altijd een tweede of een derde of een vierde was, al naargelang de persoon met wie je samen was. Hij had een jaar filosofie gestudeerd voordat hij besloot toneelspeler te worden omdat het toch allemaal één grote komedie was.

In werkelijkheid was ze er best tevreden over dat ze een raadsel voor zichzelf was. Toen ze in de trein van Italië naar Denemarken zat, was ze blij dat ze niet naar Lucca was gegaan. Ze zag Giorgio voor zich, haar eigen Giorgio, voor de doopkapel. Zijn beschaamde en tevens opgeluchte handgebaar toen hij zich omdraaide en zonder om te kijken wegliep. Ze was niet langer zijn dochter, en goedbeschouwd ook niet die van Else. Ze was van zichzelf of van niemand. Ze dacht aan Ivans bleke stijve pik in het halfduister van het zomerhuisje en aan zijn vertwijfelde gezicht toen ze hem de vloer op had getrapt. Ze wilde Elses geluk niet in de weg staan. Toen de trein het station van München binnenliep, scheurde ze Giorgio's kaart in stukken. Een poosje zat ze te kijken naar de mond van de Maagd Maria, de voet van het kind, de plooien van het gewaad en het verbleekte goud voordat ze de snippers in de asbak van de coupé gooide en haar tas uit het bagagerek tilde.

Naarmate ze steeds beter leerde werken met een rol en haar figuren leerde opbouwen met behulp van kleine, precieze details, scheen het haar toe dat ze zelf iets bevatte van alle rollen die ze speelde. Of misschien lieten de rollen en de schrijvers haar wel zien dat mensen veel meer op elkaar lijken dan hun lief is. Ze voerde lange gesprekken met haar dunharige vriend over Peer Gynt en over de voorstelling van de persoonlijkheid als een ui, waarvan het binnenste, wanneer je hem pelt, leeg blijkt te zijn. Hij zei dat het zo ook met de tempel van de joden in Jeruzalem was geweest. Het allerheiligste, waar niemand mocht komen, was niets anders geweest dan een lege ruimte in het binnenste van de tempel. Hij lachte wreedaardig zodat zijn spitse hoektanden zichtbaar werden, en heel even was ze er niet zeker van wat haar deed huiveren: zijn wolvengrijns of de gedachte aan de binnenste leegte van de ui en de tempel.

Opnieuw dacht ze aan de stad Lucca, die ze op het laatste moment niet had willen bezoeken. Op een goede dag zou ze erheen gaan. Misschien zou ze er samen met haar geliefde naartoe gaan. In haar fantasie zat ze in een auto, die de bocht naderde waar ze uit de bus was gestapt, tussen het olijvenbos en de helling met cipressen. Ze kon niet verder zien dan de kromming van de weg, en ze kon zich evenmin naar opzij draaien om te zien wie er achter het stuur zat. Ze antwoordde haar cynische vriend dat al zijn leegte niets was zonder alles wat eromheen was, of het nu om uienrokken dan wel om tempelbinnenplaatsen ging. Dat die verschrikkelijke leegte niets anders was dan een opening naar datgene waarvan je geen weet kon hebben. Hij keek haar landerig aan en legde zijn hoofd achterover terwijl hij een slok van zijn bier nam, maar zelf vond ze het lang niet zo'n gek antwoord. Misschien was ze niets anders dan een omlijsting rond de geheime holle ruimte, waar iets onbekends op een goede dag zijn gezicht zou laten zien.

De telefoon bleef maar doorrinkelen. Misschien was het Otto... Met een schok kwam ze overeind, sprong het bed uit en holde naakt de gang op en de trap af, met twee treden tegelijk, zodat ze bijna struikelde. Misschien had hij geraden dat ze bij haar moeder was ingetrokken. Dat was niet zo moeilijk te raden. Wie zou er anders naar Else bellen? Iedereen wist dat die in haar vakantie naar haar zomerhuisje ging en daar tot de laatste dag bleef. Misschien had hij spijt van de brute manier waarop hij haar aan de kant had gezet. Misschien speet het hem überhaupt... Ze verbood zichzelf de gedachte af te maken. Maar ze moesten toch samen kunnen praten? Ondanks alles hadden ze toch zeker twee jaar samengewoond.

Terwijl ze door het huis spurtte, dacht ze aan zijn lome stem. Ze kon hem al horen, misschien zou hij voorstellen dat ze elkaar ergens zagen om het uit te praten. Opnieuw voelde ze zich overweldigd door het gemis. Ze had gedacht dat ze bij elkaar hoorden. Hij was nog steeds de eerste die haar dat gevoel had bezorgd, of hij haar nu wilde hebben of niet. Ze had gevoeld dat hij haar zag zoals ze was, en ze had er niet langer van gedroomd een ander te zijn dan degene die hij in het oog had gekregen. Zijn harde, blauwe ogen waren helemaal tot in haar binnenste doorgedrongen, en het was daar niet leeg geweest. Ze was er voortdurend geweest, onzichtbaar in het donker daarbinnen, net als toen ze zich in Elses en Giorgio's klerenkast verstopte en door het lichtpuntje van het sleutelgat gluurde, tot het lichtpuntje gedoofd werd omdat hij had geraden waar ze zat. Een seconde later werd de deur met een huiveringwekkend gekraak opengerukt zodat het licht en zijn vrolijke blik tegelijkertijd op haar vielen, en schrok ze hevig, alsof ze zijn handen al voelde die haar onder haar armen pakten en haar optilden, de kast uit.

Ze trachtte haar ademhaling te temperen voordat ze opnam. Het was Harry Wiener. Stoorde hij haar midden onder de ochtendgymnastiek? Ze zei dat ze in de tuin was geweest toen ze de telefoon hoorde gaan. Ze kon horen hoe hij glimlachte terwijl hij tegen haar sprak met zijn ouderwetse, goed articulerende stem. Had ze het script ontvangen? Ja, merci... Ze dacht aan het in rood karton gebonden script, dat op de vloer naast haar bed lag. Ze had het nog niet geopend, ze had zich niet kunnen concentreren. Telkens wanneer ze het oppakte, moest ze aan Otto denken en hoe hij net had gedaan of hij jaloers was, waarschijnlijk om het gemakkelijker te maken voor zichzelf.

Ze moest denken aan zijn stilzwijgen in het zwembad en haar eigen onrust over het feit dat ze hem niet had verteld dat Harry Wiener na afloop van de voorstelling naar de kleedkamer was gekomen om haar de hemel in te prijzen voor de grootse manier waarop ze zich had ingeleefd in haar rol. Zou alles anders zijn uitgepakt als ze hem wakker had gemaakt toen ze thuiskwam, en als ze verslag had uitgebracht over de mislukte inspanningen van de Zigeunerkoning? Was er helemaal geen onbekende mulattin ergens op de achtergrond, zoals Miriam haar had laten denken? Dacht Otto heus dat ze iets met die oude theatergoeroe had? Dat ze door de knieën was gegaan voor zijn mohairen jas en zijn springerige, zilvergrijze lokken? Had ze het zelf allemaal verprutst?

Het duurde weliswaar nog een paar maanden voordat de repetities begonnen, zei Harry Wiener, maar hij had de gewoonte de acteurs geruime tijd van tevoren te zien, zodat ze wat konden babbelen over het een en ander. Het zag ernaar uit dat hij zijn vrijmoedige vraag, toen hij haar naar huis bracht, was vergeten. Of hij haar een zoen mocht geven. Wat vond ze trouwens van de rol? Ze begon te zweten. Het was moeilijk om daar door de telefoon over te spreken. Precies, antwoordde de Zigeunerkoning met nog een onzichtbaar glimlachje. Dat was de reden van dit telefoontje. Dat wil zeggen, hij wilde voorstellen dat ze samen een kopje thee dronken. Lucca had opeens de indruk dat hij een tikkeltje verward klonk onder de zelfverzekerde, gecultiveerde vernis. Misschien had hij dan toch niet helemaal kunnen verdringen hoe hij zich had gecompromitteerd. Had ze plannen voor de middag? Lucca zei dat ze even in haar agenda moest kijken.

Ze stond een poosje met de horen in haar hand en bekeek zichzelf van top tot teen. Ze had kleur gekregen, de mahoniebruine kleur hield op langs een boog tussen haar heupen en haar schoot, waar haar eigen lichtere kleur onder de pluk krullende haren verdween. Ze nam de horen weer op. Nee, er stond niets op het program. Ja maar, wat zei ze dan van vijf uur? Bedankt, zei ze. Híj bedankte. Voor de rol, voegde ze eraan toe. Die was al heel lang van jou, antwoordde hij. Dat was een vreemd antwoord, dacht ze toen ze de horen op het toestel had gelegd. Ze stond op het punt hem weer op te nemen en Otto's nummer in te toetsen, net als al die andere keren dat ze was bezweken voor de aandrang om zijn stem te horen, ongeacht wat die tegen haar te zeggen zou hebben, om te horen dat hij nog steeds bestond. Ze zette koffie en nam die mee naar boven, trok een T-shirt over haar hoofd en nestelde zich in bed met het rode script.

Het grootste gedeelte van de week had ze in bed of in de tuin doorgebracht, ze had geen zin gehad om iemand te zien. Al huilend had ze liggen staren naar het gras, naar de wolken en naar de streep zonlicht die in de loop van de dag over haar wand trok. Als ze niet in de tuin was, hield ze zich in haar kamer op. Wanneer ze door de kamer op de benedenverdieping liep, leken Elses meubels en spullen stille getuigen, die er alleen maar op wachtten om over haar te roddelen. Maar waarover hadden ze moeten roddelen als ze dat konden? Haar huilbuien? Haar starre onbeweeglijkheid alsof ze lag te wachten tot er iemand zou komen en haar zou vinden?

Een week lang had ze niets anders dan noedels en diepvriespizza's gegeten. Ze was afgevallen, ze had de riem van haar spijkerbroek twee gaatjes moeten verzetten. Van de losse knot in haar nek hingen de haren slap en vettig neer, ze had zichzelf er niet toe kunnen krijgen het te wassen, en op haar voorhoofd en kin zaten puistjes. Ze had sinds haar veertiende geen puistjes meer gehad, en toen ze ze uitdrukte, lieten ze grote, lichtrode bulten achter. Al met al zag ze er niet erg fraai uit toen ze wegfietste, gekleed in Elses oude Færøse trui en met het script in een plastic tasje op de bagagedrager. Maar ze zag eruit zoals het moest, dacht ze, toen ze zichzelf in de spiegel zag op weg door de hal. Ze hoefde op niemand indruk te maken en zeker niet op de Zigeunerkoning. Nu moest maar blijken of ze haar rol werkelijk had verdiend.

De dag nadat ze een taxi naar Miriam had genomen met haar spullen, had ze haar fiets bij Otto's huis opgehaald. Ze stond een tijdlang op de hoek tegenover het Egyptische restaurant alvorens de stoute schoenen aan te trekken, bang dat hij opeens zou opduiken en tevens hopend dat hij dat zou doen. De straat kwam haar opeens als een vreemde, vijandige plek voor, diezelfde straat waar ze de avond ervoor doorheen was gefietst toen ze van het zwembad kwamen. Ze had naar de gele avondhemel tussen de gevels gekeken en zich thuis gevoeld. Dat was al verleden tijd, een ander leven. Meer kwam er niet bij kijken, een enkele repliek volstond. Het lijkt me het beste dat we hier stoppen... Ze wist dat ze hem niet terug zou krijgen, maar kon niettemin geen voet verzetten. Het was alsof je op de rand van een afgrond stond, wel wetend dat je met de volgende stap de mist inging.

Zo had Daniël zich vermoedelijk gevoeld toen ze twee jaar ervoor in zijn woning naar de regen stond te kijken terwijl ze zei waar het op stond. Die kromme, kippige Daniël. Hij had naar zijn zwarte en witte toetsen zitten staren, alsof die hem konden vertellen wat voor muziek er nu gespeeld moest worden. Maar daar was hij blijkbaar achtergekomen, want op een avond liep ze hem tegen het lijf in een bar, parmantig en in het zwart gekleed als een echte kunstenaar en in gezelschap van een zwaarboezemige dame. Lucca vroeg zich af of ze wel echt waren, die prachttieten van zijn aanhalige muze. Ze moest glimlachen bij de gedachte aan Daniëls trieste tronie. Je kwam eroverheen, dat wist ze best, maar ze had geen zin om het te weten. Wie werd het volgende nummer in de rij? Wat voor een gezicht zou ze nu gaan zoenen terwijl ze fantaseerde over wat er schuilging achter die vreemde ogen? Een willekeurig prettig gezicht met een onzichtbaar nummer op het voorhoofd. Op de adventskalender van de volwassenen werd het blijkbaar nooit kerstmis.

Ze dacht aan Else, die zich had verschanst achter haar werk en haar vriendinnen omdat er andere dingen in het leven waren dan liefde, zoals ze zei. Het probleem was alleen dat ze zich pas voor die andere dingen was gaan interesseren toen de liefde op was. Die andere dingen in het leven, was dat iets anders dan een surrogaat? Op een avond had ze haar met een rare stem gebeld en gezegd dat ze nu alle pillen uit het medicijnkastje haalde. Toen Lucca bij de villa kwam, had ze zich niet met pillen gevuld, maar met Ivans whisky. Hij was naar New York gegaan met een meisje van drieëntwintig. Ook hij had gezegd waar het op stond. Nee, niet helemaal. Hij had gezegd dat hij zich onvoldaan voelde, vertelde Else met mondhoeken die trilden van gekwetste trots en ingehouden tranen. Hij had gezegd dat ze uit elkaar waren gegleden, hoewel hij eigenlijk misschien had willen zeggen dat zijn vriendin een krappere kut had.

Lucca zat met het hoofd van haar huilende moeder op schoot en streelde haar haren. Er was nu minder reden dan ooit om haar te vertellen wat ze had kunnen vertellen. Else had er zelf naar kunnen vragen. De gedachte moest op zijn minst bij haar opgekomen zijn dat er zich iets in die geest kon hebben afgespeeld. Zeker nu Ivan aan de loop was gegaan met een meisje dat van haar dochters leeftijd was. Ook zij moest Ivans discrete blikken op Lucca's lange benen hebben opgemerkt. Maar ze stelde geen vragen. Arme ouwe, slappe kut, mompelde Lucca. Elses huilen sloeg om in een hol, rasperig gelach. De dag erna bestelde ze een verhuiswagen en liet Ivans meubels naar de vuilnisbelt rijden. Hij tekende niet eens protest aan.

De hemel was blauw en hard geworden, en de zon stak in de plassen na de stortregen van die nacht. Het water spoot om de spaken van de wielen, er stond een fikse wind, en de lucht was onrustig met wervelende stofvlokken en flitsende reflecties, zodat je de indruk kreeg dat de wind het licht zo deed flikkeren in alles wat bewoog. Al fietsend door de stad dacht Lucca aan de jaren die waren verstreken sinds haar reis naar Florence. De jaren voordat ze Otto ontmoette en ze geloofde dat er eindelijk iemand was die haar doorgrondde tot waar ze zelf niet bij kon. Ze moest denken aan de mannen die ze had gekend, en ze herinnerde zich haar aarzeling, altijd dezelfde, telkens wanneer ze op het punt stond zich over te geven en ze in een vluchtige seconde de afloop al voorzag van het verhaal dat aan het beginnen was.

Telkens was er zo'n seconde geweest, terwijl alles nog slechts uit omcirkelende bewegingen en veelbetekenende blikken bestond. Een losse seconde, waarin het altijd zo belachelijk en riskant aandeed, dit blindemannetje spelen met inzet van lijf en leden. Maar dan had ze schielijk haar ogen gesloten en hen gezoend, verrast over haar eigen haast. Haastig had ze hen gezoend, voordat ze zich al te zeer zou gaan verwonderen. IJlings had ze zich aan een nieuwe start gewaagd, want het had geen zin om te aarzelen. Telkens opnieuw moest er iets van start gaan, iets wat op een goede dag tot iets anders en tot meer zou kunnen uitgroeien, en ze was keer op keer van start gegaan, soms voor de grap, andere keren met de geheime bedoeling het geluk aan de tand te voelen.

Maar al te gauw was het niets anders geweest dan twee lichamen in een kamer die de voorhanden replieken te berde brachten tussen de voorhanden meubels, met uitzicht op de voorhanden straten en dagen. Telkens weer het oude liedje. Dezelfde lichte vermoeidheid bij dezelfde lieve woordjes. Dezelfde opwinding, dezelfde korte, duizelingwekkende val van de zo langzamerhand niet meer zo eenzame pieken der begeerte. Een tijdje was het weer wild en spannend om een rendez-vous te hebben met een vreemde man op een afgesproken, vreemde plek en je op nieuwe, drieste manieren te laten pakken, gillend en schreeuwend, met loshangend haar. Maar doorgaans kregen ze het een beetje te druk met toekomstbabbels, of anders kregen ze het opeens te druk voor nieuwe afspraken als zijzelf iets over morgen of volgend jaar had gezegd. Sommigen van hen waren getrouwd en droomden van een echtscheiding, terwijl anderen er niet over prakkiseerden om te scheiden, ook al verveelden ze zich dood met hun wederhelften. Verder had je degenen die niet getrouwd waren en die bij de gedachte alleen al door claustrofobie werden bevangen, en tenslotte had je degenen die pas gescheiden waren en die tijd nodig hadden, zoals ze zeiden. Alsof ze iets anders hadden.

Toen ze Daniël ontmoette, was ze helemaal niet op de zoveelste liefdesaffaire uit. Kort daarvoor had ze een filmfotograaf laten schieten die juist zijn vrouw had verlaten, in de overtuiging dat hij samen met Lucca een totaal nieuw en andersoortig leven zou beginnen. Tegelijkertijd was ze verliefd op een jurist die beslist niet van plan was zijn vrouw te verlaten, maar die haar desalniettemin met tussenpozen van weken en maanden opbelde om haar naar een of ander hotel te ontbieden. Ze wist dat het uitzichtloos was, maar ze dook elke keer weer op hoewel Miriam haar verweet dat ze zich liet uitbuiten, zoals ze zei. Hij had zonder dat ze het wist zijn oog op haar laten vallen. Listig en discreet had hij weten te achterhalen wie ze was, wat ze deed en waar ze woonde. Hij had haar van verre in de gaten gehouden totdat hij zich op een dag eindelijk kenbaar maakte met een korte, anonieme brief, waarin hij voorstelde dat ze elkaar in een café zouden ontmoeten. Ze gaf toe aan haar nieuwsgierigheid en ging erheen. Het moment dat ze het café binnenstapte zonder te weten wie ze zou ontmoeten, was misschien het meest intense in hun hele relatie.

Ze deed hem wat, had hij gezegd. Dat was de krachtigste uiting van zijn gevoelens. Ze was zo ongeveer bezeten geweest, zei ze later tegen Miriam, door het merkwaardige vermogen dat hij had om van gedaante te verwisselene. Wanneer ze elkaar zagen in een restaurant, was hij de koele, in een chic pak gestoken, arrogante jurist, maar zodra ze in de hotelkamer waren, veranderde hij in een schuimbekkend beest dat zich met een plotselinge en gewelddadige woede op haar stortte. Hij bond altijd een doek voor haar ogen wanneer ze zich had uitgekleed. Dat was de manier waarop hij haar wilde hebben. Ze zag hem nooit naakt, en dat fascineerde haar, wanneer ze geblinddoekt op het hotelbed lag, prijsgegeven aan zijn blik en zijn woestheid.

Na een halfjaar hield hij op met bellen, en elke keer wanneer ze zelf naar zijn kantoor belde, zei de secretaresse dat hij in bespreking zat. Lucca verwonderde zich over die uitdrukking, maar besprekingen waren kennelijk dingen waarin je vast kon komen te zitten. Ze wachtte weken achtereen, totdat ze hem op een dag toevallig op straat passeerde op het moment dat hij uit een restaurant kwam samen met een ander apenpak. Haar minnaar blikte haar leeg in de ogen toen hij voorbijliep, alsof ze elkaar nog nooit eerder hadden gezien. Ze was er kapot van, totdat Miriam haar op een avond vroeg of het denkbaar was dat ze alleen maar verliefd op hem was omdat ze hem niet kon krijgen.

Daniël ontmoette ze op een feestje. Miriam had haar erheen gesleept, ze kende niemand van de anderen. Daniël en zij stapten tegelijkertijd op, ze liepen samen door de stad. Hij had het aan één stuk door over twaalftoonsmuziek, zoals hij dat ook had gedaan terwijl ze in de keuken zaten omdat ze geen van beiden zin hadden om te dansen. Hij was wijs, maar ook erg kuis, en ze raakte onder de indruk van zijn wereldvreemde reinheid en zijn gepassioneerde gezicht. Ze merkte dat hij er geen benul van had hoe het verder moest, hoe hij zogezegd de daad bij het woord moest voegen. Toen hij even zijn mond hield, gaf ze hem een zoen en vroeg waar hij woonde. Hij raakte zonder voorbehoud verliefd op haar, en zijn oprechtheid zorgde ervoor dat ze zich erg verdorven voelde, terwijl ze zich samen met de jurist als een ontvoerde maagd voelde, weerloos tegenover diens razende driften. Een tijdlang genoot ze zelfs van haar eigen cynisme, wanneer ze rechtstreeks van een rendez-vous met de jurist naar Daniëls troosteloze buitenwijk ging en op zijn bed thee zat te drinken uit de porseleinen kopjes van zijn grootmoeder terwijl hij zijn merkwaardige muziek speelde. Daar zat hij achter zijn vleugel zonder te vermoeden waar ze vandaan kwam, en haar geheim bewerkstelligde dat ze zich op een verraderlijke, ontheemde manier vrij voelde. Als een dubbelspionne, die in vermomming grenzen passeert, zodat niemand weet wie ze in werkelijkheid is en zijzelf tenslotte ook aan het twijfelen slaat.

Misschien had Miriam gelijk, misschien was haar verliefdheid op de jurist een illusie, die ze uitsluitend in stand kon houden omdat de affaire nooit deel uitmaakte van de werkelijkheid buiten de anonieme hotelkamers. Op Daniël, die haar maar wat graag wilde hebben, was ze echter niet verliefd. Ze was alleen maar gefascineerd, en het fascineerde haar vooral om zich heen en weer te bewegen tussen die twee mannen, die niets van elkaars bestaan afwisten, tussen de rol van offerlam der driften en de rol van trouweloze, gevallen vrouw. Totdat ze Otto ontmoette en ze eindelijk het gevoel had dat al haar maskers van haar afvielen.

Terwijl ze naar haar afspraak met Harry Wiener fietste, moest ze denken aan iets wat ze zich vaak had voorgesteld toen ze nog bij Otto was. Op een dag, lang voordat ze elkaar waren tegengekomen, was ze misschien langs hem gefietst, misschien had ze hem zelfs een seconde aangekeken om hem een ogenblik later weer te vergeten. Meteen vreesde ze dat hij over een zebrapad zou komen aanlopen met zijn arm rond de taille van Miriams fameuze mulattin, die al meer dan een week in haar gekwelde fantasie had rondgespookt. Ze maakte een omweg om de straten te vermijden waar ze hem eventueel kon tegenkomen, en dat bracht haar op de gedachte dat ze zo dadelijk misschien zonder het te weten de man passeerde die in staat zou zijn om van haar te houden. Ergens moest hij toch bestaan, maar misschien hadden ze elkaars pad al gekruist. Ze dacht aan Else, die vermoedelijk in de zon lag in een van de ligstoelen met schimmelige bekleding, rood als een kreeft, met gesloten ogen en afhangende mondhoeken.

Het was weer bewolkt aan het worden. De wind duwde de grijze, rafelige wolken zo snel over de stad dat de daken afwisselend verlicht en verduisterd werden in deiningen van schaduw. Aan de ene kant zag ze het gebogen zinken dak van de Koninklijke Schouwburg, aan de andere kant de vergulde, uivormige koepels van de Russische kerk, en daarachter opende de haven zich, beurtelings blauw en grijs naargelang de bewegingen die de schaduwen maakten. De hemel was al leigrijs achter de verlaten kranen van de marinewerf en de brede, trommelvormige tanks op het benzine-eiland een eind verderop. Als ze zich helemaal over de balustrade boog, kon ze de straat zien liggen, een horizontale balk bevolkt door pissebedden en mieren, die in het vogelperspectief op hun achterste pootjes liepen.

Pas op, hoor, zei Harry Wiener toen hij het balkon opkwam met een theepot en met kopjes op een dienblad. De suikerpot ontbrak, en hij ging meteen weer naar binnen. Terwijl ze stond te wachten, werd het wolkendek doorkliefd door een eerste bliksemschicht ter hoogte van de luchthaven. Dit wordt een grandioze voorstelling, zei hij met een knusse glimlach toen hij terugkwam met de suikerpot in zijn ene en een script in zijn andere hand. Hij boog zijn hoofd ietsje voorover en bekeek de donderwolk over de leesbril op het uiterste puntje van zijn kromme, gebruinde neus heen. Zijn geruite overhemd hing half uit zijn broek, de lange, grijze lokken stonden als vleugels rond zijn oren, en hij had blote voeten in de afgetrapte espadrilles.

Kennelijk was hij vergeten dat ze zou komen, toen hij de deur opende en haar verward aankeek alsof hij er geen idee van had wie ze was. Hij gaf het zelf dadelijk toe en excuseerde zich beleefd. Hij was in slaap gevallen op de bank. Dat stemde haar rustiger, toen ze de langwerpige kamer binnenstapte, de enige van de woning naast de eetkeuken en de slaapkamer waarvan ze een glimpje opving voordat hij de schuifdeur dichtdeed. Een glazen deur tussen twee panoramavensters leidde naar het balkon, de drie andere wanden waren van vloer tot plafond met boekenkasten bekleed. De flat was kleiner dan ze zich had voorgesteld, intiemer, ingericht met door meubelmakers vervaardigde stoelen uit de jaren vijftig met versleten, beige leren bekleding, verkleurde kelimtapijten en de onvermijdelijke Poul Henningsen-lampen.

Toen ze in de lift wat verloren in de smalle spiegel stond te staren, had ze er spijt van dat ze niets aan haar uiterlijk had gedaan. Ze kon niet uitmaken of ze op een verzopen kat leek of op iets wat de kat naar binnen had gesleept, zoals Else over zichzelf placht te zeggen wanneer ze voor de spiegel in de hal stond. Misschien leek ze op iets ertussenin. Een halfverzopen kat die zich naar de beruchte, vreeswekkende Zigeunerkoning toe sleepte. Ze was opeens zenuwachtig. In haar melancholieke toestand was ze vergeten wat het voor haar betekende dat ze op de thee ging bij Harry Wiener. Ze was vergeten zich erop te verheugen of het te vrezen, en toen ze met het dekbed om zich heen in haar bed *De vader* zat te lezen, vergat ze ook waarom ze het stuk eigenlijk las, volledig in beslag genomen door het verhaal. Pas in de lift drong het tot haar door dat het betreden van de bovenste verdieping ook een beslissende stap in haar carrière zou worden. Dat woord had haar anders altijd ironisch doen glimlachen.

Harry Wiener schonk thee in de kopjes en vroeg of ze suiker gebruikte. Nee merci, antwoordde ze beleefd, maar een beetje melk misschien. Met een overdreven gebaar gaf hij een tikje tegen zijn voorhoofd en stond weer op. Het geeft niet, zei ze schielijk. Hij bleef stilstaan en keek haar over zijn leesbril heen aan. Waarom zei ze dat, wanneer ze zojuist had gezegd dat ze graag melk in haar thee wilde? Terwijl hij dat zei, glimlachte hij vriendelijk, en ze moest zelf ook glimlachen. Als je melk wilt, zul je het krijgen ook, zei hij, en ging naar binnen. Ze keek naar zijn script, het was al beduimeld en zat onder de ezelsoren hoewel het nog verscheidene maanden duurde voordat de repetities zouden beginnen.

Hij was in staat haar op haar gemak te stellen, ze wist niet hoe, en ze kon er maar niet bij dat dit dezelfde gevreesde en bewonderde Harry Wiener was over wie ze zoveel verhalen had gehoord. Dezelfde Harry Wiener die het in zijn Mercedes met haar had willen aanleggen. Zo, nu is alles denkelijk voor de bakker, zei hij terwijl hij een zilveren kannetje naast haar kopje zette. Het had er werkelijk alle schijn van dat hij die hele avond was vergeten, maar ze was niettemin blij dat ze Elses Færøse trui had aangetrokken. Het was ook koel geworden. Zwijgend zaten ze te luisteren naar het verre gebulder en te kijken naar de violette flitsen en de witte bliksemschichten boven de haven. Lucca wist niet wat ze zeggen moest, en ze verwonderde zich erover dat het helemaal niet pijnlijk was dat ze daar in hun bamboestoel zaten te zwijgen. Harry Wiener slurpte bij het drinken.

Dat verraste haar, gezien het feit dat hij voor het overige zo gecultiveerd was. Hij was in zijn eigen huis, en ze geloofde bijna dat hij haar was vergeten.

Ik heb mijn vrouw vandaag opgezocht, zei hij plotseling met gedempte stem. Ze ligt in het ziekenhuis, voegde hij eraan toe. Lucca keek hem afwachtend aan. Hij keek uit over de haven. Ik hoop dat ze wakker is, zei hij. Ze is dol op onweer... Hij stak een sigaret op. Ze ligt op sterven, vervolgde hij. Lucca keek naar het script in haar schoot. Er waren uitzaaiingen, voegde hij eraan toe, er is niets aan te doen. Lucca zei dat het haar speet. Hij keek haar aan. Hij had dit niet verteld om een beroep op haar medegevoel te doen. Hij vond gewoon dat ze het moest weten nu ze zouden samenwerken. Voor het geval dat hij af en toe een verstrooide indruk maakte. Hij bekeek haar even voordat hij doorging. Ze heeft me verzocht het huis te verkopen. Hij was anders niet van plan geweest het te verkopen voordat ze overleden was. Het was een huis ten noorden van de stad, hij was er in geen maanden geweest. Ja, het is vreemd, zei hij alsof hij antwoord gaf op iets wat ze had gevraagd. Hij keek even naar zijn sigaret. Maar wat vond ze van het stuk? Nu was het blijkbaar welletjes.

Ze aarzelde even en zei toen dat Strindberg het moeilijk moest hebben gehad met vrouwen. Hij glimlachte, maar niet laatdunkend. Reken maar, maar het was niet waar wat ze zeiden, dat hij ze haatte. Er was eerder sprake van een speciaal, kwaadaardig geval van ongelukkige liefde, glimlachte hij. Strindberg was een in de steek gelaten kind, iemand die als volwassene de moederschoot vervloekte waaruit hij was verbannen. Alle kunstenaars waren overigens in de steek gelaten kinderen. Hij keek haar aan. 'De moeder was je vriend, maar de vrouw was je vijand...' zei hij langzaam, als om elk woord te onderstrepen. Hij glimlachte opnieuw. Verdomd banaal, maar zo was het nu een keer. Daarom was de ritmeester zo in de ban van het moederschap. En daarom, zei Harry Wiener, gaat hij te gronde, omdat hij niet zeker weet of hij je vader is.

Lucca kreeg een schok. Ze was helemaal vergeten dat ze hier alleen maar op zijn balkon zat omdat ze de dochter van de ritmeester moest spelen. Harry Wiener nam een slokje thee. Ditmaal slurpte hij niet. De twijfel aan het vaderschap was voor de onderdrukte vrouw de enig mogelijke wraak in een patriarchale wereld, zei hij, zijn kopje neerzettend. Maar dat was niet de enige reden waarom de ritmeester leed. Hij leed ook omdat het leven en het vermogen om dat door te geven in Strindbergs wereld uitsluitend aan de vrouwen toebehoorden. Waarom denk je dat hij Shylock parafraseert? vroeg hij. Heel even was ze vergeten wie Shylock was, maar hij wachtte haar antwoord niet af.

Heeft een man geen ogen? Hij boog zich voorover in de stoel zodat het bamboe kraakte terwijl hij zijn handen uitstak in een vragend gebaar. Wordt hij niet verwarmd en afgekoeld door dezelfde winter en zomer als een vrouw? Bloeden we niet als jullie ons steken? Raken we niet buiten adem als jullie ons kietelen? Hij liet zijn handen in zijn schoot vallen en leunde achterover. Shylock moest met argumenten zijn menselijkheid aantonen omdat hij jood was, en de ritmeester moest hetzelfde doen. Je kon zelfs zeggen dat voor Strindberg de mannen de joden van de biologie waren, rondwarende daklozen. Midden in de maneschijn... voegde hij er zacht aan toe, haar blik vasthoudend, ... aan alle kanten door ruïnes omringd.

Er viel een druppel op de balkonvloer, toen nog een. Het volgende moment was het hele balkon bedekt met regendruppels. Het verguldsel op de uivormige koepels van de Russische kerk zond een raadselachtig licht uit tegen de achtergrond van de donkergrijze hemel. Harry Wiener stond op en nam het dienblad, zij droeg de kopjes naar binnen, hij liet haar voorgaan. Zij ging op de bank zitten, hij nam plaats in een leunstoel. De lage lampen in de hoeken van de kamer hulden hen in een warm, gedempt schijnsel. Het uitzicht vervaagde al in de regennevel. Hij had de balkondeur open laten staan, en Lucca voelde de regen als koele vlagen in de warme, vochtige lucht.

Terwijl het onweer over de stad rolde, informeerde hij naar de rollen die ze had gespeeld. Hij vroeg hoe ze die had vertolkt. Hij luisterde naar haar met dezelfde intense aandacht als een paar weken tevoren in de kleedkamer, na afloop van de voorstelling. Terwijl ze met een mond vol tanden had gestaan toen ze kwam, voelde ze nu opeens dat ze een heleboel te zeggen had. Ze hoorde zichzelf gedachten verwoorden die ze nog nooit tegen iemand had uitgesproken. Ze vertelde hoe ze al werkend aan de rollen het gevoel had gekregen dat de kern van haar persoonlijkheid een holle ruimte was, waar ze een willekeurig persoon kon zijn, en hoe dat gevoel haar soms beangstigde en haar andere keren overweldigde met zijn vrijheid. Harry Wiener glimlachte, een beetje weemoedig, vond ze. Ja, zei hij, we zijn van elkaar gescheiden, maar zo verschillend zijn we nu ook weer niet. Dat is de reden waarom we elkaar zowel begrijpen als verkeerd begrijpen.

Opnieuw zaten ze zwijgend uit te kijken over de witte damp van regen boven de glinsterende daken. Hij raadpleegde zijn horloge, waarna het leek alsof er een betovering werd verbroken toen hij opstond en zei dat hij haar moest verzoeken om op te stappen. Het imponeerde haar hoe rechtstreeks hij kon zijn zonder onbeleefd over te komen. Misschien was het gewoon omdat hij eraan gewend was zijn zin te krijgen. Hij had zo meteen een afspraak met een jonge dramaturg, ze zouden zijn manuscript bespreken. Maar ze kende hem misschien wel? Hij moest zo ongeveer van haar leeftijd zijn, ietsje ouder misschien. Andreas Bark heette hij. Veelbelovend, een van de zeer grote talenten. Ze had van hem gehoord. Was ze met de auto? Ze zei dat ze met de fiets was. Ja maar dan moesten ze een taxi zien te bellen. Hij zou uiteraard betalen. Ze zei dat dat te veel van het goede was. Begin je nu alweer? glimlachte hij, haar een briefje van honderd kroon overhandigend. Hij wilde beslist niet dat ze uit pure bescheidenheid een kou opliep. Er werd aangebeld terwijl hij bij de telefoon stond. Hij gebaarde haar dat ze op de knop van de intercom moest drukken. Even later kwam hij de hal in en drukte haar de hand. Tot het najaar, zei hij, de deur achter haar dichtdoend. Ze liep naar beneden langs de trap, die zich om het traliewerk van de liftschacht kronkelde. Toen ze een verdieping lager was, passeerde de lift haar. Door de ruit in de deur zag ze een donkere, met de rug naar haar toegekeerde gedaante voorbij glijden.

DEEL III

Tot dan toe was het een ellendige zomer geweest. Elke keer als je dacht dat de warmte eindelijk was gekomen, begon het weer te regenen en te waaien. Het was dus toch niet zo'n gek idee geweest dat Monica en Jan al in april een reis naar Lanzarote hadden besteld, maar Robert was nog steeds teleurgesteld omdat hij in zijn vakantie niet samen met Lea zou zijn. Wanneer ze bij hem op bezoek was, had ze het er niet over, zelfs niet toen de grote vakantie in aantocht was. Hij verdacht haar ervan het onderwerp te vermijden om hem te ontzien. Dat stemde hem neerslachtiger dan hij werd bij de gedachte dat ze er niet zou zijn. Wanneer ze op bezoek was, werkten ze samen in de kruidentuin, en op een zondagmiddag, toen de zon eindelijk een keer scheen en de temperatuur tot een draaglijk zomerminimum steeg, gingen ze naar het strand om te zwemmen.

Het water was ijskoud, vandaar dat hij volstond met een enkele duik. Lea was een goede zwemster geworden. Huiverend stond hij aan het strand toe te zien hoe zij met zelfverzekerde, regelmatige slagen langs de zandbank crawlde. Ze zwom naar een van de stelnetstokken toe die in een rechte rij loodrecht op het strand stonden en een verbroken perspectief vormden tegen de kalme vlakken van de zee en de hemel. Terwijl ze met haar ene hand de stok vasthield en met de andere naar hem wuifde, voelde hij zich gelukkig en treurig tegelijk, en toen ze het water uitkwam en hem tegemoet waadde, lang en glanzend in haar zwempak, begreep hij waarom. Binnenkort zou hij afscheid van haar moeten nemen, niet omdat ze zoals gewoonlijk met de trein terug naar haar moeder moest, maar omdat ze haar moeder en haar vader niet langer nodig zou hebben. Het was maar een kwestie van een paar jaar eer ze haar eigen leven zou gaan leiden. Ze zouden elkaar nog steeds zien, maar ze zou iemand zijn die op bezoek kwam. Het zou niet meer haar tweede thuis zijn, zo het dat ooit was geworden, dat iets te grote huis van hem in de villawijk aan de rand van de stille provinciestad, waar hij na de echtscheiding was beland, bij toeval, scheen het hem nu toe.

Als er gedurende de afgelopen vele jaren iets zinvols in zijn leven was geweest, dan was het dit meisje, dat wadend door het koude water op hem afkwam, terwijl ze haar ogen droogde met haar knokkels en haar mondhoeken liet zakken in een komische, klaaglijke grimas. Zij had alles zinvol gemaakt, in vergelijking met haar was de rest bleek en verward geworden. Hij stond haar op te wachten met haar handdoek, legde die om haar heen en wreef ermee over haar rug. Ze hield hem plagerig voor dat hij alleen maar had durven pootjebaden en pakte wijsneuzig de losse huid bij zijn heupen beet. Moest hij niet hoognodig iets aan die handvaten gaan doen? Hij deed een greep naar haar om haar te kietelen. Ze sprong van hem vandaan en zette het op een lopen. Hij holde achter haar aan, maar ze had te lange benen gekregen om zich zomaar te laten inhalen. Plotseling werd hij een stekende pijn in zijn ene voet gewaar op het moment dat hij omrolde. Hij hoorde haar lachen. Ze kon niet tot in lengte van dagen de zin van zijn leven zijn, weldra zou ze genoeg met haar eigen leven te stellen krijgen.

Zijn hiel bloedde, en hij ontwaarde een halfvergane plank met een gebogen, roestige spijker. Een zijspoor, dacht hij, terwijl ze op hem toe kwam gelopen. Hij had zichzelf op een zijspoor gemanoeuvreerd. Hij dacht aan het stille huis, waar hij het hele jaar door elke avond naar muziek zat te luisteren wanneer zijn werk in het ziekenhuis was afgelopen. Zou het vanavond Brahms of Bruckner worden wanneer hij Lea naar het station had gebracht, of Bartók voor de verandering? Ze ondersteunde hem terwijl ze naar de auto teruggliepen. Hij vroeg haar het EHBO-trommeltje uit de kofferbak te halen. Ze drong erop aan hem te helpen, en hij liet haar het wondje schoonmaken met jodium en demonstreerde hoe je een verband legt. Hij genoot heimelijk van haar meeleven.

Haar tas lag al in de auto, zodat ze rechtstreeks van het strand naar het station konden rijden. Hij voelde het steken en kloppen in zijn hiel. Ze zat naast hem naar de velden en de wolken te kijken. Er was onweer op til, het licht was grijs en metaalachtig boven het onrustige koren. Het werd stil tussen hen, zoals altijd voordat ze afscheid namen. De eerste druppel viel op de voorruit en het werden er algauw meer, zodat hij de ruitenwissers aan moest zetten. Toen hij halt hield voor het station, zei ze dat hij niet met haar hoefde mee te gaan. Ze bleef nog even zitten. Tot na de grote vakantie dan, zei ze. Ja, zei hij glimlachend. Pas goed op je moeder en Jan! Ze keek hem aan. Pas goed op jezelf, zei ze ernstig, waarna ze hem een zoen op zijn wang gaf. Hij keek haar na door de voorruit, terwijl ze met haar tas over haar schouder door de regen holde. Ze draaide zich om en wuifde. Hij reageerde met de koplampen. Toen was ze weg. Hij hoorde de trein naderbij komen en startte de auto weer.

Hij had Lucca elke middag voordat hij naar huis ging opgezocht, en hij had eraan gedacht zijn jasschort uit te doen voordat hij bij haar naar binnen ging, zoals ze hem had gevraagd. Wat had ze ook alweer gezegd? Het klonk als een idee-fixe. Dat ze liever helemaal niet wilde weten hoe hij eruitzag dan dat ze ermee moest volstaan te weten dat hij een jasschort aanhad. Toch vroeg ze het toen hij bij haar binnenkwam, de dag nadat hij haar zijn walkman had geleend. Ze vroeg wat hij aanhad, en hij antwoordde, ietwat verbouwereerd. Blauw overhemd, beige broek. Maar wat voor blauw? Hij moest even nadenken. Schemerblauw, antwoordde hij tenslotte, zelf verrast over de vergelijking. Schemerblauw, herhaalde ze met een glimlach. Hij had een nieuw bandje voor haar opgenomen. Hij had er aardigheid in gehad de muziekstukken uit te kiezen en hun volgorde te bepalen, en het had hem in de gelegenheid gesteld om muziek te horen die hij in geen jaren had gehoord. Ravel, Fauré, Debussy – hij bleef in de Franse hoek – en Chopin. Ze had om meer Chopin gevraagd. Hij was er het grootste gedeelte van de avond mee zoet geweest.

Hij kwam altijd op het afgesproken tijdstip, wanneer er een streep zon op haar gezicht lag die door de zonwering naar binnen drong. Wanneer het regende, deed hij het licht niet aan. Ze had hem gevraagd dat te laten, alsof het enig verschil voor haar uitmaakte. Dan lag ze in het halfduister te luisteren naar het gekletter van de druppels tegen het aluminium van de zonwering. Hij zat op een stoel naast het bed. Haar benen en armen zaten nog steeds ingekapseld in het gips, maar haar hoofd was niet langer in verbandgaas gewikkeld.

Het zag er bijna normaal uit, afgezien van de steken op het voorhoofd en de geelgroene bloeduitstortingen die aan het afnemen waren, en haar oogprothesen. Hij herkende haar van de foto's die hij in de keuken had gezien op de dag dat hij Andreas en Lauritz naar huis reed omdat het zo regende, maar ze was afgevallen, haar trekken waren hoekiger geworden.

Over Andreas en Lauritz had ze het maar zelden, en alleen indirect. Hij vroeg niet waarom ze vasthield aan haar besluit dat Andreas niet bij haar op bezoek mocht komen, maar hij merkte dat ze haar zoontje miste en dat ze leed onder haar eigen halsstarrigheid. De weken verstreken zonder dat Andreas iets van zich liet horen, maar ze vroeg niet of hij had gebeld. Robert nam aan dat hij zich nog steeds in Kopenhagen ophield, tenzij hij naar Stockholm was afgereisd om zijn geluk te beproeven met de exotische scenografe. Hij overwoog of hij Lucca zou vragen of hij contact met hem moest opnemen, maar hij kon er niet toe komen. Iets in haar stilzwijgen weerhield hem ervan. Ze was opvallend zwijgzaam over het drama dat ertoe had geleid dat ze in dronken toestand en buiten zichzelf achter het stuur was gaan zitten om aan de verkeerde kant van de snelweg naar Kopenhagen te rijden.

Ze zei niets over het leven dat ze met Andreas had geleid in het huis aan het bos, dat ze zelf van een ruïne hadden omgetoverd in een thuis dat nu op een andere manier en in bredere zin een ruïne was geworden. Het leek wel of ze had verdrongen dat ze getrouwd was en een kind had, volledig in beslag genomen als ze was door de jaren die eraan vooraf waren gegaan. Robert moest denken aan oude mensen met geheugenverlies, die niets meer afweten van hun nabije verleden maar die zich details en gebeurtenissen van vroeger herinneren die ze vergeten waren. Maar dit was geen geheugenverlies. Ze wist gewoon niet meer precies waar ze was, omgeven door geluiden en stemmen, een vervagende ruimte waar ze alleen met haar gehoor onderscheid kon maken tussen wat dichtbij en ver weg was.

Opeens was ze teruggeworpen op zichzelf, zonder de vaste greep van de ogen op de werkelijkheid, prijsgegeven aan de wijkende herinneringsbeelden. Ze leek op iemand die genoodzaakt is de geschiedenis van voren af aan te vertellen, die moet proberen te vertellen over zichzelf zoals ze ooit was geweest, onkundig van wat haar te wachten stond. Iemand die op haar schreden probeert terug te keren, zoals je doet wanneer je tijdens een wandeling iets verloren hebt en je de wandeling nog eens overdoet, met het gezicht naar de aarde gebogen. Zonder dat ze het met zoveel woorden zei, begreep hij, aanvankelijk slechts als een vaag gevoel, dat dit haar manier was om in de buurt te komen van de avond toen alles in haar leven instortte en in een plotselinge duisternis werd gehuld.

Misschien hielp het haar dat ze haar verhaal kwijt kon aan een vreemdeling, die uitsluitend de afloop kende, maar die er geen idee van had hoe het zover was gekomen. Hij wist wat ze langzaam trachtte af te bakenen, welke gebeurtenis met onweerstaanbare kracht de woorden door haar keel perste. Elke dag kwam ze een stapje dichter bij datgene wat ze nog niet in staat was te vertellen, maar ze spartelde tegen door te blijven hangen bij alle stadia in haar relaas en door zich te buiten te gaan aan kronkelige uitweidingen. Slechts via omwegen kon ze in de buurt komen van wat ze nog niet begreep. Ze nam er alle tijd voor. Haar woorden waren als haar handen, die aarzelend de voorwerpen aflazen die men haar aanreikte. Met de woorden raakte ze en passant elk gezicht in haar verhaal aan, en onderzocht ze de fysionomie van de gebeurtenissen, alsof dat haar op het spoor kon brengen van de plotselinge ommekeer, de onverwachte afgrond waarin ze was zoekgeraakt.

Ze was amper aan Andreas toegekomen, maar ze had hem nog niet eens ontmoet toen ze uit het ziekenhuis werd ontslagen en naar een revalidatiecentrum werd overgeplaatst. Een paar dagen ervoor was het gips verwijderd. Robert en een verpleegster ondersteunden haar toen ze een poging deed de eerste stappen op de vloer naast het bed te zetten. Haar lange benen leken nog langer, mager en wit na het langdurige ziekbed, met uitstekende knieschijven. Het duizelde haar en ze wankelde, zodat hij haar op moest pakken en weer in bed leggen. Ze huilde, en vroeg of ze haar alleen wilden laten. Toen hij later op de middag bij haar langskwam, lag ze met de koptelefoon op te slapen. Het bandje draaide nog. Hij boog zijn hoofd naar het hare en herkende Chopins *Nocturne nr. 4*, de kalme, maar toch ritmische akkoorden, de wonderlijk lichtzinnige melancholie. Schemerblauw, dacht hij met een glimlach, terwijl hij naar de deur sloop en die voorzichtig dichtdeed om haar niet wakker te maken.

Toen hij haar over het revalidatiecentrum vertelde, bedacht ze dat ze geen kleren had. Ze vroeg hem of hij voor haar naar het huis wilde gaan om een koffer te vullen. Hoe kon hij dat doen? Je moet inbreken, zei ze. Was dat nou wel een goed idee? Ze glimlachte, alsof ze de bezorgde uitdrukking op zijn gezicht zag. Onder een steen links van de deur lag een sleutel. De oude damesfiets was omgevallen, en er lagen plukjes zaad en stof tussen de plooien van het plastic dekzeil op de stapel cementzakken. Hij zette de fiets overeind en vond de sleutel. Toch voelde hij zich als een inbreker toen hij door de stille kamers liep waar het stof de vloeren al bedekte met een grijs, doorzichtig vlies. In de slaapkamer lag een koffer op de klerenkast, had ze gezegd, maar hij was er niet. Die had Andreas zeker meegenomen.

In de keuken vond hij een zwarte plastic zak, daarmee ging hij terug naar de slaapkamer en opende de kast. Hoewel hij alleen was en hoewel hij het deed op haar verzoek, had hij het gevoel dat hij haar heimelijk beloerde en betastte toen hij begon te selecteren uit de stapels blouses en kanten ondergoed en de hangertjes met jurken en jasjes. Hij vermeed de meest opzichtige kleuren zonder er nader bij stil te staan waarom, en bedacht toen dat ze ook schoenen nodig had. Onder de meeste schoenen zaten hoge hakken, daar moest ze voorlopig maar liever van afblijven. Hij koos een paar schoenen met halfhoge hakken en vond ook een paar joggingschoenen op de bodem van de kast.

Voor het prikbord in de keuken bleef hij staan. Opnieuw bekeek hij de foto's, waarop hij steelse blikken had geworpen toen de ongelukkige Andreas hem op een glas rode wijn had onthaald. Lucca met een overall aan, die raamkozijnen schilderde, met verfplekken op haar wang. Lucca bij de oprit in de lage zon, met het jongetje horizontaal in de lucht aan het eind van haar uitgestrekte armen, waarbij de jurk als een opengeslagen, doorgelichte waaier rond haar bruine benen wervelde. Lucca op een terrasje in Parijs, onder de platanen, koel en elegant in haar grijze, getailleerde jasje, met het haar weggekamd van het voorhoofd en met roodgeverfde, enigszins uit elkaar staande lippen, midden in een gedachte of een woord, terwijl haar ogen zijn blik leken te ontmoeten, tegelijkertijd wetend en verwonderd.

In de hal van het ziekenhuis namen ze afscheid. Ze zat in een rolstoel. Ze keerde haar gezicht naar hem toe zodat zijn witte jasschort zich spiegelde in haar donkere zonnebril. Ik heb je niet alles verteld, zei ze, haar hand uitstekend. Hij drukte die, ietwat vertraagd, omdat hij niet bedacht was op haar formele gebaar. Maar vermoedelijk was hij het ook wel beu om haar over zichzelf te horen praten. Hij zei dat hij haar zou komen opzoeken. Hij bleef haar staan nakijken toen ze door de glazen deuren naar buiten werd gereden. Terwijl de rolstoel op het platform stond en tot het niveau van de portieren van de minibus werd opgelicht, zat ze en profil met haar roodblonde haar in een paardenstaart bijeengehouden, verborgen achter de grote zonnebril, bleek en roerloos als een foto.

Het regende de hele avond. Lea had haar natte badpak in de auto laten liggen. Het was roze, haast cyclaamkleurig, maar het paste goed bij haar stevige, donkerbruine haar. Ze had zijn haar geërfd, maar ze had Monica's uitstekende, stevige kaak en energieke manier van bewegen. Hij hing het badpak te drogen aan een hangertje in de badkamer en stond een poosje het vrouwelijke voorwerp gade te slaan dat slap om zichzelf heen draaide en druppels op de tegels liet vallen. Het leek opeens haast ongelooflijk dat Lea het enige vrouwelijke wezen was dat hier over de vloer was geweest sinds die avond een klein jaar geleden toen de bibliothecaresse op zijn bank naar Mahler zat te luisteren. Ze had hem aangekeken met haar donkere ogen, erop wachtend tot hij zich naar haar toe zou buigen om een hand te leggen op een van haar uitnodigende knieën in de zwarte kousen. Op een oor na gevild. Dat was juist het probleem geweest. De voorspelbaarheid van dit alles.

Zijn voet deed zeer telkens wanneer hij erop ging staan. Hij vloekte, en hoorde opnieuw Lea's plagerige lach toen hij struikelde op het strand. Er was altijd ergens een roestige spijker wanneer je je eventjes licht en onbezorgd te moede voelde. Hij nam op het wc-deksel plaats en onderzocht de wond. Ze had er heel schuldbewust uitgezien toen ze bij hem was gekomen en zag dat hij bloedde. Alsof zij er wat aan kon doen dat hij niet uit zijn doppen kon kijken. Ze streelde hem troostend over zijn bol, en in dat gebaar ontwaarde hij nogmaals de jonge vrouw die ze heel langzaam aan het worden was. De avond ervoor had ze verteld over een jongen op school. Hij was de langste in de klas. Hij was heel anders dan de andere jongens, zei ze, volwassener. Dat woord deed hem glimlachen. De lange jongen had geen zin om te voetballen net als de anderen, en al met al was hij erg eenzelvig. Hij had bruine ogen. Ze hadden met elkaar gepraat op een dag dat ze bij de bushalte stonden te wachten, maar verder leek het erop dat hij haar helemaal niet zag staan. Ze had een brief geschreven en die tijdens de lunchpauze in zijn tas gestopt, maar hij had niet geantwoord. Robert zei dat hij vast alleen maar verlegen was, en dacht bezorgd aan alles wat ze nog door moest maken.

Hij deed een pleister op zijn hiel en strompelde naar de keuken. Er stond nog een bord cornflakes van die ochtend. Hij liet het staan. Hij hield ervan wanneer ze dit soort sporen achterliet, een badpak hier, een bord daar, een onopgemaakt bed of een stripblad tussen de kranten. De regen ritselde in het lover, en achter de sluier van druppels op het keukenraam zag hij het vervagende schijnsel van de lampen in de huiskamer van de buren. Hij bakte een omelet hoewel hij eigenlijk geen honger had. Toen hij klaar met eten was, ging hij voor de televisie zitten. Gewoonlijk keek hij niet naar de televisie, hij was de belangstelling kwijtgeraakt toen hij van Monica wegging, en hij had uitsluitend een toestel aangeschaft met het oog op Lea's bezoeken. Het idee om in je eentje tv te zitten kijken was hem net zo deprimerend voorgekomen als het idee om in je eentje te zitten drinken. Hij schonk een dubbele whisky in en strekte zijn benen uit op de bank. Hij had geen zin om muziek te horen, hij had alleen maar zin om de beelden te laten passeren. Nieuws waarvan de helft tot hem doordrong, afleveringen van series die hij niet had gevolgd, competities waarvan hij de regels niet kende, en popvideo's met mokkende jongelui in gesloten fabrieken. Kon niet schelen wat.

Hij zapte van het ene station naar het andere. Er draaiden twee films tegelijk, en op een gegeven moment kwam er in beide films een coïtusscène voor. Hij zapte heen en weer tussen de twee scènes, beide opgenomen bij gedempt, gulden licht, totdat de close-ups van vertrokken gezichten en handen op huid zich zo met elkaar vermengden dat hij niet meer kon uitmaken bij welke film ze hoorden. Er was een interessant verschil, bedacht Robert, tussen de beelden van naakte lichaamsdelen en de beelden van de extatische gezichten van het liefdespaar. Het ene soort beelden liet zien, of trachtte althans aan te duiden wat er zich afspeelde. Het andere soort liet zien, of trachtte te laten zien wat het betekende. De lichamen volgden slaafs hun eigen agenda, maar de gezichten volstonden er niet mee de puur fysieke opwinding te weerspiegelen, ze getuigden er ook van dat er iets anders en meer aan de hand was. De vochtige blikken en pathetische gezichten drukten uit dat we hier met liefde van doen hadden, of liever gezegd dat de ritmische handtastelijkheden op het scherm de onafwendbare gevolgen van de liefde waren. Zo ze er niet de onafwendbare bevestiging van vormden, wat misschien wel, misschien niet, op hetzelfde neerkwam.

Robert vroeg zich af of hij een beetje teut aan het worden was. Hij deed de televisie uit, schonk nog een whisky in en schoof de terrasdeur open. Zijn voet deed niet meer zoveel pijn. De regen kletterde op de tegels, trommelde op de witte plastic meubels en ruiste in de schemering om hem heen, buiten de halve cirkel geel licht van de kamer achter hem. Hij haalde diep adem door zijn neus. Gras, had ze gezegd toen hij het raam opendeed, de eerste middag dat hij bij haar zat, toen de geur van pas gemaaid gras tot hen doordrong van het grasveld tussen de ziekenhuisvleugels. Hij keek uit op de ritselende tuin. Gras en schemerblauw. Lea was nu allang thuis. Ze was door Monica of Jan van het Centraal Station afgehaald, ze hadden waarschijnlijk al gegeten. Ze lag nu vast in haar bed te dromen van een jongen met bruine ogen.

Hij ging op de drempel van de terrasdeur zitten, stak een sigaret op en trachtte na te gaan waarom de coïtusscènes op de televisie hem in zo'n slecht humeur hadden gebracht. Was het alleen omdat het zo langgeleden was dat hij zelf met iemand naar bed was geweest? Hij liet de ijsblokjes even in het glas rinkelen. Hij had toch gewoon kunnen toehappen toen hij de kans kreeg. Van tijd tot tijd ergerde het hem, en een enkele keer had hij op het punt gestaan de bibliothecaresse op te bellen. Ze was vast een aardige vrouw, en misschien hadden ze het samen kunnen rooien. Misschien zouden ze zelfs bij elkaar hebben gepast wanneer de inleidende manoeuvres eenmaal achter de rug waren geweest. Maar toen Lea en hij op een zondag een hele tijd erna een strandwandeling maakten en ze daar de bibliothecaresse tegenkwamen in gezelschap van een jongeman met een baseballpet, had hij zich net zo opgelucht gevoeld als toen hij zijn cognacglas op de tafel bij de bank zette en haar vriendelijk verzocht om op te stappen omdat hij de nacht het liefst alleen wilde doorbrengen.

Het vooruitzicht om weer van voren af aan te moeten beginnen, had hem bij voorbaat moe gemaakt. De mooie ogen van de bibliothecaresse hadden zich in hem geboord, tot de rand toe gevuld met verwachting, zodat ze er bijna van overliepen. Haar donkere blik had hem ervan trachten te overtuigen hoe gewichtig het was dat zij tweeën elkaar hadden ontmoet, de bibliothecaresse en de arts van het plaatselijke ziekenhuis. Vermoedelijk was ze verliefd geweest, dat was een eerlijke zaak, maar hij had zich niet aan de indruk kunnen onttrekken dat ze gewoon een kerel nodig had omdat ze zo langzamerhand aan de man wilde raken, en dat ze toen haar volstrekt legitieme behoeftes had ingepakt in een dagdroom, die inhield dat die gescheiden arts uit Kopenhagen iets heel bijzonders was. En veel aanbod was er immers niet in zo'n provinciestad.

Maar was híj in feite geen onverbeterlijke stiekeme romanticus als hij zo uit zijn hum raakte van haar ietwat gekunstelde dweperij? Was het feit dat ze domweg eenzaam was niet de beste reden van de wereld om verliefd te worden? Stak er een geheime, onrijpe droom van de grote openbaring achter zijn cynische zoeken naar motieven? Misschien was hij alleen maar gepikeerd geraakt omdat haar situatie hem aan de zijne herinnerde, zodat hij moest denken aan die dieptreurige weduwenbals, waar eenzame harten elkaars gezelschap en troost opzoeken. Ze had hem het gevoel gegeven dat hij te kijk stond en te koop was, en hij had er niet tegen gekund om herkend te worden.

Hij moest denken aan zijn ingetogenheid als jongen en dacht aan de brief die Lea had geschreven aan de jongen met de bruine ogen. Hij dacht aan de keren dat een of ander meisje haar jeugdige avances had gemaakt, en hoe hij haar bruusk, maar tegelijkertijd met knikkende knieën had afgewezen of domweg genegeerd. Natuurlijk had hij zich gevleid gevoeld, maar tegelijkertijd was hij gekwetst door de blikken en het gegiechel van de meisjes en door de opgevouwen briefjes met hokjes, waarin hij een kruisje moest zetten. Eigenlijk een praktische procedure met die stembriefjes, bedacht hij nu, maar in die tijd kon hij er niet tegen dat een meisje zo onverbloemd een voorschot opnam op zijn verwarde interesse. Hij voelde dat ze iets in hem herkende waar hij zelf amper weet van had, en dat ze daar haar vingerafdrukken op zette, al veel te familiair, alsof het haar toekwam, enkel en alleen omdat haar oog erop was gevallen.

Andere keren kon een meisje ervoor zorgen dat hij zich zonder enige reden schuldig voelde. Zoals toen zijn moeder het in haar hoofd had gehaald dat hij op dansles moest. Het speelde zich af in een grote zaal met stucwerk en roodfluwelen portières. De jongens stonden in een rij langs de ene wand, en aan de overkant zaten de meisjes op vergulde rococostoelen. De jongens droegen een wit overhemd en een butterfly, en hadden nat gekamd haar. De meisjes waren gekleed in jurken met uitstaande rokken in tere tinten, lichtblauw, lichtgeel en wit. Wanneer er een teken werd gegeven, moesten de jongens de eindeloze parketvloer oversteken en een meisje ten dans vragen, en toen hij op een dag zoals gewoonlijk de vloer was overgesjokt en een buiginkje had gemaakt voor de eerste de beste, keek ze hem vol verwachting aan en stelde een onverwachte vraag, die hem deed blozen van schaamte en irritatie. Had hij haar gekozen vanwege de jurk?

Het schaamtegevoel verliet hem niet toen hij zijn eerste ervaringen opdeed in het smoezelende en tastende halfduister van de tienerjaren. Wanneer hij een meisje lang genoeg het hof had gemaakt en ze hem eindelijk permissie gaf om haar een tongzoen te geven en aan haar te frunniken, bezwoer ze hem tegelijkertijd met haar hertenogen te doen alsof zij het enige meisje was dat in staat was geweest zijn hart in vlam te zetten. Hij voelde zich als een bedrieger, ook al wist hij van de prins geen kwaad. Tegelijkertijd beleefde hij voor het eerst de merkwaardige afstand, waaraan de zogenaamd erotische scènes op het tv-scherm hem weer hadden doen denken. De afstand tussen de lijfelijke gewaarwordingen en de gevoelens, waarnaar die gewaarwordingen o zo listig waren vernoemd, zodat het makkelijker en aanvaardbaarder werd om ze door elkaar te halen.

Hij leerde liegen zowel tegen zichzelf als tegen de meisjes met wie hij graag naar bed wilde, maar elke keer wanneer hij naast een vreemd lichaam lag, verwonderde het hem weer dat het verliefdheid genoemd werd zolang het alleen nog lichamen voor elkaar waren. Fraaie, vreemde lichamen, waaruit weliswaar woorden kwamen, maar woorden waaraan je geen touw kon vastknopen omdat je er strikt genomen geen idee van had waar de ander het over had of wie ze was. Dat was ironisch, vond hij, maar ook triest, want wanneer je er eindelijk was achtergekomen op wie je ooit verliefd was geworden, was je in de regel al niet meer verliefd omdat ze je te bekend voorkwam. De veelbelovende vreemdheid, die de fantasie had gaande gemaakt, was als een glanzend floers dat snel versleten raakte. Dan moest je maar hopen dat je, eer het zover was, bevriend met elkaar was geraakt.

Met Monica was hij bevriend geraakt, en ja, hij had van haar gehouden. Dat moest liefde zijn geweest, de vreugde bij het weerzien wanneer ze een paar dagen bij elkaar weg waren geweest. De tederheid die er in hem opborrelde wanneer hij opkeek en haar opeens ontdekte in de tredmolen van de vertrouwde, saaie dagelijkse dingen. Toch had hij zich op Sonja geworpen toen die zich aanbood. Ook al had hij de dag ervoor op het strand in het lage zonlicht zitten kijken naar Monica, die een sigaret stond te roken terwijl ze uitkeek over de Sont, alsof hij plotseling besefte waarom ze bij elkaar hoorden. Blijkbaar was hij het weer net zo snel vergeten, in elk geval was er kop noch staart aan zijn impulsen te vinden. De ene dag werd hij weer verliefd op zijn vrouw, en de dag erna ging hij met haar zusje naar bed.

Er kon geen vertrouwelijkheid ontstaan tussen hem en Sonja omdat zij er geen weet van had dat de jurist bij het Hooggerechtshof haar vader niet was, en zijn geheim stootte hem uit de intieme sfeer waarin Monica en hij met elkaar hadden geleefd. Hij was er maar half bij, zijn andere helft bevond zich elders, en hij moest zich voortdurend met afgewend gelaat aan haar vertonen, om te voorkomen dat ze zijn onbekende zijde zou ontdekken, die was verduisterd door leugen en veinzerij. Het merkwaardige was dat ze zich niet verwonderde. Blijkbaar was ze het ontwend om hem ten voeten uit te zien, omdat ze zich van lieverlee alleen nog aan elkaar vertoonden in hun vaste rollen als elkaars collega's, seksuele partners en financiële bondgenoten.

Ze begonnen minder met elkaar te praten, oppervlakkiger, wat hem betrof omdat er zoveel ongezegd moest blijven. En zij? Hij wist het niet. Hij kwam er nooit achter wanneer ze was begonnen van hem weg te glijden, omdat hij zelf zijn handen vol had aan het verhullen van zijn eigen afwezigheid met conventionele blijken van tederheid en prietpraat over de plichten van alledag. Na verloop van tijd was hij zelf vergeten wat ze niet mocht weten. Het had niets meer te betekenen. Het deed er niets toe wie Sonja's vader was, en Sonja zelf deed hem niets meer, een toevallige, voorbijgaande begoocheling, maar toen waren Monica en hij al gewend geraakt aan de onmerkbare afstand die was ontstaan. Daardoor waren ze in elkaars ogen al kleiner en onduidelijker geworden.

Alleen in bed was hij volledig aan haar overgeleverd. Dat wil zeggen: zijn lichaam. En de wisselwerking van hun lichamen was de graadmeter voor hun onderlinge stemming, wanneer zij zich na afloop tegen hem aanvlijde en met een voldane zucht zei dat het goed was, of bezorgd vroeg of het goed voor hem was geweest. De vraag wekte de schijn dat hun lichamen niets anders waren dan gereedschappen voor de bevrediging van de ander, en zo leek het af en toe ook. Wanneer zij schrijlings op hem zat en er in razende galop vandoor reed, moest hij soms denken aan die geschilderde, op een blok gemonteerde paardjes waarop kinderen kunnen rijden als je een munt in de gleuf doet. Hij had de indruk dat ze allebei alleen waren met hun begeerte en hun bevrediging. Hij voelde zich eenzaam, niettegenstaande het feit dat ze zo dicht bij elkaar waren als je maar kunt komen. Hij had het idee dat hij haar lichaam en dat van hemzelf vanaf een andere plek observeerde, maar vanwaar dan wel?

De regen werd dichter. Telkens wanneer er een windstoot kwam, kreeg hij regen in zijn gezicht. Het was koud geworden. Hij kwam met stijve benen overeind en gooide de peuk op het grasveld voordat hij de deur dichtdeed. Het gloeiende puntje bleef zichtbaar tussen de donkere sprieten, verrassend lang. Toen doofde het. Zijn blik viel op het grijze tv-scherm, waarin de bank en een staande lamp zich spiegelden. Hij nam het glas en de whiskyfles mee naar de badkamer. Een kuipbad, dat zou hem goeddoen. Hij deed de stop in het afvoergat en liet het warme water lopen tot het begon te dampen. Toen opende hij langzaam de koudwaterkraan, maar slechts zover dat hij zich niet zou branden.

Terwijl hij zich uitkleedde, vroeg hij zich af of het werkelijk door de affaire met Sonja was gekomen dat zijn huwelijk was stukgelopen, en wat dan de doorslag zou hebben gegeven: zijn schuldgevoel of de herinnering aan haar jonge lichaam. Zijn duidelijkste herinnering aan haar werd gevormd door de seconden vlak voordat ze elkaar voor het eerst zoenden, toen ze haar trui te drogen had gehangen over de machine waarmee de vloer werd afgeschuurd, en ze tussen de verfpotten in de lege hoekkamer liep, slechts gekleed in bh, rok en schoenen met hoge hakken. Op het moment dat ze op hem afkwam en haar hoofd vooroverboog en ze zijn blik ontmoette door haar natte lokken heen, lichtte de welbekende wereld heel eventjes een tipje op van iets heel anders, zo kort dat hij niet in de gaten kreeg wat het was. De rest stond hem minder duidelijk voor de geest, zijn verraad en de woestheid, haar lichaam onder dat van hem op Lea's matras in wat de kinderkamer moest worden. Ze was hem ontschoten achter de grimassen van de opwinding.

Hij liet de kleren op een hoopje op de vloer liggen en bekeek zichzelf in de spiegel. Het afgelopen jaar was hij er zwaarder gaan uitzien. Even dacht hij erover zich af te trekken, maar hij had er geen zin in. Zo langzamerhand was hij amper in staat om eigenhandig een behoorlijke erectie te veroorzaken, en het was langgeleden dat hij in de gelegenheid was geweest om te constateren of een vrouw het er beter zou afbrengen. Er was een verpleegster geweest na afloop van een kerstlunch, toen hij net in de stad was, maar enige tijd later vertrok ze. Hij draaide de kranen dicht en stapte in de badkuip. Langzaam liet hij zich in het kokendhete water zakken en leunde met een zucht achterover terwijl de warmte zijn vlees binnendrong, helemaal tot in zijn gebeente. Hij had vergeten de pleister af te doen, nu raakte die los van zijn hiel. Fijne, kronkelige jodiumdraden verspreidden zich als rook in het groenachtige water.

Wanneer hij met Sonja naar bed was, had hij zich net zo alleen gevoeld als wanneer hij een tijdje later weer met Monica vree. Helemaal alleen in zijn eigen lichaam, terwijl dat mechanisch en gehoorzaam als een braaf paardje deed wat de twee vrouwen en hijzelf ervan verwachtten. Het verschil bestond hierin dat het met Sonja van a tot z seks was geweest. Andere relaties waren met seks begonnen en hadden gaandeweg een extra dimensie gekregen: vriendschap, tederheid, vertrouwelijkheid. Het speciale aan zijn relatie met Monica was geweest dat het was begonnen met vriendschap, een ingetogen, ironische overeenstemming, in de tijd dat ze met elkaar omgingen in een kring van jonge vrienden die samen op skivakantie gingen. Terwijl het op het laatst om steeds minder ging, tot het alleen nog maar een kwestie van seks, eten, wasgoed en girokaarten was.

Pas lange tijd nadat ze bevriend waren geraakt, hadden ze elkaar tot hun eigen verrassing gevonden onder een wollen deken in een vakantieflat in de Franse Alpen. Als hij zijn enkel niet had gebroken en als zij niet had gemeend dat ze hem fatsoenshalve gezelschap moest houden terwijl de anderen in de sneeuw waren, zou het misschien nooit zover zijn gekomen. Maar er was een onverwachte, beschroomde zachtheid in haar anders zo ironische, autoritaire of nuchtere gezicht toen ze dat naar het zijne toe boog en ze de deken bij wijze van tent over hun hoofden trok. Dat bracht hem ertoe pardoes, zonder overgang van haar te houden, en hij ervoer de eerste, verlegen toenaderingen van hun lichamen werkelijk als de gevolgen van de liefde, niet als de bevestiging ervan, want er was nog niemand die ergens om had gevraagd of die een antwoord had verlangd.

De volgende morgen regende het nog steeds, en het bleef het grootste gedeelte van de ochtend doorregenen. Toen Robert tijdens de doktersronde Lucca's eenpersoonskamer binnenstapte, lag daar een oude man. Alles was zoals altijd, en afgezien van de oude man waren de patiënten dezelfde als de dag ervoor, maar opeens drong het tot hem door dat hij zich verveelde. Sinds Lucca in het ziekenhuis was opgenomen, was hij eraan gewend geraakt haar tweemaal daags te zien, 's morgens tijdens de visite en 's middags voordat hij naar huis ging, wanneer hij bij het raam naar haar geschiedenis zat te luisteren. Soms had ze niets bijzonders te vertellen, of ze stelde vragen over de muziek die hij had opgenomen. Andere keren zat hij er gewoon een kwartiertje en deelde een sigaret met haar zonder dat ze een woord zeiden, tot ze in slaap viel.

Om te beginnen was ze een interessante onderbreking geweest in zijn regelmatige leven. Toen ze weg was, ontdekte hij dat hij eraan gewend was geraakt dat ze er was. Ze ontbrak, ook al werd haar bed algauw door een ander ingenomen. Zo had hij het niet eerder met een patiënt gehad, en dat verontrustte hem een beetje, maar nu pas. Het scheen hem plotseling toe dat zijn middagen met Lucca een inbreuk op zijn professionele artsenrol waren geweest. Hij had er niet bij stilgestaan dat zijn collega's en het verplegend personeel het misschien vreemd hadden gevonden, maar toen hij maandagmorgen de doktersronde deed, voelde hij zich gadegeslagen. Hij deed zijn best om te doen alsof alles bij het oude was, wat ook zo was. Dat was nu juist het saaie van die maandag. Alles was als vanouds na een onderbreking die zo lang had geduurd dat hij de eerdere dagelijkse routine was vergeten.

Tegen de middag klaarde het een beetje op. De zon scheen voorzichtig op het natte gras tussen de ziekenhuisvleugels. Terwijl hij op zijn kantoor zat, stak Jacob zijn hoofd naar binnen. Hij glimlachte jongensachtig. Het zag ernaar uit dat ze toch zouden kunnen tennissen. Als het niet opnieuw ging regenen, zou de baan vast wel op tijd droog zijn. Robert was vergeten dat ze die dag een tennisafspraak hadden, maar Jacob leek geen acht te slaan op zijn verwarde gezicht. Hij glimlachte geheimzinnig. Zijn vrouw was de hele zondag bij haar ouders op bezoek geweest. Samen met de kinderen. Dan kon Robert de rest zeker wel raden. Hij balde zijn hand tot een vuist en bewoog die vanaf de heup heen en weer voordat hij de deur weer dichtdeed.

Jacob had hem in de kantine herhaaldelijk onderhouden met zijn adembenemende afspraakjes met de gymnastieklerares, tot Robert hem op een dag toebeet dat hij wat discreter moest zien te worden. Jacob schrok ervan, en hij was zelf verwonderd over zijn snierende toon. Toen het op een avond redelijk weer was, liet hij zich overhalen om te komen mee-eten. Terwijl Jacob met zijn schort voor de biefstukken op de barbecue stond om te draaien, kwam zijn vrouw langs. Plotseling greep hij haar om haar middel, zodat ze een gil slaakte, terwijl hij Robert een veelbetekenende blik toezond. Het stuitte Robert tegen de borst, deze blik van man tot man, maar hij stond versteld van Jacobs koelbloedigheid. Was hij zelf net zo koelbloedig geweest? Waarschijnlijk wel.

Een paar jaar na hun affaire trouwde Sonja met een jonge Deense bedrijfsjurist, die ze in New York had ontmoet. De jurist bij het Hooggerechtshof en zijn vrouw waren buitengewoon tevreden. Het jonge paar werd in Holmens Kirke in de echt verbonden, en het bruiloftsdiner vond plaats in het Langelinie-paviljoen. Robert had Sonja niet gezien sinds hij haar uitgeleide had gedaan naar de luchthaven, waar hij haar een onnatuurlijk heftige afscheidszoen gaf, alsof hun gezamenlijk doorgebrachte middagen werkelijk iets voor hem hadden betekend. Hij moest toegeven dat ze er verontrustend goed uitzag in de overdreven bruidsjurk met haar kunstvaardig opgestoken haar. Het welpachtige had ze van zich afgelegd, en behalve dat ze nog steeds sprak als een kind met stemhebbende s'en en een lome, slappe dictie, was er niets meer over van de artistieke sloddervos, door wie hij zich had laten verleiden.

Het was een vermoeiend diner. De speeches waren te lang, vol komische anekdotes, die een stoere of ontroerende karakteristiek van de bruid of de bruidegom moesten geven. Van tijd tot tijd converseerde hij met zijn tafeldame zonder precies te weten wat hij zei. Zij was stewardess en had belangstelling voor tarot. Tegelijkertijd hield hij Sonja in de gaten, die daar troonde als een mooie vogel in een wit nest. Hij stelde zich voor dat ze elk moment van de tafel zou kunnen opstijgen en over de hoofden van de verbluftte, welopgevoede gasten heen wegvliegen, door het raam naar buiten, helemaal tot de haven, tot ze in een witte, fladderende vlek was veranderd die met een willekeurige reislustige meeuw verwisseld kon worden.

Om zijn verveling wat draaglijker te maken, dronk hij flink wat onder het diner. Onderwijl legde de stewardess hem de betekenis van de tarotkaarten uit. Wanneer hij af en toe een blik op Sonja wierp, verwonderde het hem opnieuw dat hij met de halfzus van zijn vrouw op het matras van zijn dochter had liggen rotzooien. Zoals ze daar zat naast haar bruidegom, stralend en vrouwelijk op volgroeide wijze, was ze weliswaar zeer aantrekkelijk, maar uitsluitend als de mooie vrouwen in de modebladen, op wie je een vluchtige blik werpt alvorens door te bladeren, omdat het toch alleen maar foto's zijn.

Het was een hele opluchting voor hem geweest toen ze weer terug naar New York ging, en hij voelde zich net zo opgelucht over het feit dat ze getrouwd was. Alles wat haar nog verder buiten zijn bereik kon brengen, leek te bevestigen dat hun affaire op een misverstand had berust. Ze hadden elkaar niets te zeggen, het enige wat ze met elkaar gemeen hadden was hun familierelatie, en hoewel je niet kon beweren dat hun ontmoeting toevallig was geweest, leek het niettemin op een soort verkeersongeluk. De verkeerde vrouw in de verkeerde armen, zoiets gebeurde nu eenmaal wanneer het hoofd de zeggenschap over het lichaam kwijtraakte. Want hoe zou het lichaam zelf een verschil kunnen zien?

Hij kwam haar tegen na de koffie, in de garderobe bij de toiletten. Ze was alleen. Hij zei dat hij blij was haar te zien. Ze zei dat ze hem had gemist. Hij geloofde er niets van, maar glimlachte toch. Ze deed nog een stap, zodat haar witte rok tegen de vouwen van zijn broek stootte, terwijl ze tegelijkertijd een hand op zijn schouder legde. De uitnodiging viel niet mis te verstaan, en hij zoende haar terwijl hij zich afvroeg hoe hij zich moest bevrijden. Ze nam hem bij de hand en voerde hem door de deur van de damestoiletten. Gelukkig was er niemand. Ze trok hem een van de cabines binnen, deed de deur achter zich op slot en lachte gedempt terwijl ze haar ogen toekneep.

Hij zoende de bruid. Wat moest hij anders doen nu ze daar in dat nauwe hokje stonden? Met een duistere glimlach knoopte ze haar jurk open en lichtte haar borsten eruit. Ze waren groter en gespannener dan hij zich herinnerde. Ik ben zwanger, fluisterde ze. Hij kon niet uitmaken of haar toon triomfantelijk of sarcastisch was. Hij zoende haar borsten, zij zuchtte. Haar wijde jurk ritselde droog tegen de wanden van de cabine. Hij hoorde hoe iemand het toilet binnenkwam en hoe het slot werd omgedraaid in een van de andere cabines. Ze stonden doodstil, Sonja met een hand op de stijve bult in zijn gulp, terwijl ze zijn blik vasthield.

Hij maakte een wandeling naar de landtong. Het zand verbrokkelde in broze plakken onder zijn voeten. Het vertoonde nog sporen van de regen, myriaden kratertjes. Het rook er naar rottend wier. De wolkenformaties verplaatsten zich langzaam, als zwellende builen, grijsblauw met een witte rand aan de bovenkant, waar ze door de zon werden beroerd. De zee was blauwzwart onder de horizon, meer landwaarts werd de zeespiegel lichtblauw en melkachtig. Het leek een kale, uitgestrekte vloer, mat en ribbelig als gevolg van kleine rimpelingen, behalve daar waar de stroming haar gladde spoor trok. Grote meeuwen landdden op het strand en liepen gewichtig heen en weer, met arrogante, zwarte ogen. Chef-meeuwen, dacht hij, zich opdringerig voelend wanneer ze noodgedwongen en met slome vleugelslagen opvlogen op het moment dat hij dichterbij kwam.

Hij keek op zijn horloge. Nu zat Jacob in de kleedkamer te wachten. Er werd die dag niet getennist. Robert had de buik vol van Jacobs uitdagende, zelfvoldane gezicht wanneer die zijn wenkbrauwen gewichtig optrok, wachtend tot Robert met gepast ontzag zou informeren naar de hartstochtelijke gymnastieklerares met de grote prammen. Het was de eerste keer dat hij hem liet barsten. Al met al was het langgeleden dat hij iemand had laten barsten. Hij was altijd present, bereidwillig in zijn kraakheldere jasschort, klaar om zich in te laten met de functiestoornissen van zijn medemensen, wanneer die angstig of argwanend bij hem naar binnen werden gerold. Meestal stelden ze vertrouwen in hem, lankmoedige, zakelijke Robert met zijn beschaafde zwak voor romantische symfonieën. Hij bleef stilstaan om een sigaret op te steken, terwijl hij huiverend de vlam van de aansteker afschermde met zijn jasje. Als een slapende vogel, bedacht hij, de snavel begraven in de vleugel.

Had hij domweg pech gehad? Een gokker te midden van de andere gokkers, die hun inzet doen en dan winnen of verliezen? Was dat de manier waarop hij op een zijspoor was terechtgekomen? Op een verlaten strand, uitgedost in een jasschort in een provinciaal ziekenhuis, op een bank voor een panoramavenster met uitzicht op de bouwrijp gemaakte, beplante en omheinde natuurlijkheid van het perceel? Was het gewoon zo'n onvoorspelbaar gevolg van de liefde, een toevallig resultaat van haar transformerende kracht, die lichamen en gezichten door elkaar haalde en verder distribueerde, zinloos en onontkoombaar? Opnieuw mediteerde hij over de afstand, de enorme afstand tussen Monica's blozende tederheid onder de wollen deken in de Alpen en haar effectieve, afgemeten toon door de telefoon wanneer ze over Lea spraken. Alsof die hun dochter helemaal niet was, maar enkel een gemeenschappelijke klus, die met gepaste zorgvuldigheid en tegenwoordigheid van geest moest worden uitgevoerd. Kennelijk betekende het niet meer zoveel dat zij van hun gemeenschappelijke vlees en bloed was, zoals dat heette. Het was gewoon een poets die hun lichamen hun hadden gespeeld, zijn microscopische kikkervisje, dat zich in haar buik tot een opgevouwen kikkertje en naderhand tot een heel mensje had ontwikkeld.

Ooit waren ze intiem met elkaar geweest. Ze hadden elkaar zo goed gekend, maar mettertijd was hij de door de gewoonte gekristalliseerde kennis over haar gaan verwisselen met de ervaring van bepaalde momenten, als hij meende haar gezicht te zien vervagen en de persoon aan het licht te zien komen die zij diep in haar hart was. Hij wist meer over haar dan wie ook, maar toch was zij dat niet geweest, bedacht hij nu, terwijl hij in zijn eentje op het zware zand liep, op weg naar de landtong. Ze had zich aan hem laten zien zoals je moest zijn wanneer je in haar schoenen stond, maar haarzélf had hij niet gezien en gehoord. Alleen de echo van haar wezen en de reflecties daarvan in haar toon en gelaatsuitdrukkingen, al die kleine hebbelijkheden en manieren van doen. Heel zelden had hij een glimp opgevangen van de persoon die ze was achter alles wat ze was geworden.

Hij zag haar voor zich staan op het strand met zijn badjas aan, met haar rug naar de lage zon en haar blik naar het lichtende schuim van de golven gekeerd. Of thuis, bij het raam, terwijl ze aarzelend het warme strijkijzer boven de kreukels in een mouw hield en naar buiten tuurde. Zo was ze hem bijgebleven, verstard in haar bewegingen van alledag en zichzelf vergetend, alsof hij opeens onzichtbaar was geworden en naar hartelust kon spioneren. Hij had haar zo ongeveer moeten besluipen op onbewaakte ogenblikken om te achterhalen wat zijn gevoelens oorspronkelijk had gaande gemaakt.

Hij sloeg haar ook gade wanneer ze in gezelschap van anderen waren. Haar lach of aandachtige blik lieten hem plotseling een andere Monica zien, die in zijn voorstelling waarachtiger moest zijn dan de persoon die hij kende, of dat nu kwam doordat haar lach uitdagender klonk of haar blik warmer werd dan hij gewend was. Het maakte hem jaloers, ook al gold zijn jaloezie niet zozeer de toevallige man met wie ze zat te praten. Hij werd jaloers op de onbekende niet-bestaande persoon, die hijzelf had moeten zijn om deze drieste, haast frivole lach aan haar te ontlokken die hij niet eerder bij haar had gezien. Deze vochtige, aanhoudende blik waarmee ze hem bij zijn weten nooit had opgenomen.

Andere keren meende hij een oorspronkelijker, onversnedener vorm te zien van hoe ze geweest moest zijn als kind. Hij herinnerde zich een zomerochtend toen hij wakker werd in het buitenhuisje van haar ouders. Het was vroeg, maar ze lag niet naast hem in bed. Lea lag nog steeds in de wieg te slapen, die aan het voeteneind stond. Hij opende het raam om frisse lucht binnen te laten en hoorde haar gedempte stem beneden in de tuin. Ze zat samen met haar vader aan de tafel, waaraan ze aten als het mooi weer was. Ze zaten niet tegenover elkaar zoals hun gewoonte was. Ze zat naast hem terwijl ze thee in hun kopjes schonk. Robert kon niet verstaan wat ze zeiden.

De jurist bij het Hooggerechtshof had alleen maar een korte broek aan. Onder het praten zat hij met kromme rug in zijn theekopje te staren, terwijl hij zijn ellebogen op zijn knieën liet rusten en zijn gevouwen handen voor zijn lichaam hield. Hoewel de huid van zijn bovenlichaam slordig afhing rond zijn borstkas en buik, had zijn manier van zitten iets jeugdigs. Van tijd tot tijd deed hij er het zwijgen toe en kneep hij zijn ogen dicht, alsof hij zich enigszins verwonderde over zijn eigen relaas. Monica zat net als hij, voorovergebogen, met de ellebogen op de knieschijven, terwijl ze haar wangen in haar handen liet rusten en hem schuins aankeek. Plotseling keek hij haar lachend aan, waarbij hij zijn kin met een rukje omhoog bewoog, zoals Robert haar zo vaak had zien doen...

Het was dezelfde beweging, een vrolijke, arrogante groet aan de ironie van het lot, waarmee je je op ooghoogte met de onvoorspelbaarheid van het bestaan kon brengen. Ze lachte zelf ook, en al lachend bogen ze zich naar elkaar toe. Haar ogen werden twee smalle spleten, en haar gezicht veranderde in een stralenbundel van lachrimpels, en heel even wist Robert precies hoe ze er als klein meisje moest hebben uitgezien. Hij had zin om naar beneden te gaan en bij hen aan te schuiven om te horen waarom ze lachten, maar hij liet het achterwege. Waarschijnlijk zou hij ook niet begrepen hebben wat er zo leuk aan was.

Monica moest de persoon zijn die hij het best had gekend. Ze had hem dingen over zichzelf verteld die ze nog nooit aan iemand had verteld. Nu kende hij haar niet meer, nu was Jan degene bij wie ze haar hart uitstortte. Wanneer ze met elkaar praatten door de telefoon of wanneer ze elkaar een enkele keer zagen, snapte hij niet dat ze elkaar ooit zo na hadden gestaan. Zo vluchtig was dus de intimiteit, zo spoorloos, dacht hij, zijn weg vervolgend tussen de kalme zee en de pijnbomen van het bos. Toen de verwaaide bomen werden afgewisseld door kreupelhout en helm, begaf hij zich landinwaarts. Aan de andere kant ging het strand over in een landschap van meertjes en repen aarde.

Toen ze hem indertijd in haar geschiedenis inwijdde, waren haar woorden als telegrammen geweest die van verre kwamen, over vage gebeurtenissen die hij zich op goed geluk moest zien voor te stellen. Ze lag vlak naast hem in bed en vertelde over haar jeugd en de mannen die ze had gekend, over de keren dat ze wanhopig of gelukkig was geweest, over de dingen waar ze bang voor was en waarop ze hoopte, maar de geschiedenis zelf bleef onbereikbaar voor hem, zoals hij ook niet tot achter de façade van haar gezicht wist door te dringen. Vermoedelijk vertelde ze hem ook niet alles. Iets hield ze waarschijnlijk met opzet voor zichzelf, andere dingen lieten zich niet verwoorden, en zelf wist hij ook niet wat hij moest vragen. Mettertijd waren ze elkaar minder vragen gaan stellen.

De hemel werd lichter boven het riet en de ondergelopen weilanden. De grasssprieten leken op arceringen, die dunner werden waar de hand moe was geworden van het tekenen, zodat de laatste pennenstreken als aarzelende komma's in de lege ruimte van lucht en spiegelingen hingen. Het klotste onder zijn voeten toen hij verder liep op de landtong tussen de weiden en het meertje. Hier was het strand slechts een smalle zandbank naast de zee. De enige uitsteeksels werden gevormd door het hoge riet en de houten schuur verderop van geteerde planken met spleten waar het licht doorheen drong.

Toen hij bij het rietbos aankwam, werd hij iets blauws gewaar tussen de bleekgele stengels, een stukje platgetrapt lichtblauw karton. Hij liep ernaartoe en herkende het silhouet van de vurige, dansende zigeunerin met haar geheven tamboerijn. Zou Andreas dit lege pakje sigaretten hebben weggegooid? Onder de bewoners van het stadje of onder de ornithologen die hiernaartoe kwamen, konden er niet al te veel zijn die Gitanes rookten. Misschien had hij dezelfde wandeling gemaakt als Robert voordat hij op een dag zijn koffer pakte, zijn zoontje bij de hand nam en naar Stockholm afreisde om zijn geluk te beproeven bij de verrassend blauwe ogen van de scenografe met de zwarte krullen. De rooknevels rond de golvende taille van de zigeunerin waren samengevallen met de blauwe kleur, gebleekt door zon en regen, zodat er niet langer schemering om haar heen was, maar klaarlichte dag. Ze had het dansen de hele nacht met onverminderde vurigheid voortgezet, lang nadat de onzichtbare gitaren in de onzichtbare gitaarkoffers waren gelegd en de onzichtbare stoelen op de onzichtbare tafeltjes waren gezet. Tot de dageraad had ze gedanst, ook al waren de onzichtbare sigaretrokers allang naar huis gegaan, hees van vermoeidheid, tabak en onbevredigde begeerte.

Hij nam plaats op zijn gebruikelijke, wormstekige paal tussen het riet, verborgen voor de rest van de wereld, dacht hij. Hij zag Jacob weer voor zich. Die stond nu vast en zeker te wachten met zijn racket op de tennisbaan, ongeduldig wippend op zijn voeten, omdat hij genoodzaakt was alle erotisch lekkere hapjes voor zichzelf te houden, waarvan het de bedoeling was geweest dat Robert ze een voor een uit hem trok. Hij bekeek het verkleurde Gitanes-pakje. Op die manier danste een weelderig vrouwensilhouet waarschijnlijk voor het geestesoog van elke man, zonder dat het licht ooit op haar gezicht viel. Ze kon heten hoe ze wilde, maar het ging om dezelfde uitdagende hand op de heup, dezelfde ronding van de taille, dezelfde duizelingwekkende schwung in rok en haar, en dezelfde rinkelende tamboerijn boven haar hoofd.

Natuurlijk was het banaal, maar daarom des te effectvoller. Hoe donkerder het silhouet was, hoe meer het ging lijken op een sleutelgat met de vorm van een vrouw, hetgeen de toeschouwer in de waan bracht dat hij de sleutel vormde van haar raadsel en dat zij de deur was die ten langen leste open zou gaan naar een onbekende werkelijkheid. Maar de zwarte contour van de dansende vrouw behelsde geen bepaalde vrouw. De tekenaar had alle individuele trekken weggelaten, zodat alleen de opwindende basisvormen van de vrouwelijkheid resteerden, de wespentaille, de zwellende rok en het golvende haar. Het silhouet van die prachtige zigeunermeid was een verduisterd, zorgvuldig uitgesneden gat, waarin elke willekeurige mooie vrouw plaats kon nemen, een hand op haar heup planten, op de tamboerijn slaan en de rol ten beste geven van een droom die op het punt stond in vervulling te gaan.

Zo wrong de gymnastieklerares zich in Jacobs hoofd in allerlei bochten, zo etaleerde ze haar fabelachtige borsten in de donkere hoeken van zijn alledaagse bestaan als vader van een gezin. Zo had Sonja zich aan hem vertoond in de lege, naar verf ruikende flat, met een geur van zomerregen om haar heen. En zo had de scenografische jodin Andreas ertoe verlokt de idyllische zeepbel om het kolonistenhuis bij het bos door te prikken. Robert liet het pakje los, zodat het tussen het riet belandde. Daar zou ze blijven liggen, die onbekende zigeunerin, tussen de vogelnesten en de suizende stengels, tot ze weg zou rotten in het stilstaande water. Een steeds vager wordend silhouet, dat door Jan en alleman vergeten dapper verder danste, dag en nacht, met geheven tamboerijn en wiegende heupen.

Ook zij had vermoedelijk haar dromen, al dansend voor iedereen en niemand. Net als de andere eenzame danseressen droomde ze er waarschijnlijk van dat iemands oog op haar zou vallen. Een vreemde gast in de rokerige taveerne, die op een avond zijn entree zou maken en zijn blik op haar zou laten vallen als een plotselinge schijnwerper, die haar gezicht verlichtte. Elk dansend vrouwensilhouet veronderstelde waarschijnlijk een mannensilhouet in de taveernedeur, en evenals zij in mannendromen danste, zo aarzelde de gestalte ook op de drempel van haar gedachten, terwijl zij haar haren liet wapperen en hem lokte met haar tamboerijn. Was híj dat eindelijk?

Misschien had ze zijn silhouet al een tijdlang voor zich gezien, ervan overtuigd dat ze het door de golvende rooknevels heen zou kunnen herkennen, omdat het het silhouet was van iemand die ze ooit had gekend. En misschien ervoer de vreemdeling in de deuropening dat net zo. Misschien was hij de hele nacht van de ene taveerne naar de andere getrokken en had hij staande in de deuropening de ene zigeunerin na de andere bekeken, in de hoop dat hij op het laatst de contouren zou herkennen van zijn oorspronkelijke liefde, of van de oorsprong van zijn liefde, wat misschien wel, misschien niet op hetzelfde neerkwam.

De radio was van donker, blinkend gelakt hout. Het gedempte schijnsel van de lampen spiegelde zich in de ronde hoeken van het apparaat. De knoppen blonken ook en waren geelachtig wit, een ervan liet een tikje horen toen de hand van het meisje zich loom uitstrekte en er met de kootjes van twee vingers tegenaan duwde. Het was een lange hand, bleek, bijna wit, maar op een andere, koelere witte manier dan de radioknoppen en de kleinere drukknoppen ertussenin, keurig in het gelid als de platte, afgeronde kiezen in de bek van een planteneter. Achter de donkergroene glasplaat verscheen een kopergroen licht om een matte pupil, en Robert wist weer dat het smalle, lichtende oog hem aan de trillerige luchtbel in een waterpas deed denken, terwijl de meisjeshand de rode naald langs de in schuine kolommen gedrukte namen draaide. Het ziedde en suisde achter het gebreide paneel voor de luidspreker, en flarden van woorden en tonen ontsnapten aan het onweer en aan de dichte mazen, maar ze stemden niet overeen met de namen van de steden; Tallin, Sofia, Berlijn, het waren Deense en Zweedse stemmen, van verder weg kwamen ze niet, hoewel de naald totaal andere afstanden aflegde, nu eens tussen Warschau en Leningrad, dan weer tussen Wenen, Praag en Boedapest.

Behalve de koffer met kleren die ze elk hadden mogen meenemen, waren de radio en de klarinet van haar vader alles wat de ouders van het meisje bij zich hadden toen ze hun land verlieten in het jaar voordat zij werd geboren. Het toestel had bijna twintig jaar de tijd gehad om met de nieuwe woorden en tonen vertrouwd te raken, maar Robert vond niettemin dat alles wat eruit kwam een beetje vreemd klonk, als waren het geluiden uit de verre stad waarmee ze afscheid hadden genomen toen ze nog jong waren. In het begin moesten ze zich ook hebben verwonderd over wat er uit hun oude radio kwam, in de nieuwe omgeving waar ze langzaam weer leerden praten en net als hun dochtertje de woorden door elkaar haalden, de woorden van hun oude taal en die van hun nieuwe.

De groene pupil was opgehouden met flakkeren, blijkbaar had hij iets in het oog gekregen. De witte hand liet de knop los, de rode naald stopte halverwege tussen Belgrado en Triëst, waarna een ander soort bruisen door het paneel heen drong, de deiningen van een zaal vol klappende handen. Ook die storm ging liggen, het werd doodstil, en de eerste tonen klonken als een golfslag van samengebalde, tot ontlading gekomen en opnieuw samengebalde kracht, Brahms' derde symfonie. Een zee van klanken die samenvloeiden voor Robert, zodat hij de instrumenten niet uit elkaar kon houden, misschien omdat het donkergelakte kastje te klein was voor al die muziek, het hout kraakte althans als een oud zeilschip, maar vermoedelijk ook omdat het nog niet zo langgeleden was dat hij de rimpelingen aan de oppervlakte van de muziek was begonnen te onderscheiden van haar onderstromingen.

Ze was zeventien, ze was bijna twee jaar ouder dan hij, het meisje dat in de leunstoel gehypnotiseerd naar de sneeuwvlokken in het paarse licht van de straatlantaarn zat te kijken. Vanaf het begin had hij zich erover verwonderd hoe ver haar ogen uit elkaar stonden. Ze had haar benen als een zeemeermin onder zich opgetrokken, en de afstand tussen haar donkere ogen leek haar gezicht opeens open te maken, maar haar blik was vaag terwijl ze tegenover hem naar Brahms zat te luisteren. Ze had brede jukbeenderen en bruin haar, de zijscheiding zorgde ervoor dat het haar over haar ene oog viel. Van tijd tot tijd verwijderde ze het door een lome hand van het voorhoofd tot achter haar oor te laten gaan.

Haar nylonkousen waren huidkleurig, zij was het enige meisje dat hij kende met zulke kousen, ouderwets, net als de leunstoel waarin ze zat. Alles in de woning was donker en versleten, en hij had zichzelf er herhaaldelijk aan moeten herinneren dat haar ouders alleen de radio hadden meegenomen en niet de rest van het meubilair. Wanneer hij bij haar op bezoek was in de stille straat met de deftige huizen van rond de eeuwwisseling, had hij bijna het gevoel dat hij haar bezocht in de verre stad die ze hadden moeten verlaten. De woning zag eruit zoals hij zich voorstelde dat het eruit zag in de geboortestad van haar ouders, en in de twintig jaar die er sindsdien waren verstreken had haar vader er niets aan veranderd, zelfs niet nadat de moeder van het meisje hen had verlaten en weer was teruggereisd. Ze had zich nooit thuis gevoeld in de vreemde, westerse stad. Ze waren ook niet vanwege haar gevlucht.

Het meisje had hem het verhaal bij stukjes en beetjes verteld, die hij zelf maar in elkaar moest zetten, met lucht ertussenin. Toen haar moeder had besloten dat ze terug wilde, was het de bedoeling geweest dat zij mee zou gaan. Waarom de moeder überhaupt afreisde zonder haar dochter, die op dat moment zes jaar was, wist Robert niet. Maar het meisje bleef bij haar vader, en hoewel ze Robert in het ongewisse liet, had hij het gevoel dat er sprake was van een niet nagekomen belofte. Iets in haar stilzwijgen bevestigde zijn vermoeden. Een paar jaar later kregen ze bericht dat de moeder was overleden. Ze was ziek geworden, had het meisje hem verteld. Ze zei hem niet wat haar gemankeerd had, en Robert had de indruk dat het niet de naam van de ziekte was die ze verzweeg. Haar stilzwijgen leek eerder een verbond dat zij met de kale man met de hoornen bril had gesloten, of ze nu waakten over een geheim of dat ze elkaar in bescherming namen tegen de dood van de moeder. Er hingen geen foto's van haar in de woning, er waren alleen foto's van het meisje in de verschillende fasen van haar ontwikkeling, in zilveren lijsten met een leren flap aan de achterkant zodat ze uit zichzelf op het dressoir konden staan. Het leek op een hele kinderschare, alsof de man met de hoornen bril en zijn overleden echtgenote zoveel kinderen hadden weten te krijgen.

Nu zat ze als een in huidkleurige nylonkousen gestoken zeemeermin door de sluier van sneeuwvlokken heen de duisternis in te kijken. Achter het vergulde weefsel van het paneel zat haar vader op de klarinet met de als zilver glanzende kleppen te blazen. Ze konden hem niet horen, ze wisten alleen dat hij er was, in rok, als een onafscheidelijk deel van de muziek, een schuimkrul in haar golfslag. Robert had zijn rokkostuum aan de eetkamerdeur zien hangen. Ze borstelde het voor hem voordat hij het aantrok, en ze schikte de witte strik terwijl hij ongeduldig mopperde over haar zorgzaamheid, misschien uit verlegenheid om het feit dat Robert zijn dochter in de rol van plaatsvervangende zorgzame echtgenote zag. Ze was een kop groter dan haar vader, maar hij was dan ook niet groot.

Robert was zelf verlegen geweest toen haar vader de eerste keer de voordeur voor hem opendeed, gekleed in een sjofel jasje en geruite pantoffels. De vader blikte hem door zijn dikke brillenglazen achterdochtig aan. Hoewel hij zich er een beetje over schaamde, kon Robert het niet laten een verband te zien tussen zijn gedrongen gestalte en het donkere interieur, mosgroen en bruin, met zware, wijnrode gordijnen en scheef liggende sierkleedjes en antimakassars over de ruggen van de leunstoelen. Er bevond zich geen televisie in de woning, alleen de oude radio. Hij voelde zich als een bezoeker in een andere tijd, maar naderhand herzag hij zijn mening. Het was geen andere tijd, maar een andere wereld. Ook het meisje was verlegen geweest, de eerste keer dat hij aan de eettafel zat onder de kroonluchter met de kale peren. Zij serveerde, terwijl haar vader hem met zijn zware accent allerlei vragen stelde. Ze was gegeneerd, zag Robert, over de hoeveelheid werkelijkheid die in één keer werd blootgelegd in het felle schijnsel van de kroonluchter. Het had haar geërgerd dat haar vader hem met pantoffels aan had verwelkomd. Ze zei het in haar eigen taal, maar Robert raadde wat ze had gezegd. Toen ze aan tafel gingen, had haar vader zwarte schoenen aangetrokken. Verrassend kleine schoenen, onberispelijk glanzend gepoetst.

Ana was het mooiste meisje dat hij ooit had gezien. Naderhand vroeg Robert zich af of ze werkelijk zo mooi was geweest, maar tevergeefs, er was geen plaats voor zijn scepsis wanneer hij het stof van de vergetelheid van haar gezicht borstelde. Hij kon evenmin haar jonge gezicht naast dat van een vrouw van middelbare leeftijd houden om ze te vergelijken en het resultaat te aanschouwen van de wraakactie die de tijd tegen de onschuldige arrogantie van elke jonge schoonheid ondernam. Hij kon zich hoogstens voorstellen dat ze met de jaren nog mooier was geworden, maar hij kon het niet weten. Sinds haar eindexamen had hij haar niet meer gezien. Maar arrogant was ze, en haar superieure gedrag had haar samen met haar onelegante blouses en rokken nog ongewoner gemaakt.

Op dat moment waren de meeste leeftijdgenoten, zowel jongens als meisjes, ertoe overgegaan forma natura-schoenen, fluwelen broeken met wijde pijpen en blauwgroene, Chinese werkoverhemden te dragen. De gezondheidsschoenen en Chinese overhemden waren ook doorgedrongen tot het gymnasium waarop ze zaten, hij in de voorlaatste, zij in de hoogste klas. Het was een particulier gymnasium met een roemrucht verleden, leraren met stropdassen en zeegroene wanden. De kogelvormige glazen lampen en het gipsafgietsel van een Griekse held in het trapportaal hadden samen met de nationale gezindheid en de geur van boenwas stand weten te houden, terwijl de buitenwereld steeds rebelser en laag-bij-de-grondser werd. Door een onvoorziene samenloop van omstandigheden paste Ana met haar ouderwetse, welopgevoede verschijning beter dan zoveel andere leerlingen bij de sfeer van tucht en beschaving die hier heerste.

Vanaf de straat leek de zware, rode, bakstenen gevel met de diepe vensterportalen het meest op een vesting, bedoeld om de klaslokalen af te schermen en te isoleren tegen de revolutionaire slogans die uit de megafoons schalden en die op de wapperende spandoeken stonden boven de processies gezondheidsschoenen, die buiten langs marcheerden. Robert zelf had ook van die schoenen, en hij had zich in die tijd juist door een selectie van Voorzitter Mao's werken heen geworsteld. Die had hij niet enkel gelezen als tegengif tegen de preken van de rector tijdens de ochtendwijding, hij had zich ook, bedacht hij later, in de ideeën van de voorzitter verdiept uit onbewuste solidariteit met zijn moeder, die zich krom werkte in een fabriekskantine zodat haar handen er ruw en gebarsten van werden. In tegenstelling tot de moeders van zijn klasgenoten, wier handen glad, goedverzorgd en arbeidsschuw bleken wanneer ze ter begroeting werden uitgestoken en de hoffelijke parvenu binnenlieten.

Ze glimlachte afwezig, zijn hardwerkende moeder, wanneer hij haar onder het nuttigen van de gehaktballen of scholletjes aan het verstand trachtte te brengen waarom de dictatuur van het proletariaat onvermijdelijk was, of haar vertelde over de Lange Mars, alsof hij de hele tocht persoonlijk had afgelegd. Ze was te moe om zijn gedachtespinsels te kunnen volgen, ze had pijn in haar voeten, en wanneer hij de koffie opdiende, lag ze al op de bank met Dostojevski of Flaubert. Op een keer waagde hij een poging onder het eten bij Ana thuis. Hij schilderde de bevrijding van de menselijke geestelijke ressources in de klassenloze maatschappij en merkte te laat hoe zij haar keel schraapte en zijn blik trachtte op te vangen, terwijl de klarinettist hem door zijn hoornen bril zat aan te staren. De dikke brillenglazen maakten zijn ogen kleiner, zowel weerloos als berustend, terwijl ze de jongeman opnamen die zich warm zat te praten. Het was alsof ze hem ergens vanuit de verte bekeken. Later, toen zijn revolutionaire elan was uitgebrand, zag hij altijd de vage blik achter de bril van de klarinettist wanneer de klassenstrijd ter sprake kwam.

Een hele tijd had hij Ana's ernstige gezicht gadegeslagen tijdens de ochtendwijding of terwijl ze de trap op of af liepen langs de gipsen held. Hij dacht aan haar wanneer hij 's nachts wakker lag. Ze was vaak alleen, wat het alleen maar moeilijker voor hem maakte, omdat de eenzaamheid de onschendbare ruimte versterkte die haar leek te omringen. Hij wist niet hoe hij met haar in contact moest komen en wat hij tegen haar zou moeten zeggen. Ze scheen hem niet op te merken. Voor haar was hij waarschijnlijk alleen maar een uit de kluiten gewassen kind.

Ana was de eerste die iets zei, op een dag na schooltijd. Ze haalde hem in op het trottoir en overhandigde hem een krant die hij had verloren. Het was een trotskistisch pamflet met helemaal bovenaan een rode ster. Hij had de rode ster uit zijn zak laten steken, omwille van het effect. Ze hield het tussen twee vingers voor hem op. Hij vroeg of ze bang was dat het af zou geven. Het vloog zijn mond uit, tot zijn eigen verwondering. Misschien was het een soort revolte tegen al die tijd dat hij haar op een afstandje had gevolgd en aan haar had gedacht wanneer hij alleen was, zonder dat ze het wist. Ze glimlachte. Hij had haar nog nooit eerder zien glimlachen.

Na schooltijd maakten ze samen wandelingen in de parken, en ze leende hem boeken, hoofdzakelijk gedichten. Ze wilde weten wat hij ervan vond. De dichtbundels verdrongen gaandeweg de radicale drukwerken van zijn boekenplanken, niet omdat hij zijn revolutionaire wereldbeeld opeens voor een lyrisch had ingeruild, maar omdat hij in alles geïnteresseerd was wat hem iets meer over haar kon vertellen en wat hen dichter bij elkaar kon brengen. Zo ze al had geraden dat hij verliefd op haar was, liet ze daar niets van blijken, en ogenschijnlijk sloeg ze er ook geen acht op hoe er werd geroddeld over het ongelijke paar, de rode agitator uit de voorlaatste en het Oost-Europese buitenbeentje uit de hoogste klas. Hij had alleen maar voor de schijn last van het geroddel. Het was zij tweeën contra de rest van de wereld.

Ze keek hem aandachtig aan wanneer hij haar plichtmatig vertelde wat hij had opgestoken van het lezen van deze of gene dichter. Hij voelde zich dom, hij had zin om haar een zoen te geven, hij leed en was tegelijkertijd gelukkig wanneer ze samen op een bank in het park naar de zwaluwen zaten te kijken en over het leven praatten. Ze nam hem op in een ernstige, intense sfeer, waar de schaduwen donkerder waren en de kleuren een diepere gloed hadden. Maar ook vond de in eigen ogen zeer maatschappijkritische Robert in Ana een nog onverzoenlijker en compromislozer geest. Naar Ana's mening was vrijwel alles wat er uit de radio en de televisie kwam of wat er in de bioscopen werd vertoond *ordinair*. Een negatiever uitdrukking kon ze niet bedenken, en bij het uitspreken van het woord verschenen er rimpels op haar neus, zodat de huid om de neuswortel en de neusvleugels werd samengetrokken tot een heleboel plooitjes, die haar op een kieskeurig konijn deden lijken.

Dat was een lief gezicht, en Robert zat altijd te popelen dat ze het woord zou zeggen. Hij lokte het zelfs uit door haar over films te vertellen waarvan hij wist dat ze er een hekel aan zou hebben. Maar ze was het niet eens met Robert dat al het ordinaire een blijk was van vals bewustzijn, van de geraffineerde methode die de kapitalistische maatschappij erop nahield om de arbeidersklasse te hersenspoelen en ervan te weerhouden het nodige klassenbewustzijn te ontwikkelen. Diep in haar hart was ze van mening dat het volk ordinair was, en ze gaf hem stilzwijgend te verstaan dat ze zelf deel uitmaakte van een vervolgde, maar superieure elite van aristocraten van de geest, van *muzische* mensen, zoals ze zei. Dat was haar lievelingswoord, en het bestempelde het tegenovergestelde van het ordinaire. Ze konden er bijna ruzie over krijgen, maar ze genoot zichtbaar van de discussies, en al argumenterend voor de proletarische bewustwording, droomde hij er heimelijk van een plaats te krijgen in de selecte kring van de muzische mensen, liefst een plaats naast de hare.

Ze begon hem uit te nodigen bij haar thuis. Hij beschouwde dat als een goed teken, maar er gebeurde niets. Ze zaten in de huiskamer, nooit op haar kamer, soms was haar vader er ook. Ze dronken thee. Robert had niet gedacht dat er nog steeds mensen bestonden die op die manier 's middags thee dronken en over dichters of componisten praatten, alsof de wereldrevolutie niet vlak om de hoek lag te smeulen en elk moment kon uitbreken. Samen met Ana en haar vader zat hij in zijn Chinese overhemd naar platen te luisteren, verschillende opnames van dezelfde stukken, en haar vader gebaarde met beide handen terwijl de muziek klonk. Hij gaf commentaar op de manier waarop deze of gene dirigent dezelfde partituur vertolkte. Zo werd Robert ingepalmd door de muziek, in een omweg naar Ana, naar het ogenblik dat hij verbeidde. Hij bleef van de grote symfonieën houden, lange tijd nadat zijn liefde voor haar was getaand samen met zijn geloof in de permanente revolutie. Brahms' en Mahlers werken vormden het ongeweten restant dat ze achterliet toen ze uit zijn leven verdween, maar dat was niet niks. Trotski liet niets anders in zijn herinnering achter dan de mislukte poging je voor te stellen hoe het zou aanvoelen om een ijspriem door je hoofd te krijgen.

Toen ze op een middag alleen waren, viel zijn blik op de kleine gouden davidster, die aan een kettinkje om haar hals hing. Die was hem niet eerder opgevallen. Hij vroeg of hij hem mocht bekijken en stak zijn hand uit, zodat zijn vingertoppen bijna haar sleutelbeen aanraakten. Ze deed het kettinkje af en liet het in zijn handpalm vallen met de ster bovenop. Hij woog hem in zijn hand. Was ze joods? Haar grootmoeder van vaderskant was joods, de davidster was van haar geweest, dus haar vader was ook joods, althans volgens de traditie, hoewel haar grootvader christen was geweest en haar vader atheïst was. Zelf moest ze dus halfjoods zijn, zei ze, het kettinkje weer oppakkend.

Ze boog haar hoofd voorover zodat de haren voor haar voorhoofd hingen terwijl ze het kettinkje in haar nek vastmaakte. Hij moest aan de rode ster denken die ze hem had overhandigd de eerste keer dat ze met elkaar in gesprek raakten. Zou de gouden ster aanleiding tot hun eerste liefkozing worden? Haar nek was smaller en tengerder dan hij had gedacht. Hij stond op het punt er een zoen op te drukken, maar juist op dat moment richtte ze zich weer op zodat haar haar naar alle kanten uitstak. Ze streek erover, met een rood gezicht. Hij wist niet of het door de voorovergebogen houding kwam dat het bloed naar haar wangen was gestroomd of door zijn voornemen, dat ongetwijfeld met grote letters op zijn voorhoofd stond geschreven.

Perplex nam hij zijn toevlucht tot het eerste het beste onderwerp, en vroeg haar of ze iets over haar grootmoeder wilde vertellen. Die was tijdens de oorlog in een van de kampen verdwenen. Ana wachtte even terwijl ze hem gadesloeg, alsof ze wilde zien welke uitwerking haar woorden hadden. En om na te gaan of hij het verdiende het verhaal te horen. Opnieuw zorgde ze ervoor dat hij zich dom en banaal voelde. Er was iets donkers in haar stem terwijl ze vertelde. Hij huiverde, zoals toeristen dat doen wanneer ze gekleed in shorts en T-shirt direct uit de zon komen en zich onder de koele gewelven van een heiligdom begeven, niet zozeer omdat ze daar zin in hebben als wel omdat ze vinden dat het moet. Haar grootmoeder had haar zoontje aan een boerenfamilie op het platteland toevertrouwd. Dat werd zijn redding, maar het werd ook zijn enige familie. Zijn vader had een paar maanden eerder al afscheid van hem genomen om zich bij de partizanen aan te sluiten. Niemand wist waar, wanneer of hoe hij was gestorven. Ana's grootmoeder werd een paar weken nadat ze haar zoon vaarwel had gekust gedeporteerd. Het gouden kettinkje met de kleine davidster had ze onder een losse tegel in het varkenshok verstopt.

Ana kwam dikwijls op dit verhaal terug of sprak in algemenere termen over haar joodse achtergrond. Al haar kennis kwam uit boeken. Haar vader had zijn afkomst schijnbaar verdrongen of had elke belangstelling ervoor verloren. Het zinde hem helemaal niet dat Ana de davidster droeg, hoewel hij haar die zelf cadeau had gedaan toen ze klein was. Maar hoe meer hij ontwijkend antwoordde op haar vragen, des te meer ze vroeg. En in de stapels boeken op haar kamer las ze over het jodendom en de joodse geschiedenis. Robert ontdekte dat ze al een hele tijd bezig was haar identiteit als halve of kwart jodin – het hing ervan af hoe precies je was – te cultiveren. Met zijn belangstelling voor de ster om haar hals had hij hun gesprekken onverhoeds in een baan geleid waar ze niet meer uit konden komen. Wanneer ze haar monologen afstak over de kabbalisten en de talmoed, over de diaspora en de twaalf stammen van Israël en over het grote aantal joden dat kunstenaar was geweest, vervloekte hij zichzelf omdat hij de moed niet had gehad haar blote nek te zoenen.

Haar passie voor al het joodse was van andere aard dan de passie voor de muziek, die ze met haar vader deelde. Hij kreeg hierdoor niet het gevoel dat hij dichter bij haar kwam, maar voelde dat ze zich juist terugtrok in een wereld waarin voor hem geen plaats was. Een wereld waarin hij geen poot aan de grond kreeg omdat hij in vergelijking daarmee zo gewoontjes en anoniem moest lijken. Hij leed heviger dan ooit onder zijn geheime verliefdheid. Hij was ervan overtuigd dat het geen geheim meer kon zijn, en dat ze hem in haar hart minachtte om zijn lafheid. Hij droomde ervan haar omver te duwen in een plotselinge omhelzing, haar letterlijk naar de aarde toe te trekken en haar tot leven te wekken, weg van wat hij als een spookpassie was gaan beschouwen. Wanneer hij braaf naar haar verhalen over de geestelijke superioriteit van de joden zat te luisteren, trachtte hij de woede te onderdrukken die er in hem opkwam en die hem tevens beschaamd maakte. Soms vergat hij bijna dat hij niet kwaad was op de joden, maar op haar. Maar hij was jaloers op haar joden, zowel de levende als de dode, en wanneer ze voor de zoveelste keer over de dood van haar grootmoeder begon, voelde hij zich verlamd.

En dat niet enkel en alleen omdat hem de toegang werd ontzegd tot iets wat geen van hen ooit zou kunnen vatten. Het was ook omdat hij niet durfde te zeggen wat hij dacht. Want in tegenstelling tot hem liet zij zich niet verlammen, ze draafde maar door in de verboden duisternis van de geschiedenis, door niet alleen de geschiedenis van haar grootmoeder en vader te vertellen, maar ook die van haarzelf. Hij begon zo zoetjesaan te begrijpen waarom haar vader het voorhoofd fronste elke keer dat hij het sterretje om haar hals zag. Als puntje bij paaltje kwam, droeg ze het niet als een symbool, maar als een sieraad. Ze had zich overeten aan de tragedie van haar onbekende grootmoeder en van haar vader, ook al maakte ze er geen deel van uit vanwege haar geboorte in veiligheid aan de goede kant van het oorlogsfront en van het IJzeren Gordijn, dat haar vader afzonderde van zijn geboorteland, waar zij nog nooit een voet had gezet.

Op een avond in de vroege winter zat hij in hun keuken. Zij was eten aan het koken, en zoals gewoonlijk was hij degene die luisterde, bijna exploderend van lust terwijl zij uitweidde over het respect van de joden voor het geschreven woord. Ze vertelde hem dat het verboden was oude thorarollen te vernietigen, en dat de versleten rollen op de zolders van de synagogen werden bewaard. Plotseling onderbrak hij haar met de vraag of ze het niet vervelend vond dat haar moeder geen jodin was geweest, zodat ze zich als een volwaardig lid van het uitverkoren volk had kunnen beschouwen. Hij wist niet of het door het sarcasme in zijn toon of door de verwijzing naar haar moeder kwam dat ze haar mond hield. Hij voelde meteen dat hij een onuitgesproken overeenkomst had geschonden, maar dat besefte hij pas op het moment dat hij de overtreding beging. Hij trachtte het gesprek op volgens hem verzoenende toon voort te zetten door te vragen of er wel plaats genoeg kon zijn voor al die thorarollen op de zolders van de synagogen en wat men deed om de muizen ervan te weerhouden ze op te eten. Ze gaf geen antwoord en ging met verbeten nauwkeurigheid voort met aardappelschillen.

Aan tafel vroeg haar vader waarom ze zo stil was. Het was niets, zei ze, zijn blik vermijdend, pijnlijk getroffen door de directe manier waarop hij haar in Roberts aanwezigheid benaderde. Haar ogen richtten zich op een vaag punt tussen hen in, en zo bleef ze zitten, ingekeerd en roerloos, het hoofd ietsje achterover zodat Robert haar hals kon zien in zijn volle lengte, die hals die hij allang had moeten zoenen. Ze had de davidster afgedaan. Robert meende beslist dat ze die om had gehad toen hij aankwam, maar voelde niet dat hij dit als een overwinning kon noteren. Ze bleef ongeslagen met haar dromerige blik en de manier waarop ze haar gezicht achteroverhield onder het gewicht van de weelderige haardos, in beslag genomen door een geheime gedachte. Haar hoogmoedige gelaatsuitdrukking deed hem zijn spijt in de keuken vergeten, toen ze zwijgend naar de schillen stond te staren die in bochtige slierten van de gele aardappels gleden en als zware druppels in de gootsteen ploften. Hij voelde zich uitgevlakt door haar stilzwijgen en haar afwezige blik, en kreeg zin om haar nog meer te kwetsen.

Er schoot hem een artikel te binnen dat hij had gelezen in de krant over de Israëlische onteigening van Palestijns bezit. Hij gaf een kort verslag van wat hij had gelezen, de klarinettist luisterde vol belangstelling. Hij was het met Robert eens, de manier waarop de joodse staat de Palestijnen behandelde onthulde dat het zionisme geen haar beter was dan elke andere vorm van nationalisme, maar integendeel één groot verraad jegens de ervaring van het joodse volk als vervolgde minderheid. Robert keek naar Ana terwijl haar vader aan het woord was. Haar blik was nog steeds vaag, maar ietsje zachter en donkerder, scheen hem toe, alsof haar ogen groeiden. Hij was verrast over de steunbetuigingen de hij kreeg, maar hij beleefde daar weinig plezier aan want opeens smeet Ana met een felle klap het bestek op haar bord. De klarinettist keek haar verwonderd na door zijn hoornen bril toen ze de eetkamer verliet. Haar kamerdeur werd met een dreun dichtgetrokken. Hij legde zijn servet op de tafel en stond op. Robert bleef aan tafel zitten. Hij hoorde hem door de deur heen op gedempte toon praten in hun vreemde taal.

Op het moment dat ze overeind kwam, had ze hem aangekeken. Hij had geen woede in haar ogen gelezen, en ook geen zelfmedelijden. Een seconde lang had ze hem door haar tranen heen gadegeslagen, alsof ze zekerheid wilde hebben. Ze had hem aangekeken alsof ze steeds had geweten dat hij haar zou verraden en dat ze het aan zichzelf te wijten had dat ze zich niettemin door zijn meelevende gezicht had laten verlokken. Terwijl hij in zijn eentje aan tafel zat, voelde hij het verraad op zijn wangen gloeien, maar er zouden heel wat jaren overheen gaan eer hij helemaal besefte wat er was gebeurd. Eigenlijk had hij haar niet gekwetst. Dat zou een veel warmer gebaar zijn geweest. In plaats daarvan had hij de kilte in zijn jonge, tastende begeerte blootgelegd. Hij had een wreedaardige spiegel voor haar opgehouden en haar getoond wat ze bij voorbaat al wist.

Hij had haar de aanblik kunnen besparen, maar dat deed hij niet. Zonder het te beseffen had hij haar bevestigd in de wetenschap dat ze moederziel alleen was. Door haar eraan te herinneren dat ze niet degene was die ze in haar dromen wenste te zijn, had hij tevens onthuld dat hijzelf alleen maar van haar had gedroomd. Je droomt de dromen waaraan je behoefte hebt, dacht hij later. Hij was te jong geweest om begrip voor haar dromen te kunnen opbrengen. Zij had echter in een flits beseft dat hij er alleen nog maar behoefte aan had om te dromen. Terwijl zij zich met haar joden had getooid, had hij zich met zijn verliefdheid getooid in plaats van er een beetje barmhartigheid aan te ontlenen.

Bijna een week lang zei ze geen stom woord tegen hem. Hij durfde haar niet te benaderen wanneer hij een glimp van haar opving op de gangen of terwijl ze de trap op of af liep, langs de gipsen Griek. Hij was wanhopig, hij kon zich niet concentreren tijdens de lessen en voelde zich bestookt door honende blikken, terwijl de angst en de hoop hem om het hart sloegen bij het idee dat ze elkaar tijdens het speelkwartier tegen het lijf zouden lopen. Op een middag belde hij met knikkende knieën bij haar aan. Haar vader deed open, ze was niet huis. Hij vroeg of hij binnen wilde komen. Robert kon het niet over zich verkrijgen om nee te zeggen, toen de klarinettist vroeg of hij een kopje thee wilde. Het zou immers kunnen dat Ana opdook, zei hij met een glimlach die Robert het gevoel gaf dat hij uit glas bestond. Het was een gevoelig meisje, maar daar was hij zeker al achtergekomen. Dat was alles wat daarover te zeggen viel.

Het had de hele dag gesneeuwd, en Roberts schoenen waren doorweekt geraakt. De klarinettist vroeg of hij ze niet uit wilde doen zodat ze konden drogen. Hij bleef aandringen, ook al zei Robert beleefd dat het niet zo erg was. Hij had toch zeker geen zin om een longontsteking op te lopen? Ana's vader stond op het punt hem de schoenen van zijn voeten te trekken toen Robert zich gewonnen gaf. Verlegen zag hij toe hoe de kale man proppen maakte van krantenpapier en die in de natte schoenen stopte. Hij zette de schoenen op de radiator en bleef een poosje naar Robert staan kijken voordat hij weer aan tafel aanschoof. Ze waren nog nooit eerder met zijn tweeën geweest. Nu zat hij mooi in het schip, zonder schoenen en zonder Ana. Haar vader deed suiker in zijn kopje en roerde zorgvuldig met het lepeltje. Hoe ging het met de wereldrevolutie? Robert kreeg een rooie kop. Die liet nog even op zich wachten... De ander keek hem over de rand van zijn hoornen bril aan en glimlachte, maar zonder leedvermaak, bijna hartelijk. Het moest prettig zijn, zei hij, om iets in het verschiet te hebben.

Hij vroeg naar zijn moeder, en Robert vertelde hem meer dan hij aanvankelijk van plan was geweest. De klarinettist sloeg hem oplettend gade. Hij bleef hem aankijken, ook wanneer hij het kopje naar zijn mond bracht, die niet meer dan een spleet was in zijn kippige gezicht. Robert ontdekte tot zijn verbazing dat hij zich niet langer verlegen voelde. Voordat hij zichzelf kon afremmen, was hij al aan het vertellen hoe hij het telefoonnummer van zijn vader had weten te vinden, hoe vreemd het was om naar een herenkapper in een Jutse provinciestad te bellen en je voor te stellen als zijn zoon, en hoe hij, op weg naar hun afgesproken ontmoeting, op het laatste ogenblik van gedachten was veranderd en uit de trein was gestapt. Hij zweeg. Om de blik van de ander te vermijden, keek hij om zich heen in de kamer. Je kunt me vanavond horen spelen, zei Ana's vader. Robert keek hem aan, de klarinettist glimlachte opnieuw. Ze speelden Brahms.

Er werd een sleutel in de voordeur gestoken. Toen Ana de kamer binnenkwam, bleef ze abrupt stilstaan voordat ze bij hen aanschoof en een slok uit het kopje van haar vader nam. Ze zaten in de keuken een sandwich te eten toen haar vader was vertrokken. Ze zeiden niets over wat er tijdens zijn vorige bezoek was gebeurd. Ze hadden het ook niet over joden. Hij vertelde haar over zijn leraar Engels, die het op zijn heupen had gekregen omdat bijna niemand een opstel had ingeleverd. Ik heb engelengeduld met jullie gehad, had de leraar Engels gezegd, maar nu is de maat vol! Ana lachte. Hij vroeg of ze schaatste. Dat deed ze. Misschien konden ze op een dag samen gaan schaatsen. Als het zo bleef doorvriezen, zou het ijs op de vijver binnenkort sterk genoeg zijn. Buiten was het donker geworden, en het sneeuwde weer. Hij vroeg wanneer het concert begon. Ze keek hem verrast aan. Nu... Had hij zin om het te horen? Ze stonden op en begaven zich naar de huiskamer. Ze trok haar benen op in de leunstoel, en hij bedacht dat ze dat vermoedelijk altijd deed wanneer ze in haar eentje was. Ze boog zich voorover naar de radio, zodat de haren voor haar ene oog vielen terwijl ze loom haar hand uitstak.

In de stilte klonk het geruis van klapwiekende vogels, een eindje verderop. Een zwerm vogels steeg in één keer uit het riet op en formeerde een driehoek waarin ze op even grote onderlinge afstand bleven. De driehoek van klappende vleugels draaide om zichzelf heen door de lucht, slinkend in het perspectief van de asrichting, waar de zwellende wolken zich spiegelden in het stille water. Robert richtte zich op van de vermolmde paal en zag hoe de zwerm vogels en het flakkerende spiegelbeeld elkaar naderden. Hij wierp een laatste blik op het silhouet van de dansende zigeunerin binnen het blauwe vierkant van het pakje sigaretten, niet langer schemerblauw, maar lichtblauw als de hemel en het rimpelige wateroppervlak achter het rietbos.

Hij ving de terugweg aan terwijl hij Ana opnieuw voor zich zag op een winteravond in hun vroege jeugd, naast de donkergelakte radio waar haar vader speelde te midden van de andere musici, zodat de instrumenten ineenvloeiden in één grote beweging. Hij zat in de leunstoel tegenover haar, op het uiterste puntje, toen de golven van de muziek tegen het gebreide paneel van de radio sloegen. Ana zat naar de vallende sneeuwvlokken te staren. Voorzichtig kwam hij overeind en liep naar haar toe, hurkte neer en legde een hand op een van haar enkels in de huidkleurige kousen. Langzaam draaide ze haar gezicht naar hem toe, niet verwonderd, in een soort dagende herkenning, en met een uitzonderlijk zachte en soepele beweging liet ze zich naast hem op het vloerkleed glijden. Naderhand begreep hij niet hoe ze zich uit haar opgevouwen meerminnenhouding had losgemaakt en in zijn armen was gevallen.

Haar gezicht in het warme, schuine lampschijnsel, omringd door de waaier van haar haardos op de wijnrode en vaalgroene bladerranken van het tapijt, zou hem altijd bijblijven. Het bleef hem bij zelfs nadat het was opgehouden hem te benauwen. Haar gezicht was nog steeds duidelijker dan een foto toen hij volwassen was geworden en andere vrouwen had leren kennen. Het bleef ademen. Hij herinnerde zich niet alleen haar brede jukbeenderen en de afstand tussen haar donkere ogen, maar ook het gevoel dat hij wijdopen stond tijdens de seconde voordat hij zich over haar heen boog en zijn eigen schaduw bedekte wat hij had gezien. Eenzelfde gevoel had hij toen Monica vele jaren later een wollen deken over zich heen trok om hun eerste zoen tegen het rauwe winterse licht en de lelijkheid van de vakantieflat te beschermen. En misschien had hij er alleen maar op gewacht, bedacht hij op die namiddag in de Franse Alpen, dat een gezicht met dezelfde bijna tedere zachtheid op hem af zou komen om het beeld van Ana uit te wissen.

Maar hij had zich vergist, zijn laatste liefde had de eerste niet de loef afgestoken. In Monica's gezelschap was hij zelfs gaan twijfelen aan zijn vermogen tot liefhebben. Zo er al een verborgen samenhang tussen Ana en Monica bestond, dan was er eerder sprake van dat zijn eerste begoocheling zwanger was geweest van alle volgende.

Maar zo dacht hij er niet over in de Alpen, en toen hij later samen met Sonja in zijn en Monica's pas geschilderde flat lag, zag hij van tijd tot tijd opnieuw Ana voor zich, haar wachtende gezicht omringd door het loshangende haar, waarbij hij het idee had dat ze op een belofte leek die nooit was ingelost.

Ze lagen heen en weer te rollen tussen de versleten arabesken van het vloerkleed, met hun handen onder elkaars kleren en met hun tongen tegen elkaar geperst, totdat zij zich van hem losmaakte. Hij keek haar een beetje beschaamd aan, hij dacht dat ze toch maar niet wilde. Ze veegde het speeksel van haar mond en begon haar blouse open te knopen. Trek je kleren uit, zei ze gedempt. Hij gehoorzaamde. Opeens kreeg het allemaal een praktisch tintje. Hij zoende haar in haar nek terwijl haar vingers de haakjes van haar bh zochten. Wat ben je mager, zei ze, hem het gevoel gevend dat hij een geraamte was. Haar borsten waren kleiner dan hij had gedacht, en haar heupen waren breder, de dijen steviger. Zo zie ik eruit, zei ze, alsof ze een kleine aarzeling in zijn ogen had gelezen, en hij zoende haar gretig en ijverig, als een dronkelap die nuchter vreest te worden. Ze liet zich achterovervallen en moest lachen. Zijn handen graaiden over haar hele lichaam. Hij vond het niet leuk dat ze had gelachen. Langzamer, fluisterde ze. Met een lichte greep om zijn pols hielp ze hem op weg. Ze maakte een iets te geoefende indruk.

Hij had een condoom in zijn zak. Daar zat het al een hele tijd. Hij haalde het beschroomd tevoorschijn en verbrak de verzegeling. Zij zei niets, maar hij kon zien wat ze dacht. Hij was goed voorbereid. Godvergeten attent. Ze volgde nieuwsgierig hoe hij het erop rolde. Nu was het zover. De gummilucht zorgde ervoor dat hij zich nog naakter voelde. Zij leidde hem, en na een paar pogingen gleed hij naar binnen. Ze glimlachte en kneep haar ogen dicht, haar haar kleefde aan haar vochtige voorhoofd, ze steunde. Hij kwam vrijwel onmiddellijk klaar. Het was een teleurstelling, zag hij, maar ze was lief. Ze lagen dicht tegen elkaar aan terwijl ze naar Brahms luisterden. Ze keek hem met een vage blik aan en liet een vinger vanaf zijn voorhoofd tot over zijn neus glijden. Hij zei dat hij van haar hield. Zij gaf geen antwoord.

Een paar weken dacht hij werkelijk dat ze een paar waren geworden. Hij werd dronken bij de gedachte, wanneer hij op haar stond te wachten voor de school. Ze wandelden samen in de sneeuwwitte parken en schaatsten toen het ijs op de vijver dik genoeg was. Hij nam haar mee naar huis en stelde haar aan zijn moeder voor. Hij was nerveus voor wat Ana van zijn moeder zou vinden, en terwijl ze de trap in het bescheiden woonblok beklommen, zette hij zijn beste beentje voor om haar te vertellen dat de kantinejuffrouw aan Tolstoj en Dostojevski verslaafd was. Naderhand schaamde hij zich ervoor dat hij met alle geweld een muzisch schijnsel had willen werpen op zijn masculiene moeder met haar rode, gebarsten handen. Toen ze alleen op zijn kamer waren, zei Ana dat zijn moeder haar een fijn iemand leek. Dat klonk veel te mooi. Ze lagen op bed, hij zoende haar en perste een hand tussen haar in nylonkousen gestoken dijen. Ze duwde hem weg.

Blijkbaar was ze over haar joodse raptus heen gekomen, de davidster zag hij althans nooit meer. Alleen de dichtbundels waren er nog, maar ze sprak er niet zo enthousiast meer over als voorheen. Hij verveelde zich algauw wanneer ze voor de zoveelste keer een oordeel velden over wat ordinair en wat muzisch was. Hij wilde liever over hén praten. Vaak lagen ze gewoon op zijn of haar bed wanneer ze alleen thuis waren, zonder een woord te zeggen, terwijl ze elkaar liefkoosden, zij ietwat verstrooid, hij opdringerig en verwachtingsvol. Na het vrijen trok ze altijd het dekbed over zich heen. Ze hield er niet van dat hij naar haar lichaam keek. Soms viel ze in slaap. Toen hij begreep dat ze elkaars geliefden niet meer waren en dat ze dat misschien ook nooit waren geweest, waren het niet haar brede heupen en kleine borsten die hij voor zich zag wanneer hij 's nachts niet kon slapen en hij zijn wonden likte. Hij zag steeds haar gezicht onder hem op het vloerkleed, op het moment voordat het allemaal zou beginnen.

Het eindigde niet, het ebde weg, tot het opeens tot hem doordrong dat het allang voorbij was. Ze begon 's middags andere dingen te moeten, en wanneer hij onverwacht op bezoek kwam, werd er zo langzamerhand net zo vaak door haar vader opengedaan. Hij zat thee te drinken met de klarinettist terwijl de natte sneeuw van de daken roetsjte. Ze luisterden naar grammofoonplaten en spraken over muziek. Robert leerde die winter veel over muziek, en midden in zijn onrust ontdekte hij dat hij erop gesteld was om in de duistere woning met de kale man te zitten praten.

De klarinettist leek nooit verrast wanneer Robert aanbelde. Ook niet toen hij op een middag opdook, ook al had hij van Ana te horen gekregen dat ze pas laat in de avond thuis zou zijn. Er stond een muziekstandaard bij het raam in de huiskamer, de klarinet lag op een stoel ernaast. Robert vroeg of hij stoorde. Helemaal niet, maar nu hij er toch was, kon hij zich net zo goed nuttig maken en een pot thee zetten. Hij begaf zich naar de keuken om water op te zetten, en terwijl hij stond te wachten tot het aan de kook zou raken, luisterde hij naar de koele, melancholieke tonen uit de huiskamer. Ana's vader bleef doorspelen toen Robert het blad behoedzaam op de lage tafel zette en op zijn vaste plaats ging zitten. De man bij het raam scheen hem niet op te merken. Hij speelde alsof hij alleen was, licht heen en weer wiegend op de maat van de melodie, met zijn bijziende oogjes aan de noten gekleefd en zijn mond opeengeklemd in een neerwaarts gebogen, klaaglijke grimas om het mondstuk van de klarinet.

Hij bleef doorspelen toen de voordeur in het slot viel. Robert draaide zich om. Door de halfopen deur zag hij Ana in de gang staan samen met een jongen. Ze stonden met hun rug naar hem toe, ze hadden hem niet in de gaten. Ze hingen hun jassen aan de kapstok en verdwenen uit het gezicht door de gang in de richting van haar kamer. Robert bleef zitten tot de klarinettist zijn instrument op schoot legde en hem over de hoornen bril heen aankeek. Bartók, glimlachte hij, en hij zette zijn bril af. Hij hield die op tegen het raam, liet hem weer zakken en poetste de glazen met zijn overhemd. Zijn ogen waren bruin, net als die van Ana, en groter dan anders. Hij zette zijn bril op en keek door het raam naar buiten. Er stond een gummiachtige cactus op de vensterbank. Hij stak een hand uit en frunnikte wat aan de buitenste verwelkte kant van een van de leerachtige bladeren. Er vielen kruimels op de vensterbank. Bartók, Béla... zei hij langzaam, starend naar het winterse licht.

Robert stond in de keuken bij het aanrecht toen hij een auto op de inrit hoorde. De motor sloeg af, er werd een portier dichtgegooid, en even later werd er aangebeld. Hij aarzelde even voordat hij aanstalten maakte om open te doen. Er was niemand, maar hij herkende Jacobs auto achter de zijne. De telefoon ging in de huiskamer. Op de drempel bleef hij stilstaan. Jacob stond op het grasveld door het panoramavenster naar binnen te kijken. Het was schemerig in de huiskamer, vermoedelijk zag hij alleen maar zijn eigen spiegelbeeld met de wolken en de bomen langs de schutting aan het eind van de tuin. Robert had vergeten bij zijn thuiskomst het antwoordapparaat uit te zetten. De telefoon stond bij het raam. Als Robert erheen liep om op te nemen, zou Jacob hem ontdekken. Als hij het achterwege liet, had het er nog steeds de schijn van dat hij een ommetje aan het maken was.

Hij hoorde zijn eigen stem vertellen dat hij niet thuis was en dat men na de pieptoon een bericht kon inspreken. Het apparaat stond zo luid dat Jacob het moest kunnen horen. Hij bleef op het grasveld staan. Robert was er vrijwel zeker van dat hij hem niet had gezien, maar toch leken hun blikken elkaar te ontmoeten door de brede ruit. Na de pieptoon werd het stil, en in de stilte hoorde hij iemand ademhalen. Toen hij Lucca's stem herkende, kon hij niet uitmaken wat hij voelde, een slecht geweten of irritatie bij de gedachte dat hij haar nu niet kon spreken. Hij liep naar de telefoon toe en nam op, met zijn rug naar het raam toe. Toen hij even later de tuin inkeek, was Jacob weg. Hij hoorde de auto starten en wegrijden.

Haar toon was gedempt, bijna vertrouwelijk, maar misschien praatte ze alleen maar zo zacht omdat er andere personen in het vertrek waren vanwaar ze telefoneerde. Ze had zelf leren toetsen. Knap van haar, hè? Hij verontschuldigde zich omdat hij haar nog niet had opgezocht, en vroeg hoe het ermee ging. Dat klonk flauwtjes. Ze antwoordde met een vraag. Had hij Andreas gesproken? Robert dacht aan Stockholm. Nee, Andreas had niets van zich laten horen. Waarom belde ze hem niet gewoon op? Ze had vast wel enig idee waar hij uit kon hangen. Ze zweeg. Robert vroeg of hij het voor haar zou doen, en werd onmiddellijk kwaad op zichzelf omdat hij zich vrijwillig in hun privé-verwikkelingen liet verstrikken. Hij had het alleen maar gezegd om de stilte te verbreken. Ze aarzelde. Zou hij dat willen doen? Hij zei van ja. Ze wilde zo graag bezoek van Lauritz hebben. Zou hij, als dat niet te veel gevraagd was, de jongen eventueel naar haar toe willen brengen? Op een zaterdag of zondag, wanneer hij toch vrij had? Hij moest haar beloven dat hij nee zou zeggen als het ongelegen kwam. Hij moest glimlachen om die kleine huichelarij.

Ze gaf hem naam en adres van een stel vrienden, bij wie Andreas meestal logeerde. Hij moest zelf hun nummer zien te achterhalen, dat kende ze niet vanbuiten. Hij kreeg het nummer via de inlichtingendienst, en belde. In gesprek. Hij deed de schuifdeur open en ging naar buiten. De zon scheen tussen de jachtige wolken en liet een fel licht vallen op de witte plastic stoelen op het terras, zodat hij zijn ogen dicht moest knijpen. Hij posteerde zich midden op het grasveld, op de plek waar Jacob had gestaan. De lichtende spiegelbeelden van de stoelen zweefden in het panoramavenster voor de schemerige huiskamer en de verder verwijderde, vagere weergave van zijn eenzame gestalte op het grasveld. Hoe was hij hier terechtgekomen? Zelfs als hij zijn geheugen tot het uiterste toe inspande en er werkelijk in zou slagen de volgorde van de gebeurtenissen tot in de kleinste details te reconstrueren, zou dat het hem niet dichter bij een antwoord brengen, vermoedde hij.

De volgende dagen werd het warm, de wolken verdwenen, en de hoge druk had de hemel veranderd in een lichtblauwe woestijn, die zich helemaal tot de stad toe uitstrekte. De warmte deed de lucht boven het asfalt van de snelweg trillen. De wind woei door de open ramen en rukte aan de mouwen van zijn overhemd. Hij voelde zich licht en gedachteloos terwijl de verkeersborden opschoten in het perspectief en abrupt over de voorruit heen vlogen. Hij luisterde naar *Die Zauberflöte*, en was helemaal vergeten waarom hij op pad was gegaan. Het was langgeleden dat hij in Kopenhagen was geweest. Bij het passeren van station Sydhavn moest hij denken aan al die keren dat hij thuis was gekomen na een reisje over het platteland, opgelucht bij het zien van de torens van de stad, het glinsterende water in de haven en de kranen boven het rangeerterrein van het goederenstation. Hij zou zijn baan kunnen opzeggen, het huis verkopen en weer naar de stad gaan. Hij kon doen wat hij wilde. Waar wachtte hij op?

Er klonk luide popmuziek achter de deur. Hij klopte er krachtig op. De vrouw in de zwarte onderjurk die opendeed, was bruin als cacao en onnatuurlijk blond. Het gebleekte haar was kortgeknipt en piekte verward om haar afgematte, bruine gezicht. Ze keek hem vragend aan, waarbij ze haar ogen toekneep om de rook te vermijden van de sigaret tussen haar lippen. In haar ene neusvleugel droeg ze een kunstpareltje. De woning bevond zich in een achterhuis in de binnenstad en bestond uit één grote kamer met houten stutbalken in het midden. Overal op de meubels en op het onopgemaakte bed lagen stapeltjes kleren. De chaos van modekleding, lege pizzadozen, vuile kopjes en rondslingerende spullen leek een verbond aan te gaan met het drumritme, dat uit de luidsprekers werd gepompt. Ze moest van Lucca's leeftijd zijn. De armbanden om haar pols rinkelden toen ze de sigaret uit haar mond haalde en hem met haar hand beduidde binnen te komen. Ze excuseerde zich voor de rommel en riep Lauritz, die op een bank tv zat te kijken. Het kwam niet in haar hoofd op om de muziek zachter te zetten. Bij een van de ramen stond een al net zo gebruinde man, slechts gekleed in een onderbroek, in een mobiele telefoon te praten. Hij wierp een blik op Robert en gaf een kort knikje voordat hij hem de rug toekeerde. Hij was atletisch gebouwd, en streelde al pratend verstrooid de spieren van zijn ene bovenarm.

Lauritz reageerde niet, volledig gehypnotiseerd door Tom en Jerry, die elkaar op het scherm achternazaten. De geblondeerde vrouw nam Robert in ogenschouw terwijl ze de jongen riep. Door de telefoon had hij zich gepresenteerd als een vriend, maar het was duidelijk dat ze zich afvroeg of hij soms iets anders en meer dan dat was, die would-be oom uit de provincie met zijn geruite overhemd en zijn mocassins. Toen hij belde, had hij naar Andreas gevraagd. De geblondeerde had gezegd dat die op reis was. Eindelijk keek Lauritz op en kreeg hem in het oog. Robert was er niet zeker van dat de jongen hem herkende, maar anderzijds maakte hij ook geen verlegen indruk, eerder een berustende toen hij zich van de bank liet glijden, naar hem toe kwam en zijn hand beetpakte. De geblondeerde liet hen uit. De man in de onderbroek stond nog steeds met zijn rug naar hen toe te praten. Robert zei dat hij Lauritz aan het begin van de avond zou terugbrengen. In de deuropening draaide ze zich om. Was het waar dat Lucca nooit meer zou kunnen zien? Wat ontzettend... Ze glimlachte naar de jongen en haalde een hand door zijn haar voordat ze de deur achter hen dichtdeed. Lauritz streek over zijn haar terwijl ze de trap afliepen.

Robert vroeg of hij nog wist dat hij hem en zijn vader op een dag van de supermarkt naar huis had gereden. Die dag dat het zo regende. Lauritz dacht een poosje na. Toen vroeg hij waar zijn vader was. Had zijn vader hem dan niet verteld waar hij naartoe was gegaan? Dat wist hij niet. Terwijl Robert in noordelijke richting reed, wierp hij door de achteruitkijkspiegel van tijd tot tijd een blik op de jongen. Hij zag alleen maar zijn voorhoofd en zijn ogen, die hem afwachtend bekeken. Nu had hij Lea graag bij zich gehad. Hij herinnerde zich hoe zij in de tuin had rondgelopen met de jongen aan haar hand alsof hij haar broertje was, toen Andreas was gekomen om de per ongeluk meegenomen lamsbout af te geven.

Ze had hem de dag ervoor gebeld. Hij was het gras aan het maaien, en het lawaai van de grasmaaimachine overstemde bijna de telefoon. Ze lachte om zijn amechtige stem toen hij eindelijk opnam. Ze belde van de luchthaven, op weg naar Lanzarote. Hij zweette, het T-shirt kleefde aan zijn schouderbladen. Het was dezelfde lach van de week ervoor toen hij op het strand achter haar aan holde en struikelde. Hij keek naar zijn laarzen terwijl hij naar haar stem luisterde. De neuzen van de laarzen waren bedekt met stukjes gras. Hij wilde graag iets tegen haar zeggen, maar hij kon niets bedenken. Hij vroeg of ze een kaart wilde sturen. Ze zei van ja en zoende het mondstuk aan de andere kant. Dat klonk grappig.

Lauritz was in slaap gevallen toen ze het parkeerterrein bij het orthopedisch ziekenhuis opreden. Robert riep hem zachtjes, tot hij met een schok wakker werd en om zich heen keek, roodkonig en confuus. Toen ze naar de ingang liepen, liet hij Roberts hand los en begon pijnappels op te rapen, die op de grond onder de pijnbomen lagen. Lucca glimlachte toen de jongen haar de harde, gelobde pijnappel overhandigde. Robert was blijven staan aan het eind van het terras, waar een verpleegster hen naartoe had gebracht. Ze zat in de zon, in een van de vele dekstoelen die daar naast elkaar stonden. Op een afstandje leek ze op een willekeurige vrouw die naar haar zoontje glimlachte en hem door haar zonnebril aankeek. Lauritz kroop bij haar op schoot en begroef zijn hoofd onder haar kin. Robert liep naar hen toe. Het geluid van zijn stappen op de terrasvloer deed haar opkijken. De jongen sloeg hem oplettend gade. Bedankt, zei ze. Dat was vriendelijk van je. Ze was opeens formeel, door de telefoon was ze dat niet geweest. Het was een kleine moeite. Nee, antwoordde ze alleen maar. Hij zei dat hij een wandelingetje op het strand ging maken.

Er waren veel mensen, en hij voelde zich veel te aangekleed en opvallend tussen de anonieme lichamen, die in lange rijen lagen te zonnen. Aan de rand van het strand ging hij zitten. Zijn schoenen en kousen trok hij uit. Het luide schreeuwen van de kinderen klonk op en werd weer overstemd door het diepe geluid van de branding. De reflecties van het licht op het terugstromende water verblindden hem, tot de volgende kromhalzige golf op het vochtige zand sloeg. Aan de horizon lag het Zweedse Kullen er blauw en nevelig bij. Van tijd tot tijd ving hij een glimp van de overkant op, wanneer de zon een ogenblik een passerende autoruit in Zweden raakte.

Robert stak een sigaret op. Sinds Monica en hij waren gescheiden, was hij hier niet meer geweest. Zij had al rokend hetzelfde uitzicht staan bekijken, op een late namiddag toen de andere strandgasten waren vertrokken. Toch leek het een heel andere plek. Het enige wat er over was, waren een paar losse indrukken, en hij wist niet eens zeker of hij ze zich precies herinnerde, die vluchtige ogenblikken van intimiteit, wanneer je voor je gevoel plotseling uit de schaduw stapt en door de zon wordt getroffen. Ooit had hij gedacht dat je op dat soort dingen kon bouwen, en nu zaten ze op Lanzarote.

Hij bleef er een halfuurtje zitten. Af en toe wierp hij een blik op het witte functionalistische gebouw dat ooit een badhotel was geweest. Hij moest denken aan het verhaal dat Monica's moeder altijd had verteld wanneer ze wat te drinken kreeg. Hoe de jurist bij het Hooggerechtshof daar op een avond op de dansvloer, tussen twee dansen in, naar haar hand had gedongen, slank en sprookjesachtig in zijn witte smoking. Zou hij haar hebben uitgekozen vanwege de jurk? Ach, waarom ook niet? De liefde had zijn gevolgen, maar was tegelijkertijd ook zelf vermoedelijk het gevolg van alle mogelijke en onmogelijke dingen, zowel grote als kleine. Hij veegde het zand van zijn voeten en trok zijn schoenen aan. De sokken stak hij in zijn zak. Vooral de kleine dingen bleken vaak met een onvermoede, transformerende kracht op het voorstellingsvermogen in te werken. De luxueuze manier waarop een rok rond een stel meisjesbenen danste, op de maat van de eigentijdse melodieën. Een beschroomd blozende glimlach onder een wollen deken in de Alpen. Een witte hand, die loom tegen de knop van een oude radio duwde, en een dromerige blik op de sneeuw onder de lantaarns. Meer kwam er niet bij kijken.

Lucca zat nog steeds op het terras. Lauritz lag op de vloer met zijn pijnappels te spelen. Haar lange gezicht met de hoge jukbeenderen en de rechte neus deed zowel melancholiek als arrogant aan, als was het gevormd door een oude, onbedwingbare, maar nooit gestilde honger. Ze zat met haar gezicht naar de zon toe, om haar lippen speelde een zwakke glimlach. Hij wist niet of het door de warmte kwam dat ze glimlachte, of door het geluid van zijn voetstappen en de krakende dekstoel.

Ze zwegen, je kon de zee horen, maar alleen als een gedempt suizen achter het snelle, tikkende geluid van de uitstekende zaadschubben op de pijnappels, die Lauritz over de terrasvloer liet rollen. Een daarvan landde voor haar voeten, ze boog zich voorover en raapte hem op. Haar vingertoppen betastten de harde schubben. Wat had Andreas te vertellen? Hij is op reis, zei Robert. Ik geloof dat hij in Stockholm is, vervolgde hij na een pauze. Stockholm, herhaalde ze. Tja, dat zat er dik in... Lauritz kwam naar haar toe, ze gaf hem de pijnappel. Hij vroeg wanneer ze naar huis mocht. Ze verwijderde de haren van haar voorhoofd en zette de weerbarstige haarlok vast achter haar oor. Ik weet het niet, zei ze, haar hand uitstekend. De jongen boog zijn gezicht naar voren zodat haar vingers zijn wang even konden aanraken. Hij knielde weer op de vloer en liet de pijnappels achter elkaar aan rollen.

Had hij een sigaret? Hij bood haar er een aan en constateerde hoe handig ze na een kort tasten het pakje vond en er de sigaret uit trok. Ze pakte zijn pols beet toen ze hem de aansteker hoorde aanklikken, en boog haar gezicht naar voren zodat haar haren weer van haar voorhoofd vielen en vervaarlijk dicht in de buurt van de vlam kwamen. Met zijn vrije hand tilde hij de haarlok op terwijl zij aan haar sigaret zoog. Ze leunde snel achterover en blies de rook uit. Het viel hem op dat haar wangen een tikkeltje rood waren, maar dat kon ook door de zon komen. Die was de toppen van de pijnbomen om het parkeerterrein genaderd. De schaduw van de borstwering van het terras vormde een blauwige driehoek op de oogverblindend witte sluitwand. De wind bewoog de naalden van de pijnbomen ritmisch heen en weer, en deed de as van hun sigaretten op de tegels dwarrelen, zodat die zich verspreidde en opsteeg in wervelingen van grijze schilfertjes. Eigenlijk wist ze helemaal niet waar ze was, bedacht hij. Lauritz was een eindje daarvandaan in een dekstoel gekropen. Hij zat met een pijnappel in zijn hand voor zich uit te kijken. Het was niet duidelijk wat hij zag.

Je hebt me niets over jezelf verteld, zei ze. Ik ben altijd degene die vertelt. Altijd, dacht hij. Hadden ze al zoveel tijd samen doorgebracht? Hij veegde wat as van zijn knie. Waar moest hij beginnen? Ze keerde zich naar hem toe. Waar hij maar wilde... Hij keek in haar donkere brillenglazen, verdubbeld tot een identieke tweeling, ieder gekleed in een geruit overhemd, allebei voorovergebogen, met een sigaret tussen hun vingers.

Hij klopte herhaalde malen aan, maar er werd niet opengedaan. Hij klopte nog een keer, harder nu. Aan de andere kant van de deur was het doodstil. Lauritz was op de overloop gaan zitten. Een voor een liet hij zijn pijnappels de trap aftuimelen. Robert trachtte zich te herinneren wat hij tegen de geblondeerde had gezegd. Hij wist zeker dat hij had afgesproken dat hij in het begin van de avond met de jongen zou terugkomen, maar van lieverlede geraakte hij in twijfel. Hij nam op de trede naast Lauritz plaats. Misschien was ze het vergeten, misschien had de muziek hem overstemd toen hij het zei.

Lauritz prikte hem met een vinger in zijn zij. Hij zei dat hij honger had. Robert keek hem aan. De ogen van de jongen deden ouder aan dan hun zachte, donzige omlijsting. Geduldig wachtten die af wat hij van plan was te doen.

Ze gingen naar een Indiaas restaurant, dat in dezelfde straat lag. Lauritz wilde alleen maar rijst. Onder het eten keek hij als betoverd om zich heen naar de vergulde, oriëntaalse portalen van het interieur, die uit triplex waren gezaagd en verlicht werden door paarse peren. Zag het er zo uit in India? Min of meer, antwoordde Robert, en om de tijd te doden begon hij Kiplings fabel over de civetkat te vertellen. Toen Lauritz klaar was met zijn rijst, leek het erop dat het had gesneeuwd op het laken om zijn bord. Robert ging de geblondeerde en de bodybuilder opbellen. Een welopgevoede vrouwenstem antwoordde. Op dit moment geen verbinding met de mobiele telefoon. Het was haast halftien. Hij dacht aan de dingen die hij aan Lucca had verteld over zichzelf, over Monica en over Lea. Hij voelde dat hij te veel had gezegd. Hij stond een poosje naar het getallenmozaïek van de telefoon te staren terwijl hij zich afvroeg wat hij met Lauritz moest aanvangen. Toen nam hij de horen weer van het toestel en belde zijn moeder. Ze klonk verrast, hij had haar in geen weken gesproken. Hij vroeg of hij langs mocht komen, en legde haar de situatie zo bondig mogelijk uit. Het klonk precair. Toen ze weer in de auto zaten, vroeg Lauritz waar het grote meisje was. Robert vertelde hem dat zij zijn dochter was. Waren er civetkatten op Lanzarote? Robert dacht van niet.

De jongen viel in slaap op de bank, waarop Roberts moeder decennia achtereen elke avond had liggen lezen. Ze zaten op haar balkonnetje met uitzicht over de spoorbaan en de jachthaven een eindje verderop, onder de rode bakstenen kolos van de energiecentrale. Was het zijn gewoonte om de kinderen van zijn patiënten te transporteren? Hij glimlachte bedremmeld. De hemel boven de Sont was blauwviolet, en de resten daglicht smeulden bleek na op de rails, het mastenbos en de hoge, slanke schoorstenen. Ze vroeg hoe Lea het maakte. Toen hij had geantwoord, zweeg ze. Ze had hem nooit met zoveel woorden gezegd wat ze van de echtscheiding vond. Ze had Monica gemogen, ze hadden goed met elkaar gepraat, maar ze had niet overdreven veel medeleven betuigd toen hij haar zei dat Monica wilde scheiden. Ze had haar schoondochter ook niet veroordeeld toen hij haar vertelde over die ochtend dat hij te vroeg was thuisgekomen uit Oslo en hij haar bijna in Jans armen verraste. Kennelijk viel dat incident volgens haar onder de toevallige ongelukjes, waaraan je niet te veel waarde moest hechten. Vermoedelijk had ze daar gelijk in. Maar haar stilzwijgen was overgekomen als een verwijt. Vond ze dat hij het allemaal aan zichzelf te wijten had? Ze kon onmogelijk iets van zijn affaire met Sonja afweten. Wat had ze gezien? Hij had het haar nooit gevraagd.

Ze was oud geworden om te zien, haar gezicht hing in rimpelige huidplooien van haar jukbeenderen en kin, en het masculiene brilmontuur leek groter dan ooit. Ze bracht het koffiekopje met een trage, lichtelijk trillende hand naar haar mond, bij het drinken schoof ze haar bovenlip over de rand heen. Haar eeuwige koffie. Hij had vanaf zijn tiende en tot het moment dat hij het huis uitging elke morgen koffie voor haar gezet. 's Zondags had hij die zelfs op bed geserveerd, zwart als teer, met een heleboel suiker. Dat was het enige extravagante aan haar, naast haar niet aflatende consumptie van negentiende-eeuwse romans. Ik ben pas een mens als ik een kopje koffie heb gehad, placht ze te steunen wanneer ze 's morgens de keuken binnenkwam, slaapdronken en torenhoog in de deuropening, terwijl ze met haar grote, rode handen in haar gezicht wreef. De handen van een man, gebarsten, met korte nagels en opgezwollen aderen.

Hij moest zelf zijn lunchpakketten smeren, en hij leerde al vroeg zijn eigen kleren wassen. Ze was te moe wanneer ze thuiskwam van de kantine. Schoonmaken deden ze samen, op zondagmiddag, wanneer de anderen op de binnenplaats aan het voetballen waren. Ze zuchtte veel, maar verder klaagde ze niet. Hij deed wat hij kon om haar niet tot last te zijn. Hij protesteerde ook niet over de kleren die ze een paar keer in het jaar voor hem kocht wanneer er uitverkoop was. Ze kocht zomerkleren voor hem in het najaar en winterkleren wanneer het zomer aan het worden was, altijd het goedkoopste dat er te krijgen was, en natuurlijk volslagen hopeloos. Hij schaamde zich voor zijn kleren, hij schaamde zich voor haar, en hij schaamde zich over zijn schaamtegevoel.

Toen hij het beu was geworden om 's middags in bed te liggen rouwen over het verlies van Ana, drong het gaandeweg tot hem door dat het niet alleen verliefdheid was die hem zo had doen lijden, maar ook zelfverachting. En nog weer later, toen hij met Monica getrouwd was, bedacht hij dat er bijna een wetmatig verband tussen het een en het ander bestond. Met haar aristocratische gezichtsuitdrukkingen en haar vreemdsoortige schoonheid had Ana hem het gevoel gegeven dat hij een kasteloze was. Hij die als kind met lood in zijn schoenen naar school was gegaan met de verkeerde broek aan. Het was duidelijk, maar ook totaal uitzichtloos dat juist zij hem van die vloek zou moeten verlossen.

Maar haar Oost-Europese milieu was niet alleen de duistere achtergrond geweest die haar voorname en prachtige bleekheid deed uitkomen, toen hij eindelijk, op een avond toen het buiten sneeuwde, haar gezicht in zijn handen mocht houden. Hij was er blijven komen, zelfs nadat hij allang had moeten begrijpen dat het geen zin had. Middagen achtereen zat hij thee te drinken met de klarinettist terwijl hij op haar wachtte. De vernedering nam hij op de koop toe, enkel en alleen om naar klassieke muziek te kunnen luisteren bij de vriendelijke man met de hoornen bril en het koddige accent. Hij had zich er meer thuis gevoeld dan in de tweeënhalvekamerwoning van zijn moeder met uitzicht op de energiecentrale en de passerende treinen.

Een treinstel gleed in een boog door de schemering. Hij keek naar zijn moeder. Geen van hen had een tijdlang iets gezegd. Ze hadden nooit veel met elkaar gepraat, ook niet in de tijd dat hij nog thuis woonde. Ze hadden het hoofdzakelijk over praktische zaken, en 's avonds zaten ze elk met een boek. Af en toe schoot ze in de lach, en dan las ze hem het een of ander voor, waarnaar hij maar met een half oor luisterde. Pas als volwassene begreep hij dat ze nooit echt had geweten hoe ze met hem in contact moest komen, uitgeput en wereldvreemd als ze was. Hij had haar verlegenheid verkeerd begrepen en als kilte opgevat.

De rij verlichte coupéramen trok over haar dikke, bolle brillenglazen en verborg haar ogen. Ze legde een hand op de borstwering van het balkon en streelde het geverfde cement met de palm van haar hand. Het is nog warm, zei ze glimlachend. Van de zon... Hij voelde. Ze had gelijk, het cement was nog warm. Het liet een dun laagje grijs stof in zijn handpalm achter. Hij veegde zijn hand aan zijn broek af. Ze had hem een dezer dagen willen bellen, als hij niet zelf was langsgekomen. Misschien speelde het niet meer zo'n grote rol voor hem. Zijn vader was gestorven, ze had zijn overlijdensadvertentie in de krant gezien. Opnieuw deze uitdrukking, *je vader*, alsof ze zelf niets met hem te maken had gehad.

Ze had hem nooit anders genoemd. Ze had het vrijwel nooit over hem gehad, die herenkapper in een verre provinciestad, die hij ooit op het punt had gestaan te bezoeken. Hij wist niet wat hij zeggen moest. Hij deed zijn best om iets te voelen, maar hij voelde niets. Ze peilde zijn stilzwijgen. Zelf had ze geen reden om erover in te zitten, zei ze, daarvoor was het te langgeleden. Haar toon was ongewoon hard, bijna afgestompt. De namen van de kinderen hadden onder de overlijdensadvertentie gestaan. Hij had er dus meer dan een gekregen, sinds hij hen had verlaten. De begrafenis had al plaatsgevonden. Ze glimlachte kort en keek hem aan alsof ze hem op ontroering wilde betrappen. Toch was het merkwaardig, antwoordde hij tenslotte.

Het merkwaardige bestond hierin dat ze ooit met de man was getrouwd. Maar natuurlijk, vervolgde ze, als ik het niet had gedaan, was jij er niet geweest. Hij sloeg zijn blik neer en stak een sigaret op. Nu moest hij niet denken dat ze al die jaren tranen met tuiten had gehuild om zijn vader. Het was een misverstand dat ze ooit met elkaar waren gaan samenleven, en het was alleen maar aan de beroemde ironie van het lot te danken geweest dat hij zijn biezen had gepakt... Ze zweeg, en dronk de rest van haar koffie. Een moment was haar gezicht louter bril en koffiekop. Ze had hem zeker nog nooit over die tijd verteld. Haar stem klonk nu anders, zachter.

Ze was garderobejuffrouw geweest in een dansgelegenheid. Daar was een muzikant, hij speelde bas. Ze was maandenlang heimelijk verliefd op hem, en op het laatst zag hij haar zitten. Op een ochtend in alle vroegte, toen de dancing dichtging, ging hij met haar mee naar haar kamer. De hospita sliep altijd wanneer ze thuiskwam van haar werk, maar ze vroeg hem niettemin of hij zijn schoenen wilde uitdoen op de trap. Hij had zijn smoking nog aan, zo een die glom, en lakschoenen. Toen hij zijn schoenen uittrok, zag ze dat er een gat in zijn ene kous zat. De grote teen stak naar buiten. Ze glimlachte bij de herinnering en gaf een duwtje tegen het oor van haar koffiekopje, zodat het kopje een halve slag draaide.

Toen ze zijn bleke grote teen uit de kous zag steken en ze de uitdrukking op zijn gezicht zag op het moment dat hij erachter kwam dat zij die had gezien, wist ze dat ze van hem hield. Ze glimlachte opnieuw en keek in het lege kopje. Als hij dat gat niet in zijn kous had gehad, was het niet zeker geweest dat ze hem zijn gang had laten gaan. Al het andere aan hem was perfect geweest. Hij was zo knap geweest dat het haar bang maakte, maar die ochtend was ze niet langer bang. Het had haar altijd gespeten dat ze zo lang was en zulke brede schouders had, ze had zich gevoeld als een vuurtoren, maar hij was net zo lang, en hij gaf haar het gevoel dat ze bij elkaar pasten. Hij had zo'n aardige stem gehad, en hij had zulke aardige dingen tegen haar gezegd. Op die manier had nog nooit iemand met haar gepraat.

Ze zweeg, en keek op. Hij had je vader moeten wezen, zei ze. Ze hadden een paar maanden verkering gehad, zij en de knappe bassist. Ze was in de zevende hemel geweest, tot het zomer werd en hij een ander tegen het lijf liep. Ze keek over de borstwering naar het bakstenen gebouw van de energiecentrale, dat nog steeds een zwakke roodachtige gloed bewaarde te midden van al het blauw. Toen was ze tegen de herenkapper aangelopen. Robert bekeek haar geruime tijd. Ze merkte het en keek hem aan. Maar hij hoefde niet met haar te doen te hebben, dat was allemaal verleden tijd. Ze was zo jong geweest. Het ging niet altijd zoals de dominee preekte, dat wist hij zelf ook wel, er was geen reden om daarover te kniezen. Ze kwam overeind en zette de kopjes in elkaar om ze naar de keuken te brengen. Moest hij niet zorgen dat hij die mensen opbelde?

Hij belde en hoorde opnieuw de welluidende vrouwenstem. Nog steeds geen verbinding met de mobiele telefoon. Zijn besluit stond al vast. Voorzichtig nam hij Lauritz in zijn armen. Zijn pijnappels stak hij in zijn zak. De jongen tilde half slapend zijn hoofd op en liet het toen tegen zijn ene schouder aan rusten. Zijn moeder streelde hem vriendelijk over zijn rug toen ze afscheid namen in de deuropening. Dat deed ze gewoonlijk niet, ze was nooit erg lichamelijk geweest. Bij het afdalen van de trap ging het licht uit. Hij liep langzaam verder de trap af in de richting van het oranje lichtpuntje, waar de schakelaar zat, uit angst te zullen struikelen met het slapende kind in zijn armen.

Hij legde hem op de achterbank en dekte hem toe met zijn jasje. Hij reed door de stad en verder via de snelweg naar het zuiden. Terwijl de verkeersborden opschoten in het perspectief en weer aan hem voorbij vlogen, moest hij denken aan de onbekende bassist met de aardige stem, die zijn vader had moeten wezen. Wie zou hij dan geworden zijn? Had zijn moeder zich af en toe dezelfde vraag gesteld wanneer ze op haar balkon of op de bank zat en even uit haar boek opkeek? Was hij zijn hele jeugd een constant groeiende herinnering geweest aan het feit dat alles was misgelopen? Er was geen reden om daarover te kniezen, had ze gezegd. In plaats van te kniezen had ze gewoon haar werk gedaan en had ze zich voor haar zoon opgeofferd. Ze had haar toevlucht gezocht tot de romans. Vergeleken met de dramatischer en tragischer lotsbestemmingen in de romans had ze waarschijnlijk gemeend dat haar leven te triviaal en te doorsneeachtig was om überhaupt een lotsbestemming te kunnen worden genoemd. Het was gewoon zo gelopen. Daar viel verder niets over te zeggen.

Er waren veel zware vrachtwagens op de snelweg, Duitse, Italiaanse, Spaanse en Nederlandse. Hij bleef op de rechterrijstrook, ook al ging het langzamer op die manier. Hij had zin om muziek te horen, maar liet het achterwege om Lauritz niet wakker te maken. Eigenlijk was er sprake van een soort kidnapping, maar wat moest hij anders doen? Het was een mooie boel. Als een soort slaapwandelaar was hij regelrecht de chaos en verwarring van een stel vreemde mensen binnengestapt, alsof het hem iets aanging. Er schoot hem een uitdrukking te binnen die hij zijn moeder dikwijls had horen bezigen wanneer ze commentaar gaf op iets wat ze had gezien of gehoord. Alsof dat iets bijzonders was. Aldus luidde haar vonnis wanneer iemand zijn nood bij haar klaagde of protesteerde over de onrechtvaardigheid van het leven. Alleen oorlogen, natuurrampen en dodelijke ziektes konden enig meeleven aan haar ontlokken. Waren het haar eigen ontberingen die haar zo schamper over het geweeklaag van anderen deden zijn? Hij dacht het niet, want ze was hem nooit bitter voorgekomen, alleen erg afwezig. Het was eerder zo dat haar eigen pijn haar ongevoelig had gemaakt voor die van anderen, tot ze het verschil niet meer zag.

Wanneer ze zuchtte, deed ze dat niet omdat ze met zichzelf te doen had. Haar neus en keelholte waren domweg een soort ventiel geworden, waaraan de teleurstelling, de spijt en de weemoed van tijd tot tijd ontsnapten, stilletjes en zonder veel poespas. Meer permitteerde ze zich niet, bijfiguur als ze naar eigen opvatting was in de grote roman van de wereld, waarvan de voornaamste handeling zich hoe dan ook altijd ergens anders afspeelde, ver buiten haar bereik. Haar soberheid werd niet alleen door haar lage inkomen gedicteerd, het was een levensbeginsel en misschien ook een compensatie voor haar ongewone lengte, waarvan ze zoveel last had gehad toen ze jong was. Ze vond kennelijk dat ze rijkelijk veel ruimte in beslag nam en dat ze haar aanwezigheid daarom op alle andere terreinen tot het uiterste moest zien te beperken. Ze had nooit aan zichzelf gedacht en had vrijwel alles wat ze verdiende aan haar zoon gespendeerd. Op een keer had ze een fiets gekocht voor zijn verjaardag, een fonkelende, splinternieuwe, blauwe fiets met witte banden. Die had een heel jaar op zijn verlanglijstje gestaan, zonder dat hij serieus geloofde dat hij hem ooit zou krijgen, maar toen hij die ochtend wakker werd en hem naast zijn bed zag staan, werd er een domper op de feestvreugde gezet door de gedachte aan wat hij had gekost.

Terwijl Robert op de snelweg in zijn auto zat met de slapende Lauritz op de achterbank, vroeg hij zich af of zijn moeder met al haar gespaar zichzelf misschien had willen straffen omdat ze een kind kreeg met de verkeerde man toen de ware jozef haar de bons had gegeven. Dat was niets bijzonders, ze had nu eenmaal geen hoge dunk van zichzelf, en achteraf verdacht hij haar ervan dat ze in haar hart met al haar soberheid het plan had opgevat zichzelf helemaal weg te sparen. Haar totale gebrek aan egoïsme had niet nagelaten haar een beetje misantropisch te maken. Geen mens leek volgens haar opvatting iets bijzonders te zijn. Maar zij had niettemin een merkwaardige, anonieme vrijheid gevonden wanneer ze op haar balkon zat en van tijd tot tijd van haar boek opkeek om de treinen te zien passeren.

Gelukkig had Lea op de bodem van het pak wat cornflakes achtergelaten. Er was genoeg voor een portie, en de jongen keek goedkeurend toe terwijl Robert voor hem serveerde op het terras. Hij had in Lea's kamer geslapen. Toen Robert die ochtend zijn kamer binnenkwam, lag hij met een arm om een van haar oude teddyberen, die ze om sentimentele redenen had bewaard. Wist hij nog dat hij hier al eens eerder was geweest? Lauritz keek om zich heen en dacht na. Hij herinnerde zich dat hij met Lea had gepingpongd en dat ze in de tuin hadden gegraven. Hij vroeg wanneer hij naar huis moest. Later op de dag, antwoordde Robert zonder te weten waarover hij het had. Hij haalde Lea's Kuifjes tevoorschijn en zette een van de witte plastic stoelen op het grasveld in de zon. Hij trok zijn badjas uit, zijn lichaam was spierwit. Lea had gelijk, hij moest wat aan die handvaten gaan doen. Het probleem was alleen dat hij er eigenlijk geen zin in had. Hij nipte aan zijn koffie terwijl hij naar de vreemde jongen keek, die zich over de tafel heen boog, in beslag genomen door het lezen van de plaatjes, waarop Kuifje en kapitein Haddock met een mengeling van behendigheid, optimisme en scheldwoorden telkens weer uit de troubles wisten te geraken. Hij sloot zijn ogen, hij genoot van het gevoel van het gras onder zijn blote voeten, en van de zonnestralen, die zijn bleke huid verwarmden. Eigenlijk moest hij de geblondeerde en haar bodybuilder opbellen om ze te vertellen waar Lauritz was, maar hij had geen zin om op te staan. Het was zo lang geleden dat hij in de zon had gezeten, en hij rechtvaardigde zijn luiheid met een toenemende wrevel over hun onverantwoordelijkheid en over de lichtzinnigheid waarmee Andreas zijn zoontje aan zijn oppervlakkige vrienden had overgelaten. Hij wist zeker dat hij had gezegd wanneer hij terug zou komen met de jongen.

Aan het eind van de ochtend belde Andreas op. Hij wilde Lauritz komen ophalen. Robert wilde net gaan zeggen dat de geblondeerde hun afspraak moest zijn vergeten, maar hij liet het achterwege, verbluft over het feit dat de ander het kennelijk vanzelfsprekend vond dat hij de jongen mee naar huis had genomen. Waar belde hij vandaan? Van huis, antwoordde hij kortaf. Hij was de avond tevoren aangekomen, met de laatste trein, hij had zo laat niet willen bellen. Wat attent, dacht Robert. Hij bood aan zelf te rijden, hij had immers een auto.

Toen ze na het verlaten van de hoofdweg langs het weiland reden in de richting van de bosrand, stond het paard op dezelfde plek als twee maanden geleden, op die regenachtige dag toen Robert Lauritz en Andreas naar huis had gebracht. De zon glinsterde op de flanken van het paard, die als door een stoot getroffen sidderden wanneer het dier last van de vliegen had. Andreas kwam het erf op gelopen en ging met gespreide armen op zijn hurken zitten toen Lauritz naar hem toe holde. Ze zaten in de tuin, op een bank tegen de huismuur aan. Lauritz zat op een schommel, die in een grote pruimenboom hing. Andreas had een schaal pruimen tussen hen in gezet, blauwviolette, met een mat, als bedauwd oppervlak. Het gras was in geen tijden gemaaid en liep vrijwel over in het korenveld aan het eind van de tuin. De wind liet de aren heen en weer wiegen in slangvormige sporen, en hier en daar lichtten de klaprozen onrustig op. Andreas bood hem een sigaret aan. Ze rookten en aten pruimen. Robert probeerde een onderwerp van gesprek te bedenken.

Hoe was het eigenlijk met de première in Malmø gegaan? Andreas kneep zijn ogen dicht tegen de zonneschijn. Het was heel goed gegaan, de Zweedse recensenten waren laaiend enthousiast geweest. Maar dat deed er nu niets toe. Hij sloeg zijn ogen neer en boorde peinzend zijn nagel in de cirkel van losse tabak aan het eind van zijn sigaret. Hij begon plompverloren te vertellen. Het verwonderde Robert dat ze kennelijk op zo vertrouwelijke voet met elkaar stonden. Door de telefoon had Andreas kortaf, bijna formeel geklonken, misschien voor het geval dat Robert boos zou blijken te zijn. Kijk mij eens! riep Lauritz. Ze keken op. Hij stond op de schommel met zijn handen om de touwen, hij schommelde hoog. Ze zwaaiden naar hem, de jongen lachte.

Andreas was de dag ervoor uit Stockholm teruggekeerd. Hij wist niet meer precies wat hij zich eigenlijk had voorgesteld toen hij ernaartoe reisde. Wanneer hij de brieven van de scenografe las of wanneer hij zelf brieven aan haar schreef, voelde hij dat er eindelijk iemand was die helemaal tot in zijn binnenste doordrong, dieper dan er ooit iemand was gekomen. Nu wist hij het niet meer. Ze hadden afgesproken elkaar te ontmoeten in een openluchtcafé aan de Strandvägen. Het verwonderde hem dat ze hem had gevraagd daarheen te gaan en niet naar haar woning op Söder. Hij kreeg de verklaring toen ze eindelijk aankwam, twintig minuten te laat, net zo mooi als hij zich haar herinnerde, bleek, zwartharig en met blauwe ogen. Ze woonde niet alleen. Het leek ingewikkeld. Al meer dan een halfjaar was ze doende de man te verlaten met wie ze samenwoonde, maar ze had er nog niet serieus werk van gemaakt. Ze zaten zwijgend naar het glanzende water en naar de af en aan varende veerboten te kijken. Ze wisten geen van beiden wat ze moesten zeggen, vreemd genoeg na al die brieven, na alle confidenties en lieve woordjes die hem zo diep hadden geraakt.

Toen ze er eindelijk aankwam in de zon tussen de cafétafeltjes, leek het alsof al zijn verwachtingen hem glimlachend tegemoetkwamen, niet langer in de vorm van diffuse, moeilijk hanteerbare gedachten over hoe zijn leven kon veranderen en een nieuwe koers inslaan, maar in de vorm van een levend lichaam, dat met zijn lichtvoetigheid alle mogelijkheden leek te behelzen. Ze ging met hem mee naar zijn hotel, nu hij er toch was. Die indruk had hij gekregen, precies zo gênant en mat, toen ze na afloop naast elkaar in het hotelbed lagen. Het was niet veel soeps geweest. Hij wist niet eens zeker of ze was klaargekomen. Die avond belde hij haar op. Ze was niet alleen, zei ze, ze kon niet vrijelijk praten. De dag erna belde hij haar weer op, in de ochtend. Haar man was net de deur uit. Waren ze dan getrouwd? Ze lachte door de telefoon. Nee, dat niet.

Ze had zijn nieuwe stuk gelezen, dat hij haar had toegestuurd. Ze gaf er commentaar op, en opnieuw voelde hij hoe het klikte tussen hen. Ze had dingen in het stuk gezien die niemand anders had begrepen. Hij zei dat hij naar haar toe kwam. Zij meende dat dat misschien niet zo'n goed idee was. Hij nam een taxi. Ze maakte een andere indruk toen hij haar in haar eigen omgeving zag, veel gewoner, vond hij. Ze dronken kruidenthee, en ze liet hem schetsen zien voor een voorstelling waaraan ze werkte. Toen hij haar wilde zoenen, spartelde ze tegen. Hij duwde haar om op een bank, zij wist zich vrij te wringen. Ze kon dit hier niet doen, zei ze, en ze verzocht hem weg te gaan.

Misschien hadden die brieven ook iets hooggestemds, iets hoogdravends over zich gehad, zowel de hare als de zijne. Het waren steigers voor elkaars luchtkastelen geweest, zei hij met een bittere glimlach, terwijl hij zijn tanden in een pruim zette en het sap met de rug van zijn hand van zijn kin veegde. Lauritz was in het hoge gras gaan liggen, de schommel zwaaide heen en weer onder de boom. Andreas was haar blijven opbellen. Hoe meer hij ging twijfelen aan zijn dierbare en radicale verliefdheid, des te ijveriger hij werd, totdat er op een middag door een mannenstem werd geantwoord in de woning op Söder. Hij smeet de horen op het toestel. De volgende ochtend lag er een brief voor hem bij de receptie. Ze was met haar man naar Gotland vertrokken. Het ging niet. Ze hoopte dat hij het begreep.

Hij had de scenografe niet verteld wat er met Lucca was gebeurd Hij had nauwelijks aan haar gedacht tijdens de dagen dat hij in Stockholm was. Wanneer ze even in zijn gedachten verscheen, was het als een boze geest die zijn pogingen om de kern van zijn persoonlijkheid te verlossen constant had gesaboteerd. Eerst met haar al te onvoorwaardelijke, ja parasiterende liefde, nadien met de dodelijke, kleinburgerlijke beslommeringen van alledag en tenslotte met zijn eigen slechte geweten. Robert moest denken aan wat Andreas had gezegd toen hij op een avond bij hem thuis zijn calvados soldaat zat te maken, gekweld door schuld en opstandigheid. Hoe hij al heel lang twijfelde aan zijn relatie met Lucca, en hoe hij had gevoeld dat hij geen tegenspel meer kreeg toen zij het toneel de rug had toegekeerd en Lauritz had gekregen, en zich volledig geconcentreerd had op de jongen en het bouwen van hun huis. Maar in het vliegtuig uit Stockholm zag hij het opeens heel anders. Ze was zijn slachtoffer dacht hij terwijl de dennenbossen en de blauwe meren onder hem voorbijgleden. Hij had haar bijna van het leven beroofd. Hoewel zij het belangrijkste was wat hem ooit was overkomen. Zij en de jongen. Dat hij dat nu pas inzag...

Hij stak een nieuwe sigaret op en keek naar Lauritz, die pogingen deed om een lieveheersbeestje op zijn hand te laten kruipen. Robert schraapte zijn keel. En als zij nu eens haar man had verlaten, die scenografe? Andreas keerde zich naar hem toe, kennelijk totaal onvoorbereid op dat idee. Hij schudde zijn hoofd, dat zou ze nooit hebben gedaan. In feite leken ze ook te veel op elkaar, ze waren allebei introverte persoonlijkheden, het zou nooit zijn gegaan. Waarschijnlijk was dat de reden waarom hij indertijd verliefd was geworden op Lucca. Omdat ze zo anders was dan hij. Nee, het was zoals hij zei. Hij had zowel zichzelf als de scenografe bedrogen in Stockholm. Bovendien was ze te jong, te onaf. De illusie van de een had die van de ander gekoesterd, het was een droom geweest die het daglicht niet kon velen. Ja, hij had werkelijk het gevoel dat hij uit een droom was ontwaakt. Alsof hij al die jaren had geslapen, met Lucca en Lauritz vlak bij zich, de enige mensen die ooit serieus iets voor hem hadden betekend. De enigen voor wie hij misschien iets zou kunnen betekenen, iets werkelijks. Dat was hij aan haar verschuldigd... Dat was hij hun alledrie verschuldigd, corrigeerde hij zichzelf. Hij stond op en liep naar Lauritz toe en knielde naast hem in het gras, hij streelde zijn wang. De jongen leek hem niet op te merken, in beslag genomen als hij was door het lieveheersbeestje. Andreas liep langzaam terug naar de bank.

Wanneer er iets misloopt, noem je dat een vergissing, dacht Robert, omdat je de gedachte moeilijk kunt verkroppen dat je leven niet alleen door jezelf, maar evenzeer door geluk en toevalligheden wordt gevormd. Dan maar liever toegeven dat je dom was. Hij dacht aan zijn moeder en zijn vader, de overleden herenkapper die hij nooit had gekend. Als de kapper bij haar was gebleven, zou hij misschien geen misverstand zijn geweest. Misschien zou zelfs gebleken zijn dat hij een aardige man was.

Wat had Lucca gezegd? Robert keek hem aan. Gezegd? Andreas nam weer naast hem plaats. Ja, ze moest toch iets gezegd hebben, een bericht doorgegeven hebben of zoiets. Hij aarzelde. Hoe maakte ze het? Robert zei dat hij dat niet wist. Hij beantwoordde Andreas' blik. Hij kende haar niet goed genoeg, vervolgde hij, om dat te weten, maar in de gegeven omstandigheden leek ze zich te redden. Andreas zat wat voor zich uit te staren. Misschien keek hij naar Lauritz, naar de klaprozen in het wiegende koren of naar de schommel, die onbeweeglijk onder de pruimenboom hing. Het zou natuurlijk iets anders worden, zei hij stil, nu ze blind was. Maar het was een kwestie van willen. Dat had hij begrepen. Je moest je leven willen, het werd niet vanzelf geleefd. En bestond er iets anders dan het leven dat elke dag geleefd moest worden? De vertrouwde dingen, die hij zo had veracht, het leven van alledag, het kind... je moest het op je nemen, karakter tonen...

Robert vroeg wat hij bedoelde. Andreas keek hem verwonderd aan. Lauritz riep vanuit het huis. Robert had hem niet uit het gras zien opstaan. Andreas riep dat hij moest wachten. Lauritz riep opnieuw. We zitten te praten! riep Andreas, terwijl hij zich half naar de open deur toe draaide. Lauritz bleef roepen. Zijn vader stond met een geërgerde uitdrukking op zijn gezicht op en ging naar binnen. Robert liep om het huis heen. Andreas haalde hem in op het erf. Als hij haar zag... ja, dat kon hij natuurlijk niet weten. Zou hij haar zien? Robert antwoordde dat ze daar geen afspraak over hadden gemaakt. Andreas keek naar zijn schoenen en duwde met de neus van zijn ene schoen tegen een steentje aan. Stel dat hij haar zag, wilde hij haar dan vertellen waar ze het over hadden gehad? Dat beloofde Robert. Hij liep naar zijn auto. Toen hij achter het stuur zat, stond de ander nog steeds op het erf. Hij startte de motor en zette de auto in beweging. Andreas groette, maar Robert slaagde er niet in terug te wuiven.

Hij was in een slecht humeur toen hij de stille weg in de villawijk insloeg. De zon stond hoog aan de hemel. Hij straalde wit op het asfalt, op de lak van de geparkeerde auto's en in de bladeren van het dichte struikgewas langs de trottoirs. Hij bleef in de auto zitten toen hij op de inrit stond en de motor had uitgedaan. Hij moest denken aan de foto van Lucca die hij had gezien op het prikbord in hun keuken, waar ze zat op een terrasje in Parijs, elegant gekleed in een grijs jasje en haar haar in een paardenstaart. Lucca die de camera inkeek alsof ze zich zojuist had omgedraaid, schijnbaar verrast over het feit dat ze gefotografeerd werd. Hij zag het duidelijk voor zich, de platanen op de achtergrond, haar groene ogen en de geverfde lippen, een ietsje van elkaar, wellicht omdat ze op het punt had gestaan iets te zeggen. Haar blik leek door het glanzende vlies van de foto heen te dringen. Het deed hem ergens aan denken, hij wist niet waaraan.

Iets wat hij was vergeten, wat hij nooit helemaal had begrepen of voltooid, een verzuim misschien.

Het was stil om hem heen. Hij hoorde het ruisende, plassende geluid van een sproeier in een van de aangrenzende tuinen. Hij keek naar de schutting langs de inrit. De bast was op meerdere plekken losgeraakt van de planken en hing er in losse schijven bij. Het hekje stond open. Hij zag een stukje van het pas gemaaide grasveld en het terras met de witte plastic stoelen en hun doorzichtige spiegelbeelden in de panoramaruit, die alles herhaalde wat er binnen zijn bereik was. Stoelen, gras en witte wolkjes. Hij draaide de sleutel weer om, zette de auto in zijn achteruit en reed de weg op. Even later bereikte hij de buitenkant van de stad. Hij reed door de industriewijk, passeerde het ziekenhuis en naderde het viaduct, vanwaar er een afrit naar de snelweg was.

Het deed er niet toe wat hij van Andreas vond. Ze hadden een zoon, de idioot was nog steeds haar man, en wanneer het erop aankwam maakte het ook niet uit of zijn pas verworven en enigszins kleffe inzicht in de echte waarden van het leven alleen maar was veroorzaakt door het feit dat hij onverrichterzake uit Stockholm had moeten terugkeren. Iets moest het immers veroorzaken, en de ene aanleiding kon net zo goed zijn als de andere. Zijn plotselinge vroomheid was natuurlijk alleen maar een pose, maar hij kon zich blijkbaar uitsluitend in pathetische en zelfverheerlijkende termen uitdrukken. Dat moest je door de vingers proberen te zien, zoals je consideratie hebt met iemands handicap of spraakgebrek, een ontsierend mank lopen of lispelen. Zijn kleffe praatjes over de intieme dingen en het tonen van karakter klonken als het zoveelste staaltje van zijn prachtig geïllumineerde zelfbedrog, maar op den duur maakte het waarschijnlijk weinig verschil hoe je dacht. Misschien hadden illusies wel dezelfde functie als huid. Je kon er door ademen. Als ze werden afgestroopt, zou het contact met de werkelijkheid vermoedelijk te rauw worden. Je moest ze de gelegenheid geven om in hun eigen tempo te drogen en te craqueleren en los te laten, zodat nieuwe, frisse lagen illusies in plaats daarvan konden worden gevormd.

Het enige dat iets te betekenen had, was of je samen met iemand was of niet, of je alleen was of dat je iemand had om lief en leed mee te delen. Of er een beetje vriendelijkheid en inleving was, een beetje geduld met je mislukte en zwakke kanten. Dan kon je altijd denken wat je wilde, verder prutsen aan je zelfportret en er grootse of bescheiden dromen op nahouden. Het leven duurde doorgaans langer dan de dromen, dacht Robert, en wanneer ze op waren, moest het liefst enigszins draaglijk zijn. Lucca zou haar gezichtsvermogen niet terugkrijgen, maar misschien was er niettemin een leven dat op haar wachtte, ook al was alles nu in duisternis en eenzaamheid gedompeld. Misschien zouden de maanden en de jaren voor hen uitrichten wat ze zelf op dit moment niet konden overzien, en als hij degene was die haar de kans kon geven om een toekomst te overwegen samen met de berouwvolle Andreas, kon hij ook wel tijd vrijmaken om de rol van boodschapper te spelen.

Hij wachtte geruime tijd op het terras, waar zij met Lauritz had gezeten, tot hij het zachte tikken hoorde van het puntje van haar dunne, witte stok. Het deed hem denken aan het geluid van Lauritz' pijnappels, toen die over de tegels rolden de dag ervoor, het tikkende geluid van de harde zaadschubben. Een verpleegster geleidde haar. Ze was verrast geweest toen ze te horen kreeg dat hij was gekomen. Ze had er niet op gerekend dat hij haar weer zo snel zou opzoeken. In feite was ze helemaal niet zeker geweest dat hij ooit nog zou komen.

Ze had een lange, zwarte jurk aan met een heleboel knoopjes, een van de jurken die hij voor haar had gehaald uit het verlaten huis. Haar haren waren achterovergekamd en bijeengehouden in een paardenstaart net als op de foto uit Parijs, en ze had lipstick op. Iemand had haar geholpen met het maken van haar toilet. De verpleegster verliet hen weer. Lucca legde een hand op de borstwering van het terras. Ze zouden misschien een eindje kunnen wandelen, op het strand misschien, als hij zin had. Hij pakte haar hand en legde die op zijn arm, en zo begaven ze zich op weg, op een ouderwetse manier, dacht hij. Zij zei het. Nu lopen we als twee oude mensen…

De schaduwen waren lang geworden en hadden zich verzameld in blauwachtige plasjes in het platgetrapte zand. Het schuim op de golven blonk in de lage zon. Er waren nog maar weinig strandgasten over. In een van de duinen zag hij een witharige man zijn badjas aandoen. Hij leek op de jurist bij het Hooggerechtshof, maar Robert kon niet uitmaken of hij het werkelijk was. Ze liepen langs de vloedlijn, waar het zand vochtig en vast was. Ze liepen langzaam, maar hij zag dat ze haar gezondheid aan het herwinnen was. Het was de eerste keer dat ze op het strand was. De witte stok liet gaatjes in het zand achter, een slingerend spoor. Ze haalde adem door haar neus. Wier, zei ze. Dat was zo. Een zoute, ietwat rotte lucht hing boven de slingerende gordels droog wier tussen de vloedlijn en de duinen. Dat was beter dan de lucht van schoonmaakmiddelen... Ze hield een pauze. Haar hand gleed van zijn arm af toen ze stil bleef staan. Ze kon er niet tegen om nog langer opgenomen te zijn. Ze zei het stil, als een constatering. Nee, zei hij.

Ze gingen in het zand zitten, vlak bij de zee. Ze boog haar knieën en trok haar jurk om haar kuiten. De golven waren klein, en telkens wanneer de laatste was gaan liggen was het doodstil, tot de volgende zich kromde en omstortte. De water- en schuimwaaiers raakten de schaduwen van hun hoofden en schouders. Hij vertelde haar dat Andreas terug in het huis was en wat hij die ochtend had gezegd. Dat hij er spijt van had. Dat hij het graag opnieuw wilde proberen. Hij zei niet hoe het in Stockholm was gegaan. Ze pakte een handvol zand en kneep haar hand dicht en liet het er weer uit stromen in een fijn straaltje net als het zand in een zandloper. Was dat de reden van zijn komst? Om haar dát te vertellen? Robert zat er een ogenblik zwijgend bij. Ja, antwoordde hij.

De laatste zandkorrels vielen uit haar hand, en ze legde hem plat op het zand. Hij keek haar aan, wachtend tot ze iets zou zeggen. Ze zat met haar gezicht naar de branding gericht. Ze was niet langer de persoon die had kunnen terugkeren. Haar toon was hard en helder. Ze was niet langer degene die dat besluit had kunnen nemen, vervolgde ze. Meer zei ze niet. Ze zwegen. Hij haalde het pakje sigaretten uit zijn borstzak tevoorschijn, er waren er nog twee over. Had ze zin om te roken? Nee, merci. Hij stak een sigaret op en keek naar de overkant, naar Kullen. Ze wist niet... Nu was haar stem zo zacht, dat de helft van de zin verdween op het moment dat er een golf neersloeg. Hij vroeg haar het te herhalen. Ze schraapte haar keel. Ze wist niet meer wat ze moest. Ze haalde diep adem en boog haar hoofd achterover, en hij zag de tranen onder de brede zonnebrilglazen doorlopen. Ze veegde ze weg met de toppen van haar vingers, zodat de kootjes tegen de rand van de zonnebril duwden en hij een glimp van haar glazen ogen opving. Ze snikte en ademde uit door haar mond. Het was alsof ze in een wachtkamer woonde, zei ze. Zonder te weten waarop ze wachtte.

Hij bood haar aan bij hem te komen logeren. Op die manier zou ze gemakkelijker samen met Lauritz kunnen zijn, terwijl ze overwoog wat er moest gebeuren. Ze keerde haar gezicht naar hem toe, en hij keek naar de golven om zijn spiegelbeeld te vermijden in haar donkere bril. Hij had er niet eerder aan gedacht, maar zodra hij het had gezegd, scheen het hem zonneklaar toe. Zij kon zijn kamer krijgen, hij kon in die van Lea slapen. In de loop van een week of twee zou ze misschien op andere gedachten komen. Wanneer ze met Andreas had gepraat. Op een gegeven moment moesten ze toch zeker met elkaar praten.

Ze gaf geen antwoord. Op de terugweg zeiden ze geen van beiden iets. Toen ze de hal binnenkwamen, bleef ze stilstaan en liet zijn arm los. Meende hij het? Hij klonk gekrenkter dan hij zelf leuk vond toen hij antwoordde. Wat dacht ze zelf? Ze glimlachte excuserend en pakte zijn arm weer beet. Het kwam zo... onverwacht. Ze liepen verder door de hal. Waarom bekommerde hij zich überhaupt om al haar problemen? Ze richtte de donkere bril op hem alsof ze hem bekeek met een afwachtende blik. Laten we zeggen dat ik iemand ben die te veel ruimte heeft, vervolgde hij eindelijk. Te veel ruimte? Ja, zei hij. Te veel ruimte, te veel tijd. Ze bleef opnieuw stilstaan en tikte met haar stok op de vloer door hem beurtelings op te tillen en los te laten. En hoe had hij gedacht haar hiervandaan te krijgen?

Hij verzocht haar te wachten op een bank in de hal en begaf zich naar het kantoor om naar de verantwoordelijke arts te vragen. Die was naar huis gegaan. Robert zei tegen de doktersassistente dat hij Lucca meenam. Ze keek hem ongelovig aan over haar leesbril. Ze konden niet zomaar een patiënt ontslaan. Ik ben haar dokter, zei Robert. Hij nam de volle verantwoordelijkheid op zich. Dat klonk riskant. De doktersassistente schoof haar bril hoger op haar neus. Dat was tegen de regels. Daar hoeft u niet over in te zitten, antwoordde Robert en beloofde haar dat hij voor haar zou getuigen dat ze had geprotesteerd.

Hij ging terug naar de hal en geleidde Lucca naar haar kamer. Ze zat op bed terwijl hij haar tas pakte. Je bent niet goed bij je hoofd, zei ze. Niet helemaal, antwoordde hij. De doktersassistente en een verpleegster verschenen in de deuropening. Behoorde hij tot de naaste familie van de patiënt? In zekere zin, zei hij. Lucca wendde zich af, terwijl ze het kussen in haar arm nam en haar gezicht voorover-boog. De doktersassistente vertrok haar mond tot een beledigde grimas en reikte hem een balpen en een formulier aan. Wilde hij zo vriendelijk zijn het te ondertekenen? Hij deed het zonder te lezen wat er stond. Toen ze weg waren, sloeg Lucca dubbel, met haar gezicht in het kussen. Dat was de eerste keer dat hij haar hoorde lachen.

De zon was ondergegaan, en de hemel was roze en paars toen ze op de snelweg waren gekomen. Hij zette een bandje op, ze luisterden een poosje naar de muziek. Toen ze Kopenhagen gepasseerd waren, kreeg ze honger. Hij reed een parkeerplaats op, waar een McDonalds was. Ze aten in de auto. Zij kreeg ketchup op haar kin en haar ene wang, maar hij deed alsof er niets aan de hand was. Op het laatst ontdekte ze het zelf. Je moet het verdorie zeggen wanneer ik me vies zit te maken, zei ze en veegde zich schoon met het servet. Er zat nog steeds een rest ketchup op haar wang. Hij pakte haar servet en verwijderde de rode streep, startte de auto weer en liet zich opnemen in de reeks rode achterlampen tussen de lichtgele velden in de schemering.

DEEL IV

Het sneeuwde weer. Ze hadden gedacht dat de winter nu eindelijk op zijn retour was. Het was eind maart, en er waren onbewolkte dagen geweest met felle zon, waarop ze buiten konden zitten met hun jassen aan. Lucca stak een hand uit en zette de wekker af. Ze drukte zich tegen Andreas' rug aan, hij sliep nog, hij snurkte. In de regel had ze daar geen last van, en wanneer dat wel het geval was, hield ze gewoon zijn neus even dicht. Zij snurkte ook af en toe, zei hij, en ze werd amper wakker wanneer hij haar zachtjes op haar zij draaide. Ze kenden elkaar, ze voelden zich niet meer gegeneerd tegenover elkaar. Ze waren zelfs opgehouden de deur van de badkamer op slot te doen. Ze had nooit gedacht dat ze op die manier met iemand zou omgaan, dat alle deuren open konden staan. Alleen de deur van zijn werkkamer was altijd dicht. Wanneer hij daar aan het eind van de middag vandaan kwam, stond de lucht er stijf van de sigarettenrook. Lauritz en zij waren eraan gewend geraakt dat hij zich in het huis bevond en niettemin ver weg was achter de dichte deur, ontoegankelijk tot hij laat op de middag tevoorschijn kwam, bleek en verstrooid.

Hij sprak nooit over wat hij schreef terwijl hij er middenin zat. Dat kon hij niet, zei hij. Hij was bang het spoor bijster te raken van wat hij met de woorden trachtte te benaderen. Dat wat eigenlijk helemaal niet gezegd kon worden. Maar wanneer hij klaar was met een nieuw stuk, kon hij er niet op wachten dat ze het las. Hij was zelfs gekwetst, ook al trachtte hij zijn teleurstelling te verbergen, als ze het niet snel genoeg las en er niet onmiddellijk iets over te zeggen had. Ze had overigens genoeg te stellen met Lauritz en met het huis, maar daar zou hij allemaal wel voor zorgen als zij zijn manuscript maar wilde gaan lezen. Ze liet de boel de boel terwijl ze in bed zat met de stapel papieren. Dat ergerde hem, merkte ze, maar ze had er altijd de voorkeur aan gegeven om in bed te lezen, in de kleermakershouding, met het dekbed om zich heen als een gevoerd nest.

Soms vond ze het moeilijk te begrijpen wat hij schreef, maar misschien ging het er ook niet om om alles te begrijpen. Dat had hij zelf gezegd in een interview tegen een weekendkrant. Dat datgene wat je meteen begreep in feite de erkenning in de weg stond, terwijl datgene wat je duister kon voorkomen je op het spoor bracht van iets waarvan je slechts een vermoeden had. Iets sprakeloos en diepgaands, dat zich niet zonder meer liet indammen en bevatten met simpele begrippen. Hij was zo wijs dat de mensen soms gewoon bang voor hem werden, maar hij vond het niet leuk dat ze hem daarop attendeerde. Hij was bekend geworden, hij was een van degenen met wie rekening werd gehouden, en ze was trots op hem. Ze schaamde zich er niet eens over dat ze trots op haar man was wanneer ze samen naar een première gingen. Waarom zou ze ook?

In de regel had ze een paar kritische opmerkingen over zijn manuscripten, of dat nu een dramaturgische onduidelijkheid betrof dan wel iets in de ontwikkeling van een personage wat haar tegenstrijdig voorkwam, en hij luisterde naar haar ook al had ze alleen maar haar intuïtie als toneelspeelster om vanuit te gaan. Het stemde haar blij wanneer ze hem ertoe bracht iets te veranderen of te schrappen, niet omdat hij haar gelijk gaf, maar omdat ze voelde dat ze op die manier in contact kwam met wat hij maakte, met hem. Dat gedeelte van hem dat ze niet kon bereiken omdat het alleen maar tot uiting kwam wanneer hij schreef, en omdat hij genoodzaakt was deze geheime kant te beschermen om überhaupt te kunnen schrijven.

Ze had altijd graag een rol in een van zijn stukken willen spelen, maar Lauritz werd kort na hun terugkeer uit Rome geboren, en in de daaropvolgende jaren had ze alleen maar wat hoorspelen gedaan. Ze had zich op de jongen en het huis geconcentreerd. In de periodes dat hij aan iets nieuws werkte, stond ze er bijna helemaal alleen voor. Miriam schold haar uit omdat ze haar carrière liet stagneren en erbij liep als een soort plattelandsvrouw met een schort voor en laarzen aan. Miriam kon haar bijna een slecht geweten bezorgen, en ze wist niet wat ze ter verdediging moest aanvoeren, maar dat duurde slechts tot ze de horen op het toestel hadden gelegd of tot ze elkaar hadden uitgewuifd op het station. Het verwonderde haar dan dat ze zich niet gefrustreerd of ongelukkig of onderdrukt voelde, zoals Miriam meende dat ze zich diende te voelen. Het was eerder het tegenovergestelde. Ze voelde een langzaam geluk, waar ze niet erg veel over nadacht en dat verwant was aan de wolken, die onmerkbaar van vorm veranderden tussen de bosrand en de horizon. Terwijl haar handen in de loop van de dag alle mogelijke praktische dingen ondernamen, cirkelden de gedachten in haar hoofd rond, net als de zwaluwen, nu eens laag rond het huis, dan weer hoog tussen de drijvende vormen van de wolken.

Lauritz had haar veranderd. Ze was eraantoe geweest toen ze Andreas ontmoette, zonder het zelf te weten. Hij had het vóór haar gezien, en hij was niet bang geworden van wat hij zag. Hij was standvastig doorgegaan, had zich verder dan enig ander gewaagd. Tot in haar geheime innerlijk, dat leeg was, omdat het een opening was naar datgene dat aan het licht zou komen. Hij was in haar leven gekomen, en daarom was Lauritz er gekomen en niet het kind van een andere man. Hij was in haar gegroeid tot er geen plaats meer voor hem was. Ze had zo luid geschreeuwd dat ze dacht dat ze dood zou gaan. Ze had het gevoel gehad dat ze werd opengereten en binnenstebuiten gekeerd. Er was niets wat haar ooit zoveel pijn had gedaan, en er was niemand die haar zo gelukkig had gemaakt als het verkreukelde, blauwviolette kindje dat op haar buik werd gelegd, zodat ze zijn stuurse bekje en scheve oogjes kon zien en het hart dat wild bonsde in zijn kikvorsachtige lijfje, helemaal in het embryovet, nog steeds met haar verbonden via de kronkelige navelstreng. Andreas huilde, ze had hem nooit eerder zien huilen, en ze had hem meer dan ooit lief, maar zelf huilde ze niet. Ze steunde en beefde en moest voortdurend glimlachen om al die brute, naakte, schreeuwende en bloederige blijdschap.

Voor Lauritz deed het er niet toe wie zij was, en toch had hij nooit in twijfel verkeerd. Hij kon ruiken wie zij was en het proeven, lang voordat hij haar leerde vasthouden met zijn ogen en haar gezicht leerde herkennen. De mensen vroegen of het niet moeilijk was om midden in de nacht te moeten opstaan en al met al je hele leven te moeten inrichten naar de behoeften van zo'n jongen. Ze begrepen kennelijk niet dat het een opluchting was. Ze voelde zich opgelucht bij het besef dat haar eigen gefnuikte ambities en ijdele dromen haar niets konden schelen. Ze vergat de tijd, die was niet langer ingedeeld in uren en dagen. De jongen was haar klok geworden, de tijd verstreek niet meer, hij groeide voor haar ogen.

Else was bezorgd en Miriam haast verontwaardigd. Ze gaven haar elk op hun eigen manier te verstaan dat zij volgens hen haar pas verworven moedergevoel overdreef en zich veel te gewillig, ja haast fanatiek ondergeschikt maakte aan het kind en Andreas. Ze hoonden haar bijna omdat hij als de grote, gevoelige kunstenaar toestemming kreeg zich terug te trekken in zijn werkkamer en voor zijn carrière naar Kopenhagen te gaan of reisjes door Europa te maken terwijl zijzelf met de kinderwagen op het platteland rondscharrelde. Ze antwoordde hun niet, glimlachte alleen maar, tot ze haast uit hun vel sprongen. Miriam begon haar pas te begrijpen toen ze zelf zwanger werd. Ze was nu in de achtste maand.

Else zweeg aan de andere kant van de lijn toen ze naar huis belde en vertelde dat ze in verwachting was. Zouden ze de kat niet uit de boom moeten kijken? Ze kenden elkaar per slot van rekening nog maar een paar maanden. Ze voelde zich gekwetst door haar moeders gereserveerde reactie. Hoe lang moest ze wachten? Hoe snibbig en duur moest je doen wanneer het leven je eindelijk de simpelste en elementairste van alle vragen stelde? Haar hele leven was samengebald in één enkel ogenblik toen ze op een ochtend naast Andreas achter de dichte luiken lag en hem vertelde dat ze in verwachting was. De toekomst was begonnen op het moment dat hij vroeg of ze graag een kind wilde en zij antwoordde met de vraag of hij dat zelf wilde. Hij zei zonder meer ja. Ja, met haar.

Else vroeg of ze besefte dat het in het beste geval haar carrière zou afremmen en er in het ergste geval een eind aan maken. Juist nu ze de wind in de zeilen begon te krijgen. Lucca moest denken aan wat haar moeder had gezegd toen Otto haar de bons gaf. Dat er andere dingen in het leven waren, werk bijvoorbeeld. Ze herinnerde zich Elses bittere mond en ingevallen gezicht wanneer ze met gesloten ogen zat te zonnen. Later dacht ze meerdere keren aan hun gesprek indertijd in het zomerhuisje, naarmate haar buik boller werd en haar benen en gezicht opzwollen. Ja, ze leek op een koe, een bleke vaars die haar met haar goedmoedige ogen vragend aankeek in de spiegel. Wanneer Andreas haar zware borsten beetpakte, kwam er melk uit de tepels, en hij kuste ze en liet haar de melk proeven op zijn lippen. Ze had het nooit kunnen denken, maar ze genoot er heimelijk van als ze zag en voelde hoe het onbekende kind rustig en moeizaam haar figuur ruïneerde, dat zoveel mannen hadden omhelsd. De mannen keken haar niet langer na, en algauw vergat ze ook erop te letten of ze het deden.

Andreas mompelde in zijn slaap toen ze een zoen op zijn hals drukte. Je trein, zei ze. Hij ging abrupt overeind zitten in bed en keek haar verward aan. Ze streelde zijn wang en glimlachte. Hij zou hem makkelijk kunnen halen als ze nu opstonden. Hij bleef een poosje op de rand van het bed zitten. 's Morgens leek hij op een kind, met piekend haar en kleine oogjes, een knorrig kind. Ze deed haar badjas aan en keek door het raam naar buiten. De sneeuw wervelde in spiralen om de donkere takken van de pruimenboom. Hij lag al in witte strepen langs de ploegvoren, die zich naar de nok van de schuur van hun buurman toe welfden. De hemel was wit en eenvormig als papier.

Lauritz lag op zijn buik, met zijn achterwerk omhoog. Zijn wang was rood en gezwollen door de slaap, en er lag wat speeksel op het kussensloop onder zijn zachte mondhoek. Zijn lappenolifant stond zoals gewoonlijk met zijn slurf tussen de tralies van het hoofdeinde gestoken en keek hem met zijn glazen ogen duister aan. Ze riep hem zachtjes tot hij wakker werd, en nam hem bij de hand. Ze zette koffie terwijl hij zijn havermout at. Andreas nam een douche, zij las de krant. Toen ze door de bijlage met voorbesprekingen van de film- en theaterpremières van die week bladerde, herkende ze Otto. Hij knielde op een treinrail, gekleed in plusfours, een geruit overhemd en een mouwloze, wollen slip-over. Zijn haar was kortgeknipt en hij had een waakzame uitdrukking op zijn gezicht, hij leek gespannen als een opgejaagd roofdier.

Ze nipte aan de gloeiend hete koffie. Er stond dat hij de hoofdrol speelde in een film over een verzetsgroep tijdens de Tweede Wereldoorlog. Ze moest een hele tijd naar de foto kijken voordat ze de waakzame verzetsman kon verbinden met het gezicht dat ze ooit had gezoend en de ogen waarin ze ooit had gekeken, alsof die het antwoord op alle vragen bevatten. Ze was er zo zeker van geweest dat hij degene was die ze moest liefhebben en die haar liefde zou beantwoorden, en toen was gebleken dat hij alleen maar de laatste in de rij was geweest. Toen het voorbij was, had ze geweten dat er na hem anderen zouden komen, maar ze had er niet in geloofd. Ze herinnerde zich hoe hard haar hoofd was geweest, totaal ongevoelig voor wat iedereen op zijn vingers had kunnen natellen. Was dat alleen maar omdat ze aan de dijk was gezet? Misschien, maar verbazend snel had hij zich opnieuw geopend, de lege ruimte diep in haar, de geheime openheid jegens hetgeen zou komen en dat nog niet was gekomen.

Toen Andreas eindelijk uit de badkamer kwam, kon hij maar net een half kopje koffie drinken. Ze moesten er meteen vandoor als hij zijn trein wilde halen. Hij stond in de deuropening te trappelen terwijl zij haar best deed om Lauritz in de kleren te hijsen. Ze vroeg of hij zijn kaartje bij zich had. Hij zuchtte ongeduldig. Toen ze op het erf kwamen, legde de jongen het hoofd in de nek en opende zijn mond om de sneeuwvlokken op zijn tong te laten smelten. Zij reed. Geen van hen zei iets bijzonders, ze waren te moe. Andreas trommelde met de knokkels van zijn vinger op het deurtje van het handschoenenvak. De sneeuw stoof over het asfalt en langs de berm, en de zwarte velden vervaagden aan beide kanten in de sneeuwjacht. Hij zei dat hij het adres op zijn werktafel had gelegd. Hij had een flat in Parijs geleend, hij zou er ruim een maand doorbrengen. Ze hadden afgesproken dat zij met Pasen bij hem zou komen. Else had beloofd bij haar in te trekken en onderwijl op Lauritz te passen.

De lampen van de trein waren al opgedoken achter de sneeuw, waar het spoor leek te eindigen in het niets en in wervelende vlokken. Hij tilde Lauritz op en gaf hem een zoen. Tot Pasen, zei ze, hem in de ogen kijkend. Tot Pasen, glimlachte hij. Hij pakte zijn koffer op toen de rij wagons achter hem stopte. Hij zou bellen wanneer hij er was. Ze zoenden elkaar. De deuren gingen open en de mensen stapten uit en in. Hij stond op het punt zich om te draaien. Ik hou van je, zei ze. Hij aarzelde en keek haar opnieuw aan. Zij glimlachte, en hij bekeek haar een poosje alsof hij haar met zijn ogen fotografeerde. Misschien om de foto mee te nemen van haar, staande op het perron met Lauritz aan de hand en sneeuw in het haar. Hij streelde haar wang. Hij hield ook van haar, zei hij en stapte haastig de trein in, een seconde voordat de deuren met een automatische klap dichtvielen.

Hij was vaak van huis voor zijn werk. Hij had er behoefte aan om alleen te zijn wanneer hij met iets nieuws aan de gang moest of iets af moest krijgen. Hij had een halfjaar aan zijn nieuwe stuk gewerkt en tegelijkertijd de repetities gevolgd van een van zijn oudere stukken. Sinds Nieuwjaar was hij meerdere keren per week in Malmø geweest. Hij was bijna niet verder gekomen met zijn manuscript, dat hij begin april moest inleveren.

Ze was blij dat hij vertrok. De laatste weken voor de première in Malmø was hij ingekeerd en prikkelbaar geweest. Hij had gemopperd over onbelangrijke dingetjes en was al met al onmogelijk in de omgang geweest. Ze kende hem wanneer hij in dat humeur was, en ze had zelf voorgesteld dat hij op reis zou gaan. Else had een vriendin in Parijs, die een maand naar Mexico moest, hij kon in haar flat logeren. Hij had meerdere keren in Parijs gewerkt, op goedkope hotelkamers. Hij hield ervan om alleen te zijn in een grote stad, waar hij niemand kende. Ze verheugde zich erop hem op te zoeken en hem te storen in zijn eenzaamheid. Ze zag al voor zich hoe ze zouden toegeven aan hun opgespaarde honger naar elkaar, zoals altijd wanneer ze een tijdje uit elkaar waren geweest.

Lauritz bleef wuiven tot de trein in de sneeuw was verdwenen. Toen hij op het bankje voor zijn vak in de hal van het kinderdagverblijf zat, vroeg hij of Andreas nu in Parijs was. Bij het weggaan gaf ze hem een zoen, en een mooi, jong meisje pakte hem bij de hand en nam hem mee naar binnen. Lucca moest denken aan de tijd dat ze zelf in een kinderdagverblijf had gewerkt en 's middags in haar moeders bed lag samen met een volwassen man, die badmintonde. De sneeuw smolt onmiddellijk op de straten tussen de saaie huizen, maar buiten de stad was het landschap wit, en toen ze de zijweg inreed, leek de donkere bosrand op een hol dat openging midden in al het witte naar een nacht vol met dalende sterren.

Ze deed de radio aan en begon in de keuken op te ruimen. De afwas van de avond ervoor stond er nog steeds. Ze vulde de vaatwasmachine, boende de pannen, zette koffie en ging zitten om een sigaret te roken. Het lawaai van de vaatwasmachine vermengde zich met de muziek van de radio. De vloer in de kamer was bedekt met stapels boeken. Ze hadden een boekenkast gebouwd die de ene wand besloeg. Ze was van plan die te verven terwijl Andreas weg was. Grijs, hadden ze afgesproken, wit was te besmettelijk. Lauritz liet zijn vingerafdrukken overal achter op de pas geverfde deuren en kozijnen.

De deur van Andreas' werkkamer stond open. Ze keek naar het lege bureau, waar zijn draagbare computer placht te staan. Ze miste hem nu al, hoewel ze eraan gewend was om alleen te zijn, of dat nu een dag, een week of een maand was. Tot nu toe was er voortdurend iets aan het huis geweest wat niet af was, en waarop ze zich kon storten wanneer hij weg was. Tot haar verrassing had ze ontdekt dat haar handen niet verkeerd stonden, en ze had genoten van het opknapwerk aan het huis. Het was haar meer gaan interesseren dan toneelspelen, en ze voelde zich op een heel primitieve manier tevreden wanneer ze naar een wand keek of naar een deurpaneel dat ze zelf had gerepareerd en geverfd.

Het had langer geduurd dan verwacht, en af en toe hadden ze op het punt gestaan de zaak op te geven, maar zij had leren doorzetten, en het enige wat er nu nog ontbrak waren een paar kleine dingetjes hier en daar. Misschien was dat de reden waarom ze Andreas nu al miste. Ze was zichzelf vergeten terwijl er nog genoeg werk aan de winkel was, en de dagen waren verstreken als uren, of hij nu weg was of achter zijn computer zat. Toen ze toneelspeelde, was ze zichzelf ook vergeten, maar alleen om een ander te worden. Al ploeterend in haar smerige overall met de cementmolen en de troffel was ze niets anders dan een hard werkend lichaam, en dat was een bevrijding geweest.

In het begin was het alleen maar een dagdroom geweest, het vinden van een huis op het platteland. Ze waren allebei in de stad opgegroeid. Ze begonnen erover te praten in Rome, het halve jaar dat ze in Andreas' minuscule flatje woonden. Ze zei het eigenlijk voor de grap. Over dat soort dingen fantaseerde je wanneer je pas verliefd was, een plek op het platteland. Ze slingerde het eruit op een ochtend in de nazomer, toen ze in bed gebleven waren omdat het te warm was om iets anders te doen dan elkaar in de schaduw achter de luiken loom te liggen liefkozen. Hij vatte haar woorden letterlijk op, net als een paar maanden later, toen ze hem vertelde dat ze in verwachting was. Hoe kon hij zich zo zeker voelen? Hij liet zijn hand over haar buik glijden, die binnenkort zou opzwellen en haar naar de aarde zou drukken, zodat ze ging zweten bij de minste inspanning. Soms moest je je eigen ogen geloven, zei hij. Anders draaide het erop uit dat alles verstoof en wegwaaide terwijl je ernaar keek. Zoiets had nog nooit iemand tegen haar gezegd.

De flat in Trastevere had maar één kamer, en wanneer hij werkte, maakte zij wandelingen. Hij werkte hard, en na een paar maanden kende ze elke steeg in dat gedeelte van de stad. Ze bewonderde zijn vermogen om zich te concentreren en uren achter elkaar door te gaan. Schijnbaar kon hij altijd schrijven als hij dat wilde. In die tijd had hij een draagbare schrijfmachine, en wanneer zij laat in de middag de trap opkwam en ze de toetsen nog steeds hoorde klepperen, ging ze naar de bar om de hoek, en wachtte nog een halfuur. Het was bijna alsof je in een huiskamer zat, en ze begon een mondje Italiaans te praten. Kennelijk waren er nog een paar restjes over van de taal die ze met haar vader had gesproken, weggestopt in een hersenplooi of opgerold onderaan in het ruggenmerg. Algauw kon ze een praatje maken met de mensen op straat, in tegenstelling tot Andreas die nooit meer leerde dan de meest noodzakelijke woorden en die overigens geen enkele interesse had om met anderen dan haar te praten.

Het kwam niet in haar hoofd op om Giorgio weer te bezoeken, ook al bedacht ze af en toe dat ze zich weer in hetzelfde land bevond als hij, slechts een paar uur weg met de trein. Florence, waar ze hem had gevonden en hem nogmaals uit het oog had verloren, lag in een andere wereld dan Rome, waar haar verliefdheid op Andreas langzaam veranderde in iets taaiers en levensvatbaarders, terwijl een onbekend wezen binnenin haar neus, mond en ogen begon te krijgen. 's Avonds las hij voor wat hij in de loop van de dag had geschreven, en hoewel ze bewondering had voor zijn eigenzinnige, gestileerde replieken, vergat ze vaak te luisteren. Het was voldoende voor haar te luisteren naar het geluid van zijn zachte stem, die ze gewaarwerd als een sidderen in haar wang wanneer ze haar hoofd tegen zijn borstkas liet rusten. De stem sprak tot haar vanuit een plaats waar ze niet bij kon komen, waar hij genoodzaakt was alleen te zijn, maar van daaruit had hij haar voorbij zien komen en besloten haar niet uit het oog te verliezen. Zijn stem vibreerde in haar als een echo wanneer ze in haar eentje in de schaduw tussen de verweerde muren liep of in de zon zat op het Campo di Fiori. Alleen de stem was werkelijk, niet de woorden, niet zijn theater. Zijn stem en het onbekende kind vulden haar helemaal op. Hij had zijn eigen ogen geloofd, en zij geloofde in wat hij had gezien.

De wind deed de sneeuwvlokken in spiralen boven het erf cirkelen. Opeens drong het tot haar door dat ze naar Else zat te luisteren. Haar moeder kondigde het radioprogram van de dag aan met haar gecultiveerde stem, waarnaar Lucca had geluisterd sinds ze een kind was en alleen thuis zat met een of ander kindermeisje. Het was een stem die van alles en nog wat kon zeggen. Alle woorden kregen een zelfde klank in Elses mond, alsof haar tong, lippen en tanden gereedschappen waren die erop berekend waren de woorden te breken en ze los te koppelen van wat ze betekenden. Else was sceptisch geweest toen Lucca haar vertelde dat ze naar het platteland verhuisden. De Poëet en Moeder de Vrouw had ze hen bijna een jaar lang genoemd, tot ze het beu werd om te lachen om haar eigen geestigheid. Ze zocht hen af en toe op in hun hol, zoals ze zei, en Lucca werd elke keer weer even vrolijk wanneer ze zag hoe haar moeder haar wenkbrauwen optrok en alle scherpe opmerkingen onderdrukte die zich verdrongen achter haar strakke, rimpelige lippen. Ze was het ontwend zichzelf van buitenaf te bekijken, en ze genoot van Elses onbehagen bij het zien van het smerige en chaotische bouwterrein, waar Lauritz in zijn blootje en met modder op zijn gezicht ronddartelde.

Lucca had nooit het idee gehad buiten de stad te gaan wonen. Toen ze daar introkken, was het huis amper bewoonbaar, en iedereen zei dat het waanzinnig was je met een kind ergens te vestigen waar niet eens stroom was. Alsof Lauritz niet op-en-top akoestisch was. De eerste tijd wisten ze zich te behelpen met petroleumlampen. Ze douchten buiten onder een tuinslang terwijl de vloer in de badkamer werd gelegd en kookten boven een stookplaats in de tuin. Al met al leefden ze zoals de pioniers op de prairie moesten hebben geleefd. Er was geen weg terug. Alles wat ze bezaten, was geïnvesteerd in het huis en in de bouwmaterialen die zich ophoopten op het erf.

Ze had de stad achter zich gelaten, waar ze zich haar hele jeugd had rondbewogen, niet meer dan een gezicht te midden van de wisselende gezichten, altijd op zoek naar een nieuw paar ogen, waarin ze zich kon spiegelen. En met de stad had ze ook de mannen achter zich gelaten, zowel degenen die ze had gekend als degenen die ze had kunnen leren kennen. Al die mannen met wie ze beurtelings had gedweept of voor wie ze op de loop was gegaan, al die kleine en grote geschiedenissen die evenzovele blinde sporen gebleken waren, gestrande aanzetten en mislukte pogingen om te belanden bij het leven, dat het hare zou worden.

Toen ze nog maar net anderhalve plank had geverfd, ging de telefoon. Die stond op de vensterbank. Ze moest over stapels boeken op de vloer heenstappen, met de verfkwast omhoog om niet te druppelen. Het was Miriam, haar stem was dik en huilerig, ze moest met iemand praten. Lucca vroeg wat er was gebeurd. Miriam begon te snikken. Terwijl Lucca wachtte tot ze gekalmeerd was, ontdekte ze een grijze streep verf die van de kwast op haar hand liep. Ze hield hem loodrecht, maar hij bleef lopen als een smeltend ijsje. Miriams huilen nam af. Haar vriend had haar verlaten. Hij had gezegd dat hij niet meer van haar hield, en dat het een misverstand was, dat kind dat ze zouden krijgen. Hij voelde dat er pressie op hem werd uitgeoefend. Ze snikte en steunde. Hij had een tas met kleren gevuld en een taxi genomen, ze wist niet waarheen.

Lucca dacht aan de opgeschoten jazzmusicus. Ze had hem altijd slap gevonden wanneer Miriam hem koeioneerde of zich op zijn schoot plantte en een tongzoen verlangde terwijl iedereen toekeek, alsof hij verplicht was zijn gloeiende begeerte naar haar tegenover Jan en alleman te bewijzen. Hij had dus toch de moed gehad om voor de eer te bedanken, maar waarom zo laat? Daar had Miriam geen flauw idee van. Zij had gedacht dat het kind hen dichter bij elkaar zou brengen. Hij was zelfs met haar meegegaan naar de zwangerschapsgymnastiek. Ze begon weer te huilen. Lucca stelde zich de magere jazzvriend voor, zonder schoenen aan op de linoleumvloer gezeten met de opgezwollen Miriam tussen zijn knieën, omgeven door de andere mannen en hun vrouwen, die in koor aan het puffen waren, terwijl hij zich afvroeg hoe hij uit het lastige parket kon geraken waarin hij was beland.

Ze moest denken aan de nacht dat Otto haar de bons had gegeven en ze bij Miriam thuis wodka zat te drinken. Ze herinnerde zich het dromerige gepraat van haar vriendin over het krijgen van een kind, en hoe boos ze had gekeken toen ze vertelde dat haar vriend bang was zijn vrijheid te verliezen. Wat moest hij daarmee?! In feite had Miriam haar zwangerschap net zo betweterig en onmuzikaal doorgedreven als wanneer ze een gesprek onderbrak en haar tong in zijn keel stak. Maar daar konden ze niet over praten, en zeker niet nu. Lucca volstond ermee naar de ongelukkige Miriam te luisteren en haar te verklaren dat ze niet naar de stad kon komen omdat ze alleen was met Lauritz.

Ze bleef bij het raam staan toen ze de horen op het toestel had gelegd. De sneeuw bedekte de tuin en de akker. Hij lag als witte schaduwen langs de donkere vertakkingen van de perenboom en omlijstte het blauwe tractortje dat Lauritz in het gras had achtergelaten. De hemel leek van graniet. Ze bekeek de strepen verf, die zich in een vertakte delta over haar hand en onderarm had verspreid, als bloed dacht ze, gesteld dat bloed grijs was geweest. Ze had graag wat meer sympathie willen betonen, en ze had een slecht geweten omdat ze Miriam niet had uitgenodigd om naar haar toe te komen.

Ze legde de kwast op de krant, waar de verfpot stond, veegde haar hand af en nam achter het bureau plaats in Andreas' werkkamer. Er lagen alleen maar een paar paperclips en het briefje met zijn Parijse adres, geschreven met zijn hoekige, ietwat slordige handschrift. Het rook er muf naar sigarettenrook. Hij rookte te veel, vooral wanneer hij aan het werk was, en altijd diezelfde sterke Gitanes. 's Morgens hoestte hij, maar elke keer dat zij daar iets van zei, scheepte hij haar af. Soms hoorde ze hoe hij zijn hoesten trachtte te onderdrukken in de badkamer, om te voorkomen dat zij er iets van zou merken. Ze opende het raam en ademde de koude, rauwe lucht in. Het uitzicht was anders vanuit zijn kamer, je kon de uiterste takken van de perenboom zien. Ze raapte een van de paperclips op van het bureau en vouwde die open, terwijl ze uitkeek op het witte hellende veld, waarachter het dak van de schuur van de buren half schuilging.

Ze had het idee dat ze Miriam in de steek had gelaten door de telefoon, maar ze wist niet wat ze moest zeggen, en ze had niet kunnen zeggen wat ze dacht. Dat het vermoedelijk Miriams eigen schuld was dat dit was gebeurd, omdat ze haar zwangerschap had doorgedreven, blind en doof voor alle waarschuwingssignalen. Miriam die altijd nam wat ze wilde hebben, en die leggings droeg hoewel haar dijen te dik waren. Lucca had er nooit in geloofd dat zij en haar jazzvriend bij elkaar zouden blijven, en misschien had Miriam ook haar twijfels gehad. Had ze gehoopt dat ze hem vast kon houden door een kind te krijgen? Dat zou ze vast nooit toegeven, niet eens tegenover zichzelf. En nu kwam er een kind op de wereld, een kind als alle andere kinderen, met hetzelfde verlangen om bemind te worden, dezelfde drang om zich een echte liefdesvrucht te voelen en niet enkel het resultaat van de vergissing van twee verwarde mensen.

Dat alles had ze tegen Miriam kunnen zeggen als ze gedurfd had, maar ze had het recht niet om dat te zeggen. Wie kon er een oordeel uitspreken over wat echte gevoelens waren en wat niet meer dan hitsige illusies waren? Misschien wilde Miriam werkelijk graag een kind hebben, met of zonder vriend. Lucca dacht eraan hoe nuchter haar vriendin haar eigen toekomstvooruitzichten als actrice had beoordeeld. Wat cabaret hier en daar, waar ze de grapjurk mocht uithangen. En zijzelf? Hoe razend was ze niet geworden toen Else haar ermee troostte dat Otto toch niets voor haar was geweest, en dat het maar goed was dat ze uit elkaar waren gegaan. Stel je voor dat ze een kind hadden gekregen! Vandaag moest Lucca haar gelijk geven. Haar verliefdheid was verblind en onvolwassen geweest. Wanneer ze terugdacht aan zichzelf zoals ze toen was, was het alsof ze aan een ander dacht. Alsof ze een ander was geweest dan degene die ze samen met Andreas en Lauritz was geworden. Maar als ze werkelijk een ander was geworden, kon ze vermoedelijk nogmaals veranderen. De gedachte maakte haar misselijk, de gedachte dat er misschien nooit een eind aan de veranderingen zou komen. En als ze nu toch dezelfde was? Hoe kon ze er dan zo zeker van zijn dat haar liefde voor Andreas werkelijker was dan haar liefde voor Otto was geweest? Was ze toen alleen maar zo zeker, was ze nu alleen maar zo zeker omdat Otto en Andreas op een gegeven moment de laatste man in de reeks waren geweest? Voelde ze zich alleen maar zeker omdat Andreas nu eenmaal degene was geworden met wie ze een kind kreeg?

Ze bekeek het briefje met het adres en het telefoonnummer in Parijs. Ze had zin om hem op te bellen, enkel en alleen om zijn stem te horen, maar het was te vroeg. Hij zou er pas aan het eind van de middag zijn. Het was langgeleden dat ze behoorlijk met elkaar hadden gepraat, vond ze. Er kwam steeds iets tussen. Zij had zoveel om handen, en hij werkte altijd. De afgelopen weken was hij bovendien de meeste tijd weg geweest, in Malmø. Het baarde haar zorgen als ze een tijdlang afwezig tegenover elkaar deden, vriendelijk maar bedrijvig en een beetje conventioneel, wanneer ze elkaar 's morgen of 's avonds een zoen gaven. Ze vond dat hij er de afgelopen tijd niet met zijn hoofd bij was geweest. In Parijs zou dat ongetwijfeld anders worden. Was het maar vast Pasen!

Ze boog zich over het bureau en deed het raam dicht. Ze had opeens honger gekregen en besloot te gaan lunchen voordat ze doorging met verven. Toen ze over de stapels met boeken stapte op haar weg door de kamer, viel haar blik op een aantal oude scripts. Het bovenste was gebonden in rood karton. *De vader* stond er, van August Strindberg. Ze raapte het op en sloeg de beduimelde bladzijden vol met potlood geschreven, half uitgewiste aantekeningen om. Ze nam het script mee naar de keuken en legde het naast het fornuis terwijl ze water opzette voor pasta. Indirect was Strindberg de aanzet geworden tot haar ontmoeting met Andreas, maar dat wist ze toen natuurlijk niet. Ook niet toen ze elkaar passeerden, hij in de lift op weg naar boven, zij op weg naar beneden op de trap nadat ze thee had gedronken met Harry en naar het onweer boven de stad had zitten kijken.

Ze had zin gekregen in *pasta al burro* met geraspte muskaatnoot, zoals Giorgio haar die had leren toebereiden. Dat was het enige wat ze had geleerd van die trieste clown van een vader, die een berustend gebaar maakte met zijn armen alsof er niets meer te zeggen viel toen hij zich achterwaarts terugtrok langs de doopkapel in Florence, voordat hij zich omdraaide en uit het oog verdween. Midden in de maneschijn, dacht ze, aan alle kanten omgeven door ruïnes. Ze keek naar het voddige script en moest glimlachen. Iéts kon ze zich dan toch maar herinneren. Maar het was geen maneschijn geweest, het was klaarlichte dag geweest, en de doopkapel stond als toen hij werd gebouwd, oogverblindend mooi en geometrisch met zijn witte en groene marmer. Het was gewoon niet gelopen zoals verwacht, dacht ze, terwijl het dampende water in de pan begon te borrelen en te sidderen.

Het was helemaal donker in de kamer. Ze hoorde de krekels achter het luik voor het raampje. Ze hielden de luiken de hele dag dicht om zoveel mogelijk van de koelte van de nacht te bewaren. Ze schoof het laken van zich af en stak een hand uit. Hij was er niet. De wijzers van de wekker lichtten groen op, drijvend op het donker. Het was even over zevenen. Hij kon niet meer lang slapen. Hij zei het met een bedremmelde, klaaglijke glimlach, alsof dat een van de dingen was die hij had verloren. Ze vermande zich en zwaaide haar benen over de rand van het bed. Ze stak haar hand uit naar haar kimono, die over een stoel hing, en baande zich op de tast een weg door het donker, waarbij ze een vinger langs de ruwe, gekalkte wand liet gaan tot ze de deur vond.

Het daglicht viel in een spitse driehoek van de deuropening naar het dakterras. Ze beklom de trap en bleef op de overloop staan. Hij had haar nog niet opgemerkt. Hij hoorde niet zo goed, had ze ontdekt, maar hij vond het niet leuk om dat toe te geven. Ze bleef staan. Hij zat met over elkaar geslagen benen onder het afdak van gevlochten bamboe. Hij las in een boek terwijl hij zijn theekopje van zich af hield met geheven hand, alsof hij het kopje daar, midden in de lucht was vergeten. De bamboestengels van het afdak versplinterden het scherpe zonlicht in een rafelig weefsel op de stenen tafel en de tegels, en de lichtsplinters kronkelden over zijn achterovergestreken, grijze haar, het gerimpelde voorhoofd, het gezicht met de kromme neus en zijn bruine bovenlijf met de losse, geplooide huid om zijn buik en onder zijn borstkas. Hij had de witte linnen broek aan die ze in Madrid voor hem had gekocht.

Ze wachtte. Hij moest haar ontdekken. Het was een spelletje geworden dat ze speelde, meer met zichzelf dan met hem. Er is ook koffie, zei hij met zijn hese stem, zonder van het boek op te kijken. Hij had haar dus toch gezien. Ze ging tegenover hem zitten. Glimlachend legde hij zijn hoofd achterover om haar te bekijken door de bril, die op het puntje van zijn neus zat. Daar was je, zei hij. Hier ben ik, antwoordde ze, een hand uitstekend en zijn knie strelend. Ze schonk een kopje koffie, deed er flink wat suiker in en nipte eraan terwijl ze uitkeek over de bergrug, die door de zon in een scheve hoek werd geraakt, waardoor de plooien en voren goed uitkwamen, met lange, blauwgrijze schaduwen in de roestrode en roze tinten van de rots.

De huizen leken op elkaar, witgekalkt met platte daken en getraliede raampjes; als een hoop suikerklontjes lagen ze gespreid tegen de bergflank. Het klonk fraai wanneer je het beschreef, en wanneer je het dorp op een afstand zag, leek het ook op een ansichtkaart, met sinaasappelbomen en olijvenbosjes en wat er verder bij kwam kijken, maar zodra je er was, had de plek iets mistroostigs over zich. Het wegdek bestond uit beton, dat vol gaten zat zodat je voortdurend op het punt stond te struikelen, de stroomkabels hingen er als slordige guirlandes bij, en de huizen stonden op instorten of werden verbouwd, met trieste muren van gasbeton. Overdag zag je nooit iemand, met uitzondering van een vermoeide, bleke vrouw in een duster, achter een keukenraam. De plaats leek bewoond te zijn door huismoeders en stoffige, magere katten. Andere tekenen van leven waren de stank van frituur en het lawaai van de tv-apparaten, die reclamejingles ten beste gaven in het galmende halfduister van de huizen.

Harry's huis was het laatste huis aan de oostkant van het dorp. Vanaf het dakterras had je uitzicht op een droge rivierbedding met steile hellingen. In de bodem van het rivierbed zaten diepe barsten, waar oleanders en sint-jansbroodbomen groeiden, en aan de overkant van de rivier, een paar kilometer daarvandaan, helde nog een bergrug af naar de vlakte, die vervaagde in de warmtenevel, zodat je de kustlijn ternauwernood gewaarwerd, als een diffuse overgang van oker naar blauw. Ze waren hiernaartoe gekomen kort nadat *De vader* voor het laatst was opgevoerd in de Koninklijke Schouwburg. Tegelijkertijd had Harry in Oslo première gehad met *Oom Wanja*. In de weken voordat ze vertrokken, waren ze alleen maar bij elkaar geweest wanneer hij naar Kopenhagen vloog in het weekend. Zij had een rol aangeboden gekregen in een film, de eerste opnames zouden al in het vroege voorjaar plaatsvinden, maar Harry had haar aangeraden om nee te zeggen. Hij kende de regisseur, het was vrijwel zeker dat het niet zozeer een middelmatige, als wel een totaal ellendige film zou worden.

In Denemarken had het weken achtereen geregend. Lucca had bijna het idee dat ze vergeten was hoe de hemel eruitzag. Toen ze uit het vliegtuig stapten, voelde ze een warme bries in haar gezicht. De amandelbomen bloeiden wit en lichtrood tegen de achtergrond van de meniekleurige aarde toen ze door het dorre landschap reden. Op sommige plaatsen veranderde het landschap in een woestijn met diepe kloven en verweerde rotsformaties, die op de schedels van enorme, voorhistorische dieren leken. Ze waren er nu al haast twee maanden. De zomer zouden ze doorbrengen in een huis dat hij had gehuurd aan de Noordzee, tot de repetities begonnen voor *Een poppenhuis*. Zij zou Nora spelen.

Wanneer Harry niet aan de gang was met een voorstelling, bracht hij zijn tijd door in Spanje met lezen en schrijven. Ze wist niet wat hij schreef. Kattebelletjes, had hij geantwoord met een plagerige glimlach toen ze ernaar vroeg. Als kind schreef je verlanglijstjes, vervolgde hij, maar hij kon zich zo langzamerhand niet meer herinneren wat hij in de loop der jaren had verlangd. Het was moeilijk genoeg om je al die jaren te herinneren. Wekenlang had ze geen anderen gesproken dan hem, en de dagen leken op elkaar als druppels water, maar vreemd genoeg had ze zich niet verveeld. In Kopenhagen waren er altijd mensen die ze moesten opzoeken, mensen van Harry's leeftijd. Hij was altijd erg attent tegen haar wanneer ze samen uitgingen, maar dikwijls voelde ze zich desondanks alleen maar decoratieve aanhang, die bij voorbaat niet meetelde omdat ze niet was geboren in de tijd dat de dolkomische geestigheden van de anderen in zwang kwamen.

Harry's vrienden waren schrijvers, schilders of filmregisseurs, en die waren ongeveer net zo beroemd als hij, maar ze maakten al zo lang deel uit van de elite dat de lauweren van de meesten zo langzamerhand aardig verwelkt waren. Achter hun gemakzuchtige zelfgenoegzaamheid werd ze een kleine, beteuterde onrust gewaar over het feit dat er in de kranten niet zo vaak over hen werd geschreven als twintig jaar geleden. Daar konden ze een hele tijd over zitten praten, hoe slecht de kranten waren geworden. Verder klaagden ze erover hoe makkelijk de jongeren het tegenwoordig hadden en hoe weinig erbij kwam kijken om tot vervaarlijk dicht in de buurt van hun eigen verheven positie te worden opgetild. Eigenlijk zetten ze hun beste beentje voor om haar bij het gesprek te betrekken, sommigen van hen spanden zich zelfs in om vriendelijk te zijn, maar de plotselinge belangstelling van de oude, grijze boys kreeg iets slinks en oompjesachtigs over zich wanneer zij een poosje in haar eentje had gezeten.

Ze voelde dat hun vrouwen met lede ogen aanzagen hoe de mannen zich gezellig naar haar overbogen om te horen wat haar bijdrage tot het gesprek wel zou kunnen zijn. De meesten van hen hadden Harry's overleden vrouw gekend, maar over haar werd met geen woord gerept. Lucca voelde zich als een wandelend schandaal, en wanneer ze werd voorgesteld, zag ze hoe de blikken van zijn vrienden schommelden tussen ergernis en afgunst over de ontembaarheid van die oude sater en bofkont. Ze was natuurlijk ook in de roddelbladen verschenen, toen hij onvoorzichtig genoeg was om haar mee te nemen naar een première, en wanneer ze op straat liep in de stad, kon ze soms merken dat ze werd herkend als Harry Wieners jonge, talentvolle *vriendin.*

Harry was altijd het middelpunt van het gezelschap, misschien omdat hij een van de weinigen was wiens roem niet aan het tanen was. Maar dat kon niet de enige reden zijn, dacht Lucca. Overal waar hij kwam, werd er op hem gelet, en zelfs mensen die er geen idee van hadden wie hij was, moesten wel kijken naar de elegante, gerimpelde man met het golvende, grijze haar en de smalle ogen. Hij deed niets bijzonders om de aandacht te trekken, integendeel. Hij gaf er de voorkeur aan om te zitten luisteren terwijl hij de anderen gadesloeg, en van tijd tot tijd plooiden zijn mondhoeken zich ironisch om de kleurloze spleet die voor zijn mond moest doorgaan. Het werd stil wanneer hij eindelijk iets zei met zijn roestige stem en zijn ouderwetse dictie, die alles wat hij zei, zelfs het meest onbeduidende, met een exclusieve en beschaafde sfeer omgaf.

Toen ze op een avond in de auto zaten op weg naar huis na het zoveelste etentje, vroeg ze hem waarom hij het nodig vond om zoveel tijd aan die troep uitgebluste, ouwe zakken te spenderen. Die zaten immers alleen maar hun bloeddoorlopen ijdelheid te cultiveren, zei ze, en zweetten bij het idee dat ze in het vergeetboek aan het raken waren. Ze had te veel gedronken, uit verveling. Hij lachte, terwijl hij door de voorruit keek. Hij was zelf toch ook een ouwe zak... Bovendien was alles interessant voor zo iemand als hij. Ze trok vriendelijk aan de krullen in zijn nek. Hij was tenminste niet uitgeblust... Hij glimlachte, maar antwoordde niet rechtstreeks. Het meest banale, het meest mondaine, vervolgde hij, is vaak het meest interessante. Hij keek haar kort aan. Dat begreep ze zeker nog niet, gelukkig. Maar zelfs de diepste zielenroerselen veranderden met de jaren in een sociale aangelegenheid.

Ze waren een enkele keer samen met Else geweest, kort voordat ze naar Spanje vertrokken. Harry had hen uitgenodigd voor een lunch, op een zaterdag toen hij net terug was uit Oslo. Lucca probeerde het uit zijn hoofd te praten, maar hij glimlachte alleen maar. Hij wilde haar moeder ontmoeten. Als dat haar niet aanstond, kon ze thuisblijven... Else had haar tegenzin proberen te verbergen toen Lucca eindelijk voor haar nieuwsgierige vragen was gezwicht en vertelde bij wie ze zo vaak overnachtte. Na een maand was ze vrijwel ingetrokken in de dakwoning met uitzicht over de haven.

Ze was zenuwachtig terwijl ze samen met Harry in het restaurant zat te wachten, en nogmaals raakte ze verrast over zijn onverstoorbare kalmte toen Else binnenstapte, angstig om zich heen kijkend en met veel te veel poeder op haar wangen. Harry stond op, gaf haar vriendelijk een hand en schoof een stoel aan zonder acht te slaan op haar gespannen, hectische manier van doen. Lucca had er niet nader bij stilgestaan dat hij ouder was dan haar moeder. Haar eigen nervositeit veranderde in verwondering toen ze zag hoe koortsachtig Else was, en hoe koket ze haar vrouwelijke register testte op de beroemde man, die de rol van haar schoonzoon speelde. Toen Else hem een uur later bij het afscheid op zijn wang zoende, voelde Lucca dat haar stomme veroordeling had plaatsgemaakt voor iets wat op bewondering leek.

'S Middags werkte Harry, terwijl zij siësta hield. Wanneer ze wakker werd, maakten ze meestal een ritje naar de zee. Hij vond dat het water te koud was, maar zij was er bijna elke dag in. Ze had geen badpak nodig, ze hadden het strand voor zichzelf. Ze voelde zich kinderlijk wanneer hij haar zat gade te slaan, maar dat hield op als ze uit het water kwam en hij klaarstond met handdoek en kimono, op het moment dat zij glimlachend naderbij kwam, druipend en spiernaakt. 's Avonds praatten of lazen ze. Hij vertelde over mensen die hij had gekend, soms waren het namen die ze eerder had gehoord, toneelspelers en schrijvers, half mythologische figuren uit een andere tijd. Soms duizelde het haar wanneer ze besefte dat hij het over gebeurtenissen had die zich tien jaar voor haar geboorte hadden afgespeeld.

Hij gaf haar boeken waarvan hij meende dat ze haar zouden interesseren. Het huis was van vloer tot plafond volgestouwd met boeken, en ze had nog nooit zoveel in zo korte tijd gelezen. Hij opende ramen en deuren voor haar die toegang gaven tot gedachten en voorstellingen die ze nooit eerder had gemaakt, maar hij zorgde ervoor dat ze zich nooit dom voelde, alleen maar erg jong. Hij beleerde haar nooit, en gebruikte ook niet zijn leeftijd en ervaring als argument voor wat dan ook. Hij volstond ermee onverwachte vragen te stellen, die even onverwachte antwoorden aan haar ontlokten. Hij geleidde haar zonder dat ze er erg in had, en liet haar even onmerkbaar weer los zodat ze het gevoel had dat ze het hele traject zelf had afgelegd, ze wist niet hoe. Intussen keek hij haar alleen maar aan met zijn smalle, donkere ogen.

Dat was de manier waarop hij werkte, door bijna niets te zeggen of te doen. Dat was de manier waarop hij beroemd was geworden, de Zigeunerkoning, zoals Otto hem zo honend had genoemd. Ze begreep niet waar al die verhalen over zijn tirannieke wreedheid vandaan kwamen. Tijdens de repetities van *De vader* had hij geen enkele maal zijn stem verheven. De meeste tijd had hij aan zijn lessenaar gezeten beneden in de zaal of aan de rand van het toneel gestaan als verdiept in zijn eigen gedachten, terwijl hij elke toon en elke trekking op de gezichten van de acteurs gewaarwerd. Slechts af en toe maakte hij een vertrouwelijk praatje met ieder van hen apart, andere keren volstond hij ermee een hand op een schouder te leggen, te glimlachen of met een afwachtend gezicht zijn wenkbrauwen op te trekken. Hij sprak hen zelden als groep toe, en wat hij zei, was altijd zo concreet dat niemand erg had in de grote lijnen in het beeld dat hij van meet af aan voor ogen had gehad. Langzaam vonden ze hun plaatsen in het beeld, als op eigen ingeving, schijnbaar zonder zijn hulp.

Ze had zweet op haar bovenlip, en haar knieën beefden toen ze op een namiddag in september op de leesrepetitie kwam. De portier was aardig, hij liep een eindje met haar op en wees haar de weg door een lange gang, maar ze slaagde er niettemin in om te verdwalen. Toen ze eindelijk de repetitiezaal vond, zaten de andere acteurs aan een lange tafel naar haar te kijken terwijl zij door de zaal liep met het script tegen haar borst gedrukt. Ze begaf zich naar Harry Wiener, die aan het eind van de tafel zijn handen zat te bekijken. Ze excuseerde zich voor het feit dat ze te laat was. Hij wachtte even voordat hij haar hand nam zonder die te drukken, alsof hij toegaf aan een kinderlijke inval van haar kant. Hij antwoordde niet, glimlachte alleen maar fijntjes met zijn smalle lippen terwijl hij haar bekeek door de donkere spleten van zijn ogen. Hij keek haar aan alsof ze elkaar nooit eerder hadden ontmoet, en het leek totaal onwaarschijnlijk dat hij haar op een avond in zijn Mercedes had gevraagd of hij haar een zoen mocht geven.

Die dag had hij een olijfgroen zijden overhemd aan, dat los over de zandkleurige fluwelen broek hing, en zijn gegolfde, staalgrijze haar was zorgvuldig van zijn voorhoofd en oren weggekamd. Hij had iets tengers en onbeschermds over zich gehad toen hij haar een paar maanden tevoren verstrooid in zijn dakwoning ontving in afgetrapte espadrilles en met zijn haar dat alle kanten uitstak als slaapdronken vleugels, maar dat was nu totaal verdwenen. Zijn onbeweeglijke gezicht leek op een masker van gebrande klei. Terwijl zij om de tafel heen liep en handen schudde, streelde hij achterovergeleund aan het eind van de tafel zijn zilveren aansteker, die boven op zijn script naast de opgevouwen bril lag.

Ze kende hun gezichten, van de bühne en van de kranten en tijdschriften. Ze dachten vermoedelijk dat ze aan het verkeerde adres was. Je kwam niet te laat bij Harry Wiener. De actrice die haar moeder zou spelen, de vrouw van de ritmeester, bekeek haar met een taxerende blik over haar leesbril heen. Twee generaties mannelijke theaterbezoekers hadden de knappe diva met de weelderige boezem als het toonbeeld beschouwd van vrouwelijke charme en mystiek. Haar mannelijke leesbril had iets aanstellerigs over zich. Misschien flirtte ze met de gedachte dat de lelijke en lompe *touch* die de bril aan haar lieftallige gezicht verleende, juist de volwassen sensuele dramatiek van de ogen en de lippen onderstreepte.

De rol van de ritmeester zou worden gespeeld door haar mannelijke pendant, de rebelse wildeman van het theaterleven, een beruchte vechtjas, zuipschuit en verleider, met eeuwig zwoele ogen, constant warrig haar en een stem, die klonk als een nachtkroeg. Elke keer wanneer Lucca hem zag, moest ze denken aan de repliek die een stevig opgepompte blondine hem in een tv-spel in haar jeugd had toegefluisterd, in een voor die tijd vrij gewaagde bedscène terwijl ze haar tieten in de springerige beharing van zijn borstkas doopte. Gróte dómme jóngen! Hij glimlachte zijn allermeest professionele zwoele glimlach terwijl hij haar de hand drukte, zodat ze bang was dat die in zijn eeltige knuisten zou blijven zitten. De grote, domme jongen was grijzend geworden en had ook een leesbril gekregen, aan een koordje zodat hij niet zoek zou raken. Een klein buikje was aan het opkomen achter het strakke spijkeroverhemd, en hij zag er voortdurend uit alsof hij een boertje trachtte te onderdrukken.

Ze trok een stoel naar zich toe en nam naast de ritmeester plaats. Hij overhandigde haar een potlood. Pas op, hij is scherp! fluisterde hij met een schelmse blik, alsof hij een schooljongen was en zij de nieuwe in de klas. Dan steken we van wal, zei Harry Wiener, maar hij zette zijn bril niet op en opende ook zijn script niet. Hij bleef achterovergeleund met over elkaar geslagen benen zitten terwijl ze de eerste bladzijde opsloegen. In die houding zat hij tijdens de hele repetitie, met het hoofd enigszins voorovergebogen en met halfdichte ogen, die op een punt op de vloer waren gericht, terwijl hij de acteurs hun replieken hoorde oplezen. Alleen als een van hen nadruk begon te leggen op een zin, al bezig met het doen van een bod hoe de rol gespeeld moest worden, keek hij heel even op en glimlachte fijntjes en ondoorgrondelijk. Dat bracht de persoon in kwestie er dadelijk toe zijn of haar toon te dempen en ermee te volstaan te lezen wat er stond. Toen ze door de tekst heen waren en hun scripts hadden gesloten, viel er een korte stilte. Daarna stond hij op, liet zijn ogen over hen gaan en dankte hen voor hun komst. Ze bleven zitten terwijl hij zijn spullen verzamelde en wegging. Opnieuw had Lucca het gevoel dat ze zich in een schoollokaal bevond. Zodra Harry Wiener de deur uit was, barstte het gesprek los, kriskras over de tafel.

Zo was hij! De ritmeester strekte zijn armen naar achteren en glimlachte vrolijk om de verwarde uitdrukking op haar gezicht. Hij zette zijn handen op zijn knieën, met de ellebogen naar buiten. Lucca haalde haar schouders op. Ze had gedacht dat hij het een en ander tegen hen zou zeggen over het stuk en de rollen. Dat deed hij nooit... De ritmeester hield zijn adem een ogenblik in voordat hij lucht uitstootte door zijn neus. Maar wacht maar af! In het begin kwam hij wat koel over, je kon zelfs bang voor hem worden, maar hij was een príma man. Dat hij vandaag extra gesloten was geweest, kwam waarschijnlijk door zijn vrouw. Ze was er belabberd aan toe, oud tot nieuw zou ze wel niet halen. Maar hij reageerde er kranig op... In feite had hij iets knus... ja, knus over zich. Je gelooft het niet, zei de ritmeester, maar hij stelt je op je gemak, ook al maakt hij een totaal andere indruk. Dat is het geheim, glimlachte hij. Lucca knikte instemmend, alsof ze wist wat hij bedoelde. Harry Wiener was een handelaar in knusheid, maar bevriend raakte je niet. Aan mijn lijf geen polonaise! De ritmeester hield zijn handpalmen voor zich op. De diva boog zich voorover zodat haar borsten in het informele sweatshirt plat werden gedrukt tegen het tafelblad. Ze hield haar hoofd scheef en glimlachte wellustig. Wel, schat, hoe wás het op Borneo? De ritmeester draaide zich naar haar toe. Fantástisch!

Terwijl Lucca daar in haar eentje zat, vroeg ze zich af hoe het kwam dat acteurs altijd zo vreselijk geaffecteerd met elkaar praatten. Ze zeiden voortdurend schát of líefje, en ze vroeg zich af of het soms allemaal mietjes waren. Zelfs de vrouwen klonken als mietjes, omdat ze de parodie van mietjes op vrouwen leken te parodiëren. Ze beloofde zichzelf dat ze nooit zo zou gaan praten. In de gang werd ze ingehaald door de diva op hoge, klakkende hakken. De hoge hakken leken een damesachtige voetnoot bij de blauwe spijkerbroek, het ontspannen sweatshirt en de lelijke herenbril. Het ging láng niet slecht, zei ze met een moederlijke glimlach, alsof Lucca examen had gedaan. Maar lét op je medeklinkers! Jullie léren immers niet meer articuleren... Ze hield de voordeur open voor haar jongere collega en hield haar hoofd weer scheef. Tot ziens!

De ritmeester bleek gelijk te hebben. Harry Wiener wisselde nooit de joviale opmerkingen met de acteurs uit waarmee andere regisseurs de repetities van de dag plachten in te leiden, om op te warmen en misschien ook als compensatie voor de vreesaanjagende en ouderwetse autoriteit die ze nu eenmaal representeerden. Maar hoewel hij niets deed om bij hen in het gevlei te komen of gezelligheid om zich heen te spreiden, ontdekte Lucca na een week dat ze zich volkomen op haar gemak voelde bij de rustige, discreet opmerkzame man. Ze was niet meer bang om een fout te begaan. Alle ideeën, alle voorstellen waren toegestaan, en als ze niet gebruikt konden worden, vielen ze vanzelf af, ze wist niet hoe, want hij oefende nooit rechtstreeks kritiek uit op de manier waarop ze de rol speelde, een opgetrokken wenkbrauw was genoeg. Hij prees haar evenmin, glimlachte alleen maar af en toe met een onverwachte tederheid, bijna dankbaar, zodat ze voelde hoe er warmte door haar heen stroomde.

Hij drukte zich het liefst in simpele en zeer lichamelijke beelden uit, waarbij hij altijd uitging van het hier en nu op het toneel. Voor en na het spelen van een scène sprak hij met de acteurs afzonderlijk. Hij onderbrak hen zelden wanneer ze aan het spelen waren, en in dat geval uitsluitend met een concrete vraag of een enkel woord, dat irrelevant en raadselachtig kon overkomen op de anderen, als een privé-code die alleen bedoeld was voor degene tegen wie hij sprak, en die de persoon in kwestie weer op het spoor bracht. Op het spoor waarvan? In het begin wisten ze dat niet. Ze dachten dat ze in de buurt aan het komen waren van de onbekende kern van hun personage, maar gaandeweg ontdekten ze stuk voor stuk dat ze alleen maar de consequenties trokken uit wat ze de hele tijd hadden geweten zonder erover na te denken, omdat er sprake was van verborgen kanten van henzelf.

Lucca kreeg gaandeweg respect voor de diva en de ritmeester. Ze zag hoe geconcentreerd ze werkten, en zij zagen haar wanneer ze zich het meest onbeschermd en naakt voelde. Ze had nog niet lang genoeg gewerkt om het aan den lijve te ervaren, maar ze stelde zich voor dat hun aanstellerige manier van doen een schild moest zijn. Ze waren genoodzaakt toneel te spelen in hun eigen leven om zichzelf te kunnen zijn op het toneel. In de werkelijke wereld moesten ze zichzelf toestemming geven om ironisch en vrijblijvend te spelen met de meest groteske en komische attitudes, omdat het toneel de enige plek was waar ze zich niet de geringste veinzerij of verstrooide, conventionele mondaniteit konden permitteren.

Na afloop van de repetities was Lucca totaal uitgeput, en wanneer ze in het begin van de avond wakker werd na een paar uur te hebben geslapen, ontdekte ze dat ze alweer een dag had doorgebracht zonder aan Otto te denken. Ze voelde niets bijzonders wanneer ze aan hem dacht. Ze had het gevoel dat ze plaatselijk verdoofd was, en de avonden dat ze samen met Else at, hoorde ze amper wat haar moeder zei. De meeste tijd lieten ze elkaar met rust, en er waren dagen dat ze elkaar alleen maar in de hal tegenkwamen, wanneer de een kwam en de ander ging. Miriam belde af en toe, maar wanneer Lucca eindelijk begon te vertellen, werd ze altijd een schaduw van afgunst gewaar onder het enthousiasme van haar vriendin. Een jaar lang had Miriam niets anders om handen gehad dan een bijrol in een tv-serie voor kleine kinderen, verkleed als kangoeroe. Ze had er zelf om gelachen, maar niettemin haar best gedaan om de rol een serieus tintje te geven door uit de doeken te doen hoe moeilijk het feitelijk was om in zo'n kangoeroekostuum rond te springen, en dat nog wel met de voeten bij elkaar. Daar was ze zeer voor geprezen.

Wanneer Miriam vond dat ze genoeg over Strindberg en Harry Wiener hadden gepraat, vroeg ze of Lucca nog steeds aan Otto dacht, en om de citroen als het ware nog meer uit te persen vertelde ze op een dag dat het kennelijk niets geworden was met die mulattin, in wier gezelschap hij was gezien. Lucca merkte dat Miriam haar niet geloofde wanneer ze vertelde dat ze haast niet meer aan hem dacht. Ze moest liefst blijven lijden nu het haar zo voor de wind ging. Had ze misschien toch een oogje op de Zigeunerkoning? Toen Miriam voor de derde keer iets in die geest suggereerde, riep Lucca haar tot de orde. Er moesten werkelijk andere dingen in het leven zijn dan die eeuwige liefde, zei ze, verrast over het feit dat ze zichzelf Elses repliek hoorde herhalen. Bijvoorbeeld werk, vervolgde ze. Daarna stapte Miriam op een ander onderwerp over.

De repetities waren het enige tijdstip dat ze zich helemaal wakker voelde. Ze twijfelde er niet langer aan dat ze de rol had gekregen omdat Harry Wiener in haar talent geloofde. Ze was al gekalmeerd toen ze samen met hem thee zat te drinken in zijn dakwoning, en haar vertrouwen in hem groeide alleen maar wanneer hij van tijd tot tijd haar hand pakte of een arm om haar schouder legde terwijl ze met elkaar praatten. Zijn aanrakingen hadden niets zwoels of stiekems over zich, ze kwamen als natuurlijke verlengstukken van het gesprek en zijn verklaringen wanneer hij een opstelling doornam en haar liet zien hoe ze volgens hem moest binnenkomen en waar ze stil moest blijven staan.

Ze had het nooit over iets anders met hem dan over haar rol, en hij verliet hen zodra de repetities voorbij waren. Niets in zijn professionele aanpak verried dat zij op een middag op zijn bank over zichzelf had zitten vertellen, terwijl het buiten onweerde en regende. Dat versterkte haar gevoel dat ze zich blootgaf op het toneel, overgeleverd aan zijn ogen in het halfduister van de zaal. Er zat een lampje op zijn lessenaar, maar het schijnsel van de lamp verlichtte alleen zijn bovenlichaam, niet het gezicht. Ze vroeg zich af of de andere acteurs ook bij hem op de thee waren geweest en of hij evenveel van hun leven afwist als van het hare.

Op een dag zat ze in de kantine samen met de ritmeester en de diva. Er heerste een plagerige, kameraadschappelijke toon tussen die twee. Ze moesten elkaar al vanaf hun jeugd hebben gekend. Lucca voelde zich een buitenstaander. Het was nog steeds vreemd om met hen te zitten lunchen, ook al waren het haar collega's. Ze kende hun gezichten al van kindsbeen af, en nu zat ze hier en zag hoe de diva met haar rode nagels garnalen van haar bord pakte en tussen haar even zo rode lippen stak. De ritmeester en zij waren het er niet over eens in hoeverre Harry Wieners huidige vrouw nummer drie of vier was, en ze hielpen elkaar met het opratelen van de namen van de vrouwen met wie hij getrouwd was geweest en degenen die hij ernaast had gehad. Zelfs over de volgorde konden ze kibbelen. Hij neemt een nieuwe vrouw zoals anderen een nieuwe auto nemen, zei de diva. Ze was bevriend geweest met de voorgaande, dat wil zeggen nummer twee of drie. Waren ze er niet eentje vergeten?

De ritmeester schonk bier in zijn glas. Nu moest Wiener dan in elk geval gauw naar een nieuwe uitkijken. Hij kreeg schuim op zijn neus toen hij dronk. De diva verwijderde het met een liefkozende vinger. Jij bént me een gevoelige jongen, lachte ze met haar vochtige lippen en draaide zich naar Lucca toe. Ze moest maar oppassen dat zij de volgende niet werd! Maar die ouwe snoeperd had misschien al een poging gedaan? Lucca voelde haar wangen warm worden. Wel, daar moesten ze maar liever niet nader op ingaan! De ritmeester trok een pokerface en hief een wijsvinger tegen zijn vriendin. Zo waren die jonge mensen niet… meer! De diva hinnikte van het lachen. Een-nul, zei ze, en ze hapte naar adem met een verzaligd, klaaglijk geluid. Maar hoe had hij Wiener ook al weer genoemd toen ze *Een midzomernachtdroom* maakten… Jawel, kom nou! Ze gaf hem een manend tikje op zijn arm. De ritmeester krabde zijn nek en hief het glas. Zij pakte de laatste garnaal van haar bord en zoog mayonaise van haar vingers terwijl ze hem vol verwachting aankeek. Wij noemen hem de Zigeunerkoning, zei Lucca. De ritmeester hield zijn glas voor zich uit en boog zijn bovenlijf naar voren alsof hij zich aan het verslikken was in het bier. Ze lachten.

Toen ze naar huis fietste, ergerde het haar dat ze had gebloosd toen de diva vroeg of Harry Wiener het met haar had aangelegd. Hadden ze haar door? Was dat de manier waarop hij nieuwe talenten placht op te duikelen? Maar waarom had ze de rol dan gekregen? Alleen omdat het te pijnlijk zou zijn als zij rondvertelde hoe zij die ouwe snoeperd had afgewezen? Niet omdat hij zich schaamde over zijn avances, maar omdat hij zich schaamde over het feit dat hij werd afgewezen. Had hij haar de rol alleen maar gegeven om haar de mond te snoeren? Dat werd te ingewikkeld, vond ze. Het speet haar dat ze zo makkelijk de lachers op haar hand had gekregen met die afgezaagde bijnaam. Ze had die alleen maar opgedist om hen ervan te verzekeren dat ze niet met hem naar bed was geweest. Maar waarom dacht iedereen het tegenovergestelde, zowel Otto als Miriam en nu ook de diva en de ritmeester?

Maar ze kon het beeld van beruchte rokkenjager niet in overeenstemming brengen met haar indruk van de kalme, geconcentreerde man met het rimpelige gezicht. Maar ze kon ook het beeld dat zijzelf van hem had niet in overeenstemming krijgen met het incident in zijn Mercedes, toen hij haar naar huis had gereden en zich aanbood zonder er doekjes om te winden. Hij had zich vermoedelijk gewoon eenzaam gevoeld. Zijn vrouw was ongeneeslijk ziek, en hij wist niet hoe lang ze nog moest liggen lijden. Was het vreemd als hij heel even de fout inging? Zoals ze er nu tegen aankeek, vond ze dat hij een kiertje had geopend naar iets menselijks in zijn voor het overige beheerste en ondoordringbare façade. Net als toen hij haar een maand later ontving, confuus en slaapdronken op een broze en ontroerende manier.

Opeens zag ze hem weer duidelijk voor zich in de auto, terwijl ze stilstonden voor het Egyptische restaurant. De kwetsbaarheid in zijn ogen toen hij zich moedig blootgaf en om een zoen vroeg. Hij moest geweten hebben wat hij riskeerde aan geroddel en ridiculisering, maar daar had hij lak aan gehad. Ze bleef terugkeren naar die mengeling van moed en kwetsbaarheid die er in zijn blik was geweest. Het kon niet waar zijn dat zij alleen maar een jonge stoeipoes was geweest, de zoveelste in de reeks als je de diva en de ritmeester moest geloven.

Ze herinnerde zich wat hij had gezegd. Dat ze zowel talentvol als aantrekkelijk was, en dat ze zich vergiste als ze dacht dat het een niets met het ander te maken had. Toen hij het zei, had ze gedacht dat hij haar gewoon probeerde te manipuleren of te overrompelen met zijn cynisme. Maar een man als Harry Wiener was misschien niet in staat om onderscheid te maken. Misschien had hij haar willen testen om te zien of ze voldoende substantie en weerstandsvermogen had. Hij moest die avond nog iets meer in haar hebben gezien. Hij moest hetzelfde hebben gezien als waarop hij geduldig had zitten wachten vanaf het begin van de repetities, aan zijn lessenaar beneden in het halfduister, tot ook zij het begon te zien op het toneel in het felle licht, bezig zich haar rol eigen te maken. Een tot dan toe verborgen kant van zichzelf.

Ze draaide langzaam de warmwaterkraan dicht, tot de waterstraal ijskoud werd. Heel even leek het alsof haar hart ophield met slaan. Ze hapte naar adem, maar dwong zichzelf te blijven staan, met gesloten ogen, doorstroomd door koude. Toen ze de kraan helemaal had dichtgedaan, ging ze voor de brede spiegel staan, die in de muur was gemetseld tussen de moorse tegels. Het raam achter haar stond open en het muskietennet reflecteerde de zon, zodat de bergrug vervaagde achter een witte nevel. Ze was wat aangekomen, haar heupen waren ronder en haar borsten groter geworden. Ze was nu eindelijk eens bruin van top tot teen, zonder de gebruikelijke lichte strepen die de bikini achterliet. 's Middags lag ze naakt te zonnen op het terras. Niemand kon haar zien, met uitzondering van Harry wanneer hij onder het afdak zat te lezen. Het snerpende geluid van krekels werd nog intenser aan de andere kant van het raam, ritmisch en verhit. Ze wreef met haar open handen over haar gezicht en perste water uit haar zwarte haar.

Dat zwarte haar kon haar nog steeds verrassen wanneer ze zichzelf bekeek in de spiegel. Op een dag na de repetitie had Harry haar apart genomen en quasi terloops gevraagd of ze zich kon voorstellen dat ze haar haar zwart zou verven. Dat zou haar doen lijken op de ritmeester, haar vader in het stuk. Toen hij haar geschrokken uitdrukking zag, wuifde hij het meteen weg. Het was maar een ideetje. Ze vergat het weer, maar toen ze op een ochtend een paar weken later voor de spiegel haar replieken stond in te studeren, bedacht ze opeens dat ze zwart haar moest hebben. Pas toen ze het had voorgesteld, schoot haar te binnen dat het zijn eigen idee was, maar hij vertrok geen spier. Hij bekeek haar alleen maar terwijl hij nadacht, tot hij bevestigend knikte alsof het iets was wat ze zelf had verzonnen. Ze was zowel gefascineerd als geschrokken. Hij onthield zich van commentaar toen de voorstelling voor het laatst was opgevoerd en zij haar haar toch weer zwart liet verven omdat haar eigen haarkleur zichtbaar aan het worden was. Maar op dat moment wist ze dat ze op die manier bij hem in de smaak viel.

Ze deed alsof ze hem niet had gezien toen hij de badkamer binnenkwam, eerst slechts een silhouet tegen de achtergrond van het lichtende muskietennet. Hij stapte het schijnsel van de lamp boven de spiegel binnen en omhelsde haar van achteren terwijl hij zijn handen op haar koele borsten legde. Hij zocht haar blik in de spiegel en glimlachte zuurzoet. Daar hebben we de Schoonheid en het Monster, zei hij. Ze voelde zijn beginnende erectie tegen haar billen, door de linnen broek heen. Ze moest ervandoor, zei ze. Als ze op tijd wilde komen... Ze hadden afgesproken dat zij naar Almeria zou rijden om hun gast af te halen in de luchthaven. Hij liet haar los. Ze drukte een zoen op zijn voorhoofd en trok hem troostend aan de grijze krullen in zijn nek. Arm monster, mompelde ze teder.

Toen ze in de auto stapte, schoot haar te binnen dat ze er geen idee van had hoe hij eruitzag, de man die ze moest verwelkomen in de luchthaven. Ze ging terug naar het huis. Harry bekeek haar met een ironisch gezicht terwijl ze de klep van een kartonnen doos scheurde en er iets op schreef met een viltstift. *Andreas Bark* schreef ze. Hij knikte goedkeurend. Slim, hoor... Ze reed de kronkelige weg af van het dorp en kwam op de hoofdweg. Er was haast geen verkeer. Het landschap was grauw en okergeel in het scherpe licht. Ze zette haar zonnebril op, drukte op het gaspedaal en zette de radio keihard aan.

Ze stond op het toneel in *De vader*. Midden onder de voorstelling stokte haar stem. Ze herinnerde zich geen enkele repliek, en het werd doodstil in het theater, zo stil dat ze niet eens de souffleur hoorde fluisteren. De ritmeester keek haar afwachtend aan in de stilte, waarin ze haar bloed zachtjes voelde kloppen achter haar oren. In de coulissen stond de diva haar gade te slaan, verkleed als de witte clown met plooikraag, kegelvormige hoed en witgeschminkt gezicht, glimlachend met een scheef hoofd. En opeens sprongen haar trommelvliezen, zo voelde het aan, toen ze Elses gecultiveerde radiostem hoorde, schallend als in een luidspreker op een station: Lét op je médeklinkers!

De droom liet een hol, drukkend gevoel in haar maagstreek achter, maar ze kon niets eten en volstond met een kopje koffie toen ze in de keuken kwam. Ze zat een poosje naar de verwaarloosde tuin te kijken. Het had die nacht geregend, en de hemel hing zwaar boven de kale bomen. De wind rukte aan hun buitenste takken en deed de glibberige bladeren opwaaien in het gras. Pas over twee uur moest ze in het theater zijn. Ze besloot er meteen naartoe te gaan. Ze wist niet waar ze het anders zoeken moest.

Het decor was een paar dagen tevoren klaargekomen, en ze kreeg zin om te zien hoe het eruitzag vanuit de zaal. Ze vond haar weg door het labyrint van gangen, tot ze in de zwak verlichte theaterzaal met lege stoelen stond. Er was licht op het toneel. Harry Wiener zat op een Victoriaanse, met zwart chintz overtrokken sofa. Hij was zelf ook in het zwart gekleed. Het decor deed zowel realistisch als vreemdsoortig aan, als in een droom. Onopgesmukt, in zwarte en grijze tinten, afgezien van een enkele met rood fluweel overtrokken leunstoel. Hij was in gedachten verdiept en zat met zijn ene arm op de rug van de sofa en een hand onder zijn wang naar de versleten toneelvloer te staren. Hij had haar niet gezien. Ze bleef staan en bekeek hem van een afstandje.

Ze herinnerde zich opnieuw het contact dat er naar haar mening tussen hen was geweest toen ze in zijn flat zat, terwijl de regen schuimde op het balkon en de bliksemflitsen de hemel verlichtten boven de haven. De vertrouwelijke manier waarop hij met haar had gepraat en het fragiele dat hij over zich had gehad toen hij haar verwelkomde, enigszins verward omdat hij in slaap was gevallen op de bank. Door dat alles was ze haar angst vergeten voor het feit dat ze hem zou ontmoeten. Ze was al het andere vergeten toen ze daar zat, hoog boven de stad, omgeven door zijn boeken, gevangen door zijn kalme blik die op haar rustte terwijl zij over zichzelf vertelde en luisterde naar wat hij over Strindberg zei met zijn gedempte, hese stem. Hij had zich voor haar geopend, niet alleen toen hij in het kort over zijn op sterven liggende vrouw vertelde, maar ook toen hij het had over de ritmeester in het stuk. Over de ongelukkige liefde van de man voor de vrouw en dat het leven aan de vrouwen toebehoorde omdat die het vermogen hadden om het door te geven. Over het verlaten jongetje, dat als volwassene de vrouwen moest duchten en wantrouwen omdat hij in zijn hart de moeder vervloekte die hem ooit had afgewezen. Na afloop had ze bedacht dat hij niet alleen over Strindberg en zijn ritmeester had gesproken, maar ook over zichzelf.

Ze had erop gewacht dat hij haar met een klein teken te kennen zou geven dat hij zich herinnerde hoe ze met elkaar hadden zitten praten, maar hij hield haar op een afstand, zoals hij dat met alle anderen deed, vriendelijk, afwachtend en diep geconcentreerd op het werk. Met het verstrijken van de weken voelde ze zich steeds bloter en weerlozer tegenover zijn blik, die schijnbaar alles zag wat er zich in haar afspeelde. Hij leek haar te kennen, maar zelf wist ze zo ontzettend weinig over hem. Ze voelde alleen maar contact met hem wanneer hij van tijd tot tijd naar haar toe kwam en voorzichtig een hand op haar schouder legde terwijl hij een overrompelende vraag stelde die vooruitgreep op wat ze voelde, zonder dat ze het duidelijk zou kunnen uitdrukken. Maar hij sprak niet tot haar, hij sprak tot de dochter van de ritmeester, die hij langzaam aan haar had ontlokt uit een vergeten, overschaduwde hoek van haar persoonlijkheid.

Misschien had hij haar alleen maar op de thee uitgenodigd om haar van nabij te kunnen bestuderen, voordat hij ertoe overging haar voor zijn eigen karretje te spannen. Waarom zou Harry Wiener zich voor haar interesseren als iets anders dan een gereedschap voor zijn kunst? Dát had hij vermoedelijk bedoeld toen hij zei dat ze zowel talentvol als aantrekkelijk was, en dat het een niet van het ander viel te scheiden. Hij had zich tot haar aangetrokken gevoeld, zoals een beeldhouwer zich aangetrokken kon voelen tot een hoop klei. Hij had haar gevraagd of hij haar mocht zoenen omdat hij graag wilde zien hoe zo iemand als zij eruitzag wanneer ze werd gezoend.

Hij stond op van de sofa, verschoof hem een stukje zodat hij in een schuinere hoek kwam te staan, en ging weer zitten. Op het moment dat hij achteroverleunde, kreeg hij haar in de gaten. Hij glimlachte en wenkte haar naar zich toe. Ga zitten, zei hij met een klopje op de sofabekleding, terwijl ze over het toneel liep. Hij keek haar aandachtig aan. Was ze zenuwachtig voor de première? Ze zei van ja. Dat moet ook, glimlachte hij met een blik op zijn hand, die voorzichtig het gladde chintz van de sofa streelde. Je bent goed, zei hij, dat is de reden waarom je zenuwachtig bent. Het was de eerste keer dat hij haar een directe pluim gaf. Hij keek haar weer aan. Woonde ze nog steeds bij haar moeder? Lucca was verbluft. Ze herinnerde zich niet dat ze hem had verteld waar ze woonde. Het was zeker moeilijk geworden om een flat te vinden, hè? Zelf had hij een flat voor zijn dochter gekocht, in Vanløse. Ja, het was een saaie plek, maar ze had tenminste geld voor de vaste uitgaven. Hij glimlachte vriendelijk. En zijzelf? Kon haar moeder haar niet helpen met een aanbetaling? Dat was zo langzamerhand de enige kans om woonruimte te vinden. Een koopwoning...

Hij stond op, de audiëntie was voorbij. Ze liep met hem mee door de coulissen terwijl ze zich afvroeg waartoe al dat geklets over koopwoningen diende. Dacht hij soms dat de stad was bevolkt met miljonairs? Of had hij alleen maar naar haar woonsituatie geïnformeerd omdat hij enerzijds graag aardig wilde zijn en er anderzijds geen idee van had waarover hij het met haar moest hebben nu zij zich aan hem had opgedrongen terwijl hij zat te mediteren voor de repetitie van die dag? Hij liep met gebogen hoofd zodat ze alleen maar de beroemde, grijze krullen in zijn nek zag. Plotseling wankelde hij en stak een hand uit om zich ergens aan vast te houden. Ze pakte zijn hand op het moment dat hij door de knieën leek te zullen gaan. Hij legde zijn arm om haar schouder en verborg zijn gezicht in de andere hand. Het werd me zwart voor de ogen, zei hij en verwijderde zijn hand. Hij keek haar aan en glimlachte mat, bleek als papier. Hij sliep de laatste tijd te weinig...

Ze bleef staan, nog steeds met zijn arm rustend op haar schouder terwijl ze hem in de ogen keek, en zonder erover na te denken legde ze een hand op die van hem en streelde die luchtig. Ze herkende zijn blik, het was dezelfde als in zijn auto die avond een paar maanden tevoren, dezelfde kwetsbaarheid, maar ook iets verwonderds en droevigs, alsof hij niet gewoon naar haar keek, maar ook zichzelf van buitenaf gadesloeg. Hij liet haar schouder los en ging op een kist zitten die onder de kabels en controlepanelen langs de wand stond. Ga maar, zei hij en sloot zijn ogen. Ik blijf hier even zitten...

Tijdens de ovaties op de premièreavond, toen zij tussen de andere acteurs stond, elk met een boeket bloemen in cellofaan, liet hij zich op het laatst overhalen door de oorverdovende bijval om op het toneel te komen. Hij zoende hen op hun wang, ook de mannelijke acteurs, en toen zij aan de beurt was, nam hij haar hand en stelde zich met haar op het proscenium op, voor de anderen. De diva en de ritmeester begonnen ook te klappen, voorzover hun reusachtige boeketten hen daartoe in staat stelden, en weldra klapten al haar medespelers. Harry Wiener boog één enkele keer voor het publiek, nog steeds met haar hand in de zijne. Zij neeg zoals ze dat de diva had zien doen, met de ene voet achter de andere, en toen ze zich weer oprichtte, leek het alsof het donderende geluid van de zaal verdween op het moment dat hij zijn gezicht naar dat van haar boog. Bedankt, fluisterde hij en drukte haar hand. Toen het doek voor de laatste keer viel, was hij weg. De ritmeester was op de hoogte, de anderen dromden om hem heen. Het stond er niet zo best voor met Wieners vrouw, haar toestand was kritiek. Lucca bleef niet langer op het premièrefeest dan voor haar gevoel nodig was.

Het succes was enorm, maar dat was op zich niets merkwaardigs. De Zigeunerkoning was gedoemd tot eeuwig succes, zoals Otto een keer had gezegd met een sarcastische grimas. Het speciale voor Lucca was dat ze in de loop van een etmaal veranderde van een veelbelovend underground-talent in een van de stralendste toneelkunstenaars van haar generatie, een nieuwe ster aan het theaterfirmament, een goed geproportioneerde hoorn des overvloeds van gevoelsmatige intensiteit, zoals er stond. De kranten roken nog naar drukinkt toen ze zich de nacht erna over het stuur van haar fiets heen boog op het Raadhuisplein en koortsachtig door de cultuurbijlagen bladerde, belust op meer. Ze raakte bijna onder een bus op weg naar huis. Ze maakte Else wakker. Ze zaten elkaar in de keuken de recensies voor te lezen. Haar moeder legde haar bril op de stapel kranten en zei: Zie je wel, er waren andere dingen in het leven dan liefde! Lucca wist niet wat ze moest antwoorden.

December verstreek, en de dagen waren bijna eender. Zelfs het weer was hetzelfde, duister, nat en guur. Ze sliep de hele ochtend en bracht de middagen door met televisiekijken voordat ze naar het theater ging. De guirlandes en kerstharten op de straten lieten haar koud. Miriam vertrok naar haar ouders in Jutland samen met de jazzvriend, en Else trok naar een Grieks eiland. Lucca bedankte voor de eer, een beetje bruusk, toen Else haar vroeg of ze zin had om mee te gaan. Wat moest ze daar? Mij gezelschap houden, antwoordde haar moeder gekrenkt. Maar ze waren constant in elkaars gezelschap! Else keek haar bedroefd aan. O ja? Het leek er zo langzamerhand op dat ze alleen maar in haar eigen gezelschap was. Ze zweeg zo langzamerhand in alle toonaarden. Ze moest oppassen dat haar werk niet alles ging overheersen.

Lucca glimlachte ironisch, maar ze zag dat Else niet doorhad waarom. Ze stond op het punt iets te zeggen over al die avonden die zij als kind alleen of samen met een of ander kindermeisje had doorgebracht omdat haar moeder bij de radio werkte of uit was met een vriend, maar ze hield haar mond. Gelukkig maar, dacht ze naderhand, blij dat ze zich niet had laten verlokken tot een ruzie, die ze niet eens wilde winnen. Else dreigde haar reis af te blazen, maar op het laatst vloog ze niettemin naar de witte huizen en het blauwe, blauwe water, zoals ze zei, schijnbaar onzeker of het woord wel blauw genoeg was als het alleen stond.

Wanneer Lucca aan Harry Wiener dacht, raakte ze in verwarring. Ze dacht aan hem met een mengeling van dankbaarheid en onderdrukte woede. Ze was alleen maar een succes geworden vanwege zijn genialiteit, dat wist ze, maar toch was hij degene geweest die bedankt had gefluisterd tijdens het terugroepen na de première toen hij haar hand nam en haar aan het publiek toonde, zijn vondst. Vaarwel en bedankt, had hij liever moeten fluisteren, want het volgende ogenblik was hij weg. Hij had van haar gedaan gekregen wat hij wilde. Met zijn blik en zijn stem had hij haar ingepakt in een cocon van aandacht, hij had haar haast gehypnotiseerd en haar vervolgens gewekt door even met zijn vingers te knippen. Nu mocht ze rondfladderen in het licht. Wanneer ze op het toneel stond, werd ze één met haar rol, alles in haar werd doorstroomd door de bewegingen, stemmingen en kleurwisselingen ervan, maar wanneer ze thuiskwam, was ze niets anders dan een loom lichaam dat onderuitzakte voor de televisie zonder ook maar één gedachte.

De diva had gezien wat er met haar gebeurde. Toen ze op een avond na de voorstelling naast elkaar in de kleedkamer zaten, legde ze plotseling een hand op Lucca's arm. Ze móest niet zo triest kijken, ze was immers fantástisch! Lucca draaide zich naar haar toe. O ja? Schei toch uít, zei de diva en begon met effectieve bewegingen reinigingscrème op haar gezicht te smeren. Wiener was ook helemaal wég van haar geweest. Ze moest het alleen niet persoonlijk opvatten. Ze moest begrijpen dat ze hier was om gebruikt te worden. Ja, hij had haar gebruikt, alles uit haar gepérst, en daar moest ze alleen maar blij om zijn. Blij en trots. De diva legde haar hoofd achterover terwijl ze haar kin en haar hals insmeerde. Maar ze kende het heel goed. De ene dag kreeg je alle aandacht, je zwolg erin, je slúrpte het op, en de volgende dag stond je daar en moest jezelf zien te redden. Zo was het! Ze glimlachte optimistisch en hield haár hoofd scheef, met een wit gezicht van de crème, en opeens leek ze op de witte clown uit Lucca's droom.

Lucca glimlachte bitter en dacht aan de ochtend dat ze hem was tegengekomen voor de repetitie en zijn hand had gegrepen toen hij duizelig werd. Terwijl ze tegenover elkaar stonden in de coulissen, was er een moment geweest dat ze dacht dat hij haar anders bekeek dan gewoonlijk, en toen hij tijdens het terugroepen zijn subtiele bedankt in haar oor fluisterde, had ze dat niet enkel in verband gebracht met haar prestatie op het toneel. Maar waar zou hij haar anders voor moeten bedanken? Zíj was verdorie degene die dank je wel zei! Wat was ze dom geweest! Ze geneerde zich bij de gedachte dat ze haar hand op die van hem had gelegd en die had gestreeld terwijl hij tegen haar aanleunde.

Op een ochtend een paar dagen na de première klopte Else op haar deur. Er was telefoon. Ze zei dat ze sliep. Het was een journaliste, zei Else, die haar wilde interviewen. Bij het afdalen van de trap ergerde het Lucca dat Else had opgenomen. Het moest een belachelijke indruk maken dat ze als zevenentwintigjarige nog bij haar moeder thuis woonde. De journaliste wilde graag de dag erna komen samen met een fotograaf. Haar stem klonk irritant moederlijk. Ze spraken een tijdstip af waarvan Lucca zeker wist dat Else dan niet thuis zou zijn. Ze haalde haar kast ondersteboven zonder te kunnen besluiten wat ze aan zou trekken. Het draaide uit op een oud T-shirt, dat ze van Otto had gepikt. Hij zou het herkennen, dacht ze, terwijl ze zich liet fotograferen. De journaliste was een forse tante van Elses leeftijd met een zware barnsteenketting om haar hals. Ze wilde weten hoe het was geweest om geregisseerd te worden door Harry Wiener, en al vertellend kreeg Lucca het gevoel dat híj in feite degene was die werd geïnterviewd, via haar. Het was algemeen bekend dat Harry Wiener nooit interviews gaf.

Ze was net zo benieuwd naar het interview als ze was geweest naar de recensies van de voorstelling, maar alles was verkeerd, vond ze, toen ze de foto van zichzelf zag, die een halve pagina in beslag nam, met de handen in de lucht als een trekpop omdat ze het een en ander aan het uitleggen was. De woorden die er stonden waren niet haar eigen woorden, maar die van de journaliste. Onder het lezen hoorde ze de aanhalige, moederlijke toon en het klikken van de barnsteenketting tussen de regels door. Alles wat ze had gezegd, was beplakt met lieve adjectiva. Het leek wel alsof ze tot over haar oren verliefd was op de grote Harry Wiener, en de beschrijving van haarzelf was nog erger. De jongensachtige, gazelleachtige Lucca Montale die hen ontving in haar door het wassen vaal geworden, auberginekleurige T-shirt, nonchalant en charmant met haar vurige blik, haar honingteint en haar fonkelende gitzwarte haar, dat haar Italiaanse achtergrond verried... Ze keilde de krant in de vuilnisbak.

De dag voor kerstavond ging ze 's middags de stad in om naar de bioscoop te gaan. Toen ze na de voorstelling buiten kwam, was het donker geworden. Ze liep door Strøget, de grote winkelstraat, waar de mensen zich langs elkaar drongen beladen met al die pakjes, die vierentwintig uur later zouden worden uitgepakt door anderen, die op hun beurt met soortgelijke pakjes hadden gezeuld, met net zulke rode koppen van inspanning en irritatie. Het enige wat eraan ontbrak was dat ze nu tegen Otto en zijn bloedmooie mulattin zou aanlopen, of haar eventuele opvolgster, als Miriam werkelijk gelijk had dat het alweer uit was tussen hen. Toen dat eenmaal in haar hoofd was opgekomen, kon ze het er niet meer uit krijgen. Natuurlijk kwam ze zo dadelijk Otto tegen met kerstcadeaus onder de ene arm en een mooie poes onder de andere, en dan was ze genoodzaakt een en al glimlach te zijn om hem ervan te overtuigen van wat feitelijk ook het geval was. Dat ze in geen weken aan hem had gedacht en dat ze zich al was gaan afvragen hoe verliefd ze eigenlijk was geweest.

Ze liep in de levensmiddelenafdeling van Magasin du Nord rond zonder te kunnen besluiten wat ze zou kopen. Op het laatst viel haar keuze op ossenhaas. Er zaten twee stukken in een pak, men kon zich blijkbaar niet voorstellen dat iemand zo extravagant zou zijn om ossenhaas helemaal alleen voor zichzelf op tafel te zetten. Maar de andere kon ze altijd morgen opeten, dacht ze, en nu ze toch aan de gang was met de excessen, legde ze ook een blikje foie gras en een potje kaviaar in het mandje. Toen ze de wijnafdeling naderde, viel haar oog op een man die met de rug naar haar toe de wijnetiketten stond te bestuderen. Hij had een mohairen jas aan, en de grijze krullen in zijn nek vielen over de opgeslagen kraag.

Ze dacht er even aan om om te draaien, hij had vermoedelijk dat pijnlijke interview gelezen, maar ze liep toch verder. De Zigeunerkoning zou haar niet beletten om op kerstavond rode wijn te drinken. Hij keek op van de fles, waarmee hij in zijn hand stond. Hij was bleek en zag er moe uit. Ze probeerde het met een glimlach, maar hij glimlachte niet terug. Je bent zeker de laatste inkopen aan het doen, zei hij tenslotte. Ze tilde het mandje op. Mijn kerstdiner, zei ze en begon aan een uitgebreide verklaring waarom ze alleen zou zijn, terwijl ze er tegelijkertijd spijt van had dat ze hem had gestoord. Hij glimlachte zuurzoet om haar inspanningen, zij zweeg. Geen van beiden zei iets, en toen het stilzwijgen te belastend werd, trok ze de stoute schoenen aan en vroeg hoe het met zijn vrouw ging. Sinds het premièrefeest had ze geen gedachte aan haar gewijd. Ze is vanmorgen overleden, antwoordde hij droog.

Naderhand wist Lucca niet hoe lang ze elkaar op die manier in de ogen hadden staan kijken, zij met haar plastic mandje, hij met zijn handen in de zakken van zijn jas. Hij schraapte zijn keel. Zij schudde het hoofd alsof ze uit een trance ontwaakte. Hij staarde naar zijn schoenen en richtte opnieuw zijn blik op haar. Zijn vrouw was alleen geweest, hij had zich verslapen. Hij keek een andere kant op. Ze hadden gebeld, hij was er zo snel mogelijk naartoe gegaan, maar te laat. Hij was te laat bij haar dood gekomen.

Even leek het erop dat zijn gezicht op instorten stond. Hij keerde haar de rug toe en deed een paar stappen tussen de rekken met flessen, en ze hoorde een halfgesmoord keelgeluid. Ze liep naar hem toe, maar bleef stilstaan op het moment dat hij zich weer omdraaide. Hij droogde zijn ogen met de achterkant van zijn handen en keek haar weer aan. Excuseer me, zei hij. Ze zei dat er niets te excuseren viel. Wilde hij het liefst alleen zijn? Hij vermeed haar blik en pakte nog een fles uit het rek en bestudeerde op goed geluk het etiket. Ik heb immers geen keus, mompelde hij. Maar hij moest toch zeker iets te eten hebben... De woorden tuimelden haar mond uit. Hij keek haar verward aan. Ze wees naar het pak ossenhaas in haar mandje. Er zijn er twee, zei ze. Hij keek haar verwonderd aan. Meende ze dat? Ze haalde haar schouders op. Dan moest hij iets drinkbaars zien te vinden. Hij liep langzaam langs het rek, waarbij hij zorgvuldig de etiketten inspecteerde, opeens een beetje bleu omdat zij daar stond.

Zij zorgde voor een schaal met sla terwijl hij het vlees braadde. In het begin waren ze een beetje verlegen. Hij zei dat hij het interview met haar had gelezen. Ze had mooie dingen gezegd. Ze vertelde hoe zij over de journaliste dacht. Hij glimlachte. Zo'n journaliste wilde immers ook graag laten zien dat ze een persoonlijkheid was. Dat mocht je haar niet ontnemen... Van tijd tot tijd zwegen ze en ontweken ze elkaars blikken, alsof ze er om beurten spijt van hadden dat zij met hem mee naar huis was gegaan. Ze hadden het over de voorstelling, hij zei dat ze haar succes had verdiend. Als zij het aandurfde, had hij haar willen vragen of ze volgend jaar opnieuw met hem wilde samenwerken. Hij had zin gekregen om een nieuwe enscenering van *Een poppenhuis* te maken. Het was vijftien jaar geleden dat hij voor het laatst met het stuk had gewerkt, en eigenlijk had hij gemeend dat het passé was, aangezien het huwelijk volgens hun vriend Strindberg immers allang 'een compagnonschap met een beroepskracht' was geworden. Hij glimlachte vermoeid. Maar zij had hem de moed gegeven een poging te wagen. Hij had zich haar als Nora voorgesteld. Ze hield een ogenblik haar adem in. Bedankt, heel graag, zei ze. Hij schudde het hoofd. Ze hoefde hem niet te bedanken.

Toen ze hadden gegeten, zaten ze een hele tijd naar de lichtjes van de stad te kijken. Hij vertelde over zijn vrouw, maar niet veel. Ze hadden jarenlang apart gewoond, zij in de villa ten noorden van de stad, hij in de dakwoning. Jarenlang was er eigenlijk geen sprake geweest van een huwelijk, zei hij. Er was te veel... hoe moest hij het zeggen? Er was zowel te veel als te weinig gezegd. Hij zette zijn wijnglas weg en begaf zich naar de glazen balkondeur. Nu moest ze opstappen of blijven.

Ze bleef. Alles speelde zich heel langzaam als onder water af, met lange pauzes waarin ze alleen maar naast elkaar lagen, tot ze genoodzaakt waren toe te geven aan wat ze zo aarzelend waren begonnen. Zijn lichaam was anders dan de andere lichamen die ze had gekend. De huid was losser, maar heel zacht, en zijn armen en benen waren peziger dan ze zich had voorgesteld. Hij liet haar niet los met zijn ogen terwijl zij schrijlings op hem zat, en ze herkende de open, kwetsbare uitdrukking die zoveel gedachten bij haar had opgeroepen. Alsof hij zich verwonderd afvroeg wat ze met hem aan het doen was, terwijl hij tegelijkertijd haar billen vastgreep. Zijn gezicht had iets ongehuichelds, tegelijkertijd meedogenloos en weerloos over zich toen hij steunde en zij hem voelde klaarkomen. Ze lag wakker terwijl hij in haar armen in slaap viel. Het was een ontzettende gedachte, maar ze kon er niets aan doen. Ze dacht dat ze blij was dat zijn vrouw was overleden voordat het gebeurde. Wanneer ze toch dood moest.

Het vliegtuig uit Madrid was geland toen ze in het luchthavengebouw aankwam met haar kartonnen bord. Ze posteerde zich vooraan in het troepje wachtenden. De eerste passagiers verschenen met hun koffers en keken zoekend rond. Er werd geroepen en op wangen gezoend om haar heen. Ze herkende hem meteen, voordat hij haar bord in de gaten kreeg, dat moest hem zijn. Andreas Bark was bleek, zoals het geval is met Denen wanneer ze uit de winter komen en met hun ogen tegen het schelle licht staan te knipperen. Hij had een zwarte spijkerbroek en een versleten leren jekker aan van het soort dat je moest dragen als je stamgast was in de Kopenhaagse bars waar jonge kunstenaars en filmmensen plachten te komen. Maar hij was in elk geval niet met de tondeuse geknipt zoals de ruigere artistieke types met hun rattenkapsel, dat hen op strafgevangenen deed lijken. In feite zag hij er heel goed uit met zijn donkere, weerbarstige haar en de markante kin.

Ze wachtte tot hij haar in de gaten kreeg. Hij glimlachte verrast op een jongensachtige, enigszins verwarde manier. Hij wist best wie zij was, maar hij had niet verwacht dat hij haar hier zou treffen. Andreas Bark las kennelijk geen sensatiebladen en was blijkbaar ook niet iemand die naar roddelpraatjes luisterde. Tijdens de rit praatte hij veel, maar zijn stem was prettig. Bij zijn vertrek had het gesneeuwd in Kopenhagen. Wat zei ze daarvan? Het was niet zo vreemd dat de Denen iets verongelijkts, als het ware gekrenkts over zich hadden. Elke keer dat je je neus uitstak en de lucht kreeg van lente, werd je op je nummer gezet door een koudeshock. Hij trok zijn leren jasje uit, hij zweette. Hij had de winter in Rome doorgebracht. Zijn armen en polsen waren verrassend tenger. Rome... Was dat niet hoofdzakelijk voor oude dames? Hij lachte, maar gaf geen antwoord. Hij zei dat hij haar had gezien in *De vader*. De voorstelling had indruk op hem gemaakt, het ritme en de felheid ervan… Zij was overigens goed geweest, voegde hij er schielijk aan toe, als iets wat hij haast zou vergeten.

Ze hadden Almeria achter zich gelaten. Aan het eind van de stenen vlakte kon je de met sneeuw bedekte bergruggen van de Sierra Nevada ontwaren. Andreas liet zijn enthousiasme de vrije loop, totaal niet blasé. Tussen de gegroefde rotsformaties ontdekte hij een uit decorstukken opgetrokken filmstadje, dat was blijven staan na de opnames voor een spaghettiwestern. Konden ze daar niet heen rijden? Ze liepen rond tussen de houten huizen, die niets anders dan façades waren, waarop met verbleekte letters *Sheriff* of *Saloon* stond. De façades hadden gedraaide houten zuilen en planken trottoirs, waar de sheriff en de plaatselijke lanterfanters op hun stoel hadden zitten wippen met de rand van hun hoed over de ogen getrokken. Midden in het filmstadje was een galg opgericht met een touw, dat zachtjes heen en weer zwaaide in de wind. Andreas legde de lus om zijn nek en stak zijn tong uit zijn mond. Ze lachte. Hij riep haar bij zich met een vertrouwelijke handbeweging, alsof ze elkaar al kenden. Vanaf de plek waar hij stond, onder de galg, kon je de steunbalken niet zien van de achterkant van de decors. Het leek precies op een momentopname uit een western, waar het stof net was gaan liggen van degene die was weggereden.

Harry was brommerig toen ze eindelijk terug waren en bij hem op het dakterras verschenen. Moest het werkelijk zo lang duren om die honderd kilometer te rijden? Andreas was verbouwereerd over het weinig feestelijke welkom en begon haar beleefd te verdedigen. Hij vertelde over hun bezoek aan het filmstadje. Híj had haar van het goede pad gebracht, zei hij bij wijze van excuus. Het ergerde haar dat hij opeens zo overvriendelijk werd. In de auto was hij meer zichzelf geweest, vond ze, maar wat wist zij daarvan af? Ze kende hem immers niet. Wel, bromde Harry, nu was het in elk geval tijd voor een glas. Hield hij van witte wijn? Andreas haalde zijn schouders op met een verlegen glimlach. Hij hield van alles. Harry bleef halverwege op het terras stilstaan en draaide zich naar hem toe. Alles? Dat was nogal wat… Ze bleven op de borstwering van het terras zitten terwijl hij naar beneden ging. Andreas was niet langer zo spraakzaam als hij tijdens de rit was geweest. Hij ontweek haar blik en bekeek het uitzicht. De rivierbedding lag in de schaduw, de roze bloemen van de oleanderstruiken gloeiden tussen de steile rotskanten. De krekels sjilpten als altijd. Waarom wisten ze opeens niet wat ze moesten zeggen?

Harry kwam terug met glazen en een beslagen fles witte wijn en een schaal zwarte olijven op een dienblad. Hij zette het blad op de stenen tafel en draaide zich naar hen toe. Vooruit, kinderen! Zijn humeur was beter geworden, en Andreas maakte een ontspannener indruk, maar ze merkte aan zijn toon hoeveel respect hij had voor Harry, en hoe hij zich moeite getroostte om de juiste woorden te vinden. Hier op het terras sprak hij anders, zijn stem klonk gecultiveerder, en hij glimlachte niet op die jongensachtige manier als in de luchthaven. De meester en zijn leerling zaten in het flikkerende licht onder het afdak witte wijn te drinken en te babbelen over een Verdi-opera die Andreas in Verona had gezien. Harry kende de dirigent, een Duitser. Andreas luisterde intens terwijl Harry vertelde over de enscenering door de Duitse regisseur van Schillers *De rovers* in het Burgtheater in Wenen.

Lucca luisterde niet naar wat er gezegd werd. Andreas pakte een slof Gitanes uit zijn tas en legde een tijdschrift op tafel. Harry vroeg of hij er een mocht hebben. Het was zo langgeleden dat hij die Franse had gerookt. Zoveel als hij maar wilde! Andreas was de gulheid zelve. Ze pakte het tijdschrift zonder om toestemming te vragen en bladerde er wat in. Het was een zogenaamd mannenblad, waarin je kon lezen hoe je je stropdas bond op veertien manieren, welk duikerhorloge op het moment in de mode was en waar in Havanna je het meest authentieke versleten hotel vond met door vocht aangetaste zuilen in koloniale stijl en ventilatorpropellers van mahonie. Er was ook een interview met een coureur en een bergbeklimmer, en achter in het blad, tussen twee whiskyreclames, stond er een met Otto. Ze stond op en zei dat ze moe was na de rit. Harry keek haar aan alsof hij er opeens aan werd herinnerd dat ze er was. Ze nam het blad mee naar de slaapkamer en ging op bed liggen.

Otto en zijn vriendin waren gefotografeerd voor een Amerikaanse camper uit de jaren vijftig, met ronde vormen en fonkelend als zilver. Die was op blokken gezet aan de rand van een veld. Daar gingen ze naartoe, stond er, wanneer ze er behoefte aan hadden de boel de boel te laten. De vriendin was reflexzonetherapeute. Ze zag er lief uit, ze was in de vierde maand. Lucca bekeek de foto wat nauwkeuriger. Hij moest in de herfst genomen zijn, het zonlicht was wit en scherp, en op de voorgrond leek een hoopje verdorde bladeren te liggen. De mannenbladen namen het kennelijk niet zo nauw met de actualiteit. Ze telde op haar vingers. Otto had haar in juni de bons gegeven. Als de foto in oktober was genomen, moest hij net vader zijn geworden. Dat was snel gegaan. Hij kon de reflexzonetherapeute niet meer dan een paar weken hebben gekend voordat ze zwanger werd, tenzij...

Otto vertrouwde de lezers toe dat de ontmoeting met de reflexzonetherapeute gewoonweg een openbaring was geweest. Zij was de vrouw van zijn leven, en zij had hem geleerd waarop het aankwam in het leven. Het had gewoon *wham!* gezegd. Hij had er niet aan getwijfeld dat zij tweetjes samen door het leven zouden gaan. Lucca stelde zich voor hoe het moest klinken wanneer hij *wham!* zei. Hij vertelde dat hij meerdere jaren met een gevoel van onwerkelijkheid had rondgelopen. Vandaag begreep hij dat hij een depressie had gehad. Zijn leven had alleen maar om uiterlijke dingen, succes en prestige gedraaid, het was allemaal veel te snel voor hem gegaan. Hij had geen echte en intieme relaties met anderen gehad, en hij was bijna zijn geloof in de liefde kwijtgeraakt. Tot hij de reflexzonetherapeute ontmoette. Het was geweest alsof hij naar de aarde werd getrokken en tegelijkertijd de Melkweg in geschoten. Otto voelde dat hij nu pas volwassen begon te worden. Nu hij de verantwoordelijkheid zou krijgen voor een klein, nieuw mensje dat helemaal aan hem was overgelaten. Zo'n kindje was immers een mirakel. Het was een jongen, hadden ze gezien toen de reflexzonetherapeute werd gescand. Hij verheugde zich er al op dat ze samen zouden gaan voetballen...

Lucca legde het blad weg. Ze dacht aan de Amerikaanse jongen, die een rood autootje voor zijn verjaardag had gekregen en die zijn onbekende vader een tekening had gestuurd. Ze was blij dat ze Otto had overgehaald om Lester die adventskalender te sturen. Otto... de vierentwintigste man in haar leven. Ze had werkelijk gedacht dat hij de kerstman was. Minder dan een jaar geleden dacht ze dat nog steeds. Toen was de Zigeunerkoning gewoon een oude snoeperd die het met haar had aangelegd onder het mom van zijn belangstelling voor haar jonge talent. Ze kleedde zich uit en strekte zich uit op het bed terwijl ze aan Otto dacht. Hij herinnerde zich niet veel, of misschien herinnerden ze zich gewoon niet hetzelfde. Maar ze vond immers zelf dat ze zich had vergist toen ze geloofde dat hij de man van haar leven zou zijn... Ze vermande zich en wenste hem veel succes toe.

Een kind. Daar hadden ze het nooit over gehad. Daar zou ook niets van in komen met Harry. Hij had het gezegd zonder dat ze het vroeg. Hij had geen zin om zo'n zestigplusvader te zijn, kwijlend van ontroering over zichzelf, maar die niettemin de pijp uitging voordat zijn kinderen hun rijbewijs hadden gehaald. Ze gaf hem gelijk. Er waren ook andere dingen in het leven dan kinderen. Er waren er meer dan genoeg, meer dan alle volwassenen in de wereld gelukkig konden maken. Haar eigen jeugd was niet bepaald gelukkig geweest. Dat kon ze nu zeggen, droog en constaterend, zonder er verdrietig over te worden. Ze had het tegen Harry gezegd, en hij had haar aangekeken zonder te antwoorden. Ze was dankbaar dat hij niet met haar te doen had. Ze dacht aan Otto's vrome praatjes over dat kleine jochie, dat helemaal afhankelijk van hem zou zijn. Arm kind, dacht ze, en dat niet alleen bij de gedachte aan Otto als vader. Hij was vermoedelijk niet slechter of beter dan zoveel anderen. Het was de afhankelijkheid zelf, de hulpeloosheid van het kleine kindje, die haar tegen de borst stuitte.

Achter de deur hoorde ze Harry's hese stem toen hij het terras verliet en naar binnen ging op het moment dat hij iets tegen Andreas zei. Hij liep de trap af, maar het geluid van zijn mocassins verdween halverwege. Hij had zijn schoenen uitgetrokken, hij dacht zeker dat ze sliep. Ze hoorde de droge huid onder zijn blote voeten, die over de tegels wreven, zijn attentie deed haar glimlachen. Er zat een gekko op de wand naast de deur. Het witte en rubberachtige, als het ware doorzichtige lijfje deed haar denken aan de foetussen die ze had gezien in het biologielokaal van de school, geconserveerd in sterk water. Anonieme afgedreven vruchten die dubbel zo oud als zij zouden zijn geweest als ze de kans hadden gekregen om te leven. Ze ging op haar zij liggen en boog haar knieën. Het muskietennet voor het raampje filterde de weerschijn van de zon, en het versluierde licht reflecteerde op de gladde huid van haar dijen en knieën, omgeven door de zachte windselen van de schaduwen.

Ze dacht aan Harry's mildheid in bed, zijn kalme, zelfverzekerde handen en de kwetsbare naaktheid in zijn blik wanneer hij haar met zich liet doen waarop hij lag te wachten. Dat wist ze. Zelfs wanneer hij totaal weerloos was, overgeleverd aan haar jonge, provocerende lichaam en aan zijn eigen verlangen ernaar, zonder zijn weloverwogen, beschaafde woorden, zelfs dan was hij zichzelf. In tegenstelling tot Andreas Bark, die in de auto en in het westerndorp jongensachtig, haast uitgelaten was geweest, maar die dadelijk vroegwijs en behaagziek werd wanneer hij samen met zijn leermeester was. Ze zou willen dat hij er niet was. Ze wou dat Harry naar haar toe zou komen, zoals hij 's middags soms deed, wanneer zij in het halfduister lag. Hij placht in zijn volle lengte naast haar te gaan liggen, met gesloten ogen alsof hij sliep. Het was een spel wanneer ze hem langzaam liefkoosde en zijn lichaam concessies begon te doen, waar zijn onbeweeglijke gezicht nog niet aan toe was.

Ze stak een hand uit en sloot het luik voor het raam, zodat het pikdonker werd in de kamer. Alleen de wijzers en de cirkel van getallen op de wekker lichtten groen op in de verte. Het was zo donker dat het geen enkel verschil maakte of haar ogen open of dicht waren. Ze herinnerde zich de eerste keer dat ze wakker werd in zijn bed. Hij was er niet. Ze stond op en trok de gordijnen opzij, in het begin een beetje verward over het feit dat ze spiernaakt vanuit Harry Wieners dakwoning over de stad stond uit te kijken. Buiten sneeuwde het met grote, wollige vlokken. Toen ze zich omdraaide, stond hij in de deuropening met een dienblad. Hij had thee gezet, hij wist nog niet dat ze 's morgens het liefst koffie dronk.

Ze zat in de kleermakershouding met het warme kopje tussen haar handen en keek uit op de sneeuw boven de haven. Toen ze zich naar hem toe draaide, zat hij tegen de wand aan en bekeek haar bedroefd met zijn smalle ogen. Ze moest aan zijn vrouw denken. Ze wist niet wat ze moest zeggen, en vroeg of hij liever wilde dat ze wegging. Hij glimlachte vermoeid en liet een vinger langs haar ruggengraat glijden. Als je zin hebt, kun je blijven, zei hij. Je verlaat me toch op een goede dag. Ze zette het kopje op het blad en legde haar hoofd in zijn schoot, Niet vrijwillig, mompelde ze. We zullen zien, antwoordde hij, en hij streek haar langzaam over haar nieuwe, gitzwarte haar.

Lucca was zenuwachtig toen het vliegtuig aanstalten maakte om te landen op Charles de Gaulle. Ze was bang dat Andreas er niet zou staan, zoals ze telefonisch hadden afgesproken. Ze stelde zich voor dat hij het misschien was vergeten, verstrooid als hij was wanneer hij werkte. Misschien had hij vergeten op de klok te kijken, misschien had hij zich verslapen omdat hij de hele nacht had zitten schrijven. Maar ze was ook zenuwachtig bij de gedachte dat ze hem weer zou zien. Dat was onzin, ze waren maar veertien dagen bij elkaar vandaan geweest, en ze hadden meerdere keren door de telefoon met elkaar gepraat. Ze stond in de wc-cabine van het vliegtuig toen de stewardess via de luidspreker de passagiers verzocht hun plaatsen in te nemen en de veiligheidsgordels vast te maken. Ze was lipstick aan het aanbrengen. Tijdens het laatste gedeelte van de vlucht had het krachtig gewaaid, de luchtzakken hadden de koffie op het uitklaptafeltje doen klotsen, en telkens kreeg ze die bijna over zich heen. Misschien maakten de luchtzakken haar zenuwachtig. Er kwam er nog een terwijl ze met de lipstick stond en haar lippen over haar tanden trok, zodat ze op een schildpad leek. De lipstick gleed uit en liet een lange streep op haar ene wang achter.

Ze had een korte, beige jurk aan, waarvan ze wist dat hij hem leuk vond. Die zat strak en had een erg lage hals en hij eindigde vrij hoog op haar dijen. Hij moest altijd aan haar zitten wanneer ze die jurk aan had. Ze was driftig geworden bij het idee dat ze er koffie op zou morsen vanwege die idiote luchtzakken. Over de jurk heen droeg ze een grijs, getailleerd jasje en een petroleumkleurig zijden sjaaltje, dat hij voor haar had gekocht terwijl ze in Rome woonden. Ze was in geen maanden zo elegant geweest, en het was net zo lang geleden dat ze make-up had gebruikt.

Toen ze in Kastrup Luchthaven bij de incheckbalie stond te wachten, voelde ze zich een vrouw uit de provincie, die zich had opgedoft omdat ze met het vliegtuig mee moest, maar ze had zin om mooi en sexy te zijn wanneer hij haar afhaalde. Ze wist dat hij een zwak had voor jarretelgordeltjes en schoenen met hoge hakken en enkelriempjes. Bovendien kwam het zo langzamerhand maar zelden voor dat ze de kans kreeg om werk van zichzelf te maken. Thuis liep ze meestal rond in overall en rubberlaarzen.

Ze was klaargekomen met het verven van de boekenkast, en alle boeken waren op hun plaats gekomen, in alfabetische volgorde. De huiskamer was als laatste aan bod gekomen. Terwijl de boekenkast stond te drogen, had ze kans gezien het gat rond de kachelpijp met mortel op te vullen en er een verfkwast overheen te halen. Het was een oude gietijzeren kachel, die ze bij een schroothandelaar hadden gevonden en waarvan ze het roest hadden afgeklopt. Else en zij zaten bij de kachel rode wijn te drinken toen Lauritz in bed was gelegd. Else zei dat al haar twijfel beschaamd was geworden. Ze keek Lucca warm aan en streelde haar wang. Het schijnsel van het open kacheldeurtje maakte haar gegroefde trekken zacht. Dan had ze uiteindelijk toch een thuis gevonden... Zou Else de reikwijdte beseffen van wat ze net had gezegd? Dat zag er niet naar uit. Er was geen greintje zelfkritiek in haar ontroerde gezicht. Lucca stond op om nog een fles wijn te openen. Ze was er niet aan gewend dat haar moeder zo sentimenteel werd.

Ze dacht opnieuw aan Elses opmerking toen ze Kopenhagen zag krimpen en wegdraaien tussen de wolken. Ze leunde achterover in haar stoel en bekeek de wolkenmassa, oogverblindend wit aan de bovenkant, zodat ze haar ogen dicht moest knijpen. Ze had dan toch een thuis gekregen... uiteindelijk. Else had het op hartelijke toon gezegd, en ze had zich graag willen kunnen overgeven aan de tederheid in haar blik en in de hand, die vluchtig haar wang aanraakte. In plaats daarvan had ze haar wang teruggetrokken en was ze naar de keuken gegaan om meer wijn te halen. Ze had gedacht dat ze haar bitterheid allang achter zich had gelaten. De bitterheid over het feit dat Else en Giorgio een potje hadden gemaakt van hun leven en van haar jeugd. Ze zag dat Else gekwetst was toen ze haar hand terugtrok en in de vlammen achter het kacheldeurtje keek.

Terwijl ze in de keuken de kurk uit de fles stond te trekken, verweet ze zichzelf dat ze zich als een versmaad kind gedroeg. Maar ze had gevoeld dat haar moeder met haar liefkozing het leven betastte dat zij zelf had geschapen. Het thuis dat ze uiteindelijk dan toch maar had gekregen, samen met Andreas. Alsof Else zich opdrong om zich aan haar geluk te warmen, net zoals ze zich zat te warmen bij de gietijzeren kachel, waaraan Lucca en Andreas dagenlang hadden moeten hameren en slijpen voordat al het roest eraf was. Opeens irriteerde het haar dat ze afhankelijk was van haar moeder omdat ze haar had gevraagd op Lauritz te passen terwijl ze in Parijs was. Ze antwoordde kortaf toen ze wijn in hun glazen schonk en Else vroeg hoe het met Andreas zijn nieuwe stuk ging. Else was verguld met het feit dat ze een schoonzoon had die schrijver was en ook nog beroemd aan het worden was.

Waarom kon ze niet gewoon haar blijdschap delen met Else over het thuis, dat ze uiteindelijk had gekregen, na alle uitwassen en echecs? Waarom was ze zo kwetsbaar, nu ze juist het allermeest in harmonie met zichzelf zou moeten zijn? Ze keek door het raampje boven de vleugel van het vliegtuig. Plotseling vond ze dat die op een wip leek, een tien-meterwip boven een heel groot zwembad gevuld met slagroom. Zo meteen zou de stewardess vast met een in cellofaan verpakt badpak komen. De telefoon was gegaan terwijl ze rode wijn zat te drinken samen met Else. Het was Miriam. Ze hadden elkaar elke dag door de telefoon gesproken. De meeste tijd had Lucca alleen maar geluisterd naar haar vriendin, die nu eens met verstikte, dan weer met woedende stem een opsomming gaf van de menselijke tekortkomingen van de jazzvriend, zijn egoïsme, zijn lafheid, zijn gevoelsmatige kilte en verwende levensinstelling. Miriam vroeg of ze naar Lucca toe mocht komen. Lucca verklaarde dat ze op weg naar Parijs was om Andreas op te zoeken.

Toen ze de hoorn op het toestel had gelegd, kreeg ze opnieuw een slecht geweten over de verlaten, hoogzwangere Miriam, en het maakte het er niet beter op dat haar excuus nog eens het effect moest hebben van een trap na. Ze had geen tijd voor haar ongelukkige vriendin omdat ze naar haar geliefde reisde om arm in arm met hem door Parijs te wandelen. Maar ze had een nog slechter geweten over het feit dat ze zwijgend en verstrooid naar Miriams woede-uitbarstingen en huilbuien had geluisterd. Ze kon het niet verbergen tegenover zichzelf. Al dat snotterige hartenleed had iets stuitends. Het was alsof haar vriendin haar neus snoot in haar oor. Ze moest eraan denken hoe Else kort tevoren een hand had uitgestoken en haar wang had geliefkoosd, alsof ze haar vingerafdruk op haar geluk wilde zetten om vervolgens het vlinderstof van haar liefhebbende vingers te likken.

Plotseling stond het haar tegen dat haar moeder in het bed zou slapen waarin Andreas en zij elke nacht lagen. Misschien zou Else wakker liggen in het donker om te horen of er tussen de wanden soms een zwakke echo hing van hun gelukkige zuchten en steunen. Door de jaren heen was Else getuige geweest van al haar mislukte relaties en affaires, en ze had die zo enthousiast beklaagd dat Lucca haar er soms van verdacht troost en rust te vinden in de nederlagen van haar dochter. Ze twijfelde er niet aan dat Else blij was dat het haar goed ging, maar ze twijfelde er ook niet aan dat haar moeder haar al dat geluk in wezen misgunde en in haar hart dacht dat het eigenlijk ongelooflijk was, na al die mannen met wie ze aan de rol was geweest. Ze realiseerde het zichzelf vermoedelijk niet, maar Lucca had het als een ondertoon in haar woorden gehoord. Hoe is het mogelijk dat ze ondanks alles uiteindelijk toch een thuis had gekregen! Hoewel ze het eigenlijk helemaal niet had verdiend. Wat kon het leven toch barmhartig zijn...

Ze dacht aan Miriam, die ondanks alles zo vast in haar liefde en die van haar jazzvriend had geloofd dat ze besloot een kind met hem te krijgen. Zoals ze zelf in Andreas had geloofd, in de zekerheid van zijn blik en zijn stem, op een nazomerochtend in Trastevere toen ze hem vertelde dat ze in verwachting was. Was het alleen omdat ze zichzelf met haar verlaten vriendin vergeleek dat ze zich kwetsbaar zat te voelen in haar eigen huis? Een paar dagen voordat alle boeken op hun plaats stonden in de boekenkast, had ze om zich heen staan kijken zonder te weten wat ze moest doen. Nu was alles zoals het moest zijn. Ze belde Andreas op om het hem te vertellen, maar ze merkte dat ze stoorde. Normaal gesproken belde hij zelf 's avonds naar huis. Ze vroeg hem waarom hij de stekker er niet gewoon uittrok. Hij mompelde dat je immers nooit kon weten of er iets gebeurde.

Ze miste hem hoewel ze over minder dan een week naar hem toe zou reizen. Ze wilde dat hij thuis was, nu ze geen nieuwe taken had om zich op te storten. Het dagelijkse werk in de huishouding was snel achter de rug, en de uren dat Lauritz in het dagverblijf zat, werden langer dan ze voorheen waren geweest. Ze zat suf naar buiten te kijken, naar de glooiing van de ploegvoren en de naakte kruin van de pruimenboom. Ze probeerde te lezen, maar legde het boek na een paar bladzijden weer weg, niet in staat zich voor de handeling te interesseren. Ze vond dat ze veel te sensibel werd in de plotselinge leegte, nu het huis was ingericht en Andreas weg was. Ze zei het zelf bij wijze van excuus toen ze op een avond bijna ruzie met hem had gekregen door de telefoon. Ze hadden bijna nooit ruzie. Na afloop wist ze niet meer precies wat haar zo boos had gemaakt. Hij had zo'n afwezige indruk gemaakt, alsof hij haar helemaal niets te zeggen had, maar in zijn hoofd was hij natuurlijk ook ver weg, verdiept in zijn manuscript.

Ze vertelde hem over Miriam en zei dat het waarschijnlijk haar eeuwige, snotterende telefoontjes waren die haar op de zenuwen begonnen te werken. Hij antwoordde dat het, wanneer het erop aankwam, Miriams eigen schuld was. Ze zei dat ze hem miste. Hij miste haar ook, klonk het na een pauze. Ze lachte om hem door de telefoon en vroeg waarom hij zoiets zei wanneer het niet waar was. Hij had zijn werk en heel Parijs om in rond te stoeien wanneer hij vrij had. Hij ging niet zoveel uit, antwoordde hij. Maar nu moest zij vermoedelijk ook gauw aan de slag met het een en ander? Nu de rol van doe-het-zelf-vrouw was uitgespeeld. Het was zeker ook niet zo leuk voor haar om financieel van hem afhankelijk te zijn. Ze voelde zich gekwetst. Alsof ze een in de watten gelegd huismoedertje was, en het alleen maar een spelletje was dat ze had gespeeld, helemaal onder de verf en mortel. In de periodes dat hij had zitten schrijven, was zij in feite degene geweest die de armen uit de mouwen had gestoken, en het leeuwendeel van het werk had ze in haar eentje verricht.

Ze zei niets. Ze wilde geen ruzie met hem maken, niet door de telefoon terwijl hij in Parijs zat en niet binnen handbereik was. Wanneer ze een enkel keertje ruziemaakten, draaide het er in de regel op uit dat ze met elkaar naar bed gingen en alle meningsverschillen met liefkozingen uitwisten. Ze waren nooit langer dan een halfuur achtereen boos geweest, en ze wilde niet dat het gesprek bitter zou eindigen, zonder dat ze zich na afloop tegen hem aan kon leggen en voelen dat alles weer goed was. Bovendien had hij gelijk. Ze moest weer aan de slag, het was alleen de vraag waarmee. Sinds de geboorte van Lauritz had ze geen toneelrol gehad, alleen een paar hoorspelen toen hij een baby was en wat nasynchronisatie voor een Disneyfilm. Ze was waarschijnlijk in het vergeetboek geraakt, ze moest zo ongeveer weer van voren af aan beginnen. Ze had nee gezegd toen ze het aanbod kreeg om samen met Lauritz mee te werken aan een tv-spot voor luiers, voornamelijk omdat Andreas er de spot mee had gedreven en zich er overigens tegen had verzet dat hun kind commercieel zou worden geëxploiteerd. Misschien was dat dom van haar geweest.

Ze had de rol als Nora in Harry's enscenering van *Een poppenhuis* niet gekregen. Andreas was ertussen gekomen. Op dat moment had ze er niet verder bij stilgestaan, pas verliefd als ze was. Ze had alleen gedacht dat het de prijs was die ze moest betalen voor de keus die ze had gemaakt. Toen ze kort daarna in verwachting raakte, deed die rol er sowieso niet meer toe.

Toen Harry en zij waren begonnen zich samen in het openbaar te vertonen, merkte ze dat de mensen gechoqueerd en geërgerd hun adem inhielden vanwege haar en die schaamteloze, oude verleider. Lucca mocht er niet aan denken wat ze zouden hebben gezegd als ze wisten dat ze in zijn bed had gelegen toen zijn vrouw nog niet eens vierentwintig uur dood was. Maar toen bekend raakte dat ze Harry had verlaten, voelde ze hoe er weer afstand van haar werd genomen. Plotseling leek iedereen voor hem partij te kiezen, en de talentvolle vondst van de theaterman veranderde in een berekenende carrièrehoer, die de edele, oude kunstenaar midden in zijn eenzaamheid en vertwijfeling in haar netten had verstrikt. Ze vergaten blijkbaar dat ze de rol in *De vader* had gekregen lang voordat er iets aan de hand was tussen haar en Harry. Er kwam in elk geval geen enkel aanbod meer, en ze had het gevoel dat ze door een gevaarlijke, besmettelijke ziekte was getroffen.

Hij had gelijk gekregen, Harry. Uiteindelijk had ze hem toch verlaten. Maar het zat er dik in dat ze vroeg of laat een man zou verlaten die zoveel ouder was. Stel dat hij meer had gevochten om haar te behouden? In het begin had ze weinig van zijn jonge discipel moeten hebben, en als iemand haar zou hebben verteld dat hij de vader van haar kind zou worden, zou ze hebben gelachen, zowel bij de gedachte dat ze een kind zou krijgen als bij de gedachte dat ze het samen met hem zou krijgen.

Daaraan dacht ze in Charles de Gaulle, toen ze tussen de andere passagiers stond op de roltrap in een van de buizen van plexiglas. Al die mensen, dacht ze. Ze hadden allemaal een plek die ze hun thuis noemden, maar hoevelen van hen zouden kunnen zeggen dat het onontkoombaar was geweest dat ze nu juist dát thuis kregen en geen ander? Ze dacht weer aan Otto, en dat ze met slechts een tussenpoos van een jaar kinderen hadden gekregen. Stel dat hij haar niet beu was geworden? Waren die twee kinderen dan toch een en hetzelfde kind geworden? En stel dat ze nu eens niet Andreas tegen het lijf was gelopen? Het was warm in de buis van plexiglas, ze zweette, en ze was aan het bezwijken van ongeduld toen ze stond te wachten op haar koffer bij de transportband.

Hij stond een eindje op de achtergrond in zijn oude, versleten leren jekker, die hij zowel 's zomers als 's winters droeg. Hij wuifde en glimlachte, hij leek op zichzelf. Op wie moest hij anders lijken? Ze lachte naar hem, en tegelijkertijd lachte ze om zichzelf. Ze kon zien dat hij vond dat ze er prachtig uitzag, en ze was blij dat ze zich mooi had gemaakt. Hij liep haar tegemoet, en ze kreeg tranen in haar ogen toen ze haar koffer losliet en zich in zijn armen liet sluiten.

Wilde ze hun jonge gast niet mee naar het strand nemen, zodat hij een duikje kon wagen? Daar had hij vast behoefte aan... Harry was blijkbaar vergeten dat zij een paar jaar jonger was dan hun gast. Het was de dag na zijn aankomst. Andreas leek in paniek bij het idee. Hij fluisterde zoiets als dat hij zijn zwembroek had vergeten mee te nemen. Harry en hij zaten nog steeds onder het afdak op het dakterras toen zij daar verscheen na haar middagdutje. Harry liet zich niet uit het veld slaan, Andreas kon er een van hem lenen. Nu was er geen ontkomen aan. De jonge gast zag er verbouwereerd uit bij het idee dat hij de zwembroek van Harry Wiener in eigen persoon aan zou moeten. En jij dan? vroeg hij aan Harry. Die maakte een afwerend gebaar met zijn handen, hij bleef. Jonge Bark had hem van zijn energie beroofd, hij ging een halfuurtje plat.

Kom op dan, zei ze met een opmonterende glimlach naar Andreas, alsof hij een verlegen kind was. Ze begaven zich naar de auto. De huizen in het dorp waren witgloeiend in de lage zon, en de schaduwen op de roodachtige rotshellingen waren lang en verdraaid. Tijdens de afdaling bezeerde Andreas zich aan een agave, die zijn harde bladeren over het pad uitstrekte. Zijn arm bloedde, maar hij gaf geen kik, glimlachte alleen maar, hoewel ze kon zien dat het pijn deed. Het ergerde haar dat hij zichzelf niet eens toestemming wilde geven om au! te zeggen. Ze reden de berg af. Is hij streng tegen je? Streng en streng... antwoordde hij. Zolang het beter werd, was hij alleen maar blij met kritiek. Een theatermanuscript was immers geen afgerond werk, net zoals een partituur op zichzelf ook geen muziek was. Dat gebeurde pas wanneer de dirigent, of in dit geval de regisseur, ermee aan het werk ging en er zijn interpretatie aan gaf... Het klonk als iets wat hij zichzelf had leren zeggen.

Die ochtend had ze zoals gewoonlijk in de zon gelegen. Ze had een bikini aangetrokken. Het ergerde haar, ze was eraan gewend geraakt om in haar blootje te liggen en van top tot teen bruin te worden. Ja maar, hoe eerbaar... zei Harry toen Andreas en hij het terras op kwamen met een kopje koffie en met een manuscript onder hun arm. Ze namen plaats onder het afdak. Zijn plagerige toon maakte haar balorig, en ze trok het bovengedeelte uit voordat ze weer op de stretcher ging liggen. Ze zag nog net hoe Andreas zijn blik afwendde op het moment dat haar borsten tevoorschijn kwamen, en ze was er zeker van dat Harry het ook had gezien. Hij glimlachte schalks. Had hij daar werkelijk aardigheid in? Ze sloot haar ogen en luisterde naar de krekels, sommige dichtbij, andere verder weg, stuk voor stuk sjirpend in een eigen ritme, haastig of traag. Ze lag onbeweeglijk en genoot ervan hoe de zonnestralen zich in haar huid boorden en ervoor zorgden dat ze zweette en zich zwaar voelde.

Harry was anders tegenover Andreas dan wanneer hij met zijn acteurs werkte. Ze vond hem streng. Hij vond het niet nodig om commentaar te leveren op wat er goed was aan het stuk, maar deed uitvoerig en zonder beleefde omhaal uit de doeken wat eraan haperde. Hoe was het bijvoorbeeld mogelijk dat alle personen niet alleen eender praatten, maar ook net als de schrijver praatten? Andreas probeerde hem duidelijk te maken dat hij de taal had willen stileren, zodat de personen in plaats van zich uit te drukken in een realistische taal zogezegd bezeten raakten door een poëtische of groteske taal, die door hen heen stroomde en die hen tegelijkertijd vormde als personen. Harry viel hem in de rede. Moesten ze misschien in tongen spreken? Elke persoon moest een réden hebben om te spreken en om te zeggen wat hij of zij zei. Bovendien was het een voordeel als de acteurs hun eigen replieken begrepen. Om van het publiek nog maar te zwijgen. Dit was theater, geen oplezen van lyriek!

Andreas sprak hem schuchter tegen: door simpele, doorzichtige en ondubbelzinnige replieken te eisen, dreigde je de voorstelling te ontdoen van de subtiele nuances en schakeringen... Alles wat naar zijn mening het verschil was tussen kunst en theater met een boodschap, voegde hij er overmoedig aan toe. Harry lachte hees. Mocht hij een van zijn Gitanes nemen? Natuurlijk! Lucca hoorde hem een sigaret uit het pakje vissen en het klikje van het deksel van zijn zilveren aansteker. Even later werd ze de kruidige geur van tabaksrook gewaar, die over het terras zweefde.

Moet je horen... Harry's toon werd vriendelijker, haast vaderlijk. Allereerst mocht hij nooit, nooit van zijn leven bang worden om simpel te zijn. Duidelijkheid, zei hij, duidelijkheid is alles. Op het toneel kon niets duidelijk genoeg worden. Wat dat betrof, was er geen verschil tussen Sophokles en een handig in elkaar gedraaide boulevardkomedie. Schakeringen, zei hij, kon hij rustig aan de dichters overlaten, en wat de nuances aanging, dat was iets waar de impressionistische schilders voor gezorgd hadden... vrouwspersonen met een volle baard! De meest archaïsche mythen en de platste kroegmoppen waren wanneer het erop aankwam op dezelfde manier geconstrueerd. En in de tweede plaats... hij stopte even om te inhaleren... moest hij ook niet bang zijn om zijn persoonlijke exclusiviteit, zijn dierbare stem te verliezen. Stíjl, vervolgde hij, het woord kort en fel uitsprekend, stijl begon dáár waar je afstand deed van jezelf ten bate van je verhaal. Als je tenminste iets te vertellen had. En dat had hij vermoedelijk... anders zouden ze hier niet zitten.

Dat laatste moest verzoenend klinken, maar ze zag aan Andreas dat die er lang niet zeker van was dat Harry gelijk had en dat hij in plaats daarvan zijn leermeester het manuscript bijna zag dichtklappen en hem naar huis zag sturen. Ze had zich opgericht en zat op de stretcher, suf van de warmte. Ditmaal keek Andreas haar strak in de ogen om te vermijden dat hij naar haar borsten zou kijken. Harry keek ook naar haar en glimlachte, maar het was een glimlach die ze nooit eerder bij hem meende te hebben gezien. Een jongensachtige glimlach die leek op die van de ander, toen zij hem afhaalde van de luchthaven en hij verrast was omdat zij daar stond te wachten en niet zijn goeroe. Misschien maakte de warmte haar confuus, maar ze had heel even het idee dat de glimlach die aan de jongeman toebehoorde op het gezicht van de oudere man was gegleden, terwijl de rechtmatige eigenaar zelf van de jongensachtige glimlach haar leeg aanstaarde, bang om zijn blik ook maar een centimeter naar beneden te verplaatsen en beschaamd bij het idee dat ze alles had gehoord wat Harry had gezegd.

Alles werd haar zwart voor de ogen toen ze opstond. Ze keerde hun de rug toe en stond een paar seconden met gebogen hoofd voordat ze de trap afdaalde naar de slaapkamer. Ze trok een van Harry's overhemden aan en liep door naar de keuken om de lunch te bereiden. Ze liet het water uit de kraan lopen tot het koud werd en hield haar polsen onder de waterstraal. Het was een groot, donker vertrek, het koelste van het huis, met een gewelfd plafond en een open haard en een deur die uitkwam op een steile steeg, die naar het dorp voerde. De kier onder de deur was zo breed dat het omhoog gespiegelde zonlicht van de steeg over de oneffen tegels van de vloer uitwaaierde. Het licht werd met een onrustig, zilverachtig geflikker gereflecteerd in de straal koud water. Een bromvlieg cirkelde loom rond de kleverige strip vol dode vliegen die aan het plafond hing, maar hij ging niet zitten. Ze dronk een glas water. Een van de zonnestralen raakte een schort, dat aan een haakje hing, door het vele wassen roze geworden, met opgedrukte gele tulpen.

Volgens Harry was zijn vrouw er in geen jaren geweest, maar haar schort was blijven hangen. Er zat een bruine kring aan de onderkant, waar ze het ooit moest hebben gebruikt om iets warms mee vast te houden. Lucca had geen zin gehad om het voor te doen. Ze haalde gerookte ham en olijven uit de koelkast en begon sla te spoelen. De bromvlieg bleef om de ham cirkelen. Ze had elders in het huis andere sporen van zijn vrouw gevonden, een stel versleten slippers in de klerenkast, een potje gestolde nagellak op een planchet in de badkamer en een paar verschoten damesbladen onderin het nachtkastje, waarvan het meest recente vier jaar oud was. Harry had maar heel weinig over haar verteld, en zij had geen vragen gesteld. In de Kopenhaagse flat had ze een foto gezien van een knappe, donkerharige vrouw met een driehoekig gezicht, maar te oordelen naar de jurk moest de foto minstens vijftien jaar geleden genomen zijn. De bromvlieg ging op haar bovenlip zitten, ze spuugde en sloeg ernaar met haar hand. Op het laatst sneed ze een stukje vet van een plakje ham, legde dat op de broodplank en hield de wacht met een vliegenmepper. Bingo!

Harry was levendig tijdens de lunch, op het joviale af, en Andreas luisterde dankbaar naar zijn anekdotes. Het ergerde haar om hem de hele boel te zien opslobberen als een brave woefwoef, die zijn beloning en troost kreeg, nadat Harry zijn manuscript onder handen had genomen. Het verwonderde haar nog steeds dat het dezelfde jongeman was die zo vrij en direct overkwam toen ze tussen de decorstukken van het westerndorp rondliepen. Ze ging naar beneden om haar siësta te houden. Terwijl ze in het donker lag, dacht ze aan Harry's opmerking over haar eerbare bikini en aan zijn schalkse uitdrukking toen Andreas zijn blik afwendde omdat ze het bovenste gedeelte uitdeed. Ze zag opnieuw Harry's jongensachtige glimlach voor zich toen ze opstond van de stretcher nadat hij Andreas een lesje had geven over het schrijven van dramatiek. Die glimlach misstond hem. Het was ook niets voor hem. Het kwam over als een onkuise ontbloting, alsof hij zijn broek had laten zakken om zijn blote kont te laten zien. Tegelijkertijd behelsde zijn blik iets samenzweerderigs, alsof hij haar bekrachtiging wilde incasseren voor het feit dat zij beiden iets met elkaar hadden, of dat nu zijn blote kont was, haar jonge borsten of de verslagen uitdrukking in de ogen van zijn discipel.

Waarom liet hij zich dat welgevallen? Ze vroeg het hem zonder meer, na een lange pauze waarin geen van hen iets had gezegd. Ze volgden de kustweg langs de bars en discotheken op het strand en de lage, witte betonnen gebouwen aan de andere kant, waar hotels, winkelarcades en blokken met vakantieflats lagen. Het was nog steeds buiten het seizoen, en op de meeste plaatsen waren de luiken voor de ramen gesloten. Hij keek haar aan. Hij kon best tegen kritiek. Ze beantwoordde zijn blik kort. Hij zei het op vermoeide toon, niet ontwijkend en ook niet tegemoetkomend, als een vanzelfsprekende constatering. Hij wist zelf heel goed waarom hij zijn stuk zo had geschreven. Ook al kon hij het misschien niet zo goed onder woorden brengen. Maar de oude had misschien gelijk met een deel van zijn kritiek.

Het verraste haar dat hij op die manier over Harry sprak. Misschien was het een reactie op Harry's *jonge gast*. Hij lachte voor zich uit. Ze keek hem weer aan. Wat? Hij glimlachte op dezelfde plotselinge manier als hij had gedaan toen ze uit Almeria reden. Hij was oké, die oude... hij wás theater, tot diep in zijn botten! Andreas schudde goedkeurend het hoofd, en het was alsof hij tegelijkertijd de vernedering van zich afschudde, al Harry's belerende en ridiculiserende woorden, ongeveer zoals je je hoofd schudt om sneeuw uit je haar te krijgen. Ze reden langs het visrestaurant, waar ze de avond tevoren hadden gegeten, beneden op het strand. Ze moest hem niet kwalijk nemen dat hij een flater had begaan. Wat bedoelde hij? Pas op die hond! zei hij snel. Ze slaagde er ternauwernood in om een magere hond heen te sturen, die de weg overliep. Ja, toen hij over die rol begon...

Ze hadden binnen in het felverlichte lokaal gezeten omdat het was gaan waaien. Ze zat naast Andreas, Harry zat tegenover hen. In het schijnsel van de open ramen kon je het schuim zien opstijgen van de golven. Harry leunde achterover met over elkaar geslagen benen en rookte terwijl ze op het eten wachtten. Hij vertelde haar over het stuk dat Andreas had geschreven, en het klonk als een verhaal dat hij zelf had bedacht. Van tijd tot tijd keek hij Andreas vragend aan, alsof hij zich ervan wilde vergewissen dat hij niets verkeerds zei. Ze hield ervan dat hij vertelde met zijn diepe, hese stem, en ze was zo in beslag genomen door zijn relaas dat ze opschrok toen de ober met hun borden verscheen. Harry vroeg om een asbak en de ober ging weer weg. Hij wees naar de wijnkoeler, die naast Andreas stond. Nu moest hij ervoor zorgen dat zijn tafeldame iets te drinken kreeg. Andreas had net zo intens geluisterd als zij en draaide zich verward naar de wijnfles toe. Niet verder dan de rand! zei Harry droog, toen hij bleef schenken.

De ober kwam terug met de asbak, en Harry doofde zijn sigaret. Ze toostten. Andreas schraapte zijn keel. Er was iets waaraan hij had gedacht. De rol van die jonge vrouw... zou dat een rol voor Lucca kunnen zijn? Harry keek hem geruime tijd aan, en zijn ogen werden nog smaller, alsof hij heel goed nadacht. Hij had het overwogen, zei hij tenslotte, maar hij was tot de tegenovergestelde conclusie gekomen. Je zou je immers heel goed kunnen voorstellen dat het misschien een tikkeltje... hij tilde zijn handen op van het tafellaken... familiair zou aandoen... als hij zijn partner zowel de hoofdrol in Andreas' stuk gaf als in *Een poppenhuis*. Hij begon zijn vis van de graat te ontdoen en bestudeerde zorgvuldig wat hij met het bestek deed. Je moest hoe dan ook nooit een rolverdeling bediscussiëren wanneer er acteurs aanwezig waren. Hij keek op en blikte naar de golven in het donker, terwijl hij kauwde. Andreas staarde naar zijn vis.

Ze verliet de kustweg en volgde een karrenspoor langs de rotsen, die steil afhelden naar de branding. Het water was jadegroen en blauwzwart verder weg. Daar moest hij niet aan denken, zei ze. Wist ze het zeker? Ze glimlachte geruststellend. Natuurlijk… Ze reed om een landpunt heen en langs een reeks scherpe bochten naar het strand, waar ze gewoonlijk baadde. Het was aan beide kanten door rotsen omlijst, zodat die een inhammetje vormden. Er waren geen anderen. Ze parkeerde de auto in de schaduw van een groepje hoge cactussen.

Toen ze de avond ervoor naar bed waren gegaan, had ze Harry gevraagd waarom hij zo bezorgd was over wat de mensen zouden zeggen als hij haar zowel de rol van Nora als een rol in Andreas' stuk gaf. Ze had namelijk de indruk dat hij zich weinig aantrok van wat de mensen over hem zeiden. Ze zat overeind in bed, bereid tot een discussie. Hij streelde haar vriendelijk onder haar kin. Het was ook niet met het oog op zijn eigen reputatie dat hij het had gezegd… En bovendien, vervolgde hij, was het helemaal geen rol voor haar. Hij begreep niet hoe Andreas op dat idee was gekomen. Het zou niet juist zijn voor haar, en zeker niet op dit moment van haar carrière. Ze moest zich op hem verlaten, hij had per slot van rekening het stuk gelezen. Nora daarentegen…

Maar wat vond ze trouwens van hem? Hij kwam half overeind en steunde op zijn ene elleboog. Ze ging op haar rug liggen. Hij liet een hand over haar buik en haar ene borst glijden. Hij leek haar erg sympathiek… en erg jong. Harry glimlachte. Hij is ouder dan jij, zei hij. Een knappe vent, hè? Ze draaide zich om op haar zij, hij trok zijn hand terug en schikte het laken over zijn heup. Waarom zei hij dat? Zodra ze de woorden had uitgesproken, voelde ze dat ze erin was getuind. Harry glimlachte opnieuw en keek voor zich uit. Ja maar, dat wás toch zo? Waarom wond ze zich zo op? Ze wond zich helemaal niet op! Hij keek haar aan en kuste haar voorhoofd. Daar houden we het dan maar op, zei hij, waarna hij het licht uitdeed.

Ze schoof dicht tegen hem aan, hij legde een hand op haar heup. Ik ben maar een angstige, oude man, zei hij, zodat ze hem kon horen glimlachen in het donker. Ze gaf hem een stomp. Zíj diende eerder zenuwachtig te zijn dan hij. Hij draaide zich op zijn rug, en ze liet haar wang tegen zijn borstkas rusten terwijl ze haar vingertoppen over zijn buik liet cirkelen. Misschien had ze gelijk... Hij klonk nadenkend. Wist ze hoe zijn laatste vrouw hem een keer had genoemd? Haar vingers hadden de beharing in zijn schoot bereikt. Niet als hij het haar niet had verteld... Ze speelde met zijn beginnende erectie. *Vrouwenjunk*, zei hij, en hij liefkoosde loom haar billen. Maar het merkwaardige, vervolgde hij, het werkelijk raadselachtige was dat hij, ook al wist hij het zelf, toch steeds maar weer in beweging kwam telkens wanneer hij een innemend meisjesgezicht en een paar mooie benen zag. Ze woog voorzichtig zijn hangende testikels in haar hand. Wanneer zou hij dan een nieuwe jonge en onbekende schoonheid opduikelen? Hij lachte. Ze hoefde zich geen zorgen te maken. Ze kon nog een hele tijd mee. Wanneer haar jeugd op was, was hij vermoedelijk allang de pijp uit.

Een moment overwoog ze het bovenste gedeelte van de bikini aan te doen, maar ze liet het achterwege. Hij moest gewend zijn geraakt aan de aanblik. Hij stond een eindje verderop met een handdoek om zijn middel gebonden terwijl hij zijn onderbroek uittrok. Hij hinkte even en viel bijna om. Zijn huid was wit, en hij was zo mager dat ze zijn ribben kon zien, en de spieren die zich bewogen onder de huid van zijn dijen. Hij zag er komisch uit in Harry's zwembroek, die veel te wijd was. Ze moest lachen. Dat scheen hem niets te doen, hij lachte zelf terwijl hij het koordje aanhaalde. Ze stelde voor dat ze naar de rots zwommen die uit het water opstak aan het eind van de inham, daar waar de bergflank loodrecht op de zee stond. Hij haalde haar in, hij was een goede zwemmer. Hij crawlde met snelle, ritmische slagen zeewaarts, en weldra verdween hij achter het rotsblok.

Het water was kalm, de rimpelingen op het wateroppervlak wisselden tussen turkoois en muntgroen. De horizon was niet meer dan een melkachtige nevel. Andreas verscheen boven op de rots. Hij stelde zich op met zijn benen vlak naast elkaar, boog voorover en zette zich af met het hoofd naar voren, zodat zijn lichaam een ogenblik lang een lichtende pijl in het lage zonlicht vormde. Toen zij bij de rots aankwam, was hij op weg naar boven. Hij reikte haar een hand en trok haar naar zich toe. De scherpe kanten boorden zich in haar voetzolen terwijl ze hem achterna klom. Het was een hele afstand naar beneden. Om beurten sprongen ze een paar keer. De druk deed haar oren suizen. Ze maakte zich helemaal rond met het hoofd gebogen naar haar knieën telkens wanneer ze door de groen oplichtende nevel zonk, die overging in duisternis onder haar. Het volgende moment strekte ze zich weer uit, terwijl ze naar boven werd geperst naar de vibrerende, witte spiegel. Ze lieten zich op de top van de rots in de zon drogen terwijl ze naar het strand keken. De bergrug en de auto en de groepjes cactussen waren slechts platte silhouetten, en het tegenlicht scheen in het stof van de autoruiten.

Hij vroeg hoe het was om met Wiener samen te leven. Hij noemde hem Wiener. Het moest niet makkelijk zijn... om je eigen ruimte te creëren. Hij schermde zijn ogen af met een hand terwijl ze hem aankeek. Haar eigen ruimte? Hij haalde zijn schouders op, de druppels glommen op zijn bovenarmen. Ze dacht aan de rol in zijn stuk die ze niet zou krijgen, en ze moest denken aan de filmrol waar ze nee tegen had gezegd omdat Harry ervan overtuigd was dat het een slechte film werd. Andreas glimlachte en knikte in de richting van het strand. Nu zou hij best een sigaretje lusten. Een druppel viel van het natte haar op zijn voorhoofd op zijn bovenlip, hij verwijderde hem met zijn tong. Ze vroeg of hij terug wilde. Dat kon wachten.

In feite voelde ze zich vrij, zei ze, samen met Harry. Misschien juist omdat hij zoveel ouder was. Andreas bekeek haar. Hoezo? Ze glimlachte en kneep haar ogen dicht tegen de reflecties van het water. Ze had het over Harry's kalmte, zijn gebrek aan illusies, en ze vertelde wat hij had gezegd. Dat ze hem op een goede dag zou verlaten. Ze keek naar haar vingers, die langs het hoekige oppervlak van de rots streken. Het klonk misschien merkwaardig, maar omdat hij dat had gezegd, had ze zin om te blijven. Hij kuste haar, en hij deed dat zo snel dat ze amper erg had in wat er gebeurde. Ze glimlachte verrast, maar toen zijn gezicht weer naderbij kwam, beantwoordde ze zijn kus. Zijn mond smaakte naar zout en tabak. Ze maakte haar ogen smal en pakte zijn kin beet. Was het niet hoog tijd voor dat sigaretje?

Ze hadden het over koetjes en kalfjes terwijl ze zich stonden af te drogen op het strand en later, in de auto op de terugweg. Alsof het niet was gebeurd. Ze had het over Ibsen en *Een poppenhuis* en wat ze vond van de rol van Nora. Hij zei dat het moedig was van Wiener om juist dat stuk te ensceneren. Vrouwenemancipatie was immers niet meer in zwang, in elk geval niet als iets waarover je het oneens kon worden, en je kon je afvragen of het stuk niet door de ontwikkeling achterhaald was. Ze zei dat Nora ook een andere kant had, maar ze slaagde er niet in hem te vertellen wat die inhield, voordat het dorp in de bocht verscheen. Even later stond de auto voor het huis. De zon was achter de bergen ondergegaan, de eerste straatlantaarns waren net aangestoken. Harry stond in de keuken en roerde in een van zijn Andalusische eenpansmaaltijden met kikkererwten en bloedworst. Ze zoende hem in zijn hals en ging naar de badkamer.

Het was donker toen ze op het terras verscheen. Ze spraken gedempt terwijl ze aten. Harry had het met Andreas over Rome en liet hem aan het woord zonder te pralen met zijn eigen kennis van de stad, zoals ze een moment vreesde dat hij zou doen. Toen ze in de keuken koffie stond te zetten, kwam Andreas naar beneden met de vuile borden. Hij bleef een paar seconden naast haar staan, maar ze keek hem niet aan, en hij ging weer naar boven. Ze schonk de koffie voor hen in en zei dat ze vroeg naar bed wilde. Toen Harry een paar uur later de kamer binnenkwam, deed ze alsof ze sliep.

De volgende dag nam Andreas de bus naar Almeria. Het was eigenlijk de bedoeling geweest dat hij nog een dag zou blijven. Hij zei dat er een tentoonstelling was in Madrid die hij graag wilde zien voordat hij naar huis vloog. Harry reed hem naar de bushalte. Zij lag in de zon op het terras toen hij terugkwam. Hij ging op de borstwering naast de stretcher zitten en wierp een blik in de droge rivierbedding terwijl hij zijn nek krabde. Wat had hij opeens een haast... Was hij te streng tegen hem geweest?

Met het verstrijken van de weken kwam het haar steeds onwerkelijker voor dat ze Andreas Bark had gezoend op een rots. In haar herinnering was het bijna niet gebeurd. Tussen haar en Harry was alles als vanouds. Voordat ze weer naar Denemarken terugkeerden, waren ze drie dagen in Granada. Hij leidde haar rond in het Alhambra en vertelde haar hoe de katholieke koningen beurtelings de moren en de Spaanse joden hadden verdreven. Bij die gelegenheid kwam ze erachter dat hij jood was. Hij was niet besneden. God zij dank, zei hij met een glimlach. Stel je voor hoe ik was geworden als ze me ook in mijn pik hadden gesneden! Het kon hem niets schelen waar hij vandaan kwam of hoe hij heette, zei hij. Niemand hoefde hem te vertellen wie hij was, en de familie was hoe dan ook één grote hakmachine. Ze zaten in een restaurant aan de hoofdweg ergens tussen Granada en Málaga. Hij boog zich over het bord met varkenskarbonaadjes in sherrysaus. 'Van naam kan ik niet zeggen wie ik ben. Ik haat mijn naam, o dierb're heilige!' Ze lachte om zijn ouderwetse, omslachtige dictie en veegde saus van zijn kin met haar servet. Ze had *Romeo en Julia* net gelezen. Toen ze in de auto zaten, bedacht ze dat zij misschien de enige was bij wie hij af en toe kon vergeten dat hij Harry Wiener was.

Op een middag een paar maanden later zat Lucca op een Kopenhaags terrasje aan Gammel Strand. Ze wachtte op Miriam. Het was gaan motregenen, maar ze bleef onder de parasol zitten en snoof de geur van vochtig asfalt op. Harry zat in Skagen, in de kop van Noord-Jutland. Ze hadden afgesproken dat zij een paar weken later naar hem toe zou komen. Eigenlijk had ze gepland om haar moeder op te zoeken in haar zomerhuisje, ze had haar moeder niet gezien sinds ze naar Spanje waren vertrokken, maar ze stelde het elke dag uit. Ze had geen zin om ernaartoe te gaan, en ze genoot ervan om de dakwoning voor zichzelf te hebben en voor het eerst in een halfjaar alleen te zijn. Terwijl ze naar Miriam zat uit te kijken, viel haar oog op een vrouw die op de stoep een eindje van haar vandaan in haar richting stond te kijken. Pas na een tijdje besefte Lucca dat de vrouw naar haar keek. Ze wendde haar blik naar het Thorvaldsens Museum, alsof ze in beslag was genomen door het bekijken van de muurschildering op de zijkant van het gebouw. Na haar succes in *De vader* en nadat ze gefotografeerd was voor de roddelrubrieken, was ze eraan gewend geraakt om soms op straat herkend te worden, maar ze had het nog nooit eerder meegemaakt dat iemand haar zo langdurig aanstaarde. Toen ze zich weer omdraaide, stond de vrouw bij haar tafeltje. Ze moesten ongeveer even oud zijn, maar ze maakte een oudere indruk. Haar gezicht was gerimpeld en had een ongezonde, bleke teint. Haar vette haar kleefde aan haar voorhoofd vast. Het was een onflatteus kapsel met een kaarsrechte zijscheiding, en ze had donker dons op haar bovenlip. Ze keek Lucca door de regendruppels op haar bril strak aan terwijl ze haar handen in de zakken van haar wollen jas boorde. Die was tot onder haar kin dichtgeknoopt, ook al was het begin juli. Opeens realiseerde Lucca zich dat de vrouw niet goed bij haar hoofd moest zijn.

Ze nam plaats aan de andere kant van het cafétafeltje en glimlachte gekunsteld. Ik weet best wie jij bent, zei ze. Jij bent de hoer van mijn vader. Jij hebt mijn moeder vermoord... Een serveerster kwam naderbij om haar bestelling op te nemen. Lucca wuifde haar weg en glimlachte naar de vrouw. Ik heb niemand vermoord, antwoordde ze kalm. Ze moest denken aan wat Harry haar had verteld toen ze op een ochtend voor de repetitie op het toneel zaten te praten. Zij moest degene zijn voor wie hij een flat had gekocht in Vanløse. Hij had zijn dochter alleen maar die ene keer ter sprake gebracht, en voorzover zij wist had hij geen andere kinderen. Je liegt, zei de vrouw. Je lag met hem te neuken toen mijn moeder werd opgenomen! Lucca boog zich voorover en sprak zachter, terwijl ze haar probeerde uit te leggen dat dat een misverstand was. Ze was pas na de dood van haar moeder met haar vader begonnen om te gaan. Die formulering voelde verkeerd aan in haar mond, *omgaan.*

De gespannen schouders in de wollen jas zakten wat, en Harry's dochter keek beschaamd voor zich uit. Ze snapte het niet, ze had hen namelijk uit zijn deur zien komen, arm in arm. Ze keek op. Ze móest degene geweest zijn, die ze uit de deur had zien komen, de dag dat haar moeder werd opgenomen. Ze was lang en slank geweest, met zwart haar... Harry's dochter verhief haar stem weer en sloeg op tafel zodat Lucca's kopje op het schoteltje rinkelde ... nét áls jíj! Op hetzelfde moment kreeg Lucca Miriam in het vizier. Ze stond zo snel op dat de stoel omviel, ze riep de serveerster, stak haar een handjevol munten toe dat ze in haar zak had en holde haar verwarde vriendin tegemoet. Achter haar rug hoorde ze Harry's dochter op vertwijfelde toon roepen. Konden ze niet met elkaar praten? Op het moment dat ze Miriam een arm gaf en doorliep op de stoep, vervloekte ze het idee dat ze had gekregen om haar haar zwart te laten verven voor de rol in *De vader*. Tegelijkertijd vroeg ze zich af wie dat zou kunnen zijn, die jonge, zwartharige vrouw, in wier gezelschap Harry's dochter hem had gezien. Was dat de vreemdelinge aan wie hij had gedacht toen hij haar voorstelde haar haren te laten verven? Was zij plaatsvervangster voor een onbekende geweest?

De volgende ochtend ging de telefoon. Ze zat in bed *Een poppen-*

huis te lezen, en af en toe keek ze uit over de haven, die zichtbaar werd en weer verdween telkens wanneer de wind de gordijnen oplichtte voor de open schuifdeur. Ze besloot niet op te nemen, uit angst dat het Harry's dochter was. Hij bleef maar overgaan, en op het laatst stond ze op. Het was Andreas. Ze was overrompeld toen ze zijn stem hoorde, en zei dat Harry in Skagen was. Dat wist hij best. Hij was in de stad, mocht hij langskomen? Vijf minuten later werd er aangebeld. Ze moest glimlachen toen ze het silhouet achter het matglas van de lift zag. Hetzelfde silhouet dat ze precies een jaar tevoren had gezien toen ze de trap aan het afdalen was na thee te hebben gedronken met Harry. Hij had zijn leren jekker aan en glimlachte zijn jongensachtige glimlach, maar hij maakte geen verlegen indruk.

Harry had hem een paar dagen ervoor opgebeld in Rome, over het stuk, en tijdens het gesprek had hij verteld dat zij in Kopenhagen was. Dat was de reden van zijn komst. Hij moest haar zien, en de dag erna had hij de trein genomen, en hier was hij dan. Ze keek hem aan. Je bent niet goed wijs, zei ze. Dat wist hij best. Maar hij had aan haar gedacht, erg veel... Het was zo vreemd geweest wat er die middag op de rots was gebeurd. Misschien was het niets, of anders... Hij moest haar weer zien om erachter te komen wat het was. Als het er was.

Ze zaten op het balkon naar de wolken boven de haven en naar elkaar te kijken, plotseling verlegen. Hij had alles er in één keer uitgeflapt, en nu wist hij niet wat hij zeggen moest. Ze verwonderde zich over zijn ondernemingsgeest en wat je wel zijn moed moest noemen. Zij had niet evenveel aan hem gedacht als hij aan haar had gedacht, en ze zei het zoals het was. Ze zei dat ze niet wist wat ze moest vinden van wat er op de rots was gebeurd. Zoals ze hier zaten, had ze het gevoel dat ze het afgelopen halfjaar in een soort trance had doorgebracht. Ze voelde zich eerlijk toen ze het zei.

Ze zaten een minuut of wat zonder iets te zeggen. Het waaide zo langzamerhand vrij krachtig, en hij wist zijn sigaret niet aan te krijgen ondanks alle bochten waarin hij zich wrong. Ze stelde voor dat ze naar binnen gingen. Zij liep voorop, en midden in de kamer bleef ze stilstaan en draaide zich naar hem toe. Het was alsof ze alleen maar uit die stoelen op het balkon hadden moeten komen. Hij keek haar afwachtend aan, de man die de trein helemaal uit Rome had genomen, enkel en alleen omdat hij aan haar had gedacht en wist dat ze alleen was.

Het verwonderde haar dat ze geen slecht geweten had tegenover Harry, en hoe gemakkelijk het haar viel om met hem te praten wanneer hij opbelde. Ze dacht dat dit gemak op zichzelf een teken was. Ze voelde het alsof alle spieren in haar lichaam ontspanden na een spanning die zo lang had geduurd dat ze hem had verwisseld met rust. Samen met Andreas voelde ze zich onbezwaard. Ze deden dingen die ze nooit met Harry zou hebben gedaan. Ze gingen op een ochtend naar Tivoli, ook al regende het, en zaten in het reuzenrad te lachen als kinderen in de regen. Op een dag namen ze de vliegboot naar het Zweedse eiland Ven en huurden fietsen. Ze lagen elkaar te zoenen op een grashelling, vanwaar je in de verte de torens en schoorstenen van Kopenhagen kon zien. Dezelfde die ze een jaar tevoren vanaf het zwembad ten noorden van de stad had gezien, de laatste dag die ze samen met Otto had doorgebracht. Die dag was net zo ver weg als het profiel van de stad gezien vanuit Ven.

Een week later ging Andreas terug naar Rome. Ze vroeg hem erom. Ze moest alleen zijn, zei ze, om te kunnen denken. Hij gaf haar zijn telefoonnummer. Voor het geval dat ze zin had om te bellen, wanneer ze uitgedacht was. Dezelfde dag pakte ze haar spullen en nam een taxi naar de Frederiksbergse villa. Tijdens de rit door de stad bedacht ze dat haar spullen niet meer plaats in beslag namen als het geval was geweest toen ze het jaar ervoor Otto's flat verliet. Een paar koffers, een paar tassen, een paar plastic draagtasjes. Ze had Harry proberen op te bellen, maar juist die middag kreeg ze geen gehoor. Dat was een opluchting. In plaats daarvan stuurde ze hem een brief. Geen lange brief. Hij gaf geen antwoord, en ze hoorde nooit meer iets van hem.

Jaren later vroeg ze zich af of hij het in feite zo had gewild. Of hij het in een flits als een mogelijkheid had gezien toen hij Andreas uitnodigde om hen in Spanje te komen opzoeken. Ze overwoog of hij het onvermijdelijke onbewust had willen versnellen omdat hij het toch niet over zijn hart kon verkrijgen om korte metten te maken. Maar dat was maar een gedachte. Ze voelde zich zwaar vanbinnen toen ze de brief met een zacht, gedempt geluid in de brievenbus hoorde landen, maar het maakte haar ook zekerder van haar zaak, en ze voelde dat ze eindelijk haar leven in eigen handen nam. Ze moest niet alleen hem opofferen. Ze had het script voor *Een poppenhuis* op zijn bureau achtergelaten.

Ze bracht een week thuis in de villa door zonder dat iemand wist waar ze was. Ze was net zo alleen als ze de zomer ervoor was geweest toen Otto haar aan de dijk had gezet en Harry op een dag belde om haar op de thee te noden. Net zo alleen, dacht ze, als toen ze 's avonds Else hoorde praten tegen Jan en alleman door de radio, terwijl ze de zwartwitte jeugdfoto's bekeek van Giorgio op een plein in Lucca, voor een kerkmuur bevlekt met de vluchtige schaduwen van de zwaluwen. Ze sprak niemand, en ze gaf ook niet toe aan de aandrang om Andreas' stem weer te horen. Daar was ze vrij trots op toen ze eindelijk opbelde om hem te vertellen wanneer haar vliegtuig in Rome landde.

Hij had zich meerdere dagen niet geschoren, haar sjaaltje hing vast aan zijn lange baardstoppels toen ze elkaar omhelsden. Heb je dat nog steeds? mompelde hij met een peinzende glimlach terwijl hij de delicate, petroleumkleurige zijde vasthield. Dat was het eerste cadeau dat hij haar had gegeven kort na haar aankomst in Rome, toen ze op een middag door de Via Condotti wandelden. De baardstoppels krasten op haar gezicht en gaven haar het gevoel dat ze wakker werd. Ze had zich voortbewogen als een slaapwandelaar, alleen in het huis wanneer Lauritz naar de kleuterschool was, prijsgegeven aan alle overbodige zorgen die ze zich had gemaakt omdat ze niets anders te doen had gehad. Die verbleekten en vervaagden als de beelden van een zinloze droom toen Andreas haar koffer oppakte en ze het luchthavengebouw uitliepen om een taxi te vinden. Ze vertelde wat voor leuke dingen Lauritz had gezegd en zei dat ze het gat in de muur rond de kachelpijp had gerepareerd en dat ze de boeken alfabetisch had gerangschikt in de boekenkast. Dus nu stond Harold Pinter naast Pinocchio! Naarmate de dingen waarover ze verslag kon uitbrengen opraakten, volstonden ze ermee kussen uit te wisselen op de achterbank van de taxi, een beetje verlegen zoals ze altijd waren wanneer ze een tijdje uit elkaar waren geweest en de draad moesten opvatten.

Ze drukte zich in zijn armen en snoof de geur op van zijn leren jekker, terwijl zijn hand over haar dij onder de korte jurk gleed. Hij liefkoosde het blote stuk tussen de rand van de kous en de jarretelgordel. Alleen de ironische blik van de taxichauffeur in de achteruitkijkspiegel weerhield hen ervan elkaar te lijf te gaan. Naast de donkere, Afrikaanse ogen van de chauffeur ontwaarde ze haar voorhoofd en haar warrige, roodblonde haar dat over de mouw van

Andreas' leren jekker gleed. Onder de snelweg, in een anonieme buurt met verwaarloosde woningblokken, zag ze een half gesloopt huis en een kraan met een loden kogel, die op hetzelfde moment tegen de muur aan zwaaide met doorgebroken etageafscheidingen en veelkleurige vierkanten waar behang en verf de vertrekken in de verdwenen flats nog aangaven. De volgende seconde verpulverde de muur in een grijze cascade van stof en puinbrokken.

Ze had een maand bij hem in Trastevere gewoond toen ze op een ochtend wakker werd doordat hij met zijn vingers haar hoofdhuid aan het onderzoeken was. Hij keek haar aan alsof hij haar op heterdaad had betrapt. Je bent blond, zei hij. Haar eigen haarkleur was weer tevoorschijn aan het komen en verdrong het zwarte haar, waarmee ze maandenlang had rondgelopen. Ik ben niet degene die je denkt, glimlachte ze raadselachtig en vertelde hem waarom hij een zwartharige vrouw had ontmoet in Spanje. Was hij teleurgesteld? Hij keek haar aan met een plagerig gezicht. Hier had hij lopen dromen van een vurige zigeunerin... hij was er zelfs helemaal voor uit Rome gekomen!

Ze schudde haar hoofd, zodat de haren voor haar ogen vielen. Ze wilde best flamenco leren dansen, zou dat een pleister op de wond zijn? Hij kuste haar en zei dat het niet de moeite waard was. Een paar weken later, toen haar haar was gegroeid en echt tweekleurig begon te worden, ging ze naar een kapper in Trastevere en verzocht om een rattenkop. De kapper weigerde dat eerst met een beledigd gebaar, maar toen ze ervandaan ging was ze net zo kortharig als een Arabisch jochie. Ze had nog nooit eerder dat gevoel van lucht om haar kruin en slapen meegemaakt, en terwijl ze door de straten liep en van de blikken van de mensen genoot, had ze het gevoel dat haar hoofd gewichtloos was en elk moment als een ballon boven de daken van Rome kon opstijgen.

De flat lag in een rustig zijstraatje van de Rue de Rennes. Het was een atelierwoning van twee verdiepingen met een raam van plafond tot vloer dat uitkeek op een binnenplaatsje. Vanuit het atelier voerde een trap naar een slaapkamer met openslaande balkondeuren. Je kon uitzien over de schuine zinken daken en de rijen vlak naast elkaar staande schoorstenen. Alles was in grijze tinten: de hemel, de daken en de muren. Achter een beroete brandmuur zag je in de verte de Tour de Montparnasse, met verlichte ramen in de avond. Dat was de enige verlichting die je zag vanaf het balkon, hier midden in de enorme stad.

Ze lag in de schemering naar de verre verkeersgeluiden te luisteren. De lucht was koel op haar blote schouders, maar ze had geen zin om op te staan en de balkondeuren te sluiten. Ze had zin om de lucht te voelen en de stadsgeluiden te horen, terwijl ze lag te wachten tot hij terugkwam. Hij was boodschappen aan het doen, zij was te moe om in de stad te gaan eten. Ze was vroeg opgestaan om het vliegtuig te kunnen halen, Else had haar naar het station gereden samen met Lauritz. Hij had gehuild toen ze op het perron stonden, maar Else had gezegd dat ze moest zien dat ze wegkwam. De trein stond op het punt weg te rijden toen ze voor de jongen knielde en hem probeerde te troosten.

Ze overwoog een ogenblik om naar huis te bellen, maar besloot te wachten. Daarmee zou hij haar misschien nog meer gaan missen, nu hij vermoedelijk allang weer blij was. Het scherm van Andreas' draagbare computer lichtte op in het halfduister van de kamer. Een glanzende, witte vierhoek, vloeiend tussen de donkere contouren van de dingen. Hij had hem niet uitgedaan voordat hij naar de luchthaven ging, en toen ze de flat binnenkwamen, duurde het niet lang voordat ze op bed lagen. Maar het werd niet zoals ze zich had voorgesteld in de taxi, zittend met zijn hand tussen haar dijen terwijl ze zelf haar vlakke hand tegen de stijve bult in zijn broek perste. Ze had het gordeltje en de kousen aangehouden in bed, en ook de schoenen met de enkelriempjes, zoals ze wist dat hij haar graag zag en zoals hij zich haar misschien had voorgesteld in de weken dat hij alleen was. Toen ze zich die ochtend aankleedde, had ze eraan gedacht het slipje over het gordeltje aan te trekken en niet omgekeerd. Het maakte nu een enigszins komische indruk op haar, haar speelgoed, zoals ze het gniffelend noemde toen ze na afloop haar kousen en schoenen uittrok en naast hem onder de deken kroop, terwijl ze zich afvroeg of hij teleurgesteld was.

Het was niet zo wild en hartstochtelijk geworden als ze had gewild. Het was geweest zoals het was wanneer ze allebei moe waren en eigenlijk niet met elkaar naar bed gingen omdat ze er zo vreselijk veel zin in hadden, maar omdat ze zin hadden in het idee dat ze opnieuw dicht bij elkaar waren geweest in plaats van gewoon in slaap te vallen. Hij vroeg of ze was klaargekomen. Ze zond hem een warme glimlach. Dat deed er niet toe. Ze was blij om hier gewoon te liggen en hem te voelen, heel dichtbij. Hij streelde haar over het haar terwijl zij haar hoofd onder zijn kin duwde. Ze vroeg of hij klaar was met zijn stuk. Bijna, zei hij. Op het einde na. Ze zei dat wanneer ze weer aan het werk zou gaan, ze op een dag graag een rol in een van zijn stukken zou willen hebben. Het hoefde geen hoofdrol te zijn, ze kon volstaan met een bijrolletje. Ze kon met een brief binnenkomen!

Ze had trek in een sigaret en stapte het bed uit. De Tour de Montparnasse was zo langzamerhand niets anders dan een stapel lichtende blokjes in het blauwe duister. Ze deed de lamp aan op het bureau en haalde de slof sigaretten uit het plastic tasje van de luchthaven. Ze kon haar aansteker niet vinden, en er lag er ook geen op het bureau. Ze daalde de trap af met de sigaret hangend tussen haar lippen, nog steeds naakt, en ze bedacht dat als ze nu een spotlight kreeg ze op een stripper zou lijken, die naar beneden kwam om aan een van de mannen onder het publiek om een vuurtje te vragen, als een onderdeel van de show. Ergens moest er toch zeker een aansteker zijn. Verstrooid als hij was, had Andreas altijd twee, drie plastic aanstekers tegelijk in gebruik. Ze zag zijn tweedjasje op een hangertje naast de voordeur hangen. Dat trok hij een doodenkele keer aan wanneer hij even vaarwel zei tegen zijn imago van jonge rebel. Zijn Arthur Miller-jasje noemde hij het altijd. Hij leek in feite een beetje op Arthur Miller wanneer hij het aanhad, als je afzag van de hoornen bril. Ze hadden vermoedelijk de markante kin met elkaar gemeen. Terwijl ze in zijn zakken voelde, hoorde ze een knisperend geluid. Er stak een envelop uit de binnenzak.

Ze had het net zo goed kunnen laten, dacht ze naderhand. Ze had nooit eerder in zijn zakken gezeten, en ze had nooit eerder zijn brieven gelezen. Ze wist dat het verkeerd was, maar ze deed het toch. Was het intuïtie die haar de envelop uit zijn zak deed pakken, of was het ordinaire, gedachteloze nieuwsgierigheid? Het was een luchtpostenvelop met een Zweedse postzegel, ruim een week tevoren in Stockholm gestempeld. Ze had nog steeds op andere gedachten kunnen komen toen ze ermee in haar hand stond. De brief had geen afzender, maar het schrift op de envelop was dat van een vrouw, stelde ze vast, van een jongere vrouw. Andreas' naam en het adres in Parijs waren met viltpen geschreven, met architectenletters, regelmatig, heel duidelijk en met veel kalligrafische zijsprongetjes.

Toen ze de brief drie keer had gelezen, vouwde ze hem op, legde hem terug in de envelop en stak die in de binnenjas van het tweedjasje, waarbij ze eraan dacht dat de postzegel met Carl Gustavs vlegelachtige playboytronie aan de linkerkant van de zak naar buiten had gestoken. Ze ging naar de badkamer, ging op haar knieën voor de closetpot liggen en gaf over, tot er niets meer kwam. De koude van de vloer en de samentrekkingen in haar maag deden haar trillen. Ze deed de deur op slot, ging in de badkuip zitten en kroop in elkaar met de knieën onder haar kin en de ene voet boven op de andere. Ze opende de warmwaterkraan en hield de handdouche tegen haar hoofd gedrukt, totdat het gloeiend hete water haar deed schreeuwen van de pijn. Toen pas begon ze te huilen. Ze opende de koudwaterkraan, maar slechts zover als nodig was, en zat snikkend onder de warme waterstraal, die haar omgaf als een dampende mantel. Ze sloot haar ogen en zag het huis voor zich dat ze had zien slopen, op de route naar Parijs. De laatste resten van een onbewoonbaar verklaard woonblok in een van de buitenwijken met gapende raamopeningen, wapperende behangresten en afgeknaagde etageafscheidingen, die geluidloos instortten in een wolk van verpulverde bakstenen, een grijze waterval van stof.

Ze zat nog steeds in de badkuip te huilen onder de sluier van gloeiend heet water toen ze de dichtvallende voordeur hoorde en Andreas, die haar riep. Ze hield op met snikken. Even later rammelde hij aan de klink en zei door de deur heen dat hij eten ging koken. Ze draaide de kranen dicht en kwam langzaam overeind, met stijve ledematen na zo lang in dezelfde houding te hebben gezeten. De damp had de spiegel boven de wasbak met een nevelsluier bedekt. Ze wreef erover met haar hand en keek naar haar huilerige gezicht. Haar oogleden waren rood en gezwollen. Ze bond een handdoek om zich heen en begaf zich naar de keuken. Hij keek op van de biefstukken in de pan en blikte haar bezorgd aan. Ze zei dat ze had overgegeven. Het moest iets zijn wat ze aan boord van het vliegtuig had gegeten. Hij streek haar meewarig over haar wangen, eerst de ene en toen de andere, en concentreerde zich weer op de biefstukken. Ze opende het raam om de braadlucht naar buiten te laten gaan. Hij vertelde over een Japanse kok, die harakiri had gepleegd omdat hij eten had gekookt met een ontstoken vinger. Hij toonde haar zijn beide handen en lachte. Geen ontsteking! Ze ging naar boven om zich aan te kleden.

Ze had besloten niets te zeggen. Het besluit was vrijwel vanzelf gekomen toen ze hem de deur hoorde binnenkomen. Ze wilde afwachten wat er gebeurde. Ze kon geen hap naar binnen krijgen van de biefstuk die hij voor haar opdiende. Ze volstond met een beetje sla, maar dronk haar glas snel uit wanneer hij haar opnieuw had ingeschonken. De rode wijn had een kalmerend effect op haar en verdoofde het drukkende gevoel in haar maagstreek. Ze was onder de indruk van zijn koelbloedigheid. Hij zei dat hij zin had om de volgende dag naar Belleville te gaan en te fotograferen in de Arabische wijk. Als zij zich beter voelde, voegde hij er attent aan toe. Ze knikte. Dat konden ze best, ze voelde zich nu oké. Het had geholpen dat ze haar maag had geleegd. Hij streelde zelfs haar hand, die naast het bord met de koude biefstuk lag.

Ze zagen een film op de televisie, ze ging even voor het eind naar boven. Ze kleedde zich uit en ging naakt op bed liggen. Ze hoorde hem doortrekken in de badkamer en het water dat in de wasbak liep, en even later hoorde ze zijn stappen op de trap. Ze sloot haar ogen. Het geluid van de stappen stopte in de deuropening. Ze zei tegen hem dat hij haar gezicht moest bedekken met het blauwe sjaaltje. Hij aarzelde even voordat hij het deed. Het schijnsel van de lamp op het bureau bloedde door de dicht geweven zijden draden heen en nam de kleur ervan over. Ze hoorde de sirenes van een ambulance op de Rue de Rennes en iemand die riep beneden op straat. Zo bleef ze liggen, zonder gezicht, overgeleverd aan zijn blik, met lege oogholtes en een donkere spleet tussen haar lippen, waar de zijde naar binnen werd gezogen telkens wanneer ze ademhaalde.

Toen ze de volgende ochtend wakker werd, zat Andreas te werken aan de eettafel in wat ooit atelier was geweest en nu als huiskamer was ingericht. Ze zette koffie en zette een kopje naast zijn computer. Hij liefkoosde verstrooid haar dijen zonder van het scherm op te kijken. Ze nam haar eigen koffie mee naar het balkon. Ze boog zich over de balustrade en bekeek de verspreide voetgangers. Het was een heel eind naar beneden. Zou je er onderweg in slagen te bezwijmen? De zon scheen, en wanneer ze haar jas om haar schouders legde, was het warm genoeg om buiten te zitten. Ze leunde achterover met gesloten ogen.

Hij kon zich waarschijnlijk niet voorstellen dat zij het in haar hoofd zou halen om in zijn zakken te zitten. Goedbeschouwd was het haar eigen schuld dat alles tussen hen plotseling was veranderd. Maar voor hem was het misschien gewoon een onschuldige affaire, anders zou hij het wel zeggen. Ze was er niet zeker van. In de brief klonk het in elk geval niet als een kleine affaire, een enkel slippertje om de boel wat op te frissen. Ze was verbluft over de hartstochtelijkheid van de woorden, die waren geschreven met die sierlijke architectenletters. Ze waren bovendien gegarneerd met minuscule, gracieuze tekeningetjes als bewijs van de vrouwelijke charme van de afzender, hier een vogel, daar een ster en een naakte dame, een beetje à la Matisse. Ze schreef dat de kleuren om haar heen sterker waren geworden nadat ze hem had ontmoet. Ze kon 's nachts niet slapen, ze was bang om gek te worden. Al te lang had ze als in een diepe slaap geleefd, in een relatie waarin ze niet het gevoel had dat ze gezien werd. Net als hij, als ze hem goed had begrepen. Wanneer ze voor de spiegel stond, was het alsof de spiegel haar met zijn blik bekeek. Alsof ze zichzelf voor het eerst zag.

Lucca had haar een hele tijd zitten bekijken terwijl Andreas boodschappen aan het doen was. Ze begreep hem best toen ze de polaroidfoto zag die uit de envelop viel. De briefschrijfster was bleek en had blauwe ogen en krullend, gitzwart haar. Een zigeunerin met blauwe ogen, daar was hij natuurlijk niet tegen opgewassen geweest. Hij had dus toch een zwak voor zwart haar. Ze zat op een tweepersoonsbed, haar haar fonkelde in de ochtendzon en bedekte precies haar borsten. Het leek niet erg waarschijnlijk dat Andreas de foto had genomen, in dat geval zou hij hem vermoedelijk gehouden hebben. Ze moest hem een foto hebben gestuurd die een ander had genomen. Maar wie had haar naakt in een onopgemaakt bed gefotografeerd? Dat moest Andreas zich ook hebben afgevraagd.

Hoewel de brief gespeend was van prozaïsche details, zoals wie of wat het vrouwspersoon in het werkelijke leven was, kon Lucca op haar vingers natellen dat ze elkaar moesten hebben ontmoet in Malmø tijdens de repetities voor Andreas' stuk, die hij met alle geweld meerdere keren per week moest volgen. Misschien was het een actrice. Een Zweedse collega! Lucca herinnerde zich zijn ongeduld 's morgens, wanneer hij ervandoor moest en hij had beloofd Lauritz eerst naar de kleuterschool te rijden. Hoe geprikkeld hij was geweest als de jongen half zat te slapen boven zijn havermout. Er waren verscheidene toespelingen in de brief op iets wat Andreas had gezegd of aan haar had geschreven. Ergens citeerde ze hem zelfs. Hij had gelijk, schreef ze. Soms moest je je eigen ogen geloven. Anders dreigde alles om je heen net zo vluchtig en onwerkelijk te worden als in een film. Ook zij wilde hem graag weer ontmoeten. Helaas kon ze in de week na Pasen niet naar Parijs komen.

Lucca hield een hand voor de zon en bekeek de Tour de Montparnasse, die opstak tussen de scheve zinken daken en de talrijke schoorstenen als een grote, domme pik van rookkleurig glas. Was ze er kapot van? Ze stelde de vraag op dezelfde manier als wanneer ze zich over de balustrade zou hebben gebogen en zichzelf beneden op straat in een bloedpoel had zien liggen. Ze was buiten zichzelf. De uitdrukking was haar nooit eerder zo treffend voorgekomen, maar het sloeg niet alleen op het verdriet dat in haar bleef opborrelen vanuit een snee, die brandde, zodat ze amper adem kon halen. Ze was ook buiten zichzelf omdat ze zichzelf als een buitenstaander zat gade te slaan.

Ze herkende Andreas' woorden dat je je eigen ogen moest geloven. Hij had vrijwel woordelijk hetzelfde gezegd in Harry's Kopenhaagse flat toen hij uit Rome was komen aansnellen, en later in Trastevere toen ze hem vertelde dat ze in verwachting was. Dat waren dus de woorden die hij gebruikte op plechtige ogenblikken. Maar waarom zou hij ook het buskruit opnieuw uitvinden? Wanneer ze hun uitwerking hadden, die woorden. Zijn eigen zelfgemaakte versie van de toverformule der liefde, die zo te zien teweegbracht wat de woorden in het vooruitzicht stelden, als een self-fulfilling prophecy. Hadden diezelfde woorden haar soms niet zover gebracht dat ze nu hier zaten, zij op het balkon, hij in het atelier gebogen over zijn toneelspel, terwijl hun zoontje misschien een sneeuwpop aan het maken was van de Deense paassneeuw, samen met zijn oma?

Natuurlijk was er meer geweest dan woorden. Er waren vage gevoelens en geheimzinnige blikken geweest, een speciale onrust, een onverwachte lichtheid en de lokkende aantrekkingskracht van de lichamen. Maar de woorden hadden een verschil gemaakt en hadden ervoor gezorgd dat ze het nogmaals had gewaagd zich over te geven. Zijn woorden dat je moest geloven wat je zag, in plaats van sceptisch en terughoudend te zijn omdat je geen achttien lentes meer was en het allemaal al eens eerder had meegemaakt. En nu bleek dat de woorden niet meer gewicht of betekenis hadden gehad dan de blikken en de gevoelens en de nerveuze, bedwelmende duizeligheid van de lichamen. De woorden waren dezelfde, zoals ook de blikken en de gevoelens dat waren geweest, van keer tot keer. Alleen de gezichten werden onderweg verwisseld. Het geloof in wat je zag, waar Andreas het over had gehad, was zelf trouweloos. Je kon zoveel en zovelen geloven. Hij had het vast en zeker eerlijk gemeend toen hij het zei.

Ze dacht aan wat de zwartharige krullenbol in haar brief had geschreven, ondanks al haar enthousiaste gedweep. Ze kon na Pasen helaas niet naar Parijs komen. Blijkbaar was er iets wat belangrijker was dan Andreas opnieuw in zijn fantastische ogen te kijken. Had dat hem even doen aarzelen en hem doen denken aan haar, die thuis met de verfkwast en de troffel in de weer was? Schonk hij het een gedachte dat ze samen een kind hadden? Ze had gehoopt dat de jaren het gewicht zouden krijgen dat de woorden niet hadden. Lauritz vormde het levende bewijs dat er andere dingen tussen hen waren dan woorden en gevoelens. Of niet soms? Hun kind en hun thuis waren niet genoeg geweest om Andreas ervan te weerhouden dezelfde woorden te zeggen, die de jaren zo dierbaar hadden gemaakt, tegen iemand die hij net een paar weken kende.

Het was warm en lenteachtig geworden toen ze 's middags in de Arabische buurt rondliepen. De kruidengeuren, de schelle muziek van de cassetterecorders en de hese Arabische stemmen deden hen bijna vergeten dat ze zich in Parijs bevonden. Daar hadden ze het over. Dat het was alsof je in een Noord-Afrikaanse stad rondliep. Er werden bonte stoffen, videofilms en goedkoop keukengerei verhandeld. Andreas nam foto's van mensen, uitsluitend portretten. De vrouwen giechelden of draaiden zich om, de mannen posteerden zich met de handen in hun zij en de buik naar voren gestoken. Ze hield zich op een afstandje, maar zonder hem uit het oog te verliezen. Overal zag je mensen die handeldreven, en bankbiljetten die over en weer gingen tussen bruine of zwarte handen. De handpalmen van de vrouwen waren met henna gekleurd, en hun zilveren sieraden glommen bleek in het nevelige zonlicht. Ze droegen lange gewaden, en sommigen van hen hadden tatoeëringen in hun gezicht. De meeste mannen droegen Europese kleding. Ze keken haar aan, sommigen vanuit hun ooghoeken, anderen rechtstreeks en met een respectloze uitdrukking, die haar het gevoel gaf betast te worden. Het speet haar dat ze haar dijkorte jurk had aangetrokken. De stemmen, de blikken, de muziek en het gedrang deden haar zweten, en ze zei tegen Andreas dat ze terug zou gaan naar de boulevard en wachten in een café dat ze gepasseerd waren.

Ze nam plaats op het met glas overdekte terras en bestelde koffie. Er waren maar weinig mensen in het café en op het trottoir buiten. Ze keek naar de vlekkerige bast van de platanen, die leek op het patroon van camouflagekledij. Telkens wanneer ze ademhaalde, had ze het gevoel alsof ze zat opgesloten in een pantser. Ze had zin om te huilen, maar ze wist niet zeker of ze ertoe in staat zou zijn als ze zichzelf toestemming gaf. Er stond een verhuiswagen aan de overkant van de boulevard. De verhuizers droegen meubels uit een trappenhuis naar de vrachtwagen. Het was een complete inboedel die in toevallige volgorde op het trottoir voorbij defileerde. Zo hadden ze zich dus ingericht, de onbekenden die op een van de etages daarginds hadden gewoond. Twee verhuizers hielpen elkaar met het dragen van een grote spiegel met een vergulde lijst, en terwijl ze worstelden met de spiegel en hem nu eens in de ene, dan weer in de andere richting draaiden, wervelden brokstukken van wolken, auto's, bomen en luiken door de vergulde lijst in abrupt wisselende flitsen. Toen de spiegel een ogenblik de zon ving, sprong er een scherpe lichtplek over het asfalt in hitsige stoten, die haar verblindde zodat ze haar ogen moest sluiten.

Een etmaal geleden had hij op Charles de Gaulle staan wuiven en glimlachen toen zij verscheen. Hij moest zijn Zweedse vriendin een moment zijn vergeten, het was niet mogelijk dat je zo teder en innig kon glimlachen terwijl je tegelijkertijd aan een andere vrouw dacht.

Ze schudde het suikerzakje, scheurde het papier er aan de bovenkant vanaf en zag hoe het klontje suiker op het beige schuim van de koffie ging liggen en langzaam door de oppervlakte zonk. Misschien was hij werkelijk in staat om op commando te onthouden en te vergeten, alsof hij vanbinnen een televisie was en zijn wil een afstandsbediening, waarmee je moeiteloos heen en weer kon zappen tussen de stations. Vrouw en kind op het ene station, Zweedse romance op het andere. Kon hijzelf dezelfde zijn op beide stations?

Misschien kon je werkelijk veranderen met hetzelfde gemak als de woorden, die een andere betekenis kregen al naargelang van de persoon die ze uitsprak en het tijdstip waarop ze werden gezegd. Je had hetzelfde gezicht, hetzelfde lichaam, maar vanbinnen was je een ander. Het hing ervan af of de vrouw tegenover je zwart of roodblond haar had. Wat had zijn exotische prinses ook alweer geschreven in haar brief? Dat ze had geleefd in een diepe slaap zonder te worden gezien zoals ze was. Net als hij... Tot ze hem tegenkwam en voelde dat hij haar wekte met zijn blik en haar herinnerde aan de persoon die ze diep in haar hart was. Lucca pakte het theelepeltje op en roerde in het koffiekopje. Ze bleef in haar koffie roeren ook al was de suiker allang opgelost. Die woorden waren niet alleen van zijn minnares en van hemzelf, het waren ook de hare, Lucca's. Zij had vrijwel hetzelfde tegen hem gezegd toen ze elkaar begonnen te leren kennen.

Op een dag was hij opgedoken als een mogelijkheid, zonder dat zij hem als zodanig opvatte. Ze had gedacht dat ze met Harry zou samenleven. De Zigeunerkoning, die een kwetsbare spleet in zijn schrikbarend zelfverzekerde masker had geopend en zelf een onbekende kant van haar had gezien en op het toneel had verlost. Ze had zich voorgesteld dat wat hij met haar op het toneel deed ook in het werkelijke leven kon gebeuren, en een paar maanden lang leek dat ook steek te houden. Wanneer ze aan haar twee jaren met Otto terugdacht, schudde ze het hoofd over de naïviteit waarmee ze haar eigen droombeelden had opgehangen aan de Otto die haar zo moeiteloos zijn leven introk en zich naderhand weer van haar ontdeed. Harry's cynische eerlijkheid had een bevrijdend effect gehad, en hoewel zijn ervaring en status af en toe zwaar op haar drukten, was de onevenwichtigheid opgeheven wanneer ze met hun tweetjes waren. In bed zag ze opnieuw het broze in zijn ogen, dat ze voor het eerst had gezien in zijn Mercedes, toen hij haar probeerde te verleiden, en de tweede keer op zijn balkon, terwijl het weerlichtte boven de haven.

Andreas stoorde haar met zijn jongensachtige glimlach, zijn plotselinge zoen op de rots en zijn roekeloze aankomst een paar maanden later. Ze begreep opeens dat haar enthousiasme voor de roemruchte Harry Wiener misschien wat overdreven was. Toen Andreas helemaal uit Rome kwam enkel en alleen om haar terug te zien, was ze genoodzaakt daarop te reageren, niet alleen met woorden, maar met haar hele persoonlijkheid. En toen ze twee weken later overmoedig op het vliegtuig stapte om hem op te zoeken, had ze verondersteld dat zijn ogen haar konden vasthouden na de verwarde omzwervingen van haar jonge jaren. Zoals ze indertijd had verondersteld dat Otto's ogen zo hard en blauw waren, dat de voorstelling die ze van haar hadden dieper en vaster was dan een verwarde reflectie van een spiegel in de zon, die alle kanten uitvliegt als een vuurvlieg bij klaarlichte dag.

Eigenlijk was zijzelf niets anders geweest dan een spiegel. Een ontheemde spiegel, die twee amechtige, radeloze verhuizers langs de straatweg hadden gedragen zonder te weten wat ze ermee aan moesten. Ze hadden de spiegel opgehaald in een villa te Frederiksberg zonder nadere richtlijnen omtrent de plaats van bestemming. Er had een dame opgebeld. Ze kon helaas niet thuis zijn wanneer ze kwamen, ze moest naar de radio. De sleutel lag onder de mat. Trouwhartig hadden de verhuizers zich op pad begeven, en wanneer een voorbijganger een ijdele of angstige blik op zichzelf in de spiegel wierp, dachten ze dat ze eindelijk van hun zware last met de vergulde lijst af konden komen. Maar nee hoor, elke keer liep de onbekende gewoon verder de andere kant op, zo hij al niet domweg uit het oog verdween omdat het gewicht van de spiegel de verhuizers uit hun evenwicht bracht, of omdat de voorste van mening was dat het het beste was om naar rechts of links te gaan. Onophoudelijk fladderden nieuwe gezichten en nieuwe uitzichten over het glanzende oppervlak, waarop niemand of niets duurzame sporen achterliet.

Ze kwamen erachter dat het gemakkelijker was hem horizontaal te dragen als een bed, en zo droegen ze hem een eindweegs, zodat de spiegel uitsluitend de wolken aan de hemel reflecteerde. Wit als een laken, zei de ene verhuizer. Als sneeuw, zei de ander, als pas gevallen sneeuw. Om de tijd te verdrijven hadden ze het erover hoe mooi het was om op een winterochtend je huis uit te komen als het 's nachts had gesneeuwd, en dat je het bijna niet over je kon verkrijgen om de sneeuw te betreden, waarin nog niemand een voet had gezet. Ze waren stil blijven staan om even uit te rusten, en heel even was het werkelijk alsof je op de drempel van je huis de maagdelijke sneeuw stond te bekijken. Maar zo konden ze natuurlijk niet blijven staan met de spiegel, die zowel op een bed als op een met sneeuw bedekt landschap leek. De verhuizers begonnen de moed te verliezen, maar ze deden wat ze konden om elkaar op te vrolijken. De spiegel zou op het laatst vast wel een thuis vinden. Eigenlijk hadden ze er nog maar weinig fiducie in, maar ze bleven het zeggen.

Lucca...

Ze keek op van haar koffiekopje toen ze Andreas hoorde roepen. Hij stond tussen de cafétafeltjes met geheven camera, zodat ze zijn ogen niet kon zien. Klik, klonk het.

Het vliegtuig cirkelde boven Kopenhagens ingewikkelde web van straatlantaarns. Over een uur zou ze in de trein zitten, op weg naar huis. Else en Lauritz zouden zoals afgesproken bij het station staan wachten. Ze wist niet hoe ze het gedaan moest krijgen zonder in tranen uit te barsten. Ze kon al horen hoe Else haar zou troosten. Andreas had een affaire, en wat dan nog? Dat moest vroeg of laat een van hen overkomen. Had ze zich soms voorgesteld dat ze met elkaar konden leven tot ze grijze haren kregen zonder dat de een of de ander een affaire had? Dat was heel gewoon, zou Else zeggen, wanneer je een aantal jaren samen had geleefd. Als ze verstandig was, hield ze haar gezicht in de plooi en wachtte ze het geval af. Hij was zijn Zweedse avontuur binnenkort vast wel beu.

Lucca zou haar niet uit kunnen leggen wat ze voelde achter de pijn en de belediging en haar gekwetste ijdelheid over het feit dat Andreas op een ander verliefd was. Ze kon niet eens aan zichzelf uitleggen wat ze voelde onder de gevoelens die iedereen zou verwachten. Door haar gewone, voorspelbare pijn heen werd ze een zwarte afgrond gewaar, ze wist niet hoe diep, en ze wist niet wat er zich op de bodem verborg, zo er al een bodem was. Een ogenblik stelde ze zich voor dat de duisternis onder haar tussen de lichtdraden niet de huizen van de stad verborg, maar een bodemloze afgrond waarin je aan één stuk door kon blijven vallen. Hoe kon ze haar moeder aan het verstand brengen dat het niet enkel Andreas was die ze vreesde te verliezen?

Ze hadden in de Marais rondgeslenterd en naar de joodse winkels gekeken en een paar uur in het Picasso-museum doorgebracht. 's Avonds waren ze naar de bioscoop gegaan en na afloop hadden ze gegeten in een Vietnamees restaurant. Het regende de volgende dag, hij werkte, zij las. Ze wist zeker dat hij geen argwaan had opgevat. Ze had zich gedragen zoals altijd en zoals ze zich voorstelde dat ze zou hebben gedaan in het geval dat ze geen trek had gekregen in een sigaret en naar een aansteker had gezocht in de zak van zijn tweedjasje. Het was niet moeilijk je dat voor te stellen. Het was moeilijk om helemaal op te gaan in de rol, zodat hij nog geen spleetje zou kunnen ontdekken in het vacuüm, waar zij buiten zichzelf was van pijn, van bitterheid en duizeligheid doordat ze plotseling alles op een afstand zag. De afstand die ze voelde, terwijl ze tegelijkertijd leed, en die haar nog meer deed lijden, niet vanwege Andreas, maar vanwege haarzelf.

Ze ging in haar eentje naar Charles de Gaulle. Ze wist niet zeker of ze een gevoelige afscheidsscène kon opvoeren op dezelfde plek waar al haar zorgen drie dagen tevoren waren verbleekt toen ze hem zag glimlachen en wuiven. Hij stond erop dat hij haar naar de luchthavenbus zou brengen, die van Etoile reed. Hij vroeg voortdurend of hij niet mee zou gaan, maar ze had het pijnlijke idee dat zijn hartelijkheid een dekmantel was voor het schuldgevoel waarmee hij te kampen had. Ze keek naar hem als naar ieder ander toen ze een laatste keer naar hem wuifde door het busraam. Op het moment dat hij zich omdraaide en naar de Triomfboog terugliep, bekeek ze hem zoals ze had gedaan toen ze een paar jaar ervoor in Almeria's luchthaven stond met een kartonnen bord, waarop ze zijn naam had geschreven. Glimlachend was hij opgedoken uit de menigte passagiers, net zo onbekend en vreemd als zij.

Ze moest een hele tijd wachten bij de transportband in Kastrup. Ze kreeg buikpijn bij de gedachte dat ze bij het huis zou aankomen, haar koffer zou neerzetten in de keuken en aan tafel zou gaan zitten met Lauritz en Else. Ze overwoog naar huis te bellen en te zeggen dat ze vertraagd was. Maar waar moest ze naartoe? Ze had geen zin om bij Miriam om beurten te zitten huilen. Ze rookte een sigaret terwijl ze wachtte. Ik hield zoveel van hem, zei ze tegen zichzelf. Ze zei het zonder wraakgevoelens in de verleden tijd. Ze was gelukkig geweest zonder erover na te denken, zonder steeds haar eigen gedachten en intuïties te hoeven volgen.

De brief uit Stockholm had haar gewekt, alsof haar jaren met Andreas alleen maar een droom waren geweest. Als iemand haar had gevraagd of ze werkelijk zo gelukkig was als ze leek te zijn, was die vraag onverwacht voor haar gekomen. Haar verrassing vertelde haar dat ze ten langen leste van zichzelf was verlost. Maar dat was toen. Nu was ze terug, opnieuw opgesloten in haar eigen hoofd, zich verwonderd afvragend waar ze al die tijd had gezeten.

Lucca…

Ze draaide zich om. Ze herkende hem niet meteen, de man die haar naam had gezegd.

Hij was veranderd. Hij had een volle baard gekregen, en er zaten glimpjes grijs in de baard en in zijn krullende haar, maar hij was net zo krom en mager als indertijd, en hij had weer een bril gekregen, ovaal en zonder montuur. Ze merkte het op toen ze op de achterbank van de taxi zaten. Je hebt je contactlenzen weggedaan, zei ze. Hij glimlachte, een beetje verlegen over het feit dat ze commentaar gaf op zijn uiterlijk. Barbara had hem ertoe bewogen contactlenzen te dragen. Hij zei het op zo'n manier dat ze begreep dat ze niet meer bij elkaar waren, maar ze vroeg het niettemin. Hij keek haar aan terwijl hij zijn schouders ophaalde en trachtte te glimlachen als iemand die de klappen die hij had opgelopen weer te boven was gekomen. Ze leunde achterover en keek door de voorruit.

Hij was net uit Reykjavik teruggekomen. Een van zijn werken was opgevoerd tijdens een festival voor jonge, Scandinavische muziek. Hoewel ik eigenlijk niet vind dat ik erg jong ben, voegde hij eraan toe. Daar had hij gelijk in, zoals hij daar zat met zijn getrimde baard en zijn montuurloze bril, grijzend en gekleed in een jas met visgraatpatroon. Was dat Daniël? Kippige, bijziende Daniël, die ze ooit zo ongelukkig had gemaakt. Ze zag hem voor zich aan de vleugel in zijn flatje, terwijl zij bij het raam stond en het uitmaakte.

Ze vertelde hem over Andreas en Lauritz, over het huis dat ze hadden opgeknapt, en wat een opluchting het voor haar was geweest de stad achter zich te laten en zich een poos niet om haar carrière te bekommeren, totaal in beslag genomen als ze was door de aanblik van haar opgroeiende zoon en hun thuis, dat gestalte aannam... Ja, het klonk misschien saai... Hij schudde het hoofd. Dat vond hij niet. Overigens had hij haar gezien op het toneel, in *De vader*. Hij had haar wel degelijk gevolgd. Ze leende zijn mobiele telefoon en belde Else op. Ze zei dat ze vertraging had. Ze liepen langs de gracht, hij stond erop haar koffer te dragen. De reflecties van de oude straatlantaarns dansten op het onrustige, zwarte water. Het was begonnen te waaien, de boten schommelden heen en weer langs het bolwerk en rukten aan de meertouwen, zodat het kraakte.

Ze bekeek de straatstenen, die haar tegemoet gleden door de lichtcirkels van de lantaarns. Ik vrees dat ik je niet zo leuk heb behandeld, zei ze. Hij ging er niet op in, het was zo langgeleden. Ze liepen een eindje zonder iets te zeggen. Wat vreemd, zei hij toen, dat we elkaar nu moesten tegenkomen! Ja, antwoordde ze, ik zie je elke keer als ik word verlaten. Het vloog haar mond uit. Hij bekeek haar zodanig dat ze haar blik moest neerslaan. Ze vertelde hem hoe Otto haar de bons had gegeven een paar uur nadat zij op een avond hem en Barbara tegen het lijf was gelopen in een bar. Hij had gedacht dat zij iemand was die zelf opstapte. Ze haalde haar schouders op. Dat had zij ook gedacht. Hij glimlachte ironisch. Was hij haar in plaats daarvan maar de dag erna tegengekomen! Ze glimlachte terug. Hij was immers niet beschikbaar. De koude deed hem huiveren. Elke keer... zei hij voorzichtig. Wilde dat zeggen...? Hij keek haar vragend aan. Ze vertelde in het kort over Parijs en over de brief. Wat was dat voor een rotzak met wie ze getrouwd was? Ze keek hem aan. Sorry, hij vond gewoon...

Daniëls woonboot lag aan het eind van de kade. Hij ging haar voor over de loopplank, zette de koffers op het dek en gaf haar galant een hand. Het was een oude praam. Er is hier geen stroom, zei hij toen hij de trap afliep. Ze bleef staan terwijl hij de petroleumlampen aanstak en een butagaskachel, die midden op de vloer stond. De vleugel was aangebracht op een verhoging aan het ene eind van wat ooit het ruim was geweest. Aan het andere eind bevond zich een keukenhoek en een deur naar de kajuit, waar hij sliep. Ze herkende de theekopjes van zijn grootmoeder op een plank boven de aanrecht, met een roeiboot in het maanlicht en een romantisch paar. Een van de kopjes miste een oor. Het hele vertrek was bekleed met gelakte planken, die glommen in het licht van de petroleumlampen, en in de wanden zaten kleine patrijspoorten, waardoor je naar de gracht en het bolwerk kon kijken. Hij opende een fles wijn, ze zaten elk in een safaristoel. Een commode tussen hen in functioneerde als tafel.

Hij was erg openhartig. Hij had een paar korte relaties gehad sinds Barbara hem had verlaten, maar het was nooit iets vasts geworden, daar was hij waarschijnlijk niet geschikt voor. Hij schonk wijn in hun glazen. Zo langzamerhand had hij zich erop ingesteld om in zijn eentje te wonen. Dat had zijn voordelen, hij kon doen wat hij wilde. Ze vertelde hem wat een verrassing het voor haar was geweest toen hij hem samen met Barbara aantrof. Dan moest ze eens weten wat een verrassing het voor hemzelf was geweest! Ze deed haar schoenen uit en trok haar voeten op de stoel. De rode wijn en het zwakke schommelen onder haar hadden een kalmerende uitwerking.

Barbara had een beursagent gevonden. Hij glimlachte, maar niet bitter. Dat was waarschijnlijk meer iets voor haar... Maar hij had er geen spijt van dat ze elkaar hadden gekend, ze was in feite lief geweest, en ze had hem geholpen om verder te komen. Ze had hem doen geloven dat hij niet helemaal onmogelijk was. Maar dat was hij toen, dat zag hij ook wel in... Lucca glimlachte. Hij keek op, en ze had spijt van haar glimlach toen ze de uitdrukking in zijn ogen zag. Nu moest hijzelf glimlachen. Het is als het ware een ziekte, zei hij, ongelukkig verliefd zijn. En je dreigt gek te worden, vervolgde hij, omdat je maar niet kunt snappen hoe het mogelijk is dat de ziekte niet besmettelijk is.

Had het lang geduurd? Hij haalde zijn schouders op. Anderhalf, twee jaar, tot hij Barbara ontmoette. Zij genas hem. Hij lachte en schudde zijn hoofd om zichzelf, terwijl hij opnieuw zijn glas oppakte. Lucca probeerde zich het meisje met de grote, rode lippen en de blakende borsten voor de geest te halen. Dat had hem er dus bovenop geholpen. Maar twee jaar... Dat was net zo lang als zij met Otto had samengeleefd. Al die tijd had Daniël aan haar lopen denken, ook al wist hij dat het hopeloos was. Ze stond op het punt opnieuw te glimlachen, maar ze beheerste zich. Hij leek het zelf een beetje komisch te vinden wanneer hij terugdacht aan het hartenleed van zijn jeugd. Maar wie had er ooit zo trouw van haar gehouden, in de wetenschap dat hij geen schijn van kans had dat zijn liefde werd beantwoord?

Het was vreemd om in Daniëls woonboot rode wijn te zitten drinken. Hun toevallige ontmoeting en de ongewone omgeving pasten bij het gevoel waarmee ze haar leven van buitenaf bekeek, alsof ze een ander was. Ze voelde zich merkwaardig onaangedaan door wat er in

Parijs was gebeurd, alsof ze in tweeën was gedeeld. Haar tweelingzus nam alle pijn op haar schouders en liet zich overspoelen door alle onbeantwoorde vragen, wat er zou gebeuren als Andreas haar nu verliet, en wat er mis met haar was gezien het feit dat hij verliefd was geworden op een Zweedse met zwarte krullen en blauwe ogen.

Wat waren ze verschillend, Daniël en zij. Hij was van haar blijven houden lange tijd nadat het voorbij was, hoewel hij wist dat ze een ander had ontmoet. Zijn liefde was er niet minder op geworden toen hij haar niet langer voor zich had. Die was alleen maar sterker en trouwer geworden door het feit dat ze weg was, buiten zijn bereik. Het verlies van haar had hem tot de rand toe gevuld met liefde, omdat zij er niet meer was om die in ontvangst te nemen. Er was steeds meer gekomen, tot hij bijna uit elkaar was gesprongen omdat hij er geen uitlaat voor kon vinden. Zelf was ze begonnen over haar liefde voor Andreas in de verleden tijd te denken, zodra ze zich realiseerde dat ze niet meer op die van hem kon rekenen.

Daniël had van haar gehouden ondanks zichzelf en ondanks haar, tot hij er gek van dreigde te worden omdat zijn liefde in een ziekte veranderde. Zo was zij niet. Wat haar tweelingzus deed lijden, was niet de koorts der gevoelens, afgezien van de jaloezie bij de gedachte aan de polaroidfoto van de bleke schoonheid, die in een onopgemaakt bed zat met een aureool van ochtendzon in haar weerbarstige haar. Wat pijn deed, was niet iets wat ze in zich had, maar het gevoel dat er iets was weggesneden, geamputeerd, zodat er alleen maar een bloedende wonde over was.

Toen ze die ontzettende brief las, was het als een slag met een bijl geweest, en de bijl was zo scherp geweest en de slag zo snel en onverwacht dat er verscheidene minuten verstreken voordat ze de pijn voelde en ontdekte dat een gedeelte van haarzelf was verdwenen. Er verstreek nog meer tijd voordat ze besefte dat het niet enkel iets was als het verliezen van een arm of een been. Pas toen ze de volgende ochtend in de zon zat op het balkon en zich probeerde voor te stellen hoe het zou zijn om naar beneden te springen, pas zoveel uren later drong het tot haar door dat de bijl haar in tweeën had gekliefd. Iemand die in staat was haar benen over de balustrade te zwaaien, en een ander voor wie dat een onwerkelijke gedachte was. De een zat al in de trein op weg naar huis en liet haar voorhoofd tegen een ruit rusten terwijl ze wanhopig de duisternis inkeek. De ander zat in een safaristoel in Daniëls woonboot rode wijn te drinken.

Ze stond op en keek op haar horloge en bedacht toen dat het overtuigender zou zijn overgekomen als ze op haar horloge had gekeken voordat ze opstond. Ze zei dat ze wilde proberen de laatste trein te halen. Hij haalde haar jas en hield die voor haar op terwijl zij haar armen in de mouwen stak. Voorzichtig tilde hij haar paardenstaart vrij, zodat die over de kraag viel. Toen ze zich omdraaide, leek het alsof hij geschrokken was van zijn intieme gebaar. Het was fijn geweest, zei ze, om hem weer te zien. Hij glimlachte en keek haar in de ogen. Insgelijks... Ze begaf zich naar de trap, hij ging met haar mee. Ze had al een paar treden beklommen toen hij het zei. Ze bleef stilstaan en draaide zich om. Ze wist niet zeker of ze het goed had gehoord. Hij zou graag willen dat ze niet wegging. Hij keek haar aan zonder met zijn ogen te knipperen. Moedig, dacht ze, op het moment dat hij zijn handen naar opzij bewoog in een excuserend gebaar. Nu was het gezegd. Hij greep haar snel en zonder te wankelen toen ze zich, een tikkeltje theatraal, dat moest ze toegeven, in zijn armen liet vallen.

Ze had nog steeds haar jas aan toen ze achterover op bed ging liggen. Ze sloot haar ogen terwijl hij haar kuste. Dat was een ongewoon gevoel, ze had nog nooit eerder een minnaar met een volle baard gehad. Hij knoopte haar met geoefende vingers open. Ze herinnerde zich hoe ze zijn handen had bewonderd wanneer die zelfverzekerd zelfs de breedste akkoorden omspanden. Hij stroopte haar slipje en panty af. Terwijl hij haar tepels kuste, speet het haar dat ze niet was weggegaan. Ze voelde zich in één klap een beloning met terugwerkende kracht voor het feit dat hij zo trouw en vergeefs van haar had gehouden.

Het bed steeg en daalde op de maat van de wiegende bewegingen van de boot, en ze merkte het ruwe, stekelige gevoel van zijn volle baard op haar dijen. In een losgerukte splinter van een seconde zag ze de wippende naaldenpluimen van de pijnbomen. Ze klemde haar dijen rond zijn hals en voelde zijn krassende baard en de vaste greep van de handen rond haar enkels, en opnieuw werd ze gedragen op een stel brede schouders in hetzelfde wiegende, voorwaartse ritme tussen de stammen naar de duinen en de zee.

Het regende aan één stuk door toen ze Kopenhagen verliet. De regendruppels kropen zijwaarts over de ruit, terwijl huizen, bomen en velden voorbijsnelden onder de laaghangende wolken. Toen ze uit de trein stapte, viel haar oog op een tiener, die met een tas zeulde. Het meisje begon wat harder te lopen toen ze een lange man van een jaar of veertig in de gaten kreeg, die haar tegemoet kwam. Ze hadden dezelfde kleur haar, kastanjebruin. De man omhelsde haar een beetje onhandig en nam haar tas over. Gescheiden vader, dacht Lucca. Ze liep achter hen aan tot voor het stationsgebouw, waar ze in een auto stapten. Ze probeerde zich voor te stellen hoe het zou zijn als Andreas en zij om beurten Lauritz moesten hebben. Ze kon zich niet voorstellen dat ze in haar eentje in het huis zou blijven wonen. Maar waar dan wel? Ze dacht eraan hoe ze eerst van Otto en naderhand van Harry was weggegaan met haar tassen en tasjes. Er waren geen taxi's. Ze belde er een op en stond lange tijd onder het afdak te kleumen terwijl ze naar het trieste, onveranderlijke plein met provinciale winkels en geparkeerde auto's staarde.

Else zat in de keuken de krant te lezen. Ze had nog niet opgeruimd na het ontbijt. Lauritz had zoals gewoonlijk meer cornflakes opgeschept dan hij kon eten. De oranje schijfjes waren slap geworden in de gelige melk. Else hield haar hoofd scheef met een bezorgde uitdrukking in haar ogen. Lucca zette de koffer neer en leunde tegen de deur van de koelkast, waarna ze zich op de vloer liet glijden en begon te huilen. Haar moeder stond op en knielde naast haar neer. Wat was er gebeurd? Lucca vermande zich, krabbelde overeind en liep de huiskamer binnen. Onderweg stroopte ze haar jas af en liet die op de vloer vallen. Else liep achter haar aan, ze gingen op de bank zitten. Lucca boog zich voorover. Een nieuwe huilbui deed haar keel krampachtig samentrekken, alsof ze over moest geven. Else legde een arm om haar heen en streelde haar rug.

Lucca vertelde in onsamenhangende zinnen onderbroken door gesnik. Else drukte haar tegen zich aan. Ik had al zo'n idee, zei ze en streek haar over het haar. Lucca verwijderde haar hand met een boze beweging, stond op en begaf zich naar een van de ramen die op de tuin uitkeken. Wat bedoelde ze daarmee, dat ze al *zo'n idee* had? Else gaf geen antwoord. Het was opgehouden met regenen. Lauritz' tractortje lag op zijn kant op het modderige grasveld. Er vielen druppels van de takken van de pruimenboom. Ze draaide zich om. Else stond naast de kachel, ze boog zich voorover en raapte de jas op van de vloer. Wat bedoel je daarmee? herhaalde Lucca, zelf verrast over de felheid van haar aanklacht. Else legde de jas over haar ene arm en streek er langzaam met haar hand over. Zeg op! riep Lucca. Ze liep terug naar de bank en ging zitten. Else nam naast haar plaats in de andere hoek van de bank.

Nu moest ze even proberen te kalmeren. Het was niet zo dat ze het had voorzien, maar ze had in de loop der jaren zo haar gedachten gehad, dat moest ze toegeven. Je wordt vast boos op me, zei ze. Ze stopte even. Ze veegde wat stof van de kachel met haar vlakke hand. In zekere zin was ze er zelf op uit. Ja, misschien was het niet fraai om dat te zeggen, maar... Ze keek Lucca strak aan. Ik wil eerlijk zijn, zei ze. Lucca keek weer naar buiten. Ze zag het paard van de buren op de weide naast de inrit, onbeweeglijk afgezien van de staart, die zwakjes heen en weer ging als een wimpel. Ze had veel te veel werk van hem gemaakt. Elses stem was zelfverzekerd en koel geworden, zoals wanneer ze sprak door de radio, tegen iedereen en niemand. Het was opgehouden met regenen. Een vogeltje vloog over het zwarte veld, ook dat zwart tegen de achtergrond van de grauwe hemel. Het steeg en daalde in bogen, alsof het de kromming van de ploegvoren wilde nabootsen.

Ze danste volledig naar zijn pijpen. Dacht ze dat het leuk was om zo naar de ogen te worden gezien? Ze had zichzelf volkomen weggecijferd voor hem en de jongen. Lucca kneep haar ogen dicht. Het regenwater had zich in plassen op het grasveld verzameld, en de grasprieten spiegelden zich in het stille water, zwart tegen de achtergrond van het grijswitte spiegelbeeld van de hemel. Ze haalde weer rustig adem. Gut, er waren ezels genoeg die vonden dat het prachtig was met zo'n charmant huisvrouwtje dat altijd klaarstond. Maar Andreas was geen ezel, hij was een verstandig en gevoelig persoon, en bovendien kunstenaar. Hij had behoefte aan uitdagingen, ja zelfs weerstand, en die had ze hem niet gegeven. Uiteindelijk was hij immers maar een man, en mannen waren geneigd de buik vol te krijgen van vrouwen die zich aan hen vastklampten en alleen maar naar bevestiging snakten. Geen wonder dat hij voor de verleiding was bezweken. Lucca keek haar aan. Wat wil je dan dat ik doe? vroeg ze.

Else zweeg. Ze bekeek haar een tijdlang, alsof ze haar gezicht aflas om daar het antwoord te vinden. Neem een minnaar, zei ze.

Lucca trok haar benen op de bank en greep naar een kussen en drukte dat tegen haar buik aan met haar armen over elkaar geslagen. Ze keek naar de vloer. Het wolkendek voor de zon was dunner geworden, en het bleke zonlicht verscheen op de vloerplanken in zacht afgepaalde vierkanten. En jijzelf dan? vroeg ze. Else glimlachte. Wat bedoelde ze? Lucca aarzelde even voordat ze verderging. Toen ze met Ivan samenleefde en opeens een hele nieuwe kledingstijl kreeg en het hele meubilair vernieuwde? Zelfs haar vrienden werden vervangen door Ivans reclamevrienden. Else keek langs de kachel de keuken in. Ze had zelfs in de kerk willen trouwen, hoewel Ivan daar helemaal geen zin in had. Zij die altijd minachtend had gelachen om de burgerlijke tradities, en die het huwelijk een vorm van prostitutie had genoemd. Dat had haar niet belet om zich als vijftigjarige in de echt te laten verbinden met een witte sluier en gewaagd ondergoed.

Wie zei er dat Ivan geen zin in een bruiloft had?? Elses welluidende stem klonk opeens droog. Lucca pulkte met een nagel aan de rand van de kussensloop. Dat had hij zelf gezegd... Else schraapte haar keel en keek haar aan. Wanneer? Lucca legde het kussen weg, zette haar voeten op de vloer en sloeg het ene been over het andere. Ze slikte het speeksel door en ontmoette haar moeders blik. Ze vertelde hoe ze op een zomerdag spontaan naar het zomerhuisje was gereisd omdat ze niet wist dat Else in de stad was. Ze beschreef hoe ze had gedineerd met Ivan en dat ze beter met hem had gepraat dan ooit, en hoe ze voor het eerst had begrepen wat Else in hem zag. Totdat ze naar bed was gegaan, bedwelmd door al die witte wijn die hij in haar had gegoten, en wakker werd doordat hij zijn vette pens tegen haar rug aan wreef en zijn stijve pik tussen haar dijen stak.

Ze ging door ondanks de tranen die over Elses wangen stroomden. Ze had heus wel gemerkt hoe hij naar haar keek, wanneer ze 's morgens ging douchen, maar ze moest toegeven dat het een vrij grote verrassing voor haar was om wakker te worden met haar stiefvader in bed en haar stiefvaders pik tussen haar dijen. Dat was de reden waarom ze zo opeens naar Italië was gereisd om Giorgo te vinden. En misschien was dat uiteindelijk de reden – en niet zozeer omdat hij een ander twintigjarig lekker stuk had gevonden – dat

Ivan hem tenslotte was gesmeerd. Uit angst dat zij op een dag uit de school zou klappen.

Else was opgestaan. Ze stond een ogenblik onbeweeglijk met een hand rustend op de koude kachelpijp voordat ze de slaapkamer binnenliep. Even later kwam ze terug met haar tas. Ze liep de hal in en trok haar jas aan. Lucca zei dat er pas over een uur een trein ging. Else wilde graag meteen weg. Geen van beiden zei iets in de auto. Lucca vergezelde haar tot op het perron. Misschien, zei ze, misschien was je er zelf op uit. Misschien maakte je te veel werk van hem... Else draaide zich om en gaf haar een draai om haar oren. Lucca wankelde. Haar wang gloeide nog steeds toen ze terugliep naar de uitgang. In de deuropening van het stationsgebouw draaide ze zich om. Haar moeder had plaatsgenomen op een bank met over elkaar geslagen benen en het hoofd achterover. Een elegante, eenzame vrouwenfiguur op een station in de provincie. Lucca kon niet zien of haar ogen open of dicht waren.

De week erna stond ze op het perron aan de overkant met Lauritz aan haar hand op de trein uit Kopenhagen te wachten. Het was droog weer, maar het waaide krachtig, en de wolken die voor de zon langs dreven, zorgden ervoor dat de schaduwen beurtelings opdoken en weer vervaagden. Lauritz speelde met de schaduw van het afdak terwijl ze wachtten. Hij ging zo staan, dat zijn tenen op één lijn stonden met de rand, waar de schaduw werd afgelost door het zonovergoten asfalt. Hij raakte even enthousiast telkens wanneer er een wolk de zon was gepasseerd en hij nog steeds stond te balanceren als een acrobaat met de punten van zijn tenen op de grens tussen licht en schaduw.

Het was niet afgenomen, het gevoel dat ze in tweeën was gesplitst. Een helft die vreesde dat Andreas bezig was haar te verlaten, en een die zichzelf aan het vrijmaken was vanaf het moment dat ze de brief van zijn minnares had gelezen. Maar ze leefden niet langer zij aan zij, haar twee helften, ze beheersten om beurten haar gevoelens en gedachten. Ze had haast niet geslapen sinds ze terug was gekomen uit Parijs, en toen ze op Andreas stond te wachten, was ze duizelig van uitputting.

Lauritz begreep niet waarom ze op bed lag te huilen, of waarom ze hem afpoeierde wanneer hij haar wilde troosten. Ze werd prikkelbaar en reageerde op zijn opdringerige contactpogingen met onvriendelijke porren en uitbranders. Andere keren negeerde ze hem totaal en zat ze urenlang verloren naar de tuin en het veld te staren terwijl ze zichzelf kwelde met uitgebreide fantasieën over Andreas en de zwartharige briefschrijfster. Wanneer ze in die toestand was, werd alles aan de jongen ondraaglijk, zijn bestaan zelf scheen haar een beletsel toe, een parasiterend organisme dat haar beroofde van energie en leven. Ze beschouwde hem als een vreselijke vergissing, omdat het kind opeens alles representeerde dat ervoor gezorgd had dat Andreas haar beu was. Alle sleur, alle duffe en herkauwende, prozaïsche, fletse en flodderige saaiheid van alledag.

Maar Lauritz raakte nog meer in de war wanneer ze hem een paar minuten later op schoot nam en hem knuffelde of wanneer ze op de grond ging zitten en een huis bouwde met zijn legoblokken, totaal verdiept in het universum van het spel. Het was niet enkel het schuldgevoel over haar onverwachte haat jegens hem dat haar zo attent en opmerkzaam maakte. Ze deed weer lief tegen hem omdat ze weer in de verleden tijd aan Andreas dacht. Ze twijfelde eraan of haar liefde voor hem iets anders was geweest dan een ambitieuze, egocentrische droom. Wanneer ze haar zoontje omhelsde, trok ze zich tegelijkertijd terug in zichzelf, in het vacuüm dat Andreas had achtergelaten toen hij haar zijn liefde ontnam en die aan een ander gaf. Er was daar niets over, geen schijntje liefde, misschien omdat haar liefde slechts een schijnbeeld van de zijne was geweest. Terwijl ze haar neus in de zachte nek van haar zoontje begroef en aan het blonde donshaar likte, stelde ze zich een ander leven op een andere plek voor, in haar eentje samen met Lauritz. Hij was de enige aan wiens liefde ze niet hoefde te twijfelen, en de enige van wie ze wist dat ze hem meer liefhad dan zichzelf.

Haar gedachten aan Daniël en aan wat er zich had afgespeeld op zijn woonboot, doorliepen dezelfde schommelingen als haar gevoelens voor de jongen. Wanneer ze de deur voor Lauritz' neus dichtgooide en op bed ging liggen om te huilen, hoorde ze opnieuw Elses repliek, geïnfecteerd als die was door giftige vrouwelijke listigheid. Neem een minnaar! Ze minachtte zichzelf omdat ze was gezwicht voor de smekende uitdrukking in Daniëls hondenogen. Hun toevallige weerzien had de oude wonden van de stakkerd weer opengereten. Ze had hem bediend in zijn benarde eenzaamheid enkel en alleen om zich te wreken op Andreas en om evenwicht te scheppen in hun onderlinge boekhouding, maar dat had haar alleen maar tot een nog grotere verraadster gemaakt. Ze voelde dat ze niet alleen Andreas had verraden, maar ook zichzelf.

Daniël belde op een avond toen ze de jongen naar bed had gebracht. Kon ze ongestoord praten? Ze was gepikeerd over zijn poging haar mee te trekken in een sfeer van samenzweerderige intimiteit. Ze vergat helemaal te vragen hoe hij aan haar nummer was gekomen. Had ze het te kwaad met wat er was gebeurd? Nee... Ze hoopte maar dat hij er zelf geen spijt van had gekregen. Nee, hoor. Hij hield nog steeds veel van haar, dus waarom zou hij er spijt van hebben? Omdat... zei Lucca, maar ze maakte de zin niet af. Hij begreep het. Ze moest het niet zo opvatten dat hij op de een of andere manier... Nu viel híj zichzelf in de rede. Dat was ook niet zo, antwoordde ze. Hij gaf haar het nummer van zijn mobiele telefoon, maar ze schreef het niet op. Hij hoopte dat ze hem op een goede dag zou opbellen. Daar moest hij maar niet op rekenen, antwoordde ze kil.

Toen ze de horen op het toestel had gelegd, betreurde ze dadelijk dat ze zijn nummer niet had genoteerd. Lauritz riep vanuit zijn kamer. Hij vroeg of dat Andreas was. Ja, zei ze. Andreas had niet gebeld sinds ze terug was uit Parijs. Dat was op zichzelf al een bewijs, dacht ze, en ze gaf de jongen een zoen op zijn wang. Later, toen ze voor de kachel zat en duf naar de smeulende stukjes hout zat te kijken, stelde ze zich opnieuw een leven zonder Andreas voor, maar niet in haar eentje. Het was slechts een idiote en voorbijgaande dagdroom, maar heel eventjes zag ze zichzelf en Lauritz op de woonboot samen met Daniël. Zij stond op het dek de was op te hangen aan een lijn. De jongen viste met een hengel, en Daniël zat in het ruim op zijn vleugel te tingelen. Razend op zichzelf schopte ze het kacheldeurtje dicht, zodat het verkoolde brandhout daarbinnen instortte.

Lauritz riep opnieuw. Ze ging naar hem toe. Hij vroeg waarom ze zo'n lawaai maakte. Omdat ik papa mis, zei ze. Hij miste hem ook. Hij had ook zin om lawaai te maken. Maak dan wat lawaai, zei ze. Lauritz kroop zijn bed uit en hield de doos met legoblokken ondersteboven. Ze vroeg of dat hielp. Dat wist hij nog niet. Ze stopte het dekbed om hem heen en zei teder dat hij moest proberen te slapen. Toen ze hoorde dat hij in slaap was gevallen, ging ze naar buiten. Het was bijna volle maan, en het blauwwitte licht viel vaal en ontoereikend op het gras en de takken van de pruimenboom.

Er was geen plek, dacht ze, geen enkele plek ter wereld waar ze thuishoorde. Ze kreeg met zichzelf te doen bij het idee, ze dacht het gewoon, langzaam en constaterend, terwijl ze de lampen van een auto zag passeren aan het eind van het grindpad. Verderop blafte een hond. Er klonk een gedempt gesuis van het bos. Maar ergens niet zover daarvandaan was iemand die van haar had gehouden ondanks zichzelf en ondanks haar. Na al die jaren was hij nog steeds zo op haar gesteld dat hij niet bang was om zich nogmaals te vernederen.

Ze herinnerde zich wat Harry had gezegd toen hij op een nacht wakker lag en haar vertelde over zijn carrière als verleider. Dat hij zichzelf allang doorhad en toch achter de ene schoonheid na de andere bleef aanhollen. Alsof zijn intellect en zijn begeerte niet in staat waren te communiceren. Maar misschien kwam het niet enkel door de begeerte dat hij keer op keer zijn hand had uitgestoken naar een nieuw, vreemd gezicht. Misschien had hij ergens nog een stille hoop, hoewel zijn ervaring hem vertelde dat het geen zin had om te blijven hopen op een ontmoeting die alles veranderde. Ze wilde graag geloven dat hij op die manier zijn hand naar haar had uitgestoken op die vooravond van kerstavond, toen zij onverwacht opdook.

Terwijl ze met opgetrokken schouders voor het huis stond te kleumen, bedacht ze dat Harry het slachtoffer was geworden zowel van zijn eigen hoop als van die van haar toen zij Andreas ontmoette. Had Daniëls telefoontje haar nieuwe hoop gegeven? Ze had zich in elk geval aan hem overgegeven hoewel ze wist dat haar verwachtingen talloze malen waren beschaamd door de ene man na de andere. Als ze aan Daniël dacht, deed ze dat wellicht ondanks zichzelf, maar ook dankzij het gat dat Andreas in haar had achtergelaten. Het deed haar lijden, dat gat, niet zozeer vanwege hem als vanwege de gapende leegte ervan. Het was niet enkel het vacuüm waarin iemand ontbrak, het was ook de opening waar een ander zijn gezicht kon laten zien. Het deed pijn om te blijven hopen, maar zou ze ooit iets anders kunnen?

Toen ze op bed lag en haar hand opzij schoof over het laken, voelde ze het T-shirt waarin Andreas altijd sliep. Ze bracht het naar haar gezicht en ademde de zwakke zweetlucht in, zijn geur. Ze begon weer te huilen. Ze kon niet uitleggen waarom ze ervan overtuigd was dat het voorbij was. Ze had er geen idee van wat erna zou komen. Er was niets om je voor te stellen en ook niets om op te hopen.

Hij zag bleek, en hij vermeed het haar in de ogen te zien toen hij uit de trein stapte en Lauritz hem tegemoet holde. De blijdschap bij het weerzien en de honderden vragen van de jongen waren genoeg voor de hele rit naar huis. Toen ze binnen waren, zei Andreas dat hij er behoefte aan had om wat te rusten voordat ze gingen eten. Ze hadden nog niets anders uitgewisseld dan alledaagse dingen. Ze opende een fles wijn terwijl ze eten kookte. Lauritz lag op de vloer in de huiskamer met een brandweerauto, die Andreas had meegebracht. Het zwakke, maar aanhoudende geluid van de sirene gaf haar zin om te schreeuwen en het een of ander kapot te smijten, maar ditmaal beheerste ze zich. Toen het eten klaar was, had ze het grootste gedeelte van de fles opgedronken. Ze liep de slaapkamer binnen om Andreas te wekken. Hij zat op de rand van het bed naar de schemering te kijken, hij had haar niet gehoord. Hij draaide zich geschrokken om en probeerde te glimlachen.

Het was zoals altijd wanneer hij terugkwam van een reis. De jongen vroeg honderduit en Andreas vertelde wat hij had meegemaakt. Hij vroeg wie er hadden gebeld, en wat er was gebeurd terwijl hij weg was. Hij was klaar met zijn stuk. Helemaal klaar, zei hij en keek uitgeput voor zich uit. Na de maaltijd poetste hij Lauritz' tanden en bracht hem naar bed. Zij ruimde af en ging weer zitten terwijl hij de jongen voorlas.

Haar blik viel op het prikbord, waar ze foto's van elkaar en van Lauritz hadden opgehangen. Ze bekeek de foto die hij in een café in Parijs had genomen. Hij had haar het fotorolletje meegegeven en haar gevraagd het te laten ontwikkelen. Ze staarde lange tijd naar haar eigen verraste, onderzoekende blik, die zelf ondoordringbaar leek, alsof zij het niet was. Ze had anderhalve fles wijn gedronken toen hij eindelijk naar haar toe kwam. Ze ging naar binnen om Lauritz welterusten te wensen. Hij streelde haar wang en vroeg of ze nu blij was. Ja, zei ze, en werd een branderig gevoel rond haar ogen gewaar. Nu ben ik blij... Ze deed haastig het licht uit en bleef even in de donkere kamer staan, tot ze er zeker van was dat ze niet huilde. De telefoon ging in de huiskamer. Andreas was al opgestaan, maar zij wist hem nog net op te nemen. Wist ze dat het Daniël was? Ze raadde het. Hij vroeg of hij stoorde. Ja, zei ze. Hij had veel aan haar gedacht. Konden ze elkaar zien? Ze vroeg waar hij vandaan belde. De boot, zei hij. Ze sprak luider op het moment dat ze afscheid nam en de horen op het toestel legde voordat hij erin slaagde om nog meer te zeggen.

Andreas keek op toen ze de keuken binnenkwam. Wie was dat? Hij had een sigaret opgestoken. Mijn moeder, zei ze, en nam tegenover hem plaats. Buiten was het helemaal donker geworden. Wat is er? vroeg ze. Haar stem klonk iel en vals. Hij draaide zich naar haar toe. Hij was afgevallen, en er zat een puist op zijn voorhoofd, die rood en gezwollen was. Ik wil graag alleen wonen, zei hij. Ze was nu heel kalm. Was er een ander? Hij keek een andere kant op. Nee, zei hij. Ze liet hem niet los met haar blik. Waarom wilde hij dan alleen wonen? Hij bekeek de rook van zijn sigaret, die om zichzelf heen kringelde in het schijnsel van de lamp. Omdat hij niet meer van haar hield.

Ze stond op en begaf zich naar de hal, trok haar jas aan en vergewiste zich ervan dat de autosleutels in haar zak zaten. Hij liep achter haar aan naar buiten. Ze kon niet zomaar weggaan, ze moesten erover praten. Hij had heel veel nagedacht over... Ze smeet het portier dicht midden in een zin en startte de auto. Hij riep haar naam toen ze wegreed door de inrit. Het was bewolkt, en het was donker op de weg. Ze overwoog om Daniël op te bellen vanuit een telefooncel, maar besloot hem in plaats daarvan te verrassen. Ze keek op het klokje naast de snelheidsmeter. Over een uur kon ze in Kopenhagen zijn.

EPILOOG

Op een ochtend in oktober werd Robert wakker terwijl het nog donker was. Hij kneep zijn ogen dicht om aan de wijzers van de wekker te zien hoe laat het was. Het was tien voor halfzes. Hij liet zich terugvallen op het kussen en voelde hoe de slaap opnieuw van beneden af opsteeg. Hij zag het water voor zich, zoals het opborrelde uit de aarde tussen de grassprieten onder hun rubberlaarzen toen ze over de landtong naar het rietbos verderop liepen. Het was begonnen te motregenen. Hij had haar hand genomen om haar de weg te wijzen over de smalle landtong tussen het meer en de overstroomde weiden. Ze legde haar hoofd achterover om het lichte prikken van de regen tegen haar voorhoofd en wangen te voelen. De donkere bril zat onder de druppels. De witte stok had ze opgevouwen en in de zak van haar jas gestoken.

Ze was nog nooit op de landpunt geweest. Het verwonderde haar dat ze daar nooit naartoe waren gegaan, Andreas en zij. Ze hadden de zandbank en het riet kunnen zien vanaf het strand, waar ze meestal baadden. Luister, zei ze. Ze bleef stilstaan. Robert hoorde nu ook het luchtige, stootsgewijze fluiten van wiekslagen. Hij keek om en draaide in het rond, maar zag de trekkende vogels pas toen die al ver aan de horizon waren, waar het kalme water en de bewolkte hemel elkaar ontmoetten langs een diffuse rand van reflecties.

De wekker liep af. Hij was bijna weer in slaap gevallen. Halfzes. Hij moest hem verkeerd hebben gezet. Gewoonlijk stond hij niet op voor zevenen. Hij stond op het punt de wekker opnieuw te zetten toen zijn oog op de reistas viel, die voor de klerenkast stond. Ze hadden afgesproken om zes uur te vertrekken om een vroege veerboot te kunnen halen. Hij stond op, trok zijn badjas aan en opende de gordijnen. Het had de hele nacht geregend, de bomen waren nat van de regen. Hij kwam Lucca tegen in de gang. Ze had haar zonnebril op, ze vertoonde zich nooit aan hem zonder bril. Ze had zijn wekker gehoord, ook al bevond Lea's kamer zich aan het andere eind van het huis. Hij vroeg of zij het eerst wilde douchen. Ze maakte een vermoeid, afwerend gebaar en liep terug door de gang, waarbij ze met haar hand vluchtig de muur aanraakte. Ze kende het huis zo langzamerhand net zo goed als hij.

Het gebeurde dikwijls dat ze geluiden hoorde die hij niet opmerkte. Haar gehoor was gescherpt terwijl ze zich tot blinde bekwaamde. Zo drukte ze het zelf uit. Hij nam nachtdiensten zodat hij haar een paar keer per week naar en van het blindeninstituut kon rijden. Ze was een goede leerling, tot nu toe was de enige hindernis dat ze niets met honden te maken wilde hebben. Ze had een hekel aan honden, vooral aan herdershonden, en ze prakkiseerde er niet over om vriendschap met zo'n beest te sluiten. Maar ze was brailleschrift aan het leren. Op een ochtend zat ze in de keuken en bewoog haar vingertoppen over de broodkruimels op de tafel. Wat staat er? vroeg hij. Ze glimlachte geheimzinnig. Dát zeg ik niet!

Hij ging naar de badkamer en trok zijn badjas uit. Hij leunde op de wasbak terwijl hij zijn tanden poetste. Van tijd tot tijd wierp hij een blik op zichzelf in de spiegel. Een ietwat compacte en verfomfaaide man van een jaar of veertig met schuim om zijn mond. Hij voelde zich net zo zwaar als het weer, maar binnen in de zwaarte van zijn lichaam werd hij een lichtheid gewaar die hij lange tijd niet had gevoeld. Het was het vooruitzicht dat hij op reis ging, dat hem licht stemde, de gedachte aan de eindeloze autobanen die hen naar het zuiden zouden voeren, weg. Als hij er vaart achter zette, konden ze voor middernacht het grootste gedeelte van Duitsland door zijn, misschien zelfs tot in de buurt van Stuttgart komen.

Sinds hij van Monica gescheiden was, was hij bijna niet op reis geweest. De afgelopen twee jaar had hij zoveel gewerkt dat hij zelfs vakantie tegoed had. Een enkel keertje had bij Lea meegenomen naar de Algarve. Het was daar vrij afschuwelijk, maar zij scheen zich er goed vermaakt te hebben. In de regel was ze samen met Monica en

Jan gegaan, en hij had geen zin gehad om in zijn eentje op reis te gaan. Hij zag het niet zitten om van het ene schilderachtige stadje naar het andere te trekken en 's avonds in een restaurant te eten. Een eenzame toerist, die stiekem de inheemse bevolking zat te begluren en dankbaar was voor een enkele glimlach.

Het was zijn eigen idee dat ze op reis zouden gaan, en Lucca had meteen ja gezegd. Hij stelde zich voor dat de reis misschien iets in haar zou losmaken. Iets wat onwrikbaar vast was geraakt, en wat haar leven van de afgelopen maanden had doen lijken op een uitzichtloze cirkelgang. Ze logeerde bij hem sinds die zomerdag dat hij haar voor de tweede keer binnen hetzelfde etmaal in het orthopedische ziekenhuis had bezocht. Hij had zich verwonderd over zijn plotselinge inval toen hij zag hoe wanhopig ze was, en hij aanbood dat ze bij hem kon wonen. Hij had niet geweten wat hij moest antwoorden toen ze vroeg waarom hij met zijn verrassende aanbod kwam. Te veel ruimte. Dat was zijn bescheiden motivering geweest. Dat hij iemand was die te veel ruimte had. Maar het was nog steeds de beste verklaring die hij kon bedenken.

Gelukkig had ze het hem niet nog eens gevraagd. Hij dacht niet dat het was omdat ze het vanzelfsprekend vond. Ze gedroeg zich eerder als iemand die bang is om vraagtekens te plaatsen bij haar tijdelijke en onhoudbare situatie. Vaak trok ze zich terug in Lea's kamer of op het terras tot het te koud werd om buiten te zitten. Toen het vroeg donker begon te worden, trof hij haar daar meerdere keren aan met haar jas aan of in een deken gehuld. Soms vroeg hij haar of ze niet naar binnen kwam. Hij was niet happy bij de gedachte dat ze daarbuiten in de schemering bleef zitten om zich niet op te dringen. Andere keren liet hij haar met rust, opgelucht over het feit dat ze zich niet verplicht voelde om sociaal te zijn.

Terwijl hij de tandpasta uit zijn mond spoelde, viel zijn blik op een paar van haar spullen, die een plekje hadden gevonden op de planchetten in de badkamer, de flesjes parfum en lotion, haar nagelvijltje, haar haarborstel, de badmuts en het pakje maandverband. Er bestond geen naam voor hun kuise samenleven. Je zou kunnen zeggen dat ze zijn logee was. Sinds het ongeluk was hij stukje bij beetje bij haar leven betrokken geraakt, tot hij ontdekte dat hij zich ver buiten zijn actieradius als arts had begeven. De uitdrukking deed hem glimlachen, terwijl hij een paar gebruikte wattenstaafjes opraapte, die ze naast de pedaalemmer op de vloer had laten vallen.

Sinds Andreas uit Parijs was teruggekeerd en had bekrachtigd wat ze al wist, was ze niet samen met hem geweest en was er zelfs telefonisch geen contact geweest. Robert speelde nog steeds de rol van bode, en hij had Andreas meermalen moeten verzoeken om geduld te betrachten en niet steeds op te bellen. Laat er wat tijd overheen gaan, bleef hij zeggen tegen de bedroefde man, maar hij merkte dat Andreas steeds moedelozer werd bij het idee dat hij misschien te laat was gekomen met zijn spijt en zijn goede wil. Hij verdedigde Lucca's besluit om zich te isoleren van alle anderen dan haar zoontje zonder haar verbeten standvastigheid helemaal te begrijpen, en hij zette haar niet onder druk om zich nader te verklaren. Het ongeluk had haar geremd in haar baan, en niemand kon weten hoe lang de verlamming zou duren. Dat wist ze vermoedelijk ook zelf niet.

Af en toe voelde hij zich als een levend bolwerk tegen wat zij als een belegering moest ervaren. Andreas bleef zich opdringen met zijn ijverige schuldgevoel. Hij hoopte ongeduldig dat zij hem daarvan zou verlossen door hem op zijn minst te willen ontmoeten en te horen hoe fraai hij kon spreken over zijn begoocheling. Ze zei niets wanneer Robert haar vertelde wat hij door moest geven. Ze vroeg nooit wat hij afwist van Andreas' reis naar Stockholm. Ze vroeg hem ook niet de groeten te beantwoorden die haar moeder en Miriam hem lieten overbrengen.

Robert had lange telefoongesprekken met Else, die belde om te horen hoe het ermee stond, en om te vragen of Lucca toch niet naar de telefoon wilde komen. Hij moest glimlachen wanneer de vrouw met de gecultiveerde stem haar rijpe charme op hem uitprobeerde in de hoop dat hij door zijn toon of een ondoordacht woord zou verraden wat voor een relatie hij met haar dochter had. Hij sprak ook met Miriam en hoorde haar baby blèren op de achtergrond. Zij kon er nog minder bij waarom haar vriendin haar niet nodig had nu alles in haar leven in duigen was gevallen. Else vertelde hem in verbloemende wendingen dat ze een soort scène hadden gehad, maar dat het nu allemaal niets uitmaakte. Hij deed alsof hij niet wist waarover ze het had. Hij verborg ook zijn kennis tegenover Andreas, hoewel hij af en toe op het punt stond hem in de rede te vallen onder zijn bedroefde monologen, wanneer hij het huis bij het bos opzocht om Lauritz te halen of hem weer terug te brengen.

Gewoonlijk zaten ze in de keuken, waar de foto's van Lucca nog steeds op het prikbord hingen. De ziende Lucca, die het huis aan het opknappen is of die haar zoon in het rond zwaait of die in een Parijs' café zit en opkijkt met een zowel verraste als wetende blik. Andreas kon zo vervuld zijn van berouw en zelfmedelijden dat Robert er moeite mee had om zijn mond te houden. Hij herinnerde zich de schaamte die hij had beluisterd in haar stem en afgelezen in haar gezicht toen ze vertelde over het voorval op Daniëls woonboot. Hij kon zien en horen dat het schaamtegevoel niet enkel Andreas betrof, die ze ontrouw was geweest, of Daniël die ze had misbruikt. Er was iets stuk gegaan die avond, de week voordat ze zichzelf in de vernieling reed, en Robert was de enige die er een vermoeden van had. Daarom voelde hij zich opgelucht elke keer dat hij naar huis reed zonder haar vertrouwen te hebben geschonden, ook al had hij Andreas in al diens zowel oprechte als leugenachtige ellende meegemaakt.

Op een avond belde Daniël. Hij stelde zich voor als een oude vriend, en vertelde dat hij Roberts nummer van Else had gekregen. Hij vroeg hoe ze het maakte. Hij zei niet Lucca, maar *ze*. Zijn vertrouwelijke toon verwonderde Robert gezien het feit dat ze elkaar nooit eerder hadden gesproken. Hoeveel keer zou hij naar het huis aan het bos hebben gebeld en de horen erop hebben gegooid omdat de telefoon door Andreas werd opgenomen? Of gewacht tot de verbinding werd verbroken omdat er niemand was om op te nemen? Daniël wachtte even. Ben jij... vroeg hij en viel zichzelf in de rede voordat hij het opnieuw probeerde. Ik bedoel... Lucca en jij... Robert kreeg haast sympathie voor de onbedwingbare drang tot klaarheid onder het benauwde stotteren van de ander.

Lucca zat in een leunstoel met de koptelefoon op. Hij liep naar haar toe en legde voorzichtig een hand op haar schouder. Ze schrok, ditmaal had ze hem niet gehoord, zij die anders alles hoorde. Hij hoorde vagelijk het crescendo in het laatste deel van Brahms' derde symfonie. Hij zei dat Daniël aan de lijn was, en terwijl hij het zei, verwonderde hij zich erover dat hij niet zoals gewoonlijk had geantwoord dat Lucca niemand wenste te spreken. Ze aarzelde even voordat ze opstond en zich naar de telefoon begaf, waarbij ze zich zoals altijd oriënteerde door onderweg haar handen vluchtig over de meubels te laten gaan. Hij zorgde ervoor niets aan de opstelling te veranderen wanneer hij schoonmaakte. Ze wachtte met het opnemen van de horen tot hij de kamer uit was en de deur achter zich had gesloten.

Hij ging naar de keuken om op te ruimen na het avondeten. Een van de borden rinkelde toen hij het in de vaatwasmachine zette, en op hetzelfde moment hoorde hij een soortgelijk gerinkel aan de andere kant van het huis, als een echo. Ze zat midden in de kamer op haar hurken, omgeven door glasscherven, water en tulpen. Ze zocht met haar ene hand naar de scherven en verzamelde ze in de andere hand, die ze kromde als een kopje. Twee van haar vingers bloedden, hij bracht haar naar de badkamer. Ze had een diepe snee in de ene vingertop gekregen. Sorry, zei ze. Ik had behoefte om iets kapot te gooien... Toen hij de ene vinger had verbonden en een pleister op de andere had gedaan, liet ze zich op het deksel van de wc-bril zakken. Wat had ik me voorgesteld? mompelde ze. Wat had ik me voorgesteld? Ze boog zich voorover en begon te huilen. Hij bekeek haar een ogenblik voordat hij naar de bijkeuken ging om stoffer en blik te halen.

Hij stond een hele tijd wakker te worden onder de douche. Het was alsof het warme water de vermoeidheid langzaam in onzichtbare lagen van hem af deed vallen. Zijn eigen leven was nagenoeg niet veranderd. Hij ging elke morgen naar het ziekenhuis en kwam aan het eind van de middag thuis, maar terwijl hij vroeger zijn vrije uren had doorgebracht met vegeteren en het beluisteren van muziek, hielp hij nu Lucca met het wennen aan haar nieuwe bestaan. Hij was ook opgehouden met tennissen, en dat niet alleen omdat hij geen tijd had. Zijn relatie met Jacob was bekoeld nadat hij hem op een zomerdag tevergeefs had laten wachten op het tennisveld, en nadat Jacob een uur later in zijn tuin had gestaan en hem had gezien door het raam terwijl hij met Lucca telefoneerde. Toen ze op een dag naast elkaar in de rij stonden in de kantine van het ziekenhuis, vroeg Jacob wat hij eigenlijk aan het *uithalen* was met zijn ex-patiënt. Ze moesten in elkaars gezelschap zijn gezien in de stad, hoewel Lucca zelden uitging, uit angst dat ze Andreas zou tegenkomen.

Hij probeerde haar zo min mogelijk te helpen, om haar trots te ontzien. Hij ruimde discreet op na haar ongelukjes, en deed alsof hij er geen erg in had. Af en toe, voordat ze vertrouwd raakte met het huis, nam hij haar voorzichtig bij de arm wanneer ze op het punt stond tegen een deur aan te lopen of een kastdeurtje tegen haar hoofd aan te krijgen, en het incident met de bloemenvaas was niet de enige keer dat hij haar een pleister had moeten geven, als aan een onhandig kind. Ze zei het zelf. Dat het was alsof ze alles opnieuw moest leren, net als een kind. Hij had haar moeten helpen in de badkamer, de eerste ochtenden. Hij geleidde haar onder de douche en pakte haar hand om haar te tonen hoe je de mengkraan reguleerde. Haar naaktheid maakte hen verlegen en uiterst correct.

Hij draaide de kraan dicht en opende het raampje om de damp naar buiten te laten. Die leek op de rook van een kampvuur, zoals hij aanzwol en wegwoei in het koude, vochtige halfduister. Het was donker geworden toen ze de eerste keer thuiskwamen. Hij verzocht haar in de hal te blijven staan terwijl hij vooruitliep en het licht aandeed. Ze vroeg of hij haar het huis wilde laten zien. Hij nam haar arm en geleidde haar rond. Ze wilde weten hoe het er in elk afzonderlijk vertrek uitzag, en hij beschreef de meubels, de schilderijen aan de wanden en de overige spullen. Ze glimlachte toen hij bij de pingpongtafel kwam in wat anders de eetkamer zou zijn geweest. Hij vond opeens dat hij zijn huis bekeek als een vreemde terwijl hij het in details beschreef.

Later op de avond kreeg ze honger. Het schoot hem te binnen dat hij geen boodschappen had gedaan. Hij stelde voor een omelet te bakken. Ze stond erop dat zij de eieren zou stukslaan en door elkaar roeren. Ze had er behoefte aan om weer zelf voor het eten te zorgen na maandenlang de ene saaie ziekenhuismaaltijd na de andere opgediend te hebben gekregen. Hij zette een schaal en een doosje eieren op de aanrecht en gaf haar een garde in haar hand. Toen ze het eerste ei tegen de rand van de schaal sloeg, gleed de dooier op de aanrecht, en zo ging het maar door. Op het laatst had ze alle eieren uit de doos stukgeslagen, en de helft van de doppen lag in de schaal samen met de dooiers die het geluk hadden gehad niet op de aanrecht te belanden. Ze barstte uit in krampachtig snikken en boog zich voorover, zodat ze haar haarpunten in de eierdooierpoel op de aanrecht doopte. Hij ruimde de boel op, maakte de schaal schoon en stelde haar voor opnieuw te beginnen. Ditmaal lukte het. Zij klopte de eieren, hij bakte de omeletten. Je hoeft je geen zorgen te maken, zei hij. Ik heb niet met je te doen. Ze richtte haar donkere brillenglazen op hem. Mooi zo, zei ze gedempt.

Hij wist niet waarmee ze de tijd verdreef wanneer ze alleen in het huis was. Hij vroeg het haar toen hij op een middag thuiskwam en haar zittend op de drempel van de terrasdeur aantrof. Ik haal me dingen voor de geest, zei ze. Hij leerde haar de stereo-installatie bedienen, en al luisterend sorteerde zij uit zijn omvangrijke platencollectie de muziek die haar beviel. Ze bleef terugkeren naar Chopin, maar toen hij op een middag thuiskwam, drong José Feliciano's hartstochtelijke stem en tedere gitaar tot hem door op de inrit. Hij was die plaat vergeten. Hij was vol jeugdherinneringen, zei ze. Haar moeder was dol op José Feliciano geweest, en nu was hij bovendien een soort collega geworden. Toen ze voor de vijfde keer *Che sarà* had gespeeld, stelde hij voor dat ze voor de afwisseling eens probeerde te horen hoe het met zijn koptelefoon op klonk.

Soms belde hij haar op wanneer hij nachtdienst had. Ze hadden het over niets bijzonders, maar toch praatte hij wat zachter als de nachtverpleegster passeerde op de gang. Hij vroeg wat ze aan het doen was, en zei wat hem zo te binnen schoot. Dat was misschien de grootste verandering. Dat er iemand in het huis was wanneer hij er zelf niet was. Dat hij naar huis kon bellen. In elk geval dacht hij het meest over de verandering na tijdens hun nachtelijke telefoongesprekken. Wanneer ze samen in het huis waren, leek alles zo langzamerhand erg vanzelfsprekend. Elke keer wanneer ze het gesprek afsloten, zei ze bedankt voor het telefoontje. Haar beleefdheid stemde hem somber. Alsof hij alleen maar had gebeld omdat hij wist dat ze daar eenzaam zat te zijn.

Wanneer hij haar naar de training in het blindeninstituut had gereden, maakte hij wandelingen door de binnenstad van Kopenhagen, bezocht muziekwinkels of ging in een café zitten. Soms zocht hij zijn moeder op, andere keren wachtte hij op Lea voor de school. Ze had hem bekeken met een plagerige blik toen hij haar van het station haalde de eerste keer na de grote vakantie en in de auto verklaarde dat hij niet langer alleen woonde. In het begin weigerde ze te geloven dat Lucca niet zijn nieuwe vriendin was. Ze begon het pas te geloven toen ze een van haar haarelastiekjes op haar nachtkastje aantrof. Wanneer Lea op bezoek kwam, logeerde Lucca in een lege kamer, die hij voorheen als rommelkamer had gebruikt. Hij had de troep in de kamer opgeruimd en de verhuisdozen aan het ene eind gestapeld en een matras opgemaakt aan het andere.

Lea voelde zich onzeker tegenover Lucca toen ze aan elkaar werden voorgesteld. Ze was nog nooit samen met een blinde geweest, en ze geneerde zich voor haar donkere bril en de zoekende manier waarop ze haar gezicht hield in de richting van degene die tegen haar praatte. Ze deed haar best om natuurlijk over te komen en zich netjes te gedragen, maar het hielp nu niet bepaald dat ze gehandicapt was, die vreemde vrouw, die bij haar vader was ingetrokken ook al hadden ze geen omgang met elkaar. Alsof dat op zichzelf al niet merkwaardig genoeg was. Het gesprek verliep traag tijdens het avondeten, Lea antwoordde alleen maar met eenlettergreepwoorden, en Lucca trok zich terug in zichzelf. Robert voelde zich als een mislukte clown, die vergeefs en steeds wanhopiger in de piste rondholt en een glimlach aan het publiek tracht te ontlokken.

Het hielp toen hij de dag erna Lauritz haalde. De blijdschap van de jongen bij het weerzien maakte indruk op Lea, en ze begon zich wat meer te ontspannen in Lucca's gezelschap. Lea en Lauritz speelden blindemannetje met haar in de tuin. Hij verwonderde zich over haar cynische flair, toen hij in de huiskamer stond en hen hoorde lachen en haar zag rondwaggelen achter de kinderen aan. Ze was ontroerd, zag hij, over het feit dat Lea de jongen als haar eigen broertje behandelde. Ze slaagde erin Lea's vertrouwen te winnen, hij wist niet hoe, en toen hij hen samen in het gras zag zitten, wilde hij niet storen.

Het was een van de laatste warme dagen in augustus, en na de lunch waren ze naar het strand gegaan. Lea nam Lucca's hand en geleidde haar naar de andere kant van de zandbank, waar het diep genoeg was om te kunnen zwemmen. Hij bleef op het strand bij Lauritz. Terwijl de jongen rondtuimelde in de golven, sloeg hij Lucca gade, die met de armen over elkaar stond, tot haar middel in het water. Lea bleef haar aanmoedigen, en op het laatst gaf ze toe en strekte haar armen naar voren en verloor de vaste grond onder haar voeten. Ze zwommen langzaam naast elkaar in de richting van de stelnetstokken. Robert had bewondering voor haar moed. Ze lachte, tegelijkertijd nerveus en opgelucht. Zelf was hij er niet zo zeker van of hij zich aan het water had durven overgeven zonder te kunnen zien.

De hemel was zichtbaar geworden, maar erg veel lichter zou het vermoedelijk niet worden. Een oktoberdag met laaghangende wolken en kleverige, verwelkte bladeren op het vochtige asfalt. Toen Robert zich had aangekleed, ging hij naar de keuken en deed het koffiezetapparaat aan. Lucca was vermoedelijk weer in slaap gevallen, ze hield ervan om lang te slapen. Hij haalde brood en kaas voor den dag en ging naar haar toe om haar te wekken. De deur van Lea's kamer stond op een kier. Hij opende hem voorzichtig, zonder enig geluid. Het grauwe daglicht scheerde langs de wand en scheen op het glanzende affiche boven het bed, zodat alleen Michael Jacksons hoogmoedige smoeltje zichtbaar was onder het melkachtige schijnsel. Lucca's haar lag los op het kussensloopppatroon van zwaluwen en vrolijk gestileerde wolken. Haar oogleden waren gesloten en de lippen een beetje van elkaar gescheiden, ze haalde kalm adem.

Ze was wat aangekomen terwijl ze bij hem woonde, haar gezicht was niet meer zo benig en ingevallen, en ze had nog steeds een beetje van haar zomerse kleur. Het was langgeleden dat hij haar zonder de donkere bril had gezien. Een lang, wit lidteken boven haar linker wenkbrauw leek het enige spoor te zijn dat het ongeluk had achtergelaten. De ernstige uitdrukking van het gezicht deed hem denken aan de foto die Andreas van haar had genomen op het terrasje in Parijs toen zij wist dat het bijna voorbij was. Haar lippen waren op dezelfde manier van elkaar gescheiden, alsof ze was verrast midden in een woord, niet door de fotograaf maar door de slaap.

Haar mondhoeken krulden zich. Ik slaap niet, zei ze. Ik werd wakker toen je binnenkwam. Hij protesteerde. Hij had geen schoenen aan, en de deur was geluidloos opengegaan. Ik hoorde het koffiezetapparaat, zei ze. Luister maar... Nu hoorde ook hij het vage, snuivende en gorgelende geluid. Hij liep de inrit op om de krant uit de brievenbus te halen. Toen hij weer binnenkwam, hoorde hij het water kletteren op de tegels in de badkamer. Hij dronk een kopje koffie en las in de krant, maar toen hij die weglegde, was hij vergeten wat er stond.

Ze kwam de keuken binnen en nam tegenover hem plaats. Ze had haar blouse scheef dichtgeknoopt, maar hij zei er niets van. Ze liet haar hand over de tafel zweven, tot ze het broodmandje en de botervloot vond. Ze vroeg wanneer ze in Italië zouden kunnen zijn. Haar vochtige, met een handdoek drooggewreven haar viel voor de donkere bril. Morgenmiddag, antwoordde hij terwijl het hem opviel hoe zelfverzekerd ze met het mes de boter schraapte en die op het brood smeerde. Morgenmiddag zouden we in elk geval in Milaan moeten zijn, vervolgde hij. Ze tastte opnieuw rond met haar hand, vond een plakje kaas, legde dat op het brood en verwijderde het haar van haar ene wang voordat ze een hap nam. Milaan mompelde ze al kauwend.

En Lucca? vroeg ze terwijl hij de voordeur op slot deed. Misschien morgenavond laat, zei hij, hun tassen naar de kofferbak dragend. Misschien vroeg in de nacht... Hij had voorgesteld dat ze naar Lucca zouden rijden omdat dat in zijn hoofd opgekomen was en om niet zomaar een tocht op de bonnefooi voor te stellen. Misschien was dat de reden dat ze zonder zich te bedenken ja had gezegd tegen zijn voorstel. Toen hij op het idee kwam, had hij gedacht dat het haar misschien makkelijker zou vallen om over haar toekomst na te denken als ze er een tijdje tussenuit was. Ze zou in elk geval niet zoveel van haar energie in haar afweermechanismen hoeven te stoppen. Maar hij had ook zelf zin gekregen om op reis te gaan, uitgeput als hij was door de zorg voor de handhaving van haar isolement. Hij legde Andreas uit dat ze helemaal buiten zijn bereik moest zijn om aan hem te kunnen denken zonder zich onder druk gezet te voelen. Had zij dat gezegd? Nee, zei Robert. Het was iets wat hijzelf had gedacht. Andreas gaf hem gelijk.

Geen van beiden zei iets toen hij de auto startte. Hij reed door de industriebuurt, voorbij het ziekenhuis en verder naar het viaduct met afritten naar de noordwaartse en zuidwaartse banen van de snelweg. Ik heb Lucca nooit gezien, zei ze tenslotte. Ze zei het droog en constaterend. Hij antwoordde dat ze het konden laten om daarnaartoe te gaan als ze er geen zin in had. Ze stelde de rugleuning zo in dat ze achterover kon leunen. Nee, zei ze. Ik moet er geweest zijn.

Het begon weer te regenen toen ze enige kilometers zuidelijker waren gekomen. Het regenwater siste onder de banden, en de rode achterlichten van de auto's glansden in het natte asfalt. Ik ben niet zenuwachtig, zei ze. Hij glimlachte. Waarom zei ze het dan? Ze dacht even na. Omdat ik het zou moeten zijn, antwoordde ze. Om zo ver te rijden, en om zo ver te rijden met iemand die ik in zekere zin helemaal niet ken. Hij ging op de inhaalstrook rijden. Het is vreemd, zei ze, om zoveel te weten over iemand die ik nooit heb gezien. Hij antwoordde dat hij haar ook alleen maar zoveel over zichzelf had kunnen vertellen omdat ze hem niet kon zien. Ze knikte. Dat was de reden waarom ze zelf had durven vertellen. Omdat ze hem niet kon zien en daarom van de mogelijkheid beroofd was zich een indruk te vormen van de manier waarop hij naar haar keek.

Het was haar een poosje geleden te binnen geschoten toen hij de deur van Lea's kamer opende om haar te wekken. Toen hij naar haar stond te kijken omdat hij dacht dat ze sliep. Had ze zich bespioneerd gevoeld? Nee, dat had ze niet. Ze had zich integendeel gerealiseerd dat het haar niet langer iets kon schelen of ze werd gezien. Haar gezicht ging haar niets meer aan, stond los van haarzelf. Daarom ben ik misschien niet zenuwachtig, lachte ze. Daarom en omdat je niet verliefd op me bent. Als ik geloofde dat je dat was, zou ik je nooit mijn hele geschiedenis hebben verteld, en als jij het was, zou je me vermoedelijk ook niet jouw verhaal hebben verteld. Ze wachtte even. Geschiedenissen en verhalen, vervolgde ze, die verspreiden te veel licht. Je kunt je er niet voor verbergen. Hij glimlachte. Ze maakte hem vaak aan het glimlachen, en telkens betrapte hij zich erop dat hij alleen was met zijn glimlach. Je hebt gelijk, zei hij, het draait er altijd op uit dat ze je op het laatst inhalen. Ja, antwoordde ze na een lange pauze. Ze hebben geen vluchtwegen... ook al is mijn eigen geschiedenis het relaas van één lange vlucht.

Toen ze zweeg, zat hij een hele tijd na te denken over wat ze had gezegd. Ze waren eraan gewend geraakt om te zwijgen in elkaars gezelschap, wanneer een van hen even wachtte met verder vertellen. Ze hadden daar geen moeite meer mee, maar toch was er op dat moment iets opmerkelijks aan het stilzwijgen tussen hen, in de auto. Ze bevonden zich in een soort niemandsland, zoals ze daar zaten te midden van de andere auto's op de snelweg, waar de steden die ze passeerden niets anders waren dan witte namen op blauwe borden. Het was de juiste plek om je samen op te houden, dacht hij, in een auto op een snelweg, want ze hadden elkaar op dezelfde manier ontmoet, net zo vreemd tegenover elkaar als de auto's op de weg, los van alle relaties. Misschien had ze gelijk, misschien was dat de reden waarom ze niet zenuwachtig hoefden te zijn. Zo langzamerhand waren ze dieper in elkaars leven doorgedrongen dan men doorgaans doet, maar tegelijkertijd had hij het gevoel gehad dat ze met elkaar praatten via een satelliet, over enorme afstanden. Ze waren erg dicht bij elkaar en toch van elkaar gescheiden, en misschien konden ze alleen maar zo dichtbij komen omdat ze uitsluitend op de woorden waren aangewezen.

Ze wisten allebei meer over de ander dan zoveel anderen deden, maar haar blindheid beschermde hen beiden. Vooral wanneer datgene wat ze vertelden zo intiem was dat ze nooit hadden gedacht dat ze het aan iemand zouden vertellen. Zij bleef ervan verschoond te zien hoe hij op haar verhaal reageerde, en hij kon zelf vrij vertellen zonder te worden gestoord door een onderzoekende, meelevende of verwijtende blik. Ze voelden zich vrij omdat ze vertelden zonder zich zorgen te maken of verwachtingen te koesteren omtrent de indruk die hun verhalen achterlieten. Toch bleven ze zich gedragen als twee mensen die elkaar net hebben leren kennen, attent en voorzichtig. Zij gedroeg zich als de logee die ze was, ingetogen omdat ze doorhad dat hij er niet van hield dat ze al te innig uiting gaf aan haar dankbaarheid. En hij was zelf ingetogen door de manier waarop hij haar hielp, bang om zijn hulpvaardigheid te overdrijven en haar het gevoel te geven dat ze bij hem in het krijt stond.

Hun ingetogenheid werd niet minder doordat ze zoveel van elkaar afwisten. Tot nu toe had geen van hen commentaar gegeven op de eigen geschiedenis of die van de ander, en ze hadden het er ook niet over gehad dat het vreemd was dat ze zoveel aan een vreemde vertelden. Ze volstonden ermee te luisteren en vragen te stellen over concrete details. Dat was haast een regel tussen hen geworden, hoewel ze dat niet hadden afgesproken. Hij wist zeker dat zij daar ook aan dacht terwijl ze naast hem in de auto zat en haar hoofd tegen de hoofdsteun liet rusten. Dat ze zojuist de regel had overtreden die het tijdens de afgelopen maanden mogelijk had gemaakt om te vertellen zonder angst om blootgesteld te worden aan de veroordeling of het medelijden van de ander.

Op die manier waren hun avonden verlopen, met verhalen die de een aan de ander vertelde. Zij had op de bank gelegen, hij had in een leunstoel gezeten. Soms had hij niet eens naar haar gekeken. Hij had naar buiten zitten kijken in de zomeravond of de eerste herfstavonden terwijl hij naar haar stem luisterde of zijn eigen stem hoorde vertellen, los van alles. Ze hadden daar gezeten als twee vreemdelingen, die elkaar ontmoeten in een stille, schemerige hotelvestibule en met elkaar aan de praat raken. Twee vreemdelingen die er rekening mee houden dat de ander over geen enkele voorkennis beschikt en daarom tekst en uitleg moet hebben. Twee toeristen met heimwee, die in het hotel zijn gebleven in plaats van mee te doen aan de excursie naar Luxor of de piramide van Cheops, omdat ze liever aandachtig willen zitten luisteren naar de samenvallende en afwijkende momenten in hun voor het overige heel gewone geschiedenissen.

Haar geschiedenis was naar buiten gekomen in een vloeiende aaneenschakeling van gebeurtenissen en gedachten, mensen die ze had gekend en plaatsen waar ze was geweest. In het begin merkte hij dat ze zich geneerde wanneer ze dingen aanroerde die ze nog nooit aan iemand had toevertrouwd, en gevoelens die ze nog nooit eerder onder woorden had gebracht. Soms bloosde ze midden in een zin of aarzelde ze voordat ze doorging, maar tegelijkertijd werd hij de druk gewaar van het nog niet vertelde, dat ontwaakte bij het geluid van haar stem en zich opdrong, ongeduldig om ook te worden verteld en een plaats te krijgen in haar relaas. Naarmate dat voortschreed, avond na avond, vergat ze helemaal om onderscheid te maken tussen wat ermee doorkon, en wat er onthullend of zonder meer onsympathiek was. Het ene gebeuren of gevoel trok het andere met zich mee, haar toon werd gaandeweg kalmer en vertrouwelijker, en hij ontdekte dat hij het zelf ook niet langer vreemd vond of te ver vond gaan om naar haar intieme confidenties te luisteren. Alleen wanneer ze zwegen, waneer het stil werd tussen hen, zag hij hoe ze soms zelf plotseling haar inwendige blik op haar geschiedenis richtte, verwonderd, bedroefd of ironisch, alsof ze een vreemde was, die een ogenblik mediteerde over het kronkelige verloop ervan, de doodlopende wegen en begoochelingen, de onrust en het rusteloze streven van de gevoelens.

Er overkwam hem iets soortgelijks wanneer hij zijn eigen stem hoorde vertellen. Hij zag niet zichzelf in zijn relaas, maar een ander, en hij zag deze ander op de rug, niet in staat om zijn diepere beweegredenen te peilen. De geheime gevoelens waarmee hij zo vertrouwd en alleen was geweest, werden zowaar geheimzinnig voor hemzelf. En het was alsof ze zijn gedachten las. Je weet niet waarom de dingen gebeuren, waarom ze worden tot wat ze zijn, zei ze op een avond toen hij een lange tijd stil was geweest. Nee, antwoordde hij. Je weet amper hóe het gebeurt.

Een vlucht... Kon haar geschiedenis in dat ene woord worden samengebald? Was ze die avond in april door die Nederlandse vrachtwagen geremd in een vluchtpoging? Terwijl hij het kalme ritme van het verkeer volgde, vond hij dat het leek als een antwoord op iets wat hij de dag ervoor had gezegd toen ze een wandeling naar de landtong maakten. Ze waren zover gewandeld als ze maar konden komen, helemaal tot de plek waar het rietbos ophield. Ze vroeg hem of hij wilde beschrijven hoe het eruitzag, en hij beschreef het hoge riet en de graspollen en de roeiboot, die aan een paal in het meer lag en zich in het stilstaande water spiegelde. Ze waren de vermolmde paal gepasseerd waar hij altijd zat. Ze balanceerde erop, zich met een hand aan zijn schouder vasthoudend. Het verkleurde pakje Gitanes was verdwenen. Hij vertelde haar erover en zei dat Andreas daar op een dag moest zijn geweest.

Afgezien van de bescheiden boodschappen en simpele berichten die hij doorgaf, had hij het in haar aanwezigheid zelden over Andreas, maar van tijd tot tijd vroeg hij of het niet tijd werd dat ze met elkaar praatten. Elke keer kreeg hij hetzelfde antwoord. Nog niet... Hij vroeg het opnieuw op de landtong. Ze bleef stilstaan. Had hij er genoeg van dat ze bij hem logeerde? Nee, zei hij, maar ik vind dat je vlucht... Het was harder gaan regenen, en hij stelde voor dat ze omdraaiden. Ze zochten beschutting tegen de regen in de schuur van hoge, geteerde planken, die als de enige onderbreking in het vlakke landschap stond. Het grauwe licht drong het halfduister binnen door de kierende planken, waar het meer en de zandbank zich horizontaal uitstrekten, onderbroken door duisternis in loodrechte strepen. Hij zag een grote meeuw boven de zandstrook vliegen, afwisselend verdwijnend en weer opduikend in de kieren. Niet meer, zei ze. Ik vlucht niet meer. Maar naar huis teruggaan... dat zou een vlucht zijn.

Hij zond haar een korte blik toe. En hun reis dan? Ze keerde de donkere bril naar hem toe. Hij deed de ruitenwissers aan en concentreerde zijn blik weer op de weg. De regen stond als een nevel om de wielen van de vrachtwagen voor hem. Was dat ook niet een vlucht? Dat zij hier bij hem in de auto zat en naar het zuiden reed? Het duurde even voordat ze antwoordde. Nee, zei ze. Maar hoe moesten ze het dan noemen? Terugkeren, zei ze. Helemaal terug. Naar het begin... Hij haalde de vrachtwagen in en ging weer terug naar zijn rijstrook. Ja, antwoordde hij. Dat is vermoedelijk de enige weg voorwaarts.

In het grootste gedeelte van Duitsland regende het. De landschappen leken op elkaar, bossen, velden, fabrieken en opnieuw bossen, onduidelijk en blauwgrijs in de regennevel. De namen van de steden vertelden hen hoever ze waren gekomen. Hij las ze hardop voor wanneer ze weer een bord passeerden. Ze nam een sigaret uit het pakje, dat onder de voorruit lag en plaatste die tussen haar lippen. Ze waren zojuist Hannover gepasseerd. Op de satellietopname in het weerbericht van de avond tevoren had een gigantische wolkenspiraal zich boven Noord-Europa bewogen, in een langzame, schokkerige beweging. Dus vanavond konden de astronauten de lichten van de steden niet zien. Ze glimlachte met de lippen om de sigaret geklemd en knipte haar aansteker aan. Hij werd altijd zenuwachtig wanneer ze een sigaret opstak. De eerste weken was het herhaaldelijk voorgekomen dat ze haar haarpuntjes schroeide of de filter aanstak, maar hij was eraan gewend geraakt om niet in te grijpen.

Ze wist de sigaret aan te krijgen, inhaleerde en blies de rook langzaam uit. De astronauten? Ja, zei hij, en hij vertelde over een foto die hij ooit in de krant had gezien. Die was genomen tijdens een heldere nacht, vanuit de ruimte. Je kon de contouren van Europa duidelijk onderscheiden omringd door donkerblauw, met oplichtende plekken bij elke grote stad op het continent. De foto was als illustratie bij een artikel over lichtverontreiniging gebruikt. Hij had dat woord niet begrepen. Hoe kon licht verontreinigen? Zij was het met hem eens. Ze had die foto ook gezien. Het was een van de mooiste foto's die ze had gezien. Als een spiegelbeeld van de sterrenhemel, zei ze. Alsof elke stad een ster was. Ja, antwoordde hij. Hij haalde zijn hand van de versnellingspook en trok de asbak open. En denk je eens in dat de lichten van de steden op een dag bij een verre, bewoonde planeet aankwamen, lange tijd nadat de steden en de bewoners ervan zelf waren verdwenen. Ze knikte. Zielig voor ze, zei ze, als ze erachter komen dat het geen sterren zijn, maar steden. Dan zullen ze gaan geloven dat ze niet alleen zijn in het universum.

Daar was Robert het niet mee eens. Zou het soms jammer voor ons zijn als we dachten dat de sterren steden waren? Het leven zou hun integendeel gemakkelijker voorkomen, zei hij, bij de gedachte dat er lichtjaren van hen vandaan net zulke malloten als zij hadden geleefd, die vast en zeker net zo verward waren. Ze glimlachte. Hoe kon hij er zeker van zijn dat ze net zo verward zouden zijn? Hij haalde zijn schouders op. Hij kon zich geen leven voorstellen zonder verwarring. Tenzij je leeft zonder het zelf te weten, antwoordde ze. Maar dan maakte het natuurlijk allemaal niets uit. Ja, zei hij. Maar het is erger als je gelooft dat je leeft, en je gedachten zijn dan in werkelijkheid het vertraagde licht van een gedoofde ster. Ja maar, mijnheer de dokter! riep ze uit, terwijl ze de as naast de asbak tikte, zodat de asschijfjes op haar linkerknie dwarrelden. Ze wist niet dat hij zo filosofisch kon zijn. Dat wist hij zelf ook niet.

Hij zette een bandje met Beethovens late strijkkwartetten op en zonk weg in de muziek terwijl ze langs de industriecomplexen reden en langs de lussen van invalswegen naar de grote steden. Al die gevoelens, dacht hij. De muziek vibreerde ervan, nu eens rauw, dan weer glad, nu eens hees en trillend, dan weer zingend in de warme klankbodem van de instrumenten, als dunne kristallen glazen die door een natte vinger aan het trillen worden gebracht. Er waren zoveel gevoelens in die muziek, maar ze waren hun gezicht kwijtgeraakt, ze waren opgeroepen door iets of gericht op iemand, ze waren opgeslokt door de transformerende kracht van de muziek. De anonimiteit ervan was de prijs die hij betaalde om in zijn auto te kunnen zitten, omgeven door vreemde auto's en verkeersborden, fabrieken en steden, en zich niettemin herkend en ontmaskerd te voelen. Ze zaten zwijgend te luisteren naar de muziek, die de steden met elkaar verbond net als het eindeloze asfalt. Die betekende iets verschillends voor hen, dezelfde muziek, zoals die vibreerde door hun hoofden, en dat kon alleen omdat de muziek zelf helemaal niets betekende.

Het lichte gevoel, dat hij die ochtend had gehad bij het vooruitzicht dat ze op reis zouden gaan, had plaatsgemaakt voor een doezelige matheid, maar hij voelde zich niet zwaar zoals gewoonlijk wanneer hij moe was. Hij raakte ook niet zozeer uitgeput door het monotone rijden. Zijn lichtheid was overgegaan in een eigenaardig gevoel van gewichtloosheid, en het was alsof de nu eens onrustige, dan weer treuzelende strijkinstrumenten weerklank in hem vonden als in een holle ruimte omgeven door poreuze wanden. Opeens deed het onrealistisch aan dat hij in zijn auto zat naast zijn gewezen patiënt op weg naar de stad waarnaar ze was vernoemd. De laatste maanden had hij geen tijd gehad om te soezen en te vegeteren zoals hij gewend was. Wanneer hij van zijn werk kwam, was zij er, of ze nu met elkaar praatten of dat zij in haar eentje op het terras zat, en in de weekends kwam Lauritz en vulde het huis met zijn speelgoed en zijn lichte, babbelende stem. Hij was vaker samen met haar zoon dan met zijn eigen dochter, en de jongen was zich op niet te overziene wijze aan hem gaan hechten.

Toen ze in de auto stapten na te hebben getankt en koffiegedronken op een picknickplek in de buurt van Würzburg, deed ze de radio aan voordat hij erin slaagde Beethoven weer op te zetten. Ze liep langs de verschillende stations, tot ze er een vond dat popmuziek speelde. Hij luisterde nooit naar dat soort muziek, maar hij bedacht dat het haar beurt moest zijn om te kiezen, en na honderd kilometer was de gedachteloze popmuziek één geworden met zijn vreemde, zowel ontspannen als melancholieke humeur. Af en toe praatten ze wat. Zij informeerde naar details van iets wat hij haar had verteld, of antwoordde wanneer hij haar vroeg iets meer te vertellen over een van de mannen die ze had gekend.

Terwijl hij zijn eigen stem hoorde en luisterde naar die van haar boven de zachte, verdovende popmuziek uit, herkende hij het gevoel dat hem had getroffen toen hij op het strand stond en Lea langs de zandbank zag zwemmen, de laatste zondag voor de grote vakantie. Het was hetzelfde gevoel dat hem een paar weken later overweldigde toen Lauritz voor het eerst bij hem had overnacht. Hij was zijn huis niet ingegaan toen hij terugkwam na de jongen naar huis te hebben gereden. Hij zat in de auto en dacht aan wat Andreas hem had verteld over zijn uitstapje naar Stockholm. Zijn mislukte vluchtpoging uit het leven waarover hij nu zo vreselijk devoot sprak. Terwijl Robert beurtelings de inhaalstrook op gleed en zich weer terug liet glijden in de rij auto's die naar het zuiden reden door Duitsland, moest hij weer denken aan Lucca's ogen op de foto uit Parijs en de onduidelijke, vage herinnering die haar blik had opgeroepen. Als een stilzwijgend memo omtrent een nalatigheid, maar wat? Zoiets als een verzuim, had hij gedacht, een niet nagekomen belofte, maar waarover en aan wie?

Het was niet zozeer de gedachte aan de manier waarop Andreas zijn sigaretten had gerookt en pruimen naar binnen had gewerkt, terwijl hij zich uit de ene begoocheling wikkelde enkel en alleen om in een andere verwikkeld te raken. Dat was het niet wat hem had verlamd, zodat hij in zijn auto bleef zitten luisteren naar de grassproeiers in de stille tuinen, terwijl hij naar zijn eigen idiote plastic stoelen staarde, die zich spiegelden in de ruit die op het terras uitkeek. De verlamming was ook niet te wijten aan de plotselinge en weemoedige erkenning dat Lea binnenkort een jonge vrouw werd die hem niet langer nodig had. Dat was niet de reden waarom hij zich op een zijspoor voelde gezet toen hij naar haar zwaaide daar bij de stelnetstokken en later, op het moment dat de trein zich in beweging zette en hij een eindje meeliep op het perron om haar gezicht een paar seconden langer te kunnen zien.

Achter Lea's gezicht in het coupéraam en dat van Lucca op het terrasje doken andere gezichten op. Hij zag Monica's gezicht voor zich terwijl ze uitkeek over het water en een sigaret rookte, een late namiddag op het strand een paar jaar voor de echtscheiding. Hij zag zijn moeder op haar balkon zitten uitkijken over de spoorbaan naar het lege vlak van rode bakstenen van de energiecentrale, dat het laatste schijnsel van de zon opving. Hij zag een andere, blozende Monica haar gezicht over hem heen buigen onder een wollen deken in de Alpen, en hij ontwaarde Sonja's jonge, opgewonden gezicht achter dat van Monica, voorovergebogen op dezelfde manier terwijl ze hem bereed als was hij een mechanisch speelgoedpaard. En achter hen werd hij Ana weer gewaar, die hem haar donkere blik toewierp dwars door die van alle anderen heen, op het moment dat ze met loshangend haar op het nevelige patroon van een donkerrood vloerkleed ging liggen, die winteravond in hun jeugd toen ze hem eindelijk gaf wat hij zó lang had gewenst, dat hij was vergeten waarom, zo vurig dat het te weinig was geworden voor zijn onverzadigbare honger.

Hij was te jong geweest toen hij Ana kwijtraakte, te jong om zo snel iets te verliezen waar hij zo hevig naar had verlangd. Hij had zich teruggetrokken in een hol diep binnenin zichzelf. Geschrokken had hij gadegeslagen hoe zijn lichaam zich daarbuiten amuseerde met deze en gene. Hij was pas uit zijn schulp gekropen toen Monica een wollen deken over haar hoofd heen trok om hun eerste kus te beschermen tegen het lelijke licht van de met sneeuw bedekte bergen. Op dat moment had hij geleerd om geduldiger, bescheidener in zijn wensen te zijn, maar misschien was zijn lichaam er ook aan gewend geraakt om met rust gelaten te worden. Het was in elk geval weer zijn eigen gang gegaan toen Sonja opdook in de tuin van de jurist bij het Hooggerechtshof en een demonstratie gaf van haar sterke kuiten en tere borsten terwijl ze tai chi beoefende tot hij helemaal gehypnotiseerd was.

Datgene wat niets te betekenen had, had verslonden wat alles moest betekenen, niet met de onverzadigbaarheid van de begeerte, maar met die van het stilzwijgen. In werkelijkheid was hij minder gulzig geweest dan zoveel anderen, maar datgene wat van hem werd, was uiteindelijk weer uit zijn handen geglipt omdat hij het losliet of omdat hij het niet langer met dezelfde overtuiging kon vasthouden. Terwijl hij de gezichten van zijn geschiedenis voor zich zag, werden ze dun en doorzichtig, Ana, Monica en Sonja, zelfs zijn moeder en Lea verbleekten voor zijn inwendige blik. Op het laatst vloeiden ze ineen en vervaagden als reflecties, wanneer een windstoot de waterspiegel in rep en roer brengt met plotselinge rimpelingen. Hij zag het vlakke landschap weer voor zich, waar hij zo vaak naartoe was gegaan, de zandbanken en het riet, de eenzame schuur van geteerde planken, de wisselvallige tekens van de vogels in de lucht en de graspollen van het meer, de sprieten die onder water stonden.

Na middernacht reed hij een parkeerterrein op voor een motel tussen Stuttgart en Tübingen. Lucca had het laatste uur zitten slapen. Het was dom dat hij zo ver was gereden terwijl ze allebei moe waren, maar hij had zich laten meeslepen door de tranceachtige monotonie van het rijden en was voortdurend gezwicht voor de verleiding om honderd kilometer extra te rijden. Toen hij de motor uitdeed en zich uitrekte op zijn zitplaats, haalde de vermoeidheid hem in. Hij zat een poosje suffig door de druppels op de voorruit te kijken, die glinsterden in het schijnsel van het gele neonbord van het motel. Het was donker in het restaurant achter de witte mousselinen gordijnen, die van bovenaf door blauwige neonbuizen verlicht werden.

Hij herhaalde haar naam meerdere keren, in het begin gedempt, vervolgens met meer nadruk. Op het laatst legde hij een hand op haar schouder en schudde die zachtjes. Ze werd met een schok wakker, geschrokken en confuus. Hij vertelde haar waar ze waren. Zo ver al... Haar stem was hees van de slaap. Ze excuseerde zich omdat ze had geslapen in plaats van hem te onderhouden zodat hij niet moe werd. Hij droeg hun tassen in de ene hand en nam haar arm terwijl ze zich door de regen haastten.

De inrichting van het motel was pseudo-romantisch, alsof men de gasten wilde doen geloven dat ze zich tegelijkertijd in een jagershut, een casino en een solide, christelijke woning bevonden. Terwijl ze zich lieten inschrijven, zei hij dat ze blij mocht zijn dat ze niet kon zien hoe lelijk het daar was. Ze reageerde niet, het was ook niet bepaald grappig opgemerkt, maar het was een onderlinge stijl geworden, die ietwat cynische toespelingen op haar handicap. Ze stond wat te zwaaien, alsof ze ter plaatse in slaap aan het vallen was. Ze kregen kamers naast elkaar. Hij toonde haar het bed en waar de deur was van de badkamer voordat hij naar zijn eigen kamer ging en op bed viel met al zijn kleren aan.

Hij had niet eens zijn schoenen uitgetrokken, hij moest onmiddellijk in slaap zijn gevallen. Eerst had hij er geen idee van waar hij was, en hij bleef op zijn zij liggen met de schoenen in de deken verwikkeld, terwijl hij keek naar het grote licht van de passerende vrachtauto's. Het was langgeleden dat hij een droom had kunnen onthouden. In de regel vervaagde de droom zodra hij wakker werd, en zag hij slechts enkele onsamenhangende details voor zich op het moment dat ze verbleekten. Deze droom herinnerde hij zich glashelder. Hij trok het kussen onder zijn oor en snoof de geur van waspoeder op in de koele, gladde sloop.

Het was een kleurloze droom in grijze, witte en zwarte tinten. Hij was nog nooit in Afrika geweest, maar dáár bevond hij zich, waarom wist hij niet en ook niet wat het voor een vertrek was waarin hij stond. Hij knielde neer voor een jongetje met kroezig haar, dat met de tondeuse was geknipt. Een jochie van vier, misschien vijf jaar, niet donkerbruin, maar grijs zoals al het andere in de droom. Het jongetje had geen ogen. Waar de ogen hadden moeten zijn, was niets, alleen maar een dunne, grauwe huid. Iemand sprak hem toe achter zijn rug, hij wist niet wie. Hij kon degene die sprak niet zien, en kon ook niet horen of het een man of een vrouw was. De stem vertelde hem wat hij moest doen. Hij moest zijn handen uitsteken en over de huid wrijven, daar waar het jongetje zijn ogen had moeten hebben. Hij wreef voorzichtig met zijn vingertoppen en voelde hoe de gespannen vliezen bij de lichte aanraking braken. Op het moment dat de lapjes huid zich oprolden, kwamen er twee donkere jongensogen aan het licht. Toen werd hij wakker.

In het begin wist hij niet wat het was, dat drukkende gevoel in het middenrif, dat hem deed instorten met het voorhoofd tegen de knieën. Hij kon geen ademhalen, en een paar seconden lang zat alles in zijn lichaam vast in een verlammende bankschroef, tot de kramp in plaats van zijn greep losser te maken veranderde in een overmachtige kracht, die door hem heen beukte in harde, ritmische stoten. Tenslotte voelde hij het huilen uit zijn longen en keel naar buiten breken, hol, diep en onmogelijk te stoppen.

Even later verslapten zijn spieren, het huilen verstomde en hij kon rechtop zitten. Hij droogde zijn ogen en keek naar de silhouetten van de geparkeerde auto's. Op zijn horloge was het even over halfdrie. Hij vond een sigaret en stak die op. De deur naast het raam voerde naar het parkeerterrein. Hij ging naar buiten, het was opgehouden met regenen. De koude wind ging dwars door zijn overhemd, maar hij bleef heen en weer lopen langs de rij vrachtauto's en aanhangers. Het motel lag aan de rand van een bos. Daar had hij geen erg in gehad toen ze aankwamen. De toppen van de hoge pijnbomen tekenden zich zwak af tegen de nachthemel boven de verduisterde ruiten van het gebouw.

Hij werd pas om halftien wakker. Lucca antwoordde onmiddellijk toen hij op haar deur klopte. Ze zat met haar jas aan bij het open raam. Haar tas stond gepakt op het bed. Ze zwegen terwijl ze in het restaurant zaten. De sluitwand was gedecoreerd met hertengeweien, en er klonk een gedempte Weense wals uit de onzichtbare luidsprekers. Hij haalde ontbijt voor hen bij het buffet. Er zat niemand aan de andere tafeltjes, en het parkeerterrein was bijna leeg. Hij vroeg of ze goed had geslapen. Hij zag zichzelf en een stukje van de bosrand in haar donkere bril toen ze haar gezicht naar hem toekeerde. Ik heb je gehoord, zei ze stil. Hij richtte zijn blik op de pijnbomen en de gangen van ruige stammen, die vervaagden in het donker. Haar kopje rammelde tegen het schoteltje, en even later voelde hij de warmte van haar hand op de zijne. Ik ben je vriend, zei ze. Hij keek haar aan. Mijn vriend? Ze knikte. Ja, zei ze met een scheve glimlach. Je vriend in den blinde...

Toen ze in de auto hadden plaatsgenomen, vouwde hij de kaart uit over het stuur en volgde de zuidelijke route naar de Zwitserse grens en verder via Zürich, de Sint-Gotthard en Milaan. Ze zette het bandje met Beethovens strijkkwartetten op. Hij vroeg of ze niet iets anders konden horen. Wat? Hij volgde met zijn vinger de verdere route naar Genua en langs de kust via La Spezia naar Viareggio, waar ze opnieuw landinwaarts moesten. Doet er niets toe, zei hij, de kaart opvouwend. De melodieën van deze tijd, voegde hij eraan toe op het moment dat hij de auto startte. Ze draaide de rode naald langs de FM-band tot ze een station vond dat helder doorkwam. Hij was dankbaar dat ze niets zei. Haar zwijgen was niet verlegen en ook niet geschrokken, ze liet hem gewoon met rust. Ze zweeg, zoals je dat doet naast iemand die zich in een staat van diepe concentratie bevindt.

Niet dat hij zich op iets anders dan op het rijden concentreerde. De gedachten vlogen als vogels door zijn hoofd, en hij deed geen enkele poging ze vast te houden, maar hij was klaarwakker. Een uur later reden ze door de Alpen. De matheid van gisteren had plaatsgemaakt voor een helder, scherp gevoel, als een weerspiegeling van het witte licht dat hem verblindde wanneer ze uit de zoveelste tunnel kwamen, zodat hij zijn ogen dicht moest knijpen.

Aan het eind van de middag bereikten ze Viareggio. De hemel was bewolkt, en het waaide vanuit zee. De blauwgrijze kleur van het water lichtte op tot kalkgroen onder het rafelige schuim wanneer de golven zich welfden en neerploften. Ze liep een eindje voor hem uit en porde in het zand met haar witte stok. Hij was stil blijven staan om zijn ene veter te strikken. Het brede strand lag er volkomen verlaten bij. Een zwarte hond liep verward rond met de tong uit zijn bek en ontblote tanden, alsof hij naar de wind hapte. Verderop noordwaarts, achter haar eenzame gedaante in de wapperende jas, ontwaarde hij het rotseiland ter hoogte van La Spezia en de kaap, die schuin oprees en vergroeide met de Apuaanse Alpen. De hoogste piek was wit, niet van de sneeuw maar van het marmer. Hij richtte zich weer op en haalde haar in. Kleine druppeltjes zout water bedekten haar donkere bril in een fijne laag. Als marmerstof, dacht hij. Ze liepen terug en volgden de strandpromenade langs de gesloten hotels met hun chique gevels en de Jugendstil-paviljoens tussen de promenade en het strand. Er waren bijna geen mensen. Je hoorde alleen het gedempte bulderen van de branding op de achtergrond en het geluid van haar hakken en het getik van haar dunne stok.

Hier ergens, zei Lucca, ergens in deze buurt heeft ze hem voor het eerst gezien. Robert probeerde zich een voorstelling te vormen van een nieuwe uitgave van de vrouw met de rijpe, gecultiveerde stem, met wie hij een paar keer per week door de telefoon had gesproken. Een jonge Else staande in haar mantelpakje aan de rand van de nieuwsgierige menigte, die een filmopname met Marcello Mastroianni volgde. Er waren vermoedelijk schijnwerpers achter de camera geweest, ook al scheen de zon. Ze schilderden het tafereel voor elkaar terwijl ze langs de rij verwaaide palmen liepen. Het ontwikkelde zich tot een spel, waarin ze om beurten op de fantasieën van de ander voortborduurden.

Else was vermoedelijk gefascineerd geraakt door de manier waarop de mengeling van zonlicht en wit schijnwerperlicht de acteurs in een magische sfeer hulde, waarin je onmogelijk kon doordringen, als een droom. En daar, zeulend met een lange microfoonstang terwijl hij behendig de beweging van de camera langs de rails volgde, dook opeens de jonge, donkerharige man in haar gezichtsveld op, misschien voordat, misschien nadat hij tijdens een pauze tussen twee opnames zijn oog had laten vallen op het elegante Scandinavische meisje aan gene zijde van het witte licht der tovercirkel. Ze keek niet langer naar Mastroianni, nu was het Giorgio, maar dat wist ze niet. Ze kende zijn naam nog niet, en kon evenmin weten dat hij de vader van haar dochter zou worden. Enkel en alleen omdat ze wat had rondgeslenterd op de strandpromenade in Viareggio en uit louter nieuwsgierigheid was aangetrokken door het kunstmatige, witte schijnsel rond de samendrommende toeschouwers.

En daarginder, zei Robert en wees alsof dat zou helpen, daarginder achter een van de dichte luiken kleedde ze zich voor het eerst uit voor haar minnaar, terwijl haar man lag over te geven op een van de andere etages omdat hij een paar oesters had gegeten die hij niet had moeten eten. Ja, zei Lucca. Je moest je voorstellen dat het middag was, en dat de grijze zonnestrepen van de luiken hun jonge, nieuwsgierige lichamen liefkoosden, net als in een film. En knip! Toen was haar leven veranderd, nu hield ze van een ander, en haar geschiedenis maakte een totaal andere draai, iets wat geen van hen zich in hun wildste fantasie had kunnen voorstellen. Bij toeval, zei Robert. Ja, antwoordde ze. Ik ben een heel toevallig meisje!

Het licht was aan het tanen toen ze Viareggio verlieten en oostwaarts reden tussen de met pijnbomen en olijven begroeide heuvels. In de schemering dook de ene heuvelrug na de andere op. De heuvels leken op de beweegbare decorstukken in een poppentheater met delicaat uitgeknipte silhouetten van pijnboomkruinen en spitse cipressen. Het was donker toen ze in Lucca aankwamen. Hij reed om de stad heen langs de ringmuur en naar binnen door een van de poorten naar het oude stadsgedeelte. Ze parkeerden op het plein voor een kerk. De marmeren façade lichtte geel op in het schijnsel van de straatlantaarns. Ze was stil. Hij vroeg zich af of dat de kerk was waarvoor Giorgio had gezeten toen hij werd gefotografeerd op een dag in zijn vroege jeugd, blij en onwetend, terwijl de laagvliegende zwaluwen hun verwarde schaduwen op het marmer van de façade wierpen. Ze gingen te voet verder door een straat zonder auto's. Er waren veel mensen op straat, de winkels waren nog open. De witgekalkte muren weergalmden van de stappen en stemmen, en onder het geroezemoes hoorde hij het puntje van haar dunne stok, wanneer dat het plaveisel beroerde. Hij vroeg of hij de stad voor haar zou beschrijven. Nee, zei ze, ietwat geprikkeld. Heb ik jou soms ooit gevraagd om jezelf te beschrijven?

Ze namen plaats in een café, zij bestelde een espresso en een grappa. Hij was verrast haar Italiaans te horen praten. Hij bestelde een biertje. Ze hadden een poosje gezeten zonder iets te zeggen, toen ze overeind kwam. Ik ga een eindje wandelen, zei ze. Zou hij meegaan? Liefst niet. En als ze zoek raakte? Ze haalde haar schouders op. Dan moest hij haar maar zien te vinden. Terwijl hij in zijn eentje zat te kijken naar de in jassen gestoken inwoners van de stad die binnenkwamen en bij de tapkast gingen staan, begon hij te begrijpen waarom ze niet wilde weten hoe het er daar uitzag.

Hij had de vierkante toren voor haar kunnen beschrijven, op de top waarvan bomen groeiden, of de kerkfaçade bestaande uit zuilen die allemaal verschillend waren, sommige met dierenreliëfs of geometrische patronen, andere kronkelig of zo bewerkt dat het erop leek dat er een knoop in was gelegd. Hij had de engel kunnen beschrijven die op de kerkgevel stond en met een plagerige glimlach op de voorbijgangers neerkeek, en hij had het smalle trappetje aan de achterkant van de gevel kunnen beschrijven, ogenschijnlijk totaal zinloos tenzij het de weg was waarlangs de engel omhoog was geklommen omdat ze er niets voor voelde om de mensen aan het schrikken te brengen door aan te komen vliegen. Maar dat zouden alleen maar beelden voor haar zijn geworden, zijn beelden, waarvan ze zich slechts vage en onprecieze voorstellingen kon maken.

Wat kon het haar schelen hoe mooi de stad was? Ze kon hem toch niet zien. Hij dacht aan wat ze had gezegd. Het was waar, ze had hem nooit gevraagd hoe hij eruitzag. Alleen toen hij de eerste keer bij haar binnenkwam zonder zijn jasschort en zij wilde weten wat hij aanhad. Ze had geen idee van zijn gezicht. Voor haar was hij een stem en datgene wat de stem haar vertelde, en de afwachtende, luisterende stilte, waarin ze zelf kon vertellen. Iets soortgelijks moest ze met haar stad ervaren. Voor haar was het een naam en de echo van stappen en stemmen, die zich vermengden met haar gedachten tussen de onzichtbare muren van de naam. Hij herinnerde zich hoe hij de dag ervoor in de deuropening van Lea's kamer naar haar had staan kijken terwijl hij dacht dat ze sliep. Haar eigen gezicht ging haar niets meer aan. Ze was het gaan opvatten als iets wat buiten haarzelf lag. Als een masker, dacht hij. Je ziet het niet wanneer je het draagt. Waarom zou je je er zorgen over maken wanneer je geen andere hebt?

Hij stelde zich voor hoe ze rondliep met haar tikkende stok tussen de andere voetgangers in de oude, smalle straten, hoe ze zich bewust was van elke straathoek en die intekende op een kaart in haar herinnering. Toen hij een halfuur had gewacht, begon hij ongerust te worden. Hij betaalde en ging naar buiten om haar te zoeken. De winkels stonden op het punt dicht te gaan, de winkeliers lieten de rolluiken neer voor de etalages, en hij bedacht dat ze hetzelfde rammelende geluid moest kunnen horen, ergens anders, misschien niet meer dan een paar straten daarvandaan. De maan was verschenen, bijna vol. Ze stond boven een middeleeuwse toren, waarvan de enige versiering uit een witte marmeren wijzerplaat bestond. De maan en de klok leken elkaars evenbeeld. Hij had de gelijkenis graag voor haar uit de doeken willen doen, en hij werd een ogenblik verdrietig bij de gedachte aan haar beeldverbod.

Hij had een hele tijd kriskras door de straten gelopen, steeds onrustiger, toen hij haar in de gaten kreeg. Ze was omlijst door een poort in een merkwaardig gewelfde gevel. De poort voerde naar een plein omgeven door aan elkaar gebouwde huizen, allemaal geel gekalkt, met kleine raampjes op ongelijke hoogte. Ze stond doodstil tussen de voorbijgangers, midden op het plein, met haar gezicht omhoog. Voor de poort bleef hij staan. Het schoot hem te binnen dat hij over dat plein had gelezen in een reisgids. Er had zich een Romeinse arena op die plaats bevonden, en nadien had men huizen gebouwd in een cirkel, die de omtrek van de arena volgde. Er was niets

opmerkelijks aan de huizen. Het waren heel gewone huizen met wasgoed aan lijnen en luiken die openstonden in woningen waar eten werd gekookt en televisie werd gekeken. Het bijzondere aan het plein was de langgerekte, elliptische ronding ervan.

Hij sloot zijn ogen en luisterde naar de stappen, die naderbij kwamen of zich verwijderden in vluchtige, contrapuntische figuren. De wanden achter de open ramen weerklonken van stemmen, knarsende stoelpoten, keukenapparaten en schetterende tv-apparaten, en de geluiden vermengden zich tot een samenhangend gemompel boven zijn hoofd. Zo klonk het waarschijnlijk elke avond wanneer de bewoners van de huizen thuis waren gekomen. Een scooter reed over het plein. Het was een gewone avond in Lucca, waarop er niets bijzonders zou gebeuren. Een avond waarop ze alleen maar bij elkaar zouden zijn, de mensen die hier woonden, of ze nu gelukkig waren of het tegenovergestelde of iets ertussenin. Robert bleef staan tot de scooter was gepasseerd voordat hij naar haar toe liep. Ze keerde zich naar hem toe en glimlachte. Zo, daar ben je... Hij pakte haar hand beet. Ik kan de weg heus zelf wel vinden, zei ze. Dat weet ik best, antwoordde hij.